अदब में बाईं पसली

खंड : पाँच

भारतीय उर्दू कहानियाँ

संपादन व अनुवाद

नासिरा शर्मा

लोकभारती प्रकाशन

लोकभारती प्रकाशन
पहली मंज़िल, दरबारी बिल्डिंग, महात्मा गांधी मार्ग
इलाहाबाद–211 001

वेबसाइट : www.lokbhartiprakashan.com
ई–मेल : info@lokbhartiprakashan.com

शाख़ाएँ : 1–बी, नेताजी सुभाष मार्ग, दरियागंज
नई दिल्ली–110 002
अशोक राजपथ, साइंस कॉलेज के सामने
पटना–800 006
36 ए, शेक्सपियर सरणी, कोलकाता–700 017

पहला संस्करण : 2017

आवरण-चित्र : नास्सेर ओवेस्सी

बी.के. ऑफसेट
नवीन शाहदरा
दिल्ली–110 032 द्वारा मुद्रित

Adab Mein Baaeen Pasli-5
BHARTIYA URDU KAHANIYAN
Edited and Translated by Nasera Sharma

ISBN : 978-93-86863-10-2

मूल्य : ₹795

सय्यद मोहम्मद हामिद अली के साथ
उन सभी के नाम
जिनकी हस्तलिखित पांडुलिपियाँ आज भी
छपने के इन्तज़ार में हैं।

अनुक्रम

परिशिष्ट

आओ बात करें मिट्टी और पानी की तासीर की

यह अस्सी के दशक की बात होगी, जब मैं पूरी तरह से दो भाषाओं के बीच का संतुलन साध रही थी। एक तरफ़ हिंदी भाषा में लेखन की ख़्वाहिश और दूसरी तरफ़ फ़ारसी भाषा को बेहतर जानने की तड़प। इस भागदौड़ में अंग्रेज़ी, उर्दू मुझसे छूटती चली गई। ऐसा नहीं था कि उर्दू पढ़ने की हुड़क न उठती हो और सब कुछ छोड़कर सिर्फ़ उर्दू साहित्य पढ़ने में डूबी न हूँ या फिर अंग्रेज़ी की बेहतर चीज़ों के पन्ने न पलटे हों, मगर होता यह है कि पुरानी मुहब्बत या पुराने रिश्ते आपके अंदर ठहर तो जाते हैं, मगर अपनों को समेटकर थोड़ी जगह नई चीज़ों को फलने-फूलने के लिए भी छोड़ देते हैं; ख़ासकर तब जब उर्दू की साहित्यिक पत्रिकाएँ धीरे-धीरे बंद हो रही हों और हिंदी में आपकी कहानियाँ हर पत्र-पत्रिकाओं से माँगी जा रही हों तो आपको फ़ैसला तो करना पड़ेगा कि आप चार-पाँच भाषाओं में से किसी एक को अपने लिए चुनें।

फ़ारसी से कविताओं-कहानियों के किए गए हिंदी-उर्दू अनुवाद पत्र-पत्रिकाओं में छपते ही रहे हैं। एक दिन मैंने फ़ैसला ले ही लिया कि मैं सिर्फ़ दो ज़बानों तक सीमित रहूँगी। उस समय राजकमल से मुझे कुर्रतुल ऐन हैदर के उपन्यास के अनुवाद को लेकर फ़ोन आया कि वह आपके नाम पर रज़ामंद हैं। मुझे उछलना चाहिए था, मगर नादान थी अपनी हिमाक़त में कह उठी, ''जी मैं उर्दू से हिंदी में अनुवाद नहीं करती हूँ।'' आज भी अपनी उस बेवकूफी को सोचकर अक्सर हँसी आती है। और उस चाहत को याद कर दुखी होती हूँ जो चाहत मुझे फ़ारसी भाषा ने दी थी, जिसने मुझे कार्य का क्षेत्र दिया और लोगों को शत्रु बनाया। सुख के सुगम रास्ते का पता नहीं था या फिर वह मेरी क़िस्मत में नहीं था, या फिर नई पगडंडी पर चलना मेरा मुक़द्दर था!

मेरे अनुवाद को *इकोज़ ऑफ ईरानियन रेवोलूशन* नामक पुस्तक, जो चार भाषाओं में एक साथ छपी थी और उसका दूसरा नाम *शेर एतराज़* था। उसे देखकर कैफ़ी आज़मी ने अपनी पुस्तिका भेजी थी कि मैं उसका फ़ारसी में अनुवाद कर दूँ और मैं 'इबलीस से गुफ़्तगू' का कुछ न कर पाई। इस तरह ईरान और अफ़ग़ानिस्तान में इस तरह डूबी कि चाहकर भी कोई वक़्त न निकल पाई। आज भी वह याद कर मैं कैफ़ी साहब के सामने अपने को मुजरिम समझती हूँ। ख़ासकर तब जब मुझे यह

पता चला कि उन्हें फ़ारसी से बेहद लगाव था और वह उसे एक भाषा की तरह पढ़ना सीखना चाहते थे, मगर वह भी इंक़लाब के ख़्वाब में लाल सितारे की ताकते हुए संघर्षमय जीवन व्यतीत करते रहे। शायद हम सब अपने जाल में ख़ुद को जाने-अनजाने क़ैद कर लेते हैं और अच्छे और बेहतरीन अवसरों को गँवा बैठते हैं।

लंबा अरसा गुज़र गया। उर्दू में मेरी पत्रकारिता तो जारी रही, मगर कहानियाँ मेरे ही द्वारा लिखी हुई उर्दू में छपना बंद हो गईं। यह अलग बात है कि मेरे पसंद करने वाले मेरी कहानियों को अपनी ख़्वाहिश से अनुवाद कर एक दो बची अदबी पत्रिकाओं में जब-तब छपवाते या छापते रहे। लखनऊ से रामलाल जी का ख़त मिला था कि आप उर्दू के साथ होने वाली ज़्यादती में हमारे साथ शरीक हों परंतु मैं लखनऊ नहीं जा पाई, क्योंकि मैंने अपने को बड़ी मुश्किल से समेटने में कामयाबी हासिल की थी और नया जानने की ललक की उस जद्दोजहद में अपने ज़हन को सँवार रही थी। पता नहीं यह मैं थी, जो अपने रास्ते को छोड़ रही थी या फिर कोई शक्ति थी जो मुझे अपने तयशुदा रास्ते से उखाड़कर नई राह की तरफ़ धकेल रही थी?

यह भी हो सकता है कि मैं भाषा के तंग दायरे से निकलकर नए आकाश में विचरने का सुख नहीं छोड़ना चाहती थी। फिर एक सच और था कि जो यह सुनता कि मुझे फ़ारसी आती है, उसकी आँखों में मेरे लिए एक ख़ास चमक उभरती, जो मुझे आश्वस्त करती कि सही रास्ता पकड़े हो बढ़ती जाओ और ऊपर से हिस्ट्री के कुछ प्रोफेसर और शोधकर्ता भी मुझसे कुछ-न-कुछ पढ़वाने के लिए फ़ोन करते। मुझे याद है जे.एन.यू. के परिसर में रज़िया आपा अपने दामाद अली बाक़र साहब, जो ख़ुद बड़े संवेदनशील लेखक थे, के घर के सामने टहल रही थीं। इत्तेफाक़ से मैं उधर से गुज़री और मेरे सलाम के जवाब के बाद वह मुझे घर ले गईं। जिस प्यार और रुचि से वह चाय पीते हुए मुझसे सवाल कर रही थीं और मेरे लिखे रिपोर्ताज़ों और नज़्मों के तर्जुमों का पसंदीदा अंदाज़ से ज़िक्र कर रहीं थी, वह भी मुझे एक साथ पुरानी ज़मीन से उखाड़कर नई ज़मीन पर लगा रहा था। मुझे हर तरफ़ से प्यार और आदर मिल रहा था, इसके सिवा मुझे और चाहिए क्या था कि मेरे लेखन की शुरुआत में ही मुझे एक ख़ास तवज्जो मिल रही है और सच्चाई यह कि यह मेरा बनाया पुल था हिंदी से फ़ारसी तक जिसमें उर्दू अपना भरपूर वजूद रखती थी।

अब सवाल यह है कि आख़िर यह करिश्मा हुआ कैसे कि मैं उर्दू की इतनी ढेर कहानियों का हिंदी लिपि में एक के बाद अनुवाद करती गई जिसमें कई तो और अनुवादकों द्वारा की जा चुकी थीं तो मैं उन्हें लिपिबद्ध करने का हठ क्यों कर बैठी आखिर यह बदलाव क्योंकर आया?

जैसा मैंने कहा कि न पुरानी मुहब्बत मरती है और न पुराने रिश्ते कहीं खोते हैं, वह आपके अंदर रचे-बसे रहते हैं। और रिश्ता टूटा भी कहाँ था? टी.वी., रेडियो पर लगातार अदबी बहसों, इंटरव्यू और उर्दू कमेटियों में जाती रही हूँ। उर्दू वालों ने मुझे

ख़ूब पढ़ रखा है, इसलिए कहीं कोई दूरी तो कभी बनी नहीं। साल भर पहले पटना के लिटरेरी फेस्टिवल में शामिल हुई। वहाँ एक नई बहस थी कि उर्दू वर्णमाला से कुछ अक्षर निकाल दिए जाएँ ताकि ज़े, ज़ुआद, ज़ाल जैसे अक्षरों का उलझाव ख़त्म हो कि ज़िंदगी कैसे लिखी जाए ज़ाल से या ज़े से या ज़ोए से। दूसरी पुरानी बहस थी कि उर्दू की लिपि बदल दी जाए जिस पर गुलज़ार साहब उबले और अन्य लोगों ने भी दोनों भाषाओं के एक होने के बावजूद उनके मिज़ाज की भिन्नता की तरफ़ इशारा किया और जब मुझसे न रहा गया तो मेरे मुँह से उन लोगों के लिए जो लिपि के बदलने के पक्ष में थे निकल गया कि आख़िर आप दो बहनों के लिए एक शौहर का इसरार क्यों कर रहे हैं?

ज़हन में एक बात और काँटे की तरह चुभती रही है कि यह बँटवारे की भाषा है। यह पाकिस्तान की ज़बान है। इसको भारत में जगह देना दुरुस्त नहीं है। नामवर सिंह जी का 'बासी भात में ख़ुदा का साझा' लेख सामने आ चुका था और हिंदी के कई वरिष्ठ लेखकों का क्रोध उर्दू भाषा पर बरस चुका था, जिसके शब्द कानों में पिघला सीसा उड़ेलते और मुझे एकाएक प्रोफेसर ज़ामिन की नज़्म 'फ़रियादे उर्दू' की पंक्तियाँ याद आ जातीं।

आपसे फ़रियाद करने आई है उर्दू ज़बाँ,
गर मुनासिब हो तो हज़रत सुन ले इसकी दास्ताँ--
एक बहन हिंदी है मेरी जिसका अब चमका है भाग
हश्र तक क़ायम रखे परमात्मा उसका सुहाग।
क्यों मुख़ालिफ़ बनिए उसके कि बहस को क्यों दीजिए तूल
लफ़्ज़ जो मानूस हो उसका उसे कीजिए क़ुबूल।
ग़ैरमुल्की लफ़्ज़ जो ज़बानों पर जारी नहीं
इससे तो हिंदी के आसाँ लफ़्ज़ बेहतर हैं, कहीं।
छोड़िए लिल्लाह, अंग्रेज़ी का अब तर्ज़े-बयाँ
बोलिए ज़ामिन ख़ुदा के वास्ते अपनी ज़बान।

यह नज़्म लगभग साठ-सत्तर वर्ष पहले की है, लेकिन बहुत से पक्षपात करने वालों ने इस दौर में भी इन शेरों पर नाक-भौं सिकोड़ी बहरहाल...!

जब भी डाली झुकती है तो पका फल टपकता है। शायद मेरे सब्र का पैमाना भी लबरेज़ हो चुका था। जब मैं 'अदब में बाईं पसली' नाम से अपने अनुवाद को पुस्तक का रूप दे रही तो ख़्याल गुज़रा कि क्यों न एक कोशिश से तीन काम अंजाम दे डालूँ। पहला उर्दू कहानियों को उठाऊँ, जिसमें ख़ूबसूरत ज़नाना किरदार हैं और उन लेखकों की कहानियाँ लूँ, जिन्हें लोग भूलते जा रहे हैं और इन कहानियों को पाठक तक पहुँचाकर उनसे पूछूँ कि क्या इतनी ख़ूबसूरत कहानियाँ जो हिंदुस्तानी ज़मीन पर लिखी गई हैं, उस ख़ज़ाने को लुटा दूँ? पहली ग़लती बँटवारा। दूसरी ग़लती यह होगी कि ज़मीन बाँटकर भाषा भी बाँट दें? हमारे पुराने लेखक यहाँ पैदा

होकर वहाँ बसे हैं और उनका लेखन वहाँ जारी रहा तो वह कैसे उर्दू साहित्य के अकेले वारिस बन गए? अंग्रेज़ी-अरबी जाने कितने राष्ट्रों में बोली जाती है, जिनके बीच शत्रुता और ज़मीन का बँटवारा भी हुआ, मगर उन्होंने भाषा पर कोई तोहमत नहीं लगाई और न उसे लेकर घटिया रणनीति की बल्कि लेखकों को अवश्य दरबदर किया जो सत्ता विरोधी थे।

मुझे कुर्रतुल ऐन हैदर की कहानी की बुआ का कथन याद आ रहा है—खुदा दो बार हँसता है, जब वह किसी को बना रहा होता है—और कोई उसे बिगाड़ रहा होता है। उर्दू भाषा भारत में पैदा हुई और यहीं फली-फूली और यहीं रहेगी, क्योंकि हिंदुस्तान की मिट्टी की यही ख़ूबी है कि जो यहाँ एक बार दाख़िल हो गया वह लौटकर नहीं गया तो फिर उर्दू अपनी जन्मस्थली को छोड़कर किसी और देश में जाकर क्यों बस जाए? आज की हक़ीक़त कुछ और भी है कि मज़दूर और नौकरी पेशा लोग जो पूरी दुनिया में फैल गए हैं, उन्होंने उर्दू का एक माहौल बना लिया है। बड़े-बड़े मुशायरों के साथ अनेक देशों में उर्दू विभाग खुल गए हैं और विदेशी न केवल उर्दू पढ़ रहे हैं, बल्कि उस भाषा में रचनात्मक कार्य भी कर रहे हैं। इसलिए अब पुरानी सियासत में सिर्फ़ नुक़सान ही होगा, उन्हें, फ़ायदा मिलने से रहा जो न अपने देश को जानते हैं और न ही भाषा साहित्य के रहस्यमयी लोक को समझने की क्षमता रखते हैं। भारत को संपूर्णता में स्वीकार करना ही हमारे फ़ायदे में जाता है। डेढ़ ईंट की मस्जिद खड़े करने वाले बाख़ूबी जान लें कि उनकी कुढ़न से उर्दू भाषा का कुछ बिगड़ने वाला नहीं है, उल्टे 1992 से आज तक उर्दू साहित्यिक पत्रिकाओं की बाढ़-सी आ गई है। बरसों पहले उर्दू पढ़ने और जाननेवालों ने रामायण-महाभारत के अलावा हिंदी संस्कृत के अनेक महत्त्वपूर्ण ग्रंथों का उर्दू में अनुवाद किया और जिन्हें बड़े चाव से पढ़ा गया। पाकिस्तान की पत्रिका 'आज' ने निर्मल वर्मा का पूरा उपन्यास उर्दू में छापा है। हिंदी-उर्दू में एक-दूसरे का अदब अनुवाद या रूपांतर कर बड़े चाव से पाठक पढ़ रहे हैं। भाषा को ख़ालिस और शुद्ध रखने वाले लाख इस बात पर मुँह बनाएँ, मगर सच तो यह है कि उर्दू के पाकिस्तानी लेखकों ने हिंदी शब्दों को अपनाना शुरू कर दिया है और भारतीय उर्दू लेखकों ने भी यह तजुर्बा करके एक गंगा-जमुनी भाषा की दाग़बेल तो बहुत पहले से डाल दी थी।

इन तीन दर्जन कहानियों से गुज़रते हुए जो सिर्फ़ उर्दू भाषा जाननेवालों द्वारा लिखी गई हैं उनमें हिंदी शब्दों से परहेज़ नहीं किया गया है, बल्कि ज़रूरत के अनुसार उसका प्रयोग हिंदुस्तानी परिवेश का मिला-जुला दृश्य उत्पन्न करता है, जिसे हम 'दोआबा' कहते हैं।

दूसरा अहम कारण है, जिसने ढेरों कहानियाँ मुझसे हिंदी लिपि में करवा लीं, जिसमें से बहुत से नाम हिंदी पाठकों के लिए अजनबी होंगे, और ख़ुद उन लेखकों को जो हिंदी भाषा नहीं जानते, बहरहाल यहाँ मैं कुछ और कहना चाह रही हूँ।

हिंदुस्तान में उर्दू भाषा में कहानी लिखने वाली ऐसी नामवर हस्तियाँ रही हैं, जिन्होंने न सिर्फ़ हमको अच्छी 'कहानी' की समझ दी, बल्कि उसके संस्कार भी दिए। भारत को एक पारचा बनाकर पेश किया। उर्दू के बड़े नाम प्रेमचंद, कृश्न चंदर उपेंद्रनाथ अश्क, रामलाल, राजेंद्र सिंह बेदी, सुदर्शन, बलवंत सिंह, सुरेंद्र प्रकाश, जोगेंदरपाल, कर्तार सिंह दुग्गल, रेवतीशरण शर्मा, रतन सिंह वग़ैरह। यह सिर्फ़ चंद नाम हैं, जिन्होंने उर्दू कहानी की बुनियाद डालने और आलीशान दीवारों को उठाने का काम किया है। यहाँ मैं कुछ ऐसी बातें कहने वाली हूँ जो उन मालूमात से जुदा हैं कि उर्दू कहानी का पहला ख़ालिक़ कौन था या उर्दू कहानी रौशनफ़िक्र और जदीद कहानियों या अलामती अफ़सानों में कैसे बँटी या फिर *अंगारे* नामक कहानी संग्रह ने उर्दू कहानी को किस ज़हनी मुकाम पर पहुँचाया या फिर क़िस्सा, कहानी, अफ़साना में क्या फ़र्क़ है। मेरे ज़हन में कुछ और अहम मुद्दे हैं।

इन्हीं अदीबों के चरित्रों ने हमको अपने हमवतनों से मोहब्बत करना सिखाया। उनके दुख-दर्द को समझने का मौक़ा दिया और हमारे बीच खिंची रेखा को मिटाते हुए हमें बिल्कुल नया नज़ारा दिखाया। उपन्यासिका *एक चादर मैली-सी* की रानो प्रेमचंद की धनिया को हम कभी इतने क़रीब से न जान सकते, जिस अपनाइयत से लेखकों ने अपनी रचनाओं द्वारा हमें उनसे मिलवाया।

उर्दू भाषा का जन्म हिंदुस्तान में हुआ। मातृभाषा जो भी हो मगर लिखने वाले उर्दू में लिखते रहे। इसलिए जहाँ उर्दू का विस्तार बढ़ा, वहीं पर उसके पढ़नेवालों की दिमाग़ी फ़िज़ा भी रौशन और खुली बनी। भाषा पर किसी धर्म और विचारधारा की हुकूमत नहीं हो सकती है, जो ऐसा सोचते हैं वे अपना ही नहीं अपनी भाषा के विकास का भारी नुक़सान करते हैं। इस हक़ीक़त को जानकर कुछ पाठकों को आश्चर्य होगा कि आज बहुत से हिंदी लेखक जिनकी मादरी ज़बान उर्दू है वे उर्दू लिखना, पढ़ना ओर बोलना नहीं जानते हैं, और अपनी धार्मिक पुस्तक को अंग्रेज़ी या हिंदी लिपि में पढ़ते हैं। कुछ ऐसे विद्वान हैं जो मातृभाषा हिंदी होने के बावजूद उर्दू पर केवल महारत ही नहीं रखते बल्कि संस्कृत और अरबी का भी ज्ञान रखते हैं और दोनों भाषाओं में कहानियाँ लिखते हैं। इसलिए यह कहना कि उर्दू वाले हिंदी में क्यों लिखते हैं केवल पुरस्कार या लोकप्रियता के कारण ही तो? यह एक बचकानी सोच है। इन छोटी बातों से हमें निकलना होगा क्योंकि भाषा की सियासत में लेखक को नहीं पड़ना चाहिए। उसके लिए इंसानी जज़्बात की अक्कासी महत्त्वपूर्ण होती है, अभिव्यक्ति की भाषा जो भी हो।

तीसरी बात जो बहुत ज़रूरी है उस ग़लतफ़हमी को दूर करना कि भारतीय मुसलमान औरत बेहद पिछड़ी और शोषित रही है। जो आज दिख रहा है वह कल नहीं था। किसी एक समाज में कई वर्ग होते हैं और हर वर्ग की अपनी बिपदा। बँटवारे के बाद बड़ी संख्या में मुसलमानों का पाकिस्तान जाना और हिंदू-मुसलमान फ़सादों का लगातार होना, ज़मींदारी उन्मूलन इन बातों ने मुस्लिम समाज को तोड़

भी और मध्यवर्ग की ख़ाली जगह के कारण उसमें अरसे तक बिखराव भी रहा। इसमें कोई शक नहीं कि आँकड़ों के अनुसार कम आमदनी वालों में सबसे पीछे मुसलमान, सबसे पिछड़े और अशिक्षित भी मुसलमान ही हैं। हमारा सारा फोकस इस मुद्दे पर आन टिका है, मगर यह पूरा सच न कल था न आज है। पूरी पिछली सदी से लेकर इस सदी तक पढ़ी लिखी औरतों की न कमी रही है और न लिखनेवालों की। रचनाकार महिलाएँ मुस्लिम समाज के हर वर्ग की रही हैं, जिसका अंदाज़ा उनके बारे में दिए गए परिचय से लग सकता है!

उर्दू की इन कहानियों से गुज़रते हुए आपको कहीं पर लगा कि ये चरित्र आपके आसपास के नहीं हैं? इनके सरोकार और समस्याएँ आपकी नहीं हैं? जो भाषा इन कहानियों की है क्या वह आप पहली बार पढ़ रहे हैं? क्या आपको महसूस हुआ कि इन कहानियों में असली हिंदुस्तानी गाँव और शहर नहीं उभरे हैं? या फिर यह कहानियाँ परत-दर-परत अपनी बात न कहकर किसी अजनबी व्यक्ति की बातें कर रही हैं?

सच बताइएगा कि आपको दुरदाना, लाजवंती, छम्मी बी, बीना, कामनी, शांता अक़ीला, शकीला, ज़ुलैख़ा, मेहर, मुक्ता, अपनी-सी नहीं लगीं? चूँकि इन्हें उर्दू भाषा ने अपनाया तो आप इन हसीन प्यारे चरित्रों को नकार देंगे और अंग्रेज़ी को अपनाकर उर्दू को विदेशी भाषा कहकर उसका तिरस्कार करते रहेंगे?

अपनी ऐतिहासिक धरोहर को वक़्ती सियासी मुनाफे का मोहरा बनाकर उनका व्यक्तिगत लाभ हो सकता है, मगर बड़े पैमाने पर हम उर्दू साहित्य का ख़ज़ाना, खो बैठेंगे और साथ ही हिंदी भाषा साहित्य का भी नुक़सान करेंगे। अनेक लेखकों की हिंदी भाषा लिपि में लिखी कहानियों में उर्दू शब्द नगीने की तरह जड़ें नज़र आते हैं, जो भाषा को नया सौंदर्य देते हैं। उनको हटाकर क्या वहाँ हिंदी भाषा के ख़ालिस शब्द लगाने की मुहिम चलाएँगे तो उस गद्य का क्या बनेगा?

आँखें खोलिए, हिंदुस्तान को जानिए। मैं मानती हूँ कि इतने बड़े देश को समझना बड़ा कठिन है तो बेहतर होगा कि हम पुरानी अज्ञानता के कारण कम बोलें और सही नहीं जानते हैं तो ग़लत बोलने से परहेज़ करें!

एक बार रेडियो साक्षात्कार में कमलेश्वर जी से पूछा गया था कि आपने उर्दू के लिए क्या किया? उनका जवाब था। इतने वर्षों तक मैं हिंदी में उर्दू ही तो लिखता आ रहा हूँ! दूर न जाकर मृदुला गर्ग का नया उपन्यास *मिलजुलमन* को लेते हैं जिस पर 2014 में साहित्य अकादमी पुरस्कार उन्हें दिया गया है। उसकी भाषा क्या है? उस भाषा का झुकाव उर्दू के शब्दों और अभिव्यक्तियों के प्रति अधिक है, क्योंकि वह जिस समय का ज़िक्र कर रही हैं उस समय के पढ़े-लिखे घरानों और अदीबों की भाषा यही थी। लेकिन विद्यानिवास मिश्र जो कई भाषाओं के ज्ञानी थे, उर्दू जानते और पढ़ते थे। उन्होंने मुझसे कहा था कि *शाल्मली* में तुम बच नहीं पाई हो, कई शब्द उर्दू के आ ही गए हैं और शम्सुर्रहमान फ़ारुक़ी साहब जो आलोचना और सृजनात्मक

लेखन में एक बड़ा नाम है, उन्होंने उर्दू लिपि में आए मेरे उपन्यास *ज़िंदा मुहावरे* को पढ़ने के बाद जो ख़त मुझे लिखा उसमें एक वाक्य यह भी था कि हिंदी के कुछ ऐसे शब्द हैं जिन्हें हम उर्दू समझकर इस्तेमाल करते हैं। अक्सर ख़ुद से सवाल करती हूँ कि शब्दों को पछोड़ने का काम अगर लेखक करने बैठेगा तो वह लिखेगा क्या? *पद्मावत* लिखते हुए जायसी ने सोचा था कि फ़ारसी लिपि में हिंदू राजा-रानी की दास्ताँ क्यों क़लमबंद कर रहे हैं?

हैदराबाद में उर्दू विश्वविद्यालय के हिंदी विभाग में भाषा पर बोलते हुए मैंने अचानक सवाल किया था कि हिंदी के आलोचक नामवर सिंह साहब का नाम उनके परिवार वालों ने क्या सोचकर रखा था, लेकिन हक़ीक़त यह है कि यह नाम ख़ालिस फ़ारसी भाषा की तरकीब का है। नाम-वर यानी नाम रखने वाला मशहूर प्रसिद्ध आदमी और एक साथ पास बैठे नामवर सिंह साहब और नित्यानंद तिवारी जी की निगाहें मेरी तरफ़ घूम गईं।

भाषा के चारों तरफ़ जो दीवारें हम खड़ी कर रहे हैं, वह कोई साहित्यिक अमल नहीं है, बल्कि घटिया सोच है जो सियासत की सड़ाँध से उभरी है। यह उसकी ग़ैर अदबी अभिव्यक्ति है जो भाषा के पक्ष में नहीं विपक्ष में जाती है। कहानी की अपनी भाषा होती है। आम बोलचाल की भाषा जिसमें से कंकड़ की तरह दूसरे शब्दों को निकाल फेंकना ज़रूरी नहीं, क्योंकि आप दाल नहीं घोंट रहे हैं, बल्कि आम इंसान की संवेदना से जुड़ी इबारत लिख रहे हैं जो उसी भाषा-बोली में होनी चाहिए।

सियासत के अलावा हमारी भाषाओं के दरमियान खाई खोदने की एक और बड़ी वजह है कि हम अपनी असली भाषा बोली से दूर चले गए। गंगा-जमुना के साथ एक तीसरी नदी भी वजूद रखती थी जो लुप्त हो गई ठीक उसी तरह जैसे हिंदी-उर्दू के बीच से 'अवधी' का ग़ायब हो जाना, जिसमें दोनों भाषाओं के शब्द समाए नज़र आते हैं। मेरे अपने परिवार में अवधी भाषा में कविता लिखने वाले मीर नौरोज़ अली साहब गुज़रे हैं जो रिश्ते से नगड़दादा लगते हैं और आज भी हमारे गाँव में दुनिया-भर में बसे लोग जो अपने कार्यक्षेत्र के महारथी हैं, जब मिलते हैं, तो वह बीच-बीच में अवधी बोलते हैं और अमृतपान करते हैं। मगर नई पीढ़ी ने उसकी जड़ों में खाद-पानी डाला ही नहीं जो तासीर बनकर एक साथ कई भाषाओं का जलवा दिखाता। कमज़ोर हुकूमत, छोड़ी गई ज़मीन पर हमला भी होता है और क़ब्ज़ा भी जमाया जाता है। मैं इन कहानियों के बारे में कुछ कहना चाहूँगी कि उन्हें मैंने क्यों चुना। बतौर मिसाल इस्मत चुग़ताई की कहानियों में *लिहाफ़* और *चौथी का जोड़ा* काफ़ी मशहूर कहानियाँ हैं। मुझे क़ायदे से उन्हीं को चुनना चाहिए था मगर मेरा लक्ष्य दूसरा था। मैं वह कहानी लेना चाहती थी जिसमें औरत किसी-न-किसी रूप में मौजूद हो और इस्मत की कहानी *नन्ही की नानी* में सिर्फ़ औरत नहीं बल्कि पूरा समाज है और समाज का बर्ताव एक बुज़ुर्ग बेसहारा औरत के प्रति क्या है और

ख़ुद लेखक ने उस चरित्र के द्वारा क्या कहना चाहा है, और यह कहानी हर तरह से यह बात कहती है कि हम जाने-अनजाने उन इंसानों के प्रति कठोर दिल के हो उठते हैं, जिन्हें ख़ुदा ने भी अपनी रहमत से वंचित कर रखा है। इस्मत की यह कहानी अनेक कारणों से महत्त्वपूर्ण कहानी है और सामंती सोच, मर्दों का व्यवहार, औरतों की बेबसी बिना आँसू बहाए सामने नज़र आती है, जो आज का भी सच है।

क़ुर्रतुल ऐन हैदर और इस्मत चुग़ताई का हिंदी में दिल की गहराइयों से स्वागत हुआ है इसलिए उनके लेखन का बड़े पैमाने पर अनुवाद भी हुआ है और चर्चित भी हुआ है। मैं इस चुनाव में अपनी बात कहने के लिए कुछ अन्य लेखकों का चुनाव करना चाहती थी, मगर कुछ नाम ऐसे होते हैं जो बार-बार लिए जाने के बावजूद उन्हें हटाया नहीं जा सकता है और मेरा तर्क जो भी हो मगर इन नामों के बिना उर्दू कहानी की बात पूरी नहीं होती है। क़ुर्रतुल ऐन हैदर के सिलसिले से भी मैं उन कहानियों को लिपिबद्ध या अनुवाद करना चाह रही थी जो क़ुर्रतुल ऐन हैदर के व्यक्तित्व और उनके पूरे लेखन का प्रतिनिधि करे या उन गुणों की ओर इंगित करे जो उन्हें बाक़ी लेखकों से अलग एक विशेष स्थान देती हैं जैसे *यह ग़ाज़ी यह तेरे पुरअसरार बंदे* सरीखी कहानियाँ जिनमें अनोखे इंसानों की बातें उनके जीवन की कहानी कहती हुई हमें ऐतिहासिक गलियारों में ले जाती हैं और सच पूछें तो मेरी अपनी पसंद की वे कहानियाँ हैं जो हिंदी में शायद अनुवाद नहीं हुई हैं और हुई हों तो चर्चित न हुई हों क्योंकि आम हिंदी पाठकों की रुचि अलग तरह की है। मैंने भी उन्हें इसलिए नहीं छोड़ा, बल्कि मैं लेखक के उस गुण को भी लाना चाहती थी, जिसमें वह अप्रतिम है वह है ऐतिहासिक कालखंड के खँडहर होते समय के मलबे से ऐसा चरित्र उठाना जो वक़्त के साथ फिर पलटकर नहीं आने वाला है जिसके लिए ऐनी आपा का कोई जवाब नहीं है। इसलिए *हसब नसब* कहानी चुनी जो छम्मी बेगम के ज़रिए सिर्फ़ वक़्त नहीं बल्कि इंसानों की ज़िंदगी में कितने बदलाव आते हैं और तक़दीर उससे वह सब करवाती है, जो वह न चाहता है न पसंद करता है और उसके लिए वह संघर्षरत रहता है, मगर जाने अनजाने ज़िंदगी के तेज़ मोड़ और हालात का सैलाब उसको वहीं ले जाकर पटकते हैं। लेखक बिना आरोपों, बिना कोसने के छम्मी से हमदर्दी रखता है जो मज़लूम है और हालात का शिकार है।

रशीदजहाँ की कहानी *वह* चुनने के पीछे भी एक तर्क था कि ऐसी पेशावर औरतों पर मर्दों के क़लम बड़ी दक्षता के साथ चले हैं और बेहतरीन कहानियाँ वजूद में आई हैं, जिसमें जिस्मानी शोषण का ज़िक्र के साथ मजबूरी और समाज की हेय दृष्टि को बड़ी महारत से रेखांकित किया गया है। मगर *वह* कहानी एक वर्ग की औरत का वह चेहरा पेश करती है जो दूसरों को नहीं दिखा और जिसे औरत होने के नाते रशीदजहाँ पकड़ पाई हैं। समाज ने उसकी नाक काटकर उसे सबक सिखा दिया, मगर मर्दों की इस कठोर दुनिया में स्वयं औरतों के ख़्यालात और विचार

कितने निष्ठुर हो सकते हैं, जो इस कहानी में बड़ी सादगी और गहराई से उभरे हैं। उसका एक कारण यह भी है कि इस विशेष वर्ग की औरत से जो अनुभव पुरुष लेखकों को मिलते हैं और अनुभूतियाँ होती हैं, जिनका सिलसिला उमरावजान से लेकर हतक तक एक लंबा वृत्तांत है, मगर वह तजुर्बा लेखिका को उस धरातल पर न होकर अन्य ज़मीन पर होता है और इस नज़र से यह कहानी महत्त्वपूर्ण भी है और दिमाग़ में गहरे उतरने वाली भी है।

राशिदुल ख़ैरी की *नसीर और खदीजा,* हयातउल्लाह अंसारी की *भरे बाज़ार में,* बलवंत सिंह की *कठिन डगरिया,* कर्तार सिंह दुग्गल की *बंद दरवाज़े,* काज़ी अब्दुल सत्तार की *मालकिन,* कृश्न चंदर की *पूरे चाँद की रात* और जोगेंदर पाल की *जागीरदार,* सुहैल अज़ीमाबादी की *भाभीजान,* शौकत हयात की *कुलसूम बेगम,* शफ़ीउज़्ज़मा की *क़िस्सा ए बिनते ज़ुलैख़ा* की ताज़गी इतने वर्षों के गुज़र जाने के बाद भी उनमें मौजूद है। उसकी वजह है कि उनमें बयान जो समस्याएँ हैं वे आज भी हमारे बीच मौजूद हैं, बस फ़र्क़ इतना है कि नाम और जगहें बदली हुई हैं और लेखक की भाषा शैली अपने अंदाज़ का नयापन लिए हुए है। इन लेखकों की अनेक ऐसी कहानियाँ हैं, जो पाठकों को पसंद हों मगर मेरे साथ बंदिश यह थी कि मैं बहुत चर्चित कहानी को लेने से गुरेज़ कर रही थी, क्योंकि वे कहानियाँ पाठकों के लिए नई न होतीं दूसरे उनमें औरत के चरित्र इतने मुखर नहीं थे। इसलिए उन कहानियों को देखने की आशा को निराशा में न बदलें, बल्कि यह देखें कि इन लेखकों ने वह विषय कहानियों के लिए चुने हैं, जो इंसानी कमज़ोरी है और बरसों से इंसान उन दुश्मनों से लड़ने के बाद भी उससे मुक्त नहीं हो पाया है।

शकीला अख़्तर की *डायन,* गियास अहमद गद्दी की *दीमक,* आबिद सोहेल की *सब से छोटा ग़म,* ज़किया मशहदी की *भेड़िए,* आमना अबुल हसन की *लिहाफ,* कमर जमाली की *सपना, आँख और स्वप्नफल,* असरार गांधी की *रास्ते बंद हैं सब,* सुगरा मेंहदी की *जो मेरे वह राजा के नहीं,* रफ़िया मंजूर अल अमीन की *जोंक,* कहकशाँ मलिक की *आसेबज़दा* कहानियों में जो औरतें और पारिवारिक परिवेश उभरा है, उसकी सबसे बड़ी ख़ूबी यह है कि कोई भी चरित्र न किसी से प्रतिशोध ले रहा है न नारा बुलंद कर रहा है और न ही लेखक बनावटी माहौल गढ़ रहा है। बल्कि ज़िंदगी का असली चेहरा सामने रख रहा है। जहाँ कहीं वह स्वार्थी, निर्लज्ज और क्रूर बना है वहाँ स्थितियाँ हैं जो उसे हैवान बना रही हैं। कुछ कहानियाँ दिल के मामले से जुड़ी हैं जिस पर किसी का बस नहीं है कौन बावफ़ा और कौन बेवफ़ा हैं। इन कहानियों में नए चेहरों के नए तेवर भी हैं जो बहुत लाउड नहीं हैं बल्कि ज़िंदगी के यथार्थ के फ्रेम में कसे हुए हैं।

शमोएल अहमद की *बर्फ़ में आग* कुछ अलग मिज़ाज की कहानी है जो स्त्री–पुरुष के मनोविज्ञान और इंसानी प्रवृत्तियों विशेषकर शारीरिक ज़रूरत से जुड़ी हुई

है। ऐसी कहानियाँ अगर सँभाली न जाएँ तो बेहद फूहड़ हो जाती हैं। शमोएल अहमद ने सँभाला है और *पुरवाई* कहानी की याद दिला दी।

वाजिदा तबस्सुम की कहानी *तख़्ते ताऊस* एक ऐसी कहानी है जिसका विषय अनेक बार रिश्तों की विभिन्न स्थितियों में दोहराया गया है, मगर न लिखनेवालों का जी भरता है और न पढ़नेवालों का। इक़बाल मजीद की कहानी *तमाशा घर* मेरे अपनी सोच का आईना है कि इस दुनिया में मर्द औरत दोनों शोषित हैं, औरत कुछ ज़्यादा, मर्द कुछ उससे कम।

वाजिदा तबस्सुम मेरी पसंदीदा लेखिका रही हैं। उनकी आरम्भ की कहानियाँ दिल-दिमाग़ पर जोंक की तरह चिपक जाती थीं। वह चरित्र सोते-जागते हमारा पीछा करते थे, मगर बाद में लिखी उनकी कहानियाँ *नथ की उतरवाई* जैसी ने उन्हें शोहरत की जगह रुसवाई दी। वह *उतरन* कहानी की लोकप्रियता से इतनी प्रभावित हुईं कि भूल गईं कि उस मौज़ू पर एक कहानी कामयाब हो सकती है, मगर उसी तरह की कहानियाँ अदब से बराबर खारिज की जाती रही हैं जो जानबूझ कर ऐसे मौज़ू पर लिखी जाएँ। बहरहाल लेखक का क़लम है और ख़ुद लेखक का अपना फ़ैसला ठीक उसी तरह जैसे अदब के अपने मापदंड हैं और आज जो कहानियाँ इस विषय को बनाकर ग़ैरज़रूरी तौर से हिंदी में लिखी जा रही हैं, यक़ीनन उसके बीज वाजिदा ने बहुत पहले बो दिए थे, जिसकी खेती अब लहलहा उठी है और लोगों की खुली नाराज़गी भी। कुछ इसी तरह की यकसानियत पाठकों और आलोचकों ने कृश्न चंदर के साहित्य में भी देखी और उन्हें नकारा जाने लगा, मगर एक दौर था जब उनका नाम अपने समय को तीन बड़े लेखकों के साथ लिया जाता रहा है। मगर मेरी नज़र में वह कहानियाँ, जो समय की गर्द से ढक चुकी हैं, आज के संदर्भ में बहुत महत्त्वपूर्ण हो उठी हैं। ख़ासकर तब जब कश्मीर अपने हुस्न की आग में जल रहा है, वहाँ मुहब्बत के गीत नहीं दुश्मनी और सियासत का तेज़ाब बह रहा हो। उस वक़्त कृश्न चंदर की कहानियाँ अच्छे दौर की याद दिलाती हैं।

यह अलग बात है कि मैं कृश्न चंदर की व्यंग्य भरी भाषा को ज़्यादा पसंद करती रही हूँ! नैयर मसूद की *ताऊस चमन की मैना* को इस संग्रह में रखा जा सकता था तो भी किन्हीं कारणों से मैंने उसे नहीं लिया, क्योंकि वह एक समय की कहानी है। उत्कृष्ट कहानी है। मगर *धूलबन* में एक अलग सी कैफ़ियत है, जिसमें औरत की दुविधा और बेचैनी का खुला बयान न होने के बाद भी रहस्यमय वातावरण उसके तनाव और चिंता को आप तक पहुँचाते हैं। जैसे अबाबील में वह औरत जो पूरी तरह अपना विलाप कर हमें अपना दुख नहीं सुनाती, मगर किसान रहीम ख़ाँ की बेरहमी के ज़रिए हम बराबर उस औरत की घुटन को महसूस करते रहते हैं, और यह प्रतिध्वनियाँ और परछाइयाँ हैं जो इस कहानी को महत्त्वपूर्ण बनाती हैं और मुहब्बत को इंसान के लिए ज़रूरी बताती हैं जिसका पता बहुत बाद में रहीम ख़ाँ को होता है।

ख़्वाजा अहमद अब्बास, मुझे कृश्न चंदर की तरह ही अपने कॉलेज के दिनों से पसंद थे। उन्हें ख़ूब पढ़ा है। यहाँ उनकी कहानी *बारह घंटे* मैंने चुनी है। यह उस समय की भावनात्मक सनद है, जब भारतीय साम्यवादी पार्टी समझती थी कि बस अब सर्वहारा क्रांति आने वाली है। इस तरह के किरदारों से वास्तविक जीवन में मेरी मुलाक़ात भी हुई है। जो अपने वजूद की सारी शक्ति, निष्ठा के साथ विचारधारा से जुड़े थे। जिन्होंने वास्तव में अपनी अंतिम साँसों तक न अपनी राय बदली न ज़िंदगी। ख़ुद ख़ाली हाथ गए पीछे परिवार के लिए भी कुछ न छोड़ा। जिलानी बानो की *रेत* और राजेंद्र सिंह बेदी की *लाजवंती* ऐसी कहानियाँ हैं, जिनके घाव आज भी हरे हैं। दोनों लेखकों ने जिस बारीक़ी से उस नासूर की तपकन को पकड़ा है, वह आपके अंदर बड़ी देर तक टीसती रहती है। वास्तव में उसका विषय ऐसा है जो अपने अंदर कभी न समाप्त होने वाली कहानियों का सिलसिला रखता है और हर बार भरते ज़ख़्म की खुरंट उखड़ जाती है।

राजेंद्र सिंह बेदी मेरे पसंदीदा लेखक हैं। उन्हें ख़ूब पढ़ा है। उनकी *भोला* कहानी को मैं लेना चाहती थी, मगर वह कहानी अपनी जगह ठीक हो सकती है, मगर यह संग्रह तो बिना लाजवंती के सूना ही रहता। लाजवंती उस घटना, जिसे बँटवारा कहते हैं, उसके प्रथम चरण में औरतों के साथ हुई ज़्यादती की दर्दनाक कहानी है और *सूखी रेत* उन्हीं सूखे आँसुओं की कहानी है, जो सुंदरलाल की आँखों से टपकना बंद हो गए थे। मगर लगातार रफ़ीक़ के अब्बा की यादों में झम-झम कर बरसते रहे, जिसमें एक लड़की थी जिसे वह पीछे हैदराबाद में छोड़ आए थे। पुराने पुल पर वह खड़े समय के सबसे हसीन दिनों को याद करते हुए पूरी ज़िंदगी गुज़ार कब्र में पैर लटकाए बैठे हैं, मगर यादों में उस इश्क़ की गंध मिटती नहीं है।

लेखक अपने पात्रों को लेकर कैसा बर्ताव करता है। उसके गठन उसकी तराश-ख़राश में अपने दिल व दिमाग़ को किस तरह पेश करता है कि वह वहाँ मौजूद न हो मगर उसका चहेता किरदार यथार्थ की मिट्टी से बनकर बाक़ी चरित्रों से अलग दिखे और यह कोशिश इन दोनों कहानियों में बिना किसी जद्दोजहद के सहज रूप में बहती नज़र आती है और राजेंद्र बेदी की ढेरों कहानियाँ हैं, जो औरतों के इर्द-गिर्द घूमती हैं और उनके मन-मस्तिष्क को खोलती हैं कि उनके विचार औरत को लेकर क्या रहे हैं और वह उसको कौन-सा मुक़ाम देना चाहते हैं। मेरा पसंदीदा उपन्यास *एक चादर मैली-सी* रहा है जिसे लंदन प्रवास में मैंने बीसों बार पढ़ा होगा। दरअसल बेदी ने औरत को एक इंसान की तरह बहुत क़रीब से देखा है। उसमें बनावट, मक्कारी, झूठ और पहेली समझकर उसके साथ बेजा बर्ताव अपनी कहानियों में नहीं किया है।

रज़िया सज्जाद ज़हीर को हिंदी में बहुत ज़्यादा नहीं पढ़ा गया है, क्योंकि उनके अनुवाद उस शिद्दत से नहीं हो पाए हैं। उनका समय फिर पलटकर आएगा, जिस तरह आज बहुत से महत्त्वपूर्ण लेखक जो साहित्य की राजनीति या ख़ुद उनकी

क़िस्मत या फिर कई अन्य कारणों से वक़ती तौर पर भुला दिए गए हैं, उन्हें फिर से याद किया जाएगा। जैसे आज कृश्न चंदर और इब्ने सफ़ी को फिर से पढ़ने और उन पर काम करने की आवाज़ें उभरने लगी हैं। रज़िया सज्जाद ज़हीर की यह कहानी *सबसे बड़ा सौदागर कौन* लगभग हर औरत-मर्द की कहानी है और वह औरत भी अपने नए रूप रंग के बावजूद आज भी हमारे घरों में साँस ले रही है।

मेला घुमनी अली अब्बास हुसैनी की बड़ी दिलचस्प कहानी है। उसको पढ़कर महसूस होता है कि *मेला घुमनी* क़िस्म की औरतें आज भी मौजूद हैं, जिन्हें उस दौर में अपनी कहानी के केंद्र में लाना आश्चर्यजनक-सा लगता है, जबकि सामंती और पिछड़े समाज में इस तरह की परिंदा स्वभाव रखने वाली औरतें भी मौजूद होंगी और आराम से समाज में किसी नदी की तरह प्रवहमान होंगी। जो बातें हमें इन कहानियों में लब्बोलुबाब की तरह महसूस होती हैं कि लेखक-लेखिका ने बिना किसी प्रतिशोध के उबाल और अतिक्रमण की भाषा शैली को अपनाए एकतरफ़ा दृष्टि न रखते हुए उन जीवन मूल्यों का समर्थन और उन अनैतिक तौर-तरीकों की आलोचना की है, जो औरतज़ात के हक़ में नहीं जाते हैं। मर्द के एक ग़लत क़दम से छम्मी, नन्ही, लाजवंती, की ज़िंदगी क्या से क्या हो गई और बरसों से इस व्यवहार के विरोध में उठे क़लम आज और भी निष्ठा से लिख रहे हैं, मगर इस मामले में बदलाव नहीं आया है। औरत अपनी पहली स्थिति में दुखी, अबला, बेचारी नहीं रह गई है, मगर इस मामले में वह आज के आधुनिक दौर में वही हिंसा झेल रही है। आख़िर क्यों?

साजिद रशीद ने भी *नखलिस्तान में खुलने वाली खिड़की* में बलात्कार की घटना ही को अपना विषय बनाया है, मगर उसमें एक अकेली विधवा की तनहाई और मनोविज्ञान को एक साइंटिफिक दृष्टि से देखने की कोशिश की गई है, जिसमें हमदर्दी महिला से हो सकती है, मगर ज़्यादातर केसों में बलात्कार कमसिन लड़कियों को मनोविकार का शिकार बना हीन भावना में ग़ोते लगाने के लिए छोड़ देते हैं। वैसे तो महिला मनोविज्ञान से संबंधित कहानी ख़ुर्शीद अख़्तर की *दूसरी औरत* भी है। यह इंसानी दुख औ कुंठा की कहानी है, जिसके सच को मालकिन समझती है और नौकरानी से क्षमा भी माँगती है। यह कहानी मन में अजीब तरह की पीड़ा का संचार करती है, मगर हक़ीक़त से भागकर इंसान जी भी तो नहीं सकता है।

नए लिखनेवालों में सय्यदा नफीस बानो हैं, जिनकी कहानी *गुनाहे आदम* एक ख़ूबसूरत कहानी है, जो विषय के एतबार में मौलिक नहीं हैं, मगर कहानी कहने और एतराज़ की शैली बहुत सुंदर है, जो वास्तव में आपको कहीं गहरे छूती है।

यहाँ पर मैंने उन्हीं लेखकों का ज़िक्र किया है, जिन्हें मैंने बचपन से अब तक पढ़ा है। अन्य महत्त्वपूर्ण लेखकों की बेहतरीन चुनी कहानियों को रखा है, जो कल भी और आज भी चर्चित रही हैं। उसमें औरत का किरदार भी मौजूद है जो मेरी इस बात की पुष्टि करता है कि कला-साहित्य में मर्द औरत नहीं चलता और न यह दावा

चलता है कि मर्द औरत को क्या समझे ? या फिर औरत ही औरत की कहानी सच्ची और बेहतर लिख सकती है। कहानियाँ आपके सामने हैं फ़ैसला आप पर छोड़ती हूँ।

इन कहानियों से गुज़रते हुए विभिन्न लेखकों की भाषा-शैली को देखने का मौक़ा मिला। ख़ासकर तब जब मैं उसे उर्दू लिपि से हिंदी में ला रही थी। बीच-बीच में कुछ कठिन, अनजान शब्द आ रहे थे जो हिंदी पढ़नेवालों के लिए बहुत परिचित नहीं ही सकते हैं। उन्हें मैंने कहीं-कहीं बदला ज़रूर है, मगर कहीं-कहीं वैसा ही रहने दिया। क्योंकि वहाँ शब्द का पर्यायवाची शब्द रखकर न तो बातें बन रही थीं, उल्टा प्रवाह भी अवरुद्ध हो रहा था और कभी-कभी मजबूरी यह थी कि कुछ ऐसे शब्द थे जिनका अनुवाद करना वास्तव में गंगा-जमुनी संस्कृति में ग़ैरज़रूरी हस्तक्षेप लग रहा था। नाम भर के लिए उर्दू शब्द को हिंदी में बदलना मुझे कई जगहों पर ग़ैरज़रूरी भी लगा क्योंकि हिंदी पाठकों को पूरा-का-पूरा कोरा समझना भी नादानी है। उनका अवधी भाषा का ज्ञान, उर्दू की प्रारंभिक तालीम या घर का माहौल कुल मिलाकर उन्हें उर्दू भाषा से दूर नहीं रखता है, कुछ अपवादों को छोड़कर जो न केवल उर्दू के शब्दों से परहेज़ करते हैं, बल्कि ख़ुद की कहानियाँ भी बड़ी क्लिष्ट हिंदी भाषा में लिखते हैं। (इसमें हिंदी नहीं उर्दू वाले भी शामिल हैं) जो यक़ीनन कहानी की नहीं लेख या फिर शोध-ग्रंथ की भाषा होनी चाहिए।

इन कहानियों को उर्दू से हिंदी लिपि में करते हुए मुझे कुछ अनुभव हुए जैसे आप जब कहानी पढ़ते हैं तो आप बहुत से नए शब्दों से दो-चार होते हैं मगर आप अर्थ उसकी भाषायी अभिव्यक्ति से समझ लेते हैं। कुछ ऐसे शब्द ज़रूर आते हैं जो कहानी की मूल आत्मा से जुड़े होते हैं और उसका जानना बहुत ज़रूरी होता है तब शब्दकोश में भी नहीं मिलते हैं जो स्थानीय भाषा, अभिव्यक्ति के चलते साहित्य में ज़रूरत के अनुसार दाख़िल हो जाते हैं। तब आदमी क्या करे। यदि आप पढ़ रहे हैं तो ठीक है, मगर जब आप उसे दूसरी भाषा में ला रहे हों तो ख़ुद भी समझना चाहेंगे और वहाँ उस भाषा का शब्द रखना चाहेंगे। जिस भाषा में कहानी आप पन्ने पर उतार रहे हैं, तब कोई क्या करे ? उसके पास सिर्फ़ दो रास्ते बचते हैं। एक तो वह शब्द वैसा का वैसा रख दे या फिर गोल कर जाए जो उचित नहीं हैं। ऐसी स्थिति के लिए हमें महत्त्वपूर्ण लेखकों के साहित्य में आने वाले शब्दों का शब्दकोश बनाना पड़ेगा, क्योंकि वह आम बोलचाल के शब्दों को समझने वाले भी धीरे-धीरे करके भाषा और समय की चाल के कारण पुराने पड़ कर सूखे पत्ते की तरह गिर जाते हैं। यह काम शोधकर्ताओं की बहुत मदद कर सकता है और अनुवादकों की भी।

1987 में जब मैं अफ़ग़ानिस्तान गई थी तो अपने साथ ढेरों पुस्तकें लाई थी, जिसमें एक शब्दकोश था वह था 'आमियाना' शब्दों का शब्दकोश अर्थात् आम बोलचाल के प्रयोग में आने वाले क्षेत्रीय शब्द। मैंने वह डिक्शनरी ले तो ली, मगर उसका प्रयोग कहाँ करूँगी समझ नहीं पाई थी, मगर कुछ माह बाद जब मैं अफ़गानी फ़ारसी दरी

कहानियों का अनुवाद करने बैठी तो जगह–जगह अटकी और जब उस शब्दकोश का ध्यान आया तो यह देखकर दंग रह गई, वह सारे शब्द अपने अर्थ के साथ वहाँ मौजूद थे।

यह तो सभी जानते हैं कि समय के साथ भाषा भी पेड़ की मानिंद कुछ शब्दों को सूखे पत्तों की तरह गिरा देती है और यह तकलीफ़ तब और बढ़ जाती है, जब मद्दाह का उर्दू–हिंदी जैसा शब्दकोश अपने नए संस्करण में बहुत से शब्दों को ख़ारिज कर देता है। यह क़दम जिसने भी उठाया उसने हम जैसों की तकलीफ़ें बढ़ा दी हैं।

मैंने लेखकों की तरतीब उनके जन्म वर्ष से रखी है। उसका कारण है कि जो हमारे बीच नहीं रहे और उनकी पैदाइश का साल भी इत्तफाक से एक ही रहा वह अपने काम के लिहाज़ से महत्त्वपूर्ण रहें, उनके लिए मैंने यही मुनासिब समझा। उसमें तर्क भी है कि जो देकर जाता है उससे आने वाली पीढ़ी सीखती भी है। यह बात भी दिमाग़ के किसी कोने में थी।

हमारे बुजुर्गों ने औरतों के इतने शानदार चरित्र गढ़े हैं, जो आज भी ज़िंदा महसूस होते हैं जिनमें ज़िंदगी अपने सारे परिवेश के साथ धड़कती है और हर रंग में हमारे सामने अहसास का पिटारा खोलती है और इस विचार को पूर्णरूप से रद्द कर देती है कि औरत के बारे में सिर्फ़ औरत ही ईमानदारी से लिख सकती है। यह सौ फीसदी सच है मगर कला इस तथ्य से आगे निकल कर हमें यह बताती है कि फ़न की दुनिया औरत–मर्द क़लमकारों के इस फ़र्क़ को न मानती है न स्वीकार करती है सबूत इन कहानियों के रूप में सामने है। इन कहानियों में पूरी एक सदी का समय क़ैद है, जो हमारे बदलते ख़्यालात समाज, माहौल और इंसान को हमारे सामने एक सनद की शक्ल में पेश करते हैं। यह अलग बात है कि कुछ किरदार हमें बिल्कुल नए और वर्तमान में साँस लेते लगें।

बातें लंबी हुईं मगर यह सच है कि इंसान अपनी मिट्टी और पानी के असर से बच नहीं सकता। पाठक मेरी इस बात से सहमत होंगे। उनको ऐसे लेखकों की कहानियाँ भी पढ़ने को मिलेंगी जो हिंदी में पहली बार छप रहे हैं। आशा है कहानियों का यह सेतु दो भाषाओं के बीच की दूरियाँ कम करेगा और पाठकों की आमद व रफ़्त बनी रहेगी।

—नासिरा शर्मा

अदब की पुरानी तख़्ती पर लिख गए आज का फ़साना

है यह बहार आख़िरी, इसको ग़नीमत जानिए
सोहबते शब फिर कहाँ राशिद के उठ जाने के बाद।

कहते हैं मृत्युशय्या पर लेटे राशिदुलख़ैरी ने यह शेर पढ़ा और इस दुनिया की रंगा-रंगी में अपने क़लम-दवात और अदबी महफ़िलों से विदा ली [3 फरवरी, 1936, दिल्ली]।

ज़िंदगी भर जो इंसान लिखता पढ़ता रहा हो उसे मौत का सच स्वीकार करने में कैसी झिझक! मगर सच तो यह है कि लेखक मरता कहाँ है? मरने के बाद वह अपनी रचनाओं में दोबारा जन्म लेता है!

आज उनको इसलिए मैं याद नहीं कर रही हूँ कि वह उर्दू के पहले कहानीकार लंबी, अदबी बहस और शोध के बाद [फिलहाल] यह रुतबा हासिल कर चुके हैं। वरना नाम बहुत थे जैसे सर सय्यद अहमद ख़ाँ, प्रेमचंद, सज्जाद हैदर यलदरम जिनको थोड़े-थोड़े समय के बाद साहित्यकारों ने अपना पहला कहानीकार माना और अब भी क्या पता शोध अपनी कोख से निकाल कोई और मीनार हमारे सामने रौशन कर दे।

मुझे राशिदुलख़ैरी को इसलिए याद करना पड़ा कि उस दौर में अल्लामा कहे जाने वाले अदीब ने औरत की हिमायत में कितना कुछ लिखा; कहानी, लेख, उपन्यास, हास्य व्यंग्य और अनुवाद जिन्हें गिना जाए तो उनकी गिनती 88 तक पहुँचती है। कोई भी जागरूक इंसान एक ही घर में रहते हुए अपने हमशक्ल इंसान पर होते जुल्म और लापरवाही को कैसे सह सकता है? आज जिस तरह का वातावरण 'स्त्रीमय' हो चुका है उसकी शुरुआत तो राशिदुलख़ैरी ने अपने पहले उपन्यास *अहसन और मैमूना* [1894 में क़िस्तवार 'रोहेलखंड गजट' बरेली में छपा] से कर दी थी। उनका पहला अफ़साना *नसीर और ख़दीजा* [1903 पत्रिका 'मख़ज़न' लाहौर में छपा] जो बड़ी खोजबीन के बाद हाथ लगा, उसने भी यह साबित कर दिया कि अपने समय की सब से लोकप्रिय विधा 'ख़त नवीसी' के रूप में उन्होंने जो अफ़साना तहरीर किया वह बहन के द्वारा लिखा भाई को पत्र है। [वह अफ़साना पाठकों के समक्ष है] उस कहानी में औरत अपना रोना-धोना भर बयान नहीं करती बल्कि भाई को दी

प्रताड़ना द्वारा वह अपने दौर के लोगों और उस समाज का कच्चा चिट्ठा खोलती है जो केवल उस दौर का सच नहीं है बल्कि आज की सबसे दुखती नब्ज़ है। राशिदुलख़ैरी का साहित्य इकहरा नहीं है न पक्षपाती बल्कि वह अदब जो अपने समय का आईना हमें दिखाता है उसमें औरत की छवि को केंद्र में रखता है।

राशिदुलख़ैरी का जन्म 1868 में दिल्ली में हुआ। उनके वालिद अब्द-अल-माजिद जो रेलवे विभाग में काम करते थे अपनी नौकरी के सिलसिले से हमेशा घर से बाहर रहते। जिसकी वजह से नन्हे राशिद की परवरिश दादी और माँ ने मिलजुल कर की और अभी वह नौ साल के ही थे कि उनके सर से बाप का साया उठ गया। कुछ दिनों अपने चचा के घर रहे। चौदह साल की उम्र तक उनकी दिलचस्पी पतंगबाज़ी, गुल्ली डंडा और दूसरे खेलों में रही फिर पढ़ने की तरफ़ रुचि बढ़ी तो शाहनामा फ़िरदौसी, शेक्सपियर, मौलाना रूमी, जामी, मिल्टन जैसे रचनाकारों को बड़े शौक़ और गंभीरता से पढ़ा।

1891 में क्लर्क के रूप में नौकरी शुरू की और विवाह के बंधन में बँध गए। मगर एक नौकरी पर नहीं टिके। कई जगह की भटकन के बाद पोस्ट एंड टेलीग्राफ के दफ़्तर में उप-संपादक बन गए। अब उनका झुकाव लिखने की तरफ़ बढ़ा। उनकी रचनाओं ने पाठकों का ही नहीं बल्कि अपने समकालीनों का ध्यान भी अपनी तरफ़ खींचा। उनके उपन्यास *सालहात* [हयाते सालेह : 1896 या 1997 है] जो पहली बार 1898 में फिर 1930 में छपा था जिसे पढ़कर हिंदी के कथा सम्राट प्रेमचंद ने कहा था :

"इस रचना में ख़ैरी ने मानव का ऊँचा आदर्श प्रस्तुत किया है।"

राशिदुलख़ैरी के महत्त्व को समझने के लिए हमें उन जड़ों की तरफ़ जाना पड़ेगा कि आख़िर यह शाख़ फूटी कैसे?

पिता ने एक एंग्लो इंडियन से दूसरा विवाह कर लिया। दादा मौलवी अब्दुल क़ादिर ने पोते और बहू की देख-रेख का बीड़ा उठाया। दादा आँखों की रौशनी खो चुके थे। राशिदुलख़ैरी की वालिदा रशीदुलज़मानी ने अपनी सारी उम्मीदें बेटे से बाँध लीं। राशिद ने देहली अरबिक स्कूल से प्रारंभिक शिक्षा प्राप्त की जहाँ ख़ुशक़िस्मती से ख़्वाजा शहाबउद्दीन हेडमास्टर थे। मिर्ज़ा अहमद बेग अंग्रेज़ी पढ़ाते और ख़्वाजा अलताफ़ हुसैन हाली उर्दू, फ़ारसी पढ़ाते और इम्तियाज़ हुसैन गणित की शिक्षा देते थे। ये सभी लोग उर्दू भाषा साहित्य के महत्त्वपूर्ण लेखक व कवि, चिंतक और समाज सुधारक रहे हैं। जब दादा का इंतक़ाल हुआ तो उसके बाद उन्होंने स्कूल जाना छोड़ दिया। इसके बाद कुछ दिन अपने फूफा डिप्टी नज़ीर अहमद देहलवी [उर्दू का पहला उपन्यासकार] की शागिर्दी में रहे। कुछ समय बाद गवर्नमेंट एडवर्ड हाईस्कूल ओरई में तालीम पाई लेकिन मैट्रिक न कर पाए।

ज़िंदगी उन्हें कठपुतली समझकर नचा रही थी। इसके बावजूद हर मोड़ पर नया माहौल अपने अनुभवों से, उनके दिल व दिमाग़ को सोच के नए आयाम दे रहा था।

उनकी अनुभूतियाँ शेरों में ढलने लगीं और वालिदा के इसरार पर उन्होंने कहानी लिखना शुरू किया जो *नसीर और मैमूना* के नाम से हमें पढ़ने को मिली।

लिखने-पढ़ने के साथ ही उन्होंने संपादन का काम भी किया जिसमें शेख़ अब्दुल क़ादिर के साथ मिलकर एक पत्रिका निकाली जो बेगम शेख़ मुहम्मद इकराम के संपादन में 1908 में 'इस्मत' नाम से शुरू की, जिसमें [बाद में मशहूर लेखक] उस दौर के लेखक अपनी रचनाएँ भेजने लगे और 1911 में देहली से दूसरी पत्रिका 'तमद्दुन' के नाम से शुरू की जो शेख़ मुहम्मद इकराम के अपने प्रेस से छपती थी मगर उनके ख़ुद के एक लेख *तराबुल्स से एक सदा* के छपने से 1913 में सरकारी पाबंदी लग गई औ ज़र ज़मानत ज़ब्त कर लिया गया। इसके बाद 1915 में 'सहेली' निकाला, जो कुछ महीने ही निकल पाया। 1919 में 'तमद्दुन' प्रेस को आग लग जाने की वजह से 'मख्ज़न', इस्मत, तमद्दुन और सहेली की तमाम पुरानी फाइलें जलकर राख हो गईं, मगर हौसला पस्त नहीं हुआ और महिलाओं की एक पत्रिका 'बनात' के नाम से शुरू की। उस वक़्त 1919 में काले ख़ाँ की मस्जिद, सब्ज़ी मंडी देहली में उनका आवास था। इसी नाम से 1923 में 'तरबियतगाहे बनात' [कन्या पाठशाला] की बुनियाद डाली।

माँ, दादा-दादी के साथ रहकर हालात ने उनके दिल में छाले डाले थे। आँखों ने ज़िंदगी का स्पर्श किया था। औरतों की बेबसी का गहरा अंदाज़ा हुआ था। उसी का निचोड़ उस संस्था के रूप में उभरा। लिखना अब व्यावहारिक रूप ले बैठा था। ज़िंदगी की दौड़ कोटला फिरोज़शाह देहली के क़ब्रिस्तान में जाकर ख़त्म हुई जहाँ महिलाओं का समर्थक आराम की नींद सो रहा है।

राशिदुलख़ैरी ने 88 किताबें लिखीं जिनमें उपन्यास, कहानी संग्रह, लेख संग्रह अनुवाद इत्यादि हैं जिनका नाम लिखना संभव नहीं है। परंतु समय की माँग और इस पुस्तक द्वारा उस ग़ैरज़रूरी सोच के खंडन—कि औरत ही अपनी बात बेहतर तरीक़े से कह सकती है, सौ फीसद सही है मगर इंसानी दिल और लेखक की क़लम औरत-मर्द की ख़ानाबंदी से उठकर मानव समाज की बात करती है इसलिए इस सच्चाई के समर्थन और सबूत के रूप में, मैं उनकी उन रचनाओं का केवल नाम दूँगी जो केवल औरतों की समस्याओं को लेकर लिखी गई हैं : *लड़कियों के इंशा* [ज़नान ख़त व किताबत पर 1911], *अलज़हरा* [प्रॉफेट मुहम्मद की बेटी फात्मा ज़हरा की जीवनी 1917], *विदाए ख़ातून* [तीन लेख जो राशिदुलख़ैरी ने अपनी जवान बहू ख़ातून अकरम की मौत के बारे में 1924-25 में लिखे *मेहमान दुल्हन* ताज़ियत नामा और आपबीती के शीर्षक से छपे थे। कुल चौबीस पन्ने की पुस्तक छह बार छपी थी], *अरुसे मशरिक़* [पूरब की दुल्हन लेख संग्रह 1936], *बज़्मे रफ़्तेगाँ* [64 पन्नों की चित्र सहित पुस्तिका, जो तीन बार छपी और जिसमें अपने फ़न में माहिर महिला और पुरुष रचनाकारों के बारे में उनके बनाए चित्रों के साथ लिखा गया है,1936], *बेफ़िक्री का आख़िरी दिन* [कुँवारी लड़कियों के लिए लिखे गए लेखों का संग्रह जो 1912 से 1922

तक के बीच लिखे गए थे। यह संग्रह तीन बार छपा], *नशीब व फ़राज़* [उतार-चढ़ाव के शीर्षक से लड़कियों के फ़र्ज़ी नाम से लिखी कहानियाँ कुल 32 पन्ने की तीन बार छपी], *साजन मोहनी* [लेख संग्रह, शौहर क्यों बिगड़ते हैं, *बेवकूफ़ बीवी* जैसे शीर्षकों के साथ 1938 में 13 लेख, तीन बार छपी], *मुसलमान औरत के हुक़ूक़* [लेख संग्रह 1938 औरत के अधिकारों पर लिखे लेख पन्ने 104 तीन बार छपी], *शादी का इंतेख़ाब* [कुल 56 पन्नों की पुस्तक जो आज के ज्वलंत मुद्दे वर का चुनाव जैसे पर, 1938 में लिखी तीन बार छपी] इत्यादि।

अपने भाषण [अंजुमने हिमायत-ए-इस्लाम लाहौर 1925] में एक जगह कहते हैं, "मैं जानता हूँ कि आज के सुशिक्षित जवान हर धार्मिक आदेश को अक़्ल के तराज़ू और दर्शन की कसौटी पर तौलते और रखते हैं। इसलिए मुझे यह कहने में ज़रा सी भी झिझक नहीं है कि महिलाओं के अधिकारों को लेकर मेरी ज़बान से जो कुछ निकल रहा है, धर्म से अलग होकर एक शब्द भी ऐसा नहीं जिसे हमारी बुद्धि स्वीकार न करती हो।" उस दौर में औरत की आज़ादी और बेदारी का जोखिम उठा कर उन्होंने जो सैद्धांतिक कार्य किए थे उसके लिए ज़रूरी था कि वह कई उपनामों से छपते रहे हैं जैसे मुहम्मद अब्दुलराशिद, मौलवी अब्दुल राशिद, ख़ैरी देहलवी, राशिदुलख़ैरी इत्यादि।

राशिदुलख़ैरी की रचनाओं को कॉलेज के पाठ्यक्रम में लगाया गया। फ़िल्में बनीं और पाठकों की माँग पर हर पुस्तक के कई-कई संस्करण छपे। उनके बताए रास्ते पर चले लेखकों ने उन्हें भुलाया भी तो क्या और तारीख़ के पीले पन्नों पर अगर वह इतिहास बनकर दबे रहे तो क्या, साहित्य का रहस्य तो यही है कि वह खो जाता है और फिर वापस मिल जाता है। अगर मैं अपने काम को नए मुहावरे से न जोड़ती तो राशिदुलख़ैरी को पहला या फिर भूला हुआ लेखक समझकर आगे बढ़ जाती कि अब कौन गड़े मुर्दे उखाड़े। मगर आज माहौल में जो गर्माहट है उस सोच की आँच समय की धूल से ढक जाने के बाद फिर से हरारत दे रही है।

उर्दू की पहली उपन्यासकार रशीदातुन्निसा ने डिप्टी नज़ीर अहमद के उपन्यासों को पढ़कर कहा था कि अल्लाह! जब मर्द होकर वह हमारी बातें लिख रहे हैं तो फिर हम औरतें अपनी बात ख़ुद क्यों न करें? और इस विचार और भावना के साथ महिलाओं द्वारा लिखा उर्दू का पहला उपन्यास वजूद में आ गया। उस तारीख़ से अब तक जाने कितने उपन्यास औरतों के क़लम से लिखे जा चुके हैं और साहित्य और कला की कसौटी पर खरे उतरे हैं।

राशिदुलख़ैरी की ज़बान आज की उर्दू से यक़ीनन अलग है और होनी भी चाहिए आख़िर 1903 से 2015 तक एक लंबा समय है। पाठक उस दौर में लिखी भाषा-शैली का आनंद लें।

राशिदुलख़ैरी की सृजनात्मकता, सामाजिक दृष्टि और महिलाओं के प्रति सम्मान एवं हमदर्दी के लिए हम सभी लेखकों की तरफ़ से हार्दिक श्रद्धांजलि।

नसीर और ख़दीजा

राशिदुलख़ैरी

शाबाश भाई नसीर शाबाश! छोटी बहन मर के छूटी, बड़ी बहन को जीते छोड़ा। ग़ज़ब ख़ुदा का तीन-तीन चार-चार महीने गुज़र जाएँ और तुमको दो हर्फ़ लिखने की तौफ़ीक़ न हो। हफीज़ के निकाह में, वह भी चचीजान के ज़बानी मालूम हुआ था कि मुलतान की बदली हो गई। वह दिन और आज का दिन ख़ैर सलाह कैसी, यह भी ख़बर नहीं कि लाहौर में हो या मुलतान में। नसीर मियाँ, बहन-भाइयों का रिश्ता तो बड़ी मुहब्बत का होता है। ऐसी कौन-सी पाँच-सात बहनें बैठी हैं जो दिल-भर गया। दूर क्यों जाऊँ भाई सलीम को ही देख लो, एक छोड़ दो बहनें साथ हैं और किस तरह? घर बार की मुख़्तार, अंदर-बाहर की मालिक। स्याह करें चाहें सफ़ेद। न भाई की इतनी मजाल की दम मार सके, न भावज की इतनी ताक़त कि हूँ कर सके। किसी को देखकर तो सीखा करो। एक वह भाई-बहनों को आँखों पर बिठाया, भांजा-भांजी की शादियाँ कीं। भांजों को पढ़ा-लिखा नौकर कराया। एक तुम भाई हो, किसका भांजा कौन बहन। चाहे कोई मरे या जिये तुम्हारी बला से। ख़ुदा का शुक्र है, मैं तो तुम्हारे रुपये पैसे की भी भूखी नहीं, ख़ाली मुहब्बत और मीठी ज़बान की ख़्वास्तगार हूँ! जो ख़ुदा न ख़्वास्ता तुम्हारे दर पर आकर पड़ती तो कुत्ते के ठीकरे में पानी पिलवा देते। आख़िर मैं भी तो सुनूँ ख़ता क़ुसूर वजह सबब...कुछ तो बताओ ऐसी लापरवाही भी किस काम की अच्छे से ग़रज़ न बुरे से मतलब। बहन के तुम नहीं भाई के तुम नहीं। सादक़ा मरते मर गई और तुम्हारी सूरत देखनी नसीब न हुई। अम्मा रही नहीं। अब्बा उधर चले गए। मैं इस क़ाबिल नहीं। बड़े भाई इस लायक़ नहीं। अब तुम्हारा दिल्ली में कौन बैठा है जिसको ख़त लिखो। तुम तो ख़ुदा से चाहते थे कि कोई मौक़ा मिले तो एक सिरे से सब ही को आक़ कर दूँ। अब्बा का हज को जाना, ऊँघते को ठेलने का बहाना हो गया। बहन और भाई, मामू और मुमानी सबको बालाए ताक़ रखा। चचा लापरवाह, चची ख़तावार। भाई ख़ुदग़र्ज़...बहन गुनाहगार, गर्ज़ कुनबे का कुनबा और ख़ानदान का ख़ानदान। छोटे और बड़े, बूढ़े और जवान, मर्द और औरत, बूढ़ा और बच्चा, एक भी अच्छा नहीं, मुहब्बत नहीं, मुरव्वत ही सही। बाल बच्चों का साथ रखना गुनाह नहीं हैं, दुनिया जहाँ से होती

आई है। मगर यह अंधेर कहीं नहीं देखा कि अलग घर करते ही सबको धता बताई। अम्मा का मरना हमारी तो मिट्टी पलीद हुई, मगर तुमको ईद हो गई। शिफ़क़त मुहब्बत पहले ही रुख़सत हो चुकी थी। जो कुछ थोड़ा बहुत लिहाज़ था वह भी गया गुज़रा हुआ। अल्लाह तुमको हमेशा ख़ुश व खुर्रम रखे। इलाही तुम्हारे बच्चों की हज़ारी उम्र हो। अपने दिल पर हाथ रखकर देखो, अब से दूर अगले बरस ज़रा ज़हीर को बुख़ार हो गया था। कैसे घबराए-घबराए फिरते थे। तुमको आठ बरस के बच्चे की यह कुछ ममता थी अम्मा को तुम्हारी कितनी होगी ? नसीर मियाँ दुनिया के झगड़े तो हमेशा रहेंगे। बाल-बच्चों, शादी-ब्याह सब कुछ होगा। अब अम्मा तुम्हारी सूरत देखने नहीं आएगी।

सादक़ा के बच्चों को अम्मी अपनी ज़िंदगी तक कलेजे से लगाए रहीं। उनका मरना था कि तीनों की मिट्टी वीरान हो गई। परसों दोनों लड़के बिस्मिल्लाह का हिस्सा लेकर आए थे। मैं बाहर की चारपाई पर बैठी हुई रज़ाई टाँक रही थी। छोटा आकर गले से लिपट गया। कुछ ख़ून का जोश था कि उसकी सूरत देखते ही मेरी तबीयत भर आई। ग़ुलामों की भी हालत अच्छी होगी जैसी उन बच्चों की थी। फटा हुआ कुर्ता, टूटी हुई जूती, चीकट पायजामा, टोपी चूहा, बदन पर सेरों मैल, आँखों में अलग़ारो चीपड़। बच्चों को देखकर मुझे वह दिन याद आ गया जब तक दोनों की अलखालकैन न आ गई। सादक़ा राबिया की चौथी में न गई। देख लो तीन-चार बरस के अंदर-अंदर क्या-क्या हो गया। बुरा न मानना तुम क़ियामत तक भी अपने बच्चे को इस तरह नहीं पालोगे, जिस तरह सादक़ा अपने बच्चों को पाल गई। खुदा की क़सम भरी हुई इत्र की शीशियाँ खड़े-खड़े सईद ने ग़ारत की हैं। तक़दीर की ख़बर न थी कि सादक़ा की औलाद यूँ बर्बाद होगी। मैंने देखा नहीं, मगर दादा जान ज़िक्र किया करते थे कि ग़दर से पहले इस घर पर हाथी झूमता था। आज जाकर देखो बेकुंडी का एक किवाड़ चढ़ा हुआ है और चिकनी मिट्टी की एक दीवार चुनी हुई है। बड़े नवाब का आँख बंद होना था कि घर भर में झाड़ू फिर गई। मैंने अपनी आँखों से देखा है। मसऊद के ब्याह में सादक़ा की सास को गंगा-जमनी पंखे झले जा रहे थे। लौडियाएँ और मामाएँ गूँदनी की तरह ज़ेवरों में लदी हुई थीं। देखते-ही-देखते कुछ ऐसा ज़माना पलटा कि आज पानी पीने को कटोरा भी न रहा। मटके में आटा बरकत बुगची में कपड़े अल्लाह का नाम। बदन में ताकत नहीं, हाथ-पाँव में सकत नहीं, चलते-फिरने से मजबूर, देखने से माज़ूर। आँखें थीं तो एक आध कुर्ता दो-एक टोपियाँ कर करा लेती थीं। अब इतनी भी नहीं। पड़ोस का हक़ समझो, ख़ुदा का ख़ौफ़ जानो, हाथ-पाँव की ख़ैरात कहो चचीजान तीन रुपया महीना देती हैं। बस यह कुल कायनात है। इसमें क्या आप खाएँ क्या बच्चों को खिलाएँ। तीन रुपया चार दम, एक लड़की का साथ, क्या करें, क्या न करें। तीन रुपया महीने का तो सूखा अनाज चाहिए। जो-जो कुछ लिखा था सब ही कुछ कर चुकीं। चक्कियाँ पीसी, सिलाई की। हाँ इतनी बात रह गई कि दर-दर हाथ नहीं फैलाया।

सादक़ा के बच्चे किसी ग़ैर के बच्चे नहीं हैं। मरी हुई बहन की निशानी हैं। शाबाश

तुम्हारी हिम्मत पर, तुम परदेस में बैठे राज करो और सादका के बच्चे दो–दो दाने को मोहताज हों। दिल्ली में आकर देखो शहर में क्या नाम बदनाम हो रहा है। आख़िर बरस में दो बरस में अपने हाँ की नहीं। ससुराल की शादियों में तो आओगे। सबको याद है अल्लाह रखे! लड़की का ब्याह सर पर आ रहा है या यह भी वहीं कर लोगे? अपने–पराए, कुनबे, मोहल्ला, मेल–मिलाप, जान–पहचान तमाम दुनिया जन्म में थूक रही है। किस–किसका मुँह कीलोगे? बड़े भाई इस लायक़ होते तो तुमसे कहने की ज़रूरत न थी। वह बेचारे आप ही अपनी परेशानियों में घिरे हुए हैं। नौकरी छूटी, चोरी हुई, मुक़दमा हारे। चार रुपया मकान के आ जाते थे, वह भी न रहे। अंदर का दालान हवा हो ही रहा था कि एक ही छींटें में उड़–उड़कर के आन पड़ा। उसके साथ ही लंबी कोठरी भी बैठ गई। इतना भी पास नहीं कि ईंटें और मलवा तो हटवा दें। चार सौ रुपये के कर्ज़दार बैठे हैं।

एक ले दे के मँझली खाला रह गई हैं वह अकेली क्या–क्या करें। सादका के बच्चों को पालें। बड़ी बहू की टहल करें। अपने घर को देखें, जिसका न करें उसी से बुरी। रुपये पैसे के क़ाबिल नहीं। हाथ पाँव से बाहर नहीं, जिसके यहाँ ज़रूरत देखती हैं, आ मौजूद होती हैं। कुनबे को जिसका जी चाहे कह लो, ख़ल्क़ का ख़ल्क़ थोड़ी बंद हो सकता है।

मामू और बाप में फ़र्क़ नहीं होता। मगर समझो तो। न समझो तो भांजा–भांजी तो ख़ैर, अपनी औलाद भी ग़ैर है। ख़ुदा गवाह है, मेरी तो अगर जान तक काम आ जाए तो दरीग़ नहीं। अपने बच्चे कम और सादक़ा के बच्चे ज़्यादा। मगर ज़रा अक़्ल से काम लो सारी दुनिया में बदनाम हूँ, मरी हुई हड्डियाँ उखड़वाओ, अम्मा–बाबा की नाक कटवाओ। दादा–दादी तक को पुनवाओ। जब उनको साथ रखने का नाम लूँ। मैं ख़ुद पराए बस में हूँ। शहर का मामला, ससुराल की बात सास ननदों का साथ, हर वक़्त की झक–झक, रात–दिन की पिट–पिट, कुनबे भर में ज़लील होना। उम्र भर के लिए मिट्टी पलीद करनी। घरों में लड़ाइयाँ डालनी, दिलों में फ़र्क़ डालने किस ख़ुदा ने बताए हैं। अम्मा जान तो पहले ही फ़रमाती हैं कि मायके का घर भरना फिरती हैं। बच्चों को रख लूँ तो ज़िंदगी ही दूभर हो जाए। तुमको माशाअल्लाह अस्सी रुपये मिलते हैं। दो मियाँ–बीवी, दो बच्चे कुल चार दम। अस्सी रुपये क्या कम हैं। बुरा मानो या भला जिस तरह हो सके सादक़ा के बच्चों का पाँच रुपया महीना दो। यह रुपया रायगाँ नहीं जाएगा। यहाँ नेक नाम वहाँ सुरख़ुरु नसीर मियाँ हक़दारों का हक़ समझो, अल्लाह बरकत देगा। फलोगे–फूलोगे, दुनिया की बहार देखोगे, रोज़गार में तरक़्क़ी होगी। उन बच्चों को ग़ैर न समझो, ज़हीर और हमीद में फ़र्क़ नहीं है। भाई–बहन की औलाद एक होती है। यह बेचारे भी क्या याद करेंगे कि कोई मामू था!

दुल्हन बेगम को बहुत–बहुत दुआ। बच्चों को प्यार। अब तो माशाअल्लाह बच्ची पाँव–पाँव चलती होगी। अच्छा ख़ुदा हाफ़िज़।

रोज़े जुमा
ख़दीजा

इंसानी फ़ितरत को कहानियों में ढालने वाला शीशागर

अली अब्बास हुसैनी 3 फरवरी, 1897 में मोज़ापारह, ज़िला गाज़ीपुर में पैदा हुए। उनकी शिक्षा मज़हबी तालीम अरबी, फ़ारसी मदरसे से शुरू हुई। अंग्रेज़ी की तरफ़ उनका रुझान देख घरवालों ने उन्हें मिशन हाईस्कूल में दाख़िल करा दिया। क्रिश्चियन कॉलेज इलाहाबाद से 1915 में उन्होंने मैट्रिक पास किया और 1919 में कैनिंग कॉलेज से बी.ए. की डिग्री हासिल की। इलाहाबाद टीचर्स ट्रेनिंग कॉलेज से 1921 में एल.टी. और 1924 में इतिहास में एस.ए. की डिग्री ली।

आपका परिवार सिपहसालार मसूद गाज़ी अल हुसैनी तरनदी की नस्ल से है, जिन्होंने फ़िरोज़शाह तुग़लक़ के काल में 'गाज़ीपुर' बसाया था। बचपन से कहानी पढ़ने में रुचि थी। ग्यारह वर्ष की उम्र में उर्दू में *अलिफ़ लैला* को कंठस्थ कर लिया और सात बार फ़िरदौसी का शाहनामा पढ़ा। उस दौर में अब्दुल हलीम शरर और मुहम्मद अली तय्यब का उर्दू साहित्य में डंका बजता था। बुज़ुर्गों की नज़र बचाकर उन्हें भी पढ़ डाला। इसके अलावा साहित्य की सारी विधाओं में छपने वाली रचनाओं का जो उन्हें मिल सकी उसे भी पढ़ा। पढ़ना उनका जुनून था!

1917 में अपना पहला अफ़साना *गुंचा-ए-नाशगुफ़ता* लिखा और 1920 में *सरसय्यद अहमद पाशा* के नाम से एक रूमानी उपन्यास लिखा। 1921 में एल.टी. करने के बाद स्कूल टीचर हो गए और अध्यापन से गहरे जुड़ गए। गवर्नमेंट जुबली कॉलेज से 1954 में प्रिंसिपल के पद से रिटायर हुए लेकिन उनका नाता कहानियों से नहीं टूटा। कहानी लिखने का बुखार अपनी पूरी हरारत से मौजूद था। 1939 में *बासी फूल* के नाम से कहानी संग्रह आया। इसके बाद *काँटों में फूल, मेला घुमनी* नामक संग्रह आए और 1941 में उनका रूमानी उपन्यास *सरसय्यद अहमद पाशा उर्फ काफ़ की परी* छपा। दूसरा उपन्यास *शायद की बहार आई* के नाम से आया। उनके अन्य कहानी संग्रह : *नदिया किनारे, हमारा गाँव, उलझे धागे, एक हमाम में, सैलाब की रातें, आई.सी.एस.* और दूसरे अफ़साने। उन्होंने नाटक भी लिखे, *एवन एक्ट के ड्रामे, नौ रतन* इसके अतिरिक्त हास्य-व्यंग्य में *हकीम बा नमाज़, यह कुछ हँसी नहीं*

है। आलोचना में उनकी पुस्तकें *अरुसे अदब* और *नॉवेल की तारीख़ और तनक़ीद* के नाम से आईं।

हिंदी में उनकी पुस्तकें *फूलों की छड़ी, गाय अम्माँ* के नाम से आईं। सृजनात्मक पुस्तकों के अलावा लगभग दर्जन भर पुस्तकें उन्होंने विभिन्न कक्षाओं के पाठ्यक्रम के लिए लिखीं। जासूसी उपन्यासों के प्रसिद्ध लेखक इब्ने सफ़ी के साथ इलाहाबाद से *निकहत* नामक पत्रिका निकाली। इंसानी प्रवृत्तियों पर पैनी नज़र रखने वाले इस लेखक का कहना था—"अगर इंसानियत का प्रचार करना तरक़्क़ी पसंदी है तो वास्तव में, मैं तरक़्क़ी पसंद हूँ, यदि इसका अर्थ मार्क्स के दर्शन को ख़ुदाई समझना है तो मैं आधुनिक विचारों का नहीं हूँ। सच्चाई यह है कि मैं मुश्क़्क़क हूँ...[अभ्यास करने वाला] मैं कलाकार का काम चित्रकारी और दुखती रगों पर अँगुलियाँ रख देना समझता हूँ। दृष्टिकोणों का प्रचार, प्रचारक का काम है और उनको व्यवहार में लाना कानून बनाने वाले का।"

उनके यह विचार *मेरा बेहतरीन अफ़साना* मुहम्मद हसन असकरी की पुस्तक से लिया गया है और *मताए अदब* अज़हर ज़ैदी की पुस्तक में अपना ख़्याल ज़ाहिर करते हुए कहते हैं, "मैंने इस फ़न [कहानी] के बारे में जो कुछ सीखा है वह अंग्रेज़ी अदब का वरदान है या उन यूरोपीय भाषाओं के अनुवादों का, जो अंग्रेज़ी में हैं।"

अली अब्बास हुसैनी ने *मेला धुमनी* में जो किरदार रचा है, वह वास्तव में इंसानी प्रवृत्ति है। इसलिए यह किरदार साहित्य के पन्नों पर सदा धड़कता रहेगा और समय के हर कालखंड में जीता-जागता महसूस होगा।

प्रवृत्तियों को चरित्रों में ढालने वाला यह अदीब हमसे 1969 में जुदा हुआ और आख़िरी साँसों को लेने के लिए लखनऊ की धरती चुनी। मिर्ज़ा हामिद बेग ने अपनी पुस्तक उर्दू *अफ़साने की रिवायत* [पन्ना-65-66] में लिखा है :

"अली अब्बास हुसैनी के यहाँ यथार्थ पसंदी में रूमानियत के गहरे रंग नुमायाँ हैं, लेकिन उसके साथ यह भी कहना पड़ता है कि इस परंपरा का सबसे प्रामाणिक नाम अली अब्बास हुसैनी का ही है। उसका कारण है उनका लंबी साहित्यिक यात्रा जो साठ वर्ष के लेखन पर आधारित है।"

अली अब्बास हुसैनी की स्थिति भी पाउंड, स्पेंडर और पिकासो की सी है जो एक आंदोलन से दूसरे आंदोलन में फलाँग लगाते रहे। पहले रूमानी काल में साँस ली, फिर उनका ज़माना देखा और फिर एक के बाद एक न्यू स्किल्स आर्ट बराए आर्ट और आख़िर में अलामती निगारी के आंदोलन में शामिल हो गए।

अली अब्बास हुसैनी की सृजन-यात्रा एक ऐसे सलीक़े में ढल गई जो हक़ीक़त निगारी में रूमानियत और कहावतों की उस परंपरा के सौंदर्य के अंतिम छोर तक पहुँच गई। उदाहरण, मेला घुमनी, रफ़ीके तन्हाई जैसी कहानियाँ हैं।

मेला घुमनी

अली अब्बास हुसैनी

कानों की सुनी नहीं कहता आँखों की देखी कहता हूँ। किसी विदेशी घटना का बयान नहीं अपने ही देश की दास्तान है। गाँव घर की बात है। झूठ सच का इल्ज़ाम जिसके सर पर जी चाहे रखिए। मुझे कहानी कहनी है और आपको सुननी है।

दो भाई थे चुन्नू-मुन्नू नाम, कहलाते थे पठान। मगर ननिहाल जुलाहे टोली में था और ददिहाल सय्यदबाड़े में। माँ प्रजा की तरह सय्यदबाड़े में काम करने आई थी। उनके छोटे भाई साहब ने उससे कुछ और भी काम लिए और नतीजे में आए चुन्नू मुन्नू। वह तो यादगारें छोड़कर स्वर्ग सिधारे और परिणाम भुगते बड़े मीर साहब ने। उन्होंने बी जुलाहिन को कच्चा मकान दिया और चुन्नू-मुन्नू के पालन-पोषण के लिए कुछ रुपये दिए। वह दोनों पले और बढ़े। अच्छे हाथ-पाँव निकाले। चुन्नू ज़रा गंभीर स्वभाव का था। होश सँभालते ही मीर साहब के कारिन्दों में मुलाज़िम बना और हमउम्र मीर साहिबों का हमजोली बना। मुन्नू मस्तमौला था। अहीरों के साथ अखाड़ों में कुश्ती लड़ता और नाम के लिए खेती-बाड़ी करने लगा।

लेकिन दोनों के जवान होते ही उनकी धमनियों में बहता गर्म ख़ून और विरासत में मिलीं आदतें उजागर होने लगीं। दोनों ने शारीरिक ज़रूरतों के चलते एक से एक हरकतें कीं और उनके क़िस्से धीरे-धीरे मीर साहब के कानों तक पहुँचे। उन्होंने चुन्नू को उसी की तरह की लड़की के साथ ब्याह के बंधन में बाँध दिया। मगर मुन्नू छुट्टे साँड़ की तरह विभिन्न खेत चरता रहा। उसकी हरकतों की चर्चा का शोर दूर तक फैला। यहाँ तक कि मीर साहब के पास अहीर टोली, चमार टोली, जुलाहा टोली हर ओर, हर मोहल्ले से फ़रियाद की आवाज़ें पहुँचने लगीं।

उन्होंने तंग आकर एक दिन उसकी माँ को बुला भेजा। वह जब घूँघट निकाले, लजाती, सहमती उनकी बीवी के पलंग के पास ज़मीन पर आकर बैठी तो मीर साहब ने मुन्नू की शिकायत की, और कहा, ''इस लौंडे को रोको वरना हाथ-पाँव टूटेंगे।''

उसने धीरे से कहा :

''तो मैं क्या कर सकती हूँ। आप ही चुन्नू की तरह उसे किसी नाँद से लगा दीजिए।''

मीर साहब बड़ी सोच में पड़ गए। यह नई क़ौम का क़लमी पौधा किसी मुनासिब थाल ही में लगाया जा सकता था। हर धरती तो इसे स्वीकार नहीं कर सकती थी। ख़ासकर तब जब उसके कारनामों को यहाँ सब जान चुके हों। वह ज़नानख़ाने से सोचते हुए बाहर चले आए और बराबर सोचते ही रहे।

इत्तेफाक़ से उन्हीं दिनों ददरी के मेले से वापस होनेवालों के साथ एक नामालूम क़बीले की औरत गाँव में आई और एक दिन मीर साहब के यहाँ नौकरी तलाश करने के बहाने पहुँची। सैदानीबी ने शक्ल-सूरत देखते ही समझ लिया कि वह उनके घर में नौकरानी की तरह टिकने वाली औरत नहीं है। पूछने गूछने से यह भी मालूम कर लिया कि वह गाँव के दर्ज़ी के साथ मेले से आई है और उसके यहाँ टिकी भी है। सैदानी बी उस दर्ज़ी की दास्तानें भी सुन चुकी थीं। जब से उसकी दर्ज़िन सिधारी थी उसने मेलों से नई-नई औरतों को लाना और गाँव की ज़नाना आबादी में बढ़ोतरी करना अपना तरीक़ा बना लिया था। फिर भी सैदानी बी को उनके रईसाना मिज़ाज ने साफ़-साफ़ इंकार करने की इजाज़त न दी और वह बोली, "अच्छा, घर में रहो और काम करो। दो-चार दिन में तुम्हारा कोई ठिकाना ढूँढती हूँ।"

इधर मर्दाने में मीर साहब को उनके साथियों ने नई औरत के आने की ख़बर दी। उनमें से एक ने बड़े अंदाज़ से उसका कच्चा चिट्ठा इन शब्दों में बयान किया—

"क़िस्सागो सादिक़ का कहना है कि असल उसकी बंजारन है। वह बंजारन से ठकुराईन बनी, ठकुराईन से पठानी, पठानी से कुबड़न, कुबड़न से दर्ज़िन और दर्ज़िन से अब सैदानी बनने के इरादे रखती है।"

एक साहब ने पूछा और उसके बाद?

वह दोनों शाने उठाकर और दोनों हाथ फैलाकर बोले, "ख़ुदा ही जाने! शायद उसके बाद फ़रिश्तों से आँख लड़ाएगी।"

मीर साहब जब घर आए तो बीवी ने उस औरत के आने की ख़बर दी। वह बहुत लाल पीले हुए। इस तरह की चाल चलन वाली औरत एक शरीफ़ ख़ानदानी घर में? अचानक वह औरत किसी काम से सामने नज़र आई। मीर साहब बल ख़ाने लगे। नौकरी करने आई थी। अगर इंकार करते हैं और घर से निकाल देते हैं तो उसे ग़लत रास्ते की तरफ़ धकेल देते हैं। पेट के लिए इंसान क्या कुछ नहीं करते हैं। अगर अपने यहाँ रखते हैं तो घर में माशाअल्लाह कई छोटे मीर साहब हैं। कहीं चुन्नू-मुन्नू की नस्ल और न बढ़े। इन नामों से उनके दिमाग़ में एक विचार कौंधा और वह मुस्कुरा-मुस्कुरा कर बीवी से सरगोशी करने लगे।

फिर उन्होंने मुन्नू की माँ को बुलाकर नादिरशाही हुक्म दिया, "हमने मुन्नू की बात पक्की कर दी है। उससे कह दो कल निकाह होगा।"

बेचारी जुलाहिन को चूँ व चरा की हिम्मत न थी। वह 'बहुत अच्छा' कह के होने वाली बहू पर एक नज़र डालने चली गई। वह भी रिश्ते से बिल्कुल बेख़बर थी,

इसलिए बहुत खुलकर बातें हुईं। जुलाहिन उसके तौर-तरीक़ों से ख़ुश नहीं हुई, मगर मीर साहब की मर्ज़ी के ख़िलाफ़ भी नहीं जाना चाहती थी। रहने का ठिकाना उन्हीं का दिया है। चुन्नू की नौकरी भी उन्हीं की दी हुई है और मुन्नू के जोत में खेत भी उन्हीं के हैं, फिर लालच भी था कि अपनी ख़ुशी से शादी करेंगे तो सारा ख़र्च भी ख़ुद ही उठाएँगे। घर लौटी और रात को मीर साहब का फ़ैसला मुन्नू को सुना दिया। वह दर्ज़ी के घर भावज की हैसियत से उसे देखकर पसंद कर चुका था। जल्दी से राज़ी हो गया।

दूसरे दिन मौलवी साहब बुलाए गए। मुन्नू को नया कुर्ता नई धोती मीर साहब ने पहनवाया। दुल्हन को उनकी बीवी ने शादी का जोड़ा और चंद चाँदी के ज़ेवर पहनाए और निकाह हो गया। मीर साहब ने मुँहदिखाई के नाम से दस रुपया मुन्नू की माँ को दिया और दुल्हन को उसके घर विदा कर दिया।

दिन बीतते गए। दिन बीतते गए। एक साल होने को आया। मगर मुन्नू और उसकी बीवी की कोई शिकायत सुनने में नहीं आई। मीर साहब को इत्मीनान हो चला कि नुस्ख़ा कारगर हुआ और दो रोगी दवा की एक ही ख़ुराक में ठीक हो गए कि एक दिन बी जुलाहिन रोती बिसोरती पहुँची। मालूम हुआ मुन्नू ने मारा है। भेद खुला कि पिछले छह माह से मुन्नू को नशे की लत लग गई है और जिस तरह नशा बीवी पर उतारता है ग़ुस्सा उसी तरह माँ पर। कल रात, उसने सिर्फ़ मारा नहीं बल्कि उसे बिना खाना पानी दिए कोठरी में बंद कर दिया। अब छूटी है तो फ़रियाद लेकर आई है। मीर साहब के इस सवाल पर कि पहले ही क्यों न बताया कि फ़ौरन इलाज किया जाता तो शायद आदत न पड़ती। जुलाहिन सिवाय ममता के क्या जवाब दे सकती थी। उन्होंने हुक्म दिया कि आज से यहीं रहो, घर जाने की ज़रूरत नहीं।''

मगर मीर साहब को मुन्नू की फ़िक्र लग गई। ख़ून गंदी नाली में बहकर न तो बदल जाता है और न फटकर सफ़ेद हो जाता है। इसलिए उसे बुला भेजा और हद से ज़्यादा क्रोधित हुए। यहाँ तक कह दिया कि अगर फिर सुना की तूने ताड़ी पी तो दरख़्त से बँधवाकर इतना पिटवाऊँगा कि चमड़ा उधड़ जाएगा। साथ ही पासी के पास ख़ास कारिन्दा भेज कहलाया कि अब अगर मुन्नू को एक क़तरा भी पीने दिया तो ताड़ीख़ाना फुँकवा दूँगा। संक्षेप में मुन्नू की पूरी तौर पर बंदिश कर दी गई और ताड़ी बंद हो गई। नशे का इंजेक्शन वर्जित मान लिया गया!

मगर जोंक अपना काम करती रही और ताड़ी बंद होने के छह माह बाद वह आखें माँगने लगा। बिल्कुल पीला सूखा हुआ आम बन गया और ख़ाँसी-बुख़ार का शिकार हो गया। जब मीर साहब को ख़बर मिली कि हालचाल पूछने के बहाने वहाँ यार दोस्तों की बैठकें शुरू होने लगी हैं और मुन्नू की बहू ने नैनों के बाण चलाना

शुरू कर दिए हैं तो उन्होंने बी जुलाहिन को कुछ रुपये दिए और उसे घर भेजा ताकि बेटे का इलाज और बहू पर अंकुश लगा सके!

लेकिन यह निगरानी वहाँ इसी तरह नापसंद की गई जिस तरह चोरों को पुलिस की निगरानी खटकती है। दो-चार दिन बाद ज़बान की फिर्री तेज़ होने लगी। सास भला किससे कम थी। उसने भी ईंट का जवाब पत्थर से दिया। एक दिन तो बात मारपीट तक पहुँच गई। जवानी और बुढ़ापे का मुक़ाबला क्या था। बहू सास के सीने पर सवार हो गई। मुन्नू पलंग से झपटकर उठा और लड़खड़ाता हुआ माँ को बचाने पहुँचा। बीवी ने वह ज़ोर की लात सीने पर मारी कि वह हाय करके वहीं ढेर हो गया। दोनों लड़ना भूलकर उसके उपचार में लग गईं। लेकिन बलग़म के साथ थोड़ा-थोड़ा ख़ून भी आने लगा और वह एक हफ़्ते बाद घर से उठकर क़ब्र में चला गया।

अब रोना-धोना शुरू हुआ। विलाप होने लगा। सास और बहू में मुक़ाबला-सा होने लगा कि कौन सोग ज़्यादा मनाता है। पाँच रोज़ तक इस तरह की तूफ़ान व बदतमीज़ी मची रही कि एक दिन मीर साहब को ख़ुद जाकर समझाना पड़ा। आहिस्ता-आहिस्ता ग़म घटना शुरू हुआ और सास-बहू को एक-दूसरे से छुटकारा पाने और रिश्ता टूट जाने की अनजानी ख़ुशी महसूस होने लगी। अचानक चुन्नू की बीवी समय से पहले मरा बच्चा जन ऊपर चली गई। जुलाहिन बी को चार छोटे-छोटे पोते-पोतियों को सँभालना पड़ा और मुन्नू की पत्नी को सोग मनाने की मुद्दत को भूल जाने के अवसर प्राप्त होने लगे।

ऐसे ही किसी एक वक़्त में चुन्नू बीवी की मौत का ग़म भुलाने छोटे भाई की बीवी के पास आकर बैठ गया। आदर-सत्कार के बाद बातों का सिलसिला छिड़ गया। दर्दे दिल बयान हुए। तन्हाई का ज़िक्र छिड़ा और उसके दूर करने के उपायों पर ग़ौर हुआ। एक रात इम्तहान की तय पाई और जब उसकी सुबह ठीक हुई तो माँ से चुन्नू ने इसरार किया कि वह इस रिश्ते को निकाह के ज़रिए पक्का करा दे।

वह बेटे को लेकर मौलवी के पास पहुँची। वह देहात में रहने की वजह से शुरुआत की किताबें अभी तक नहीं भूले थे। उन्होंने इम्तहान और उसके नतीजे को जान लेने के बाद कान पर हाथ रखा और निकाह न हो सकने का फ़तवा दे डाला। बड़ी बी काफ़ी देर तक वकील की तरह मौलवी से बहस करती रही, मगर मौलवी के विचार नहीं बदले तो जलकर बोलीं, ''चल घर चल। माँग में मेरे सामने सिंदूर भर देना। वह अब तेरी बीवी है। मैं ख़ुश! मेरा ख़ुदा ख़ुश।''

चुन्नू ने माँ का कहना माना। माँग में सिंदूर कई चुटकी डाल दिया। और अपने चारों बच्चों के साथ उसी घर में रहने आ गया।

एक महीना बीता, दो महीना बीता, तीन महीना बीता। चौथे महीने चुन्नू की कमर में नस चढ़ गई। अकड़ना और तनकर चलना छूट गया। वह अब ज़रा झुक

कर चलने लगा। छोटे मीर साहेबान में से किसी का दोस्त डॉक्टर था। उस डॉक्टर को दिखाया कुछ दवाएँ उन्होंने दीं। दवाओं का असर हुआ मगर उस डॉक्टर की नौकरी कहीं लग गई और वह चला गया। बस चुन्नू की कमर कच्ची लकड़ी की तरह बोझ पड़ने से झुक गई। साथियों ने 'अफ़ीम' की सलाह दी। शुरू में तो काफ़ी सुरूर आया मगर अफ़ीम की ख़ुश्की ने धर दबोचा। दूध, मक्खन, घी मलाई और यह चीज़ें चार रुपये की कमाई में कहाँ नसीब। अफ़ीम की लत लग चुकी थी। वह छूटती न थी। उसने आहिस्ता-आहिस्ता दिल व जिगर को छलनी कर दिया। चुन्नू को दौरे पड़ने लगे और सूखी ख़ाँसी आने लगी।

एक दिन जब जनवरी के माह में बूँदा-बाँदी हो रही थी। ओले पड़ने ही वाले थे कि चुन्नू का दिल बैठने लगा। ड्योढ़ी में किसी काम से हाज़िर था। डलिया बर्तन-वर्तन छोड़कर घर की तरफ़ भागा। रास्ते में कौंदा लपका, लगा उसी पर बिजली गिरी है। मुँह के बल ज़मीन पर आ रहा। सँभलकर उठा, मगर दिल का यह हाल था कि मुँह से निकला पड़ता था, "अरे अम्माँ! अरे अम्माँ!"

चीख़ता हुआ दौड़ा मगर रास्ता सुझाई नहीं दे रहा था। दम घुटा जा रहा था। मगर पाँव पहिए की तरह लुढ़क रहे थे। घर की दहलीज़ पर क़दम रखा ही था कि दूसरा फड़का हुआ। वह ठोकर खाता, सँभलता, फिसलता-लड़खड़ाता दालान वाले पलंग पर जाकर पंजे से छूटे कबूतर की तरह भद से गिर पड़ा और उसी तरह उसके बदन का हर अंग फड़कने लगा। बीवी, 'अरे क्या हो गया' कहती हुई दौड़ी। चुन्नू ने बायाँ पहलू दोनों हाथों से दबाते हुए कहा :

"अब मेरे बाद तुमको कौन ख़ुश रखेगा?" और हमेशा के लिए ख़ामोश हो गया। चुन्नू के फ़ातिहा के तीसरे दिन उसकी ख़ुश न होने वाली विधवा गाँव के एक जवान किसान के साथ कुंभ का मेला घूमने इलाहाबाद चली गई।

बड़ी मुश्किल से होता है चमन में दीदावर पैदा

रशीदजहाँ का जन्म 25 अगस्त, 1905 में दिल्ली में हुआ। वह अलीगढ़ के शेख़ अब्दुल्लाह और दिल्ली की वहीद जहाँ बेगम की सबसे बड़ी संतान थीं। वह पेशे से डॉक्टर थीं। उनका विवाह मार्क्सवादी विद्वान कॉमरेड महमूदुज़्ज़फ़र के साथ अक्टूबर 1934 में हुआ और 1935 में अमृतसर शहर में चिकित्सालय की स्थापना की।

रेलकर्मियों की हड़ताल में सहयोग के कारण 1949 में गिरफ़्तारी हुई। जेल में अपनी माँगों के समर्थन में लंबी भूख हड़ताल के कारण गंभीर रूप से बीमार पड़ीं। इलाज के लिए 1950 में मास्को जाना पड़ा। 25 जुलाई, 1952 में अंतिम साँसें लीं।

रशीदजहाँ अपने चमन की बुलबुल थीं। अपने वतन हिंदुस्तान में ज़िंदगी भर स्वतंत्रता के साथ उड़ीं और हर राग-रागिनी में अपने को परखा। वह न होती तो आज इस्मत चुग़ताई, क़ुर्रतुल ऐन हैदर और बहुत-सी लेखिकाएँ न होतीं।

उनकी पहली कहानी *सलमा* (1923) में लिखी गई, इसके अलावा *अंगारे* कहानी संग्रह (1932), *औरत और दूसरे अफ़साने* (1937), *वह और दूसरे अफ़साने* (1977), *शोअला-ए-जवाला* कहानी संग्रह (1970) में। डॉ. रशीद जहाँ एक तरफ़ इंसानी जिस्म का इलाज एक डॉक्टर की तरह करतीं तो दूसरी तरफ़ अपने अहसासात को कहानियों में निखारतीं। मशहूर नाटक *गोशे आफ़ियत, हिंदुस्तानी, पर्दे के पीछे, पड़ोसी, औरत, काँटे वाला* इत्यादि हैं। रशीदजहाँ को अगर जानना है तो उन पर लिखे उन अज़ीम अदीबों की तहरीरें पढ़ें जैसे क़मर रईस, प्रोफ़ेसर सय्यद नूरुलहसन, हाजरा बेगम, सज्जाद ज़हीर, प्रोफ़ेसर आले अहमद सुरूर, इस्मत चुग़ताई, डॉ. हमीदा सईदुज़्ज़फ़र तो आपको महसूस होगा कि उस हरारत के इंसान बहुत कम जहाँ में जन्म लेते हैं।

रशीदजहाँ की महत्त्वपूर्ण कहानियाँ *इफ़तारी, आसिफ़ जहाँ की बहू, बेज़बान, सास और बहू*। मगर जो व्यथा *वह* कहानी में फूल की गंध की तरह बिखरी है, वह उनकी बाक़ी कहानियों में अलग मुक़ाम रखती है। भाषा सादी, वाक्य छोटे, कहीं कोई अतिरेक नहीं। जो सच है वह काग़ज़ पर है। और अपनी इसी ख़ूबी से यह कहानी बहुत अहम बन जाती है। ख़ासकर इस मौज़ू पर बेहतरीन कहानी लिखने

वाले मंटो, ग़ुलाम अब्बास, आग़ा बाबर से पहले इस दु:खती नब्ज़ पर हाथ रखने वाली पहली तरक़्क़ीपसंद लेखिका थीं। इस कहानी में न भाषण, सीख, नसीहत देती नज़र आती हैं मगर आपके चारों तबक़ रौशन कर देती हैं।

रशीदजहाँ हमेशा खद्दर पहनतीं और शुरू में मर्दाना नाम से लिखती रहीं। समाज सेवक माँ-बाप की बेटी पूरे जीवन भर सामाजिक कार्यों में व्यस्त रहीं। वह स्वभाव से सादा और बेतकल्लुफ़, मुँहफट और लड़ाका मशहूर थीं। उन्होंने नाटक लिखे और उसमें काम भी किया। उनकी सगी बहन ख़ुर्शीद जहाँ रेणुका देवी, मशहूर फ़िल्म एक्ट्रेस थीं।

इस्मत चुग़ताई ने उन्हें एक तूफ़ानी हस्ती कहा है और उनके व्यक्तित्व का बयान इन शब्दों में करती हैं।

"...और ज़िंदगी के उस दौर में मुझे एक तूफ़ानी हस्ती से मिलने का मौक़ा मिला, जिसके वजूद ने मुझे हिला कर दिया। रौशन आँखों और मुस्कुराते शिगुफ़्ता चेहरे वाली रशीद आपा से कौन ऐसा था, एक दफ़ा मिलकर भन्ना जाए। पहली दफ़ा मैंने उन्हें न जाने कौन से जलसे में देखा था। बेगम भोपाल अध्यक्ष थीं। कड़कड़ाते जाड़े में बीवियाँ मोटे-मोटे दुशाले और कोट डाले पंडाल के अंदर खूँ-खूँ कर रही थीं और रशीद आपा बग़ैर आस्तीन का ब्लाउज़ पहने धुआँधार कुछ कह रही थीं। उनके स्याह भँवरा और घुँघराले बाल हवा में उड़ रहे थे, क्योंकि भाषण शुरू करने से पहले उन्होंने सामने की खिड़की खोल दी। बीवियाँ बड़बड़ा रही थीं। उनके कटे हुए बालों पर, बग़ैर आस्तीन के ब्लाउज़ पर और खुली हुई खिड़की से आती हुई बर्फ़ीली हवा पर, उनकी तक़रीर के बाद उन्हें बेगम भोपाल ने ख़ूब डाँटा। उस दिन उनकी बेहयाई और बेबाकी का तहलका मच गया था। और मैंने बे समझे-बूझे उनके हर लफ़्ज़ को मोती समझकर पहन लिया था।"

उर्दू समीक्षक आल अहमद सुरूर ने उन्हें 'एक बेचैन कर देने वाली शख़्सियत' कहा। दूसरे महत्त्वपूर्ण समीक्षक क़मर रईस का कहना था कि वह एक क्रांतिकारी लेखिका थीं। प्रगतिशील लेखक संघ की बुनियाद डालने वाले सज्जाद ज़हीर का ख़्याल था कि मुश्किलों में हँसते हुए जीना, जानती थीं।

उनकी शोक सभा 1952, में सलाम मछली शहरी ने एक नज़्म *ऐ रशीदजहाँ-ऐ दुख़्तरे एशिया* पढ़ी थी :

ऐ रशीदजहाँ
साथियो अपने इस ग़म की आवाज़ में
मुल्क के कामगारों की आवाज़ है,
तुमको तसलीम ऐ फ़ख़्रे हिंदुस्ताँ
दुख़्तरे एशिया
ऐ रशीदजहाँ।

वह कल के सोवियत लैंड में दफन की गईं। वह कैंसर से पीड़ित थीं। साहित्य, विचारधारा और सामाजिक कार्यों में व्यस्त रहने के बावजूद उन्होंने अपनी 'डॉक्टरी' के लिए समय हमेशा निकाला। जो स्वयं में एक सेवा का ही रूप है। रशीद जहाँ का कहना था कि मैं अपने अफ़सानों में यही कोशिश करती हूँ कि जो मेरे ख़्याल हैं उनकी अभिव्यक्ति ईमानदारी से करूँ।

वह

रशीदजहाँ

मेरी उससे क्लीनिक में मुलाक़ात हुई। वह भी दवा लेने गई थी और मैं भी। उसको देखकर सब औरतें बचने लगीं। डॉक्टर ने भी अपनी घिन का इज़हार आँख बंद करके किया। घिन तो मुझको भी आई। लेकिन मैंने किसी-न-किसी तरह से उसकी तरफ़ देखकर मुस्करा दिया। वह भी मुस्कुराई। कम-अज़-कम कोशिश तो की। उसकी नाक सिरे से ग़ायब थी। और दो बड़े-बड़े, लाल-लाल छेद उसकी नाक की जगह पर थे। एक आँख भी न थी। और दूसरी से भी बग़ैर गर्दन के सहारे न देख सकती थी।

और फिर थोड़ी देर बाद दवाख़ाने की खिड़की पर मेरी उससे मुठभेड़ हुई। उसने ग़नग़नाकर मुझसे पूछा—

"आप कहाँ से आती हैं?" मैंने उसे बता दिया। वह दवा लेकर चली गई। और मुझे कंपाउंडर ने बग़ैर मेरे पूछे बताना शुरू कर दिया, "यह बदमाश औरत है। रंडी है रंडी। सड़-सड़कर मर रही है। अब आई है इलाज कराने, डॉक्टर का तो दिमाग़ ख़राब है कि नुस्ख़ा लिख देती हैं, निकाल बाहर करे ससुरी को।"

मैं लड़कियों के स्कूल में उस्तानी (शिक्षिका) थी। नई-नई कॉलेज से निकली थी, दुनिया मेरे क़दमों से लगी थी। भविष्य मेरे सामने चमन की तरह था और जिसका हर पौधा गुलाब और चमेली से कम न था। मुझको सारी दुनिया एक चाँदनी रात और उसमें दरिया बहाव जो कहीं नर्म प्रवाह और कहीं आबशार मालूम पड़ता था। मैं ख़ुश थी, तकलीफ़ और ग़म जानती ही न थी क्या होते हैं। पढ़ना भी वक़्त काटने का बहाना था। सारी ख़ुदी उस ज़माने में एक इंतज़ार थी।

चिलमन उठी और वह कॉलेज के दफ़्तर में दाख़िल हो रही थी। मैं हैरत से खड़ी हो गई और बग़ैर सोचे-समझे, आदत के मुताबिक़ बोल उठी—

"तशरीफ़ रखिए।"

पहले तो वह झिझकी और फिर बैठ गई। उसके हाथ में एक मोतिया का फूल था। उसने मेज़ पर मेरे सामने रख दिया। मुझको उस फूल को उठाते हुए घिन ज़रूर आई, लेकिन अपने ऊपर जब्र कर उसे अपने बालों में लगा लिया।

अब यह रोज़ का मामूल था। वह रोज़ छुट्टी के वक़्त चिलमन उठाकर अंदर आती मैं कहती, 'तशरीफ़ रखिए।' वह बैठ जाती। कोई-न-कोई फूल मेरे सामने रख देती। मेरी हमउम्र टीचरें उसके लिए छेड़तीं। जिस कुर्सी पर वह बैठी थी उस पर कोई नहीं बैठता था। उसकी सूरत ही ऐसी घिनौनी थी। मैं ख़ुद उस कुर्सी को कभी न छूती थी। बुढ़िया नसीबन भी उसके जाने के बाद बड़बड़ाया करती थी। वह नई उस्तानी भी अच्छी आई है। इस गंदी-संदी को मुँह लगा लिया है। हम उसकी कुर्सी क्यों झाड़ें?

प्रिंसिपल भी नाक-भौं चढ़ाती और कहतीं, "तुम उसको यहाँ, स्कूल में क्यों बुलाती हो? यहाँ लड़कियों के माँ-बाप ज़रूर एतराज़ करेंगे कि एक फ़ाहिशा औरत आ जाती है।"

दूसरा दिन होता और फिर वह आ जाती और मैं फिर कहती, "तशरीफ़ रखिए।"

जब वह ज़रा देर तक बैठती और मेरी तरफ़ देखती रहती। हमारी कभी बातें नहीं हुईं। क्या वह यह समझती है कि मुझको उसकी हक़ीक़त का इल्म नहीं? वह सिर्फ़ देखती रहती। उसी अपनी एक टेढ़ी-सी आँख से। और बग़ैर नाक वाले घिनौने चेहरे से। कभी-कभी मुझको संदेह होता कि उसकी आँख आँसू भरी है। वह क्या सोचती रहती है? मेरा दिल चाहता पूछ लूँ, लेकिन कहाँ से शुरू करती?

अक्सर तो यह हुआ कि जहाँ वह आई और उस्तानियाँ उठकर चल देतीं और अंग्रेज़ी में मुझको चिढ़ाती थीं...

"सफ़िया की 'वह' आई है, भई चलो लाइब्रेरी में बैठेंगे। कमबख़्त की शक्ल को तो देखो," कोई कहती।

"भई सफ़िया इस मनहूस को देखकर मुझसे रोटी भी नहीं खाई जाती, उलटी आती है।"

"लेकिन चुनी भी तो ज़ालिम ने ख़ूब है, तुम सब में नम्बर एक।"

"इस कमबख़्त से तो पर्दा करना चाहिए।" यह दीनयात की मोटी उस्तानी जलकर फ़रमातीं।

मैं अपना काम करती रहती और देखती रहती। मुझे बेचैनी होती। क्या देखती है? क्या सोचती है? क्या यह भी कभी मेरी तरह थी? मेरे रोएँ खड़े हो जाते।

यह क्यों आती है? क्या यह नहीं जानती कि लोग इससे नफ़रत करते हैं और घिन खाते हैं। उसकी नाक भी बराबर उन छेदों से बहती रहती है और मैं रोज़ सोचती उसको मना कर देनां चाहिए। प्रिंसिपल साहब ठीक तो कहती हैं, लड़कियाँ अलग बड़बड़ाती हैं। उस्तानियाँ क़ै करती-फिरती हैं, लेकिन जब वह दूसरे दिन आती तो मैं कुर्सी पेश करके फिर कहती, 'तशरीफ़ रखिए।'

क्या इसके पास आईना नहीं है, क्या इसको मालूम नहीं कि वह अपने गुनाहों का ख़मियाज़ा भुगत रही है। कोई उसको बता क्यों नहीं देता। उसका कोई है भी या नहीं। यह कहाँ रहती है, कहाँ से आ जाती है! क्या यह समझती है कि मैं उसे सिर्फ़ एक बीमारी समझती हूँ। मेरा स्कूल में अजीब मज़ाक़ बनता है। मज़ाक़ ही नहीं एक अपमान-सा होता है। लेकिन जब वह कोई फूल मेरे सामने रख देती मैं सिर में लगा लेती और वह अपनी भयानक मुस्कुराहट से मुस्करा देती।

यह मुझे क्यों देखा करती है? यह कौन थी? कहाँ से पैदा हुई और कैसे इस हाल को पहुँची? मेरे पास आकर उसे क्या महसूस होता है, एक तकलीफ़ या एक सुकून?

एक रोज़ जब वह बाहर निकली, उसने झाँककर नाक छिनकी और गंदगी दीवार से लगा दी। नसीबन जो छोटी बच्चियों की तख़्तियों पर मुलतानी मिट्टी मल रही थी, वह अरसे से खार खाए बैठी थी। एकदम जवानों वाली फुर्ती से उठी आकर सीधी एक तख़्ती उसके कमर पर जमाई और वह घबरा गई। बुआ नसीबन वह सब तमीज़ तहज़ीब जो उन्होंने स्कूल की बीस साल की नौकरी में सीखी थी और जो हमेशा लड़कियों को तमीज़दार बनने की नसीहतें किया करती थी, आज सब-कुछ भूल गईं। और वह गली वाली नसीबन गई।

"हरामज़ादी, रंडी, आई है बड़ी कुर्सियों पर बैठने, दिन लग गए, कल तक चौक में बैठती थी। आज जो कट-कटकर गोश्त गिर रहा है तो चली आई है बेगम बनने...।"

एक लात, दूसरी लात, एक मुक्का।

मैं भागकर बाहर निकली और नसीबन को पकड़ा।

"हाय क्या करती हो?"

लड़कियों का एक ठठ लग गया। उस्तानियाँ भी भागी चली आ रही थीं। नसीबन तो अपने आप में ही नहीं थीं।

"तुमने ही तो सिर चढ़ाया है कि मोरी की ईंट चौबारे चढ़ी...सारी दीवार गंदी कर दी। बीस साल से नौकर हैं। हमने नहीं देखा कि रंडियाँ स्कूल में आई हों। मैं हरगिज़ अब यहाँ नहीं रहूँगी। बुला लो कोई औरत जो..." एक बार बिफरकर उसकी तरफ़ बढ़ीं। लोगों ने बुढ़िया को सँभाल लिया।

मैंने झुककर उसे उठाया। वह फूट-फूटकर रो रही थी। मैं पकड़कर उसे फाटक की तरफ़ ले गई। उसकी कनपटी से ख़ून बह रहा था। शायद वह भी मुझे महसूस न हुआ। रोते में मुँह छुपाकर गुनगुनाई...

"अब तो आपको मालूम हो गया।"

और वह चली गई।

गाँव के आलों पर कहानियों का दीया जलाने वाला

सुहेल अज़ीमाबादी का जन्म 15 जुलाई, 1911 में पटना में हुआ। उनका असली नाम मुजीबुर्रहमान था। पटना विश्वविद्यालय से ग्रेजुएशन किया। 1951 में उन्होंने 'तहज़ीब' नामक पत्रिक का संपादन भार सँभाला। 'साथी' उर्दू डेली के नाम से निकलने वाले समाचार-पत्र और 'अहवाल' नाम के पर्चे से जुड़े। अहवाल के वह फाउंडर मेंबर भी थे। कुछ अरसा ऑल इंडिया रेडियो पटना और श्रीनगर में रहे और फिर बिहार उर्दू अकादमी के सेक्रेटरी हुए। वहाँ रहते हुए 'ज़बान और अदब' पत्रिका का संपादन किया। कहते हैं कि इनके रहते हुए अकादमी से अच्छी किताबें छपीं और रिसाले में पाक व हिंद के लेखकों की बेहतरीन कहानियाँ भी छपती थीं।

सुहेल अज़ीमाबादी बेहद मिलनसार, ख़ुशमिज़ाज, लहजे में मिठास और बहुत खुले दिल व दिमाग़ के मालिक थे। मिलने वाले उनके व्यक्तित्व से प्रभावित रहते। उनके शागिर्द आज भी उन्हें बड़े आदर से याद करते हैं। बच्चों के लिए लिखना उन्हें बहुत पसंद था। उसी पसंद के चलते वह अफ़साने के मैदान में उतरे। उनके कहानी संग्रह *नए पुराने* [1944], *चार चेहरे* [1977], *अलाव* और *तीन तस्वीरें* बेहद चर्चित हुए। टीचर और उर्दू प्रचारक के रूप में राँची के क़बीलों के इलाक़े में रहने के कारण उनकी अनेक ख़ूबसूरत कहानियाँ छोटा नागपुर के परिवेश पर लिखी गई हैं।

आपका शोध कार्य *इन्तेख़ाब कलामे शाद* [1925] *कुल्लियाते शाद* तीन जिल्दों में [1975/1977/1978] आया। अलोचकों की राय सुहेल अज़ीमाबादी के बारे में कुछ इस तरह की है कि बिहार के लेखक अख़्तर अवरेनावी का विषय भी बिहार रहा है। उन्होंने बिहार के बारे में इस शिद्दत से लिखा कि सुहेल के लिए कुछ बचा ही नहीं सिवाय इस बात के कि वह कुछ नया कर दिखाते। उनके अदब में बिहार की ज़िंदगी का बयान और गाँव व शहर को मिलाकर जो अफ़साने लिखे गए हैं, वह अख़्तर से अलग दिखते ज़रूर हैं, जिसमें बिहारी लैंडस्केप के सुकून, ठहराव और लोकगीतों को जगह दी गई है और यही उनकी पहचान भी रही।

आलोचकों की जो भी राय हो उसका सम्मान किया जाना चाहिए, मगर पाठक भी एक कसौटी होता है।

उनका अफ़साना *भाभीजान* बिहार का सिर्फ़ न होकर कहीं का भी हो सकता है। कहानी पढ़ते हुए बार-बार यह ख़्याल ज़हन में उभरता है कि यह कहानी रज़ियाआपा और बन्नेभाई की ज़िंदगी का जैसे अक्स हो। जो भी हो यह कहानी उनकी मशहूर कहानियों में से एक है! 29 नवंबर, 1979 में इलाहाबाद यात्रा के दौरान वह साँसें अचानक बंद हो गईं, जिनमें बिहार के गाँव बसे हुए थे।

भाभीज़ान

सुहेल अज़ीमाबादी

जब रुक़इया भाभी याद आती हैं तो मेरा सर ख़ुद ब ख़ुद सम्मान से झुक जाता है और ऐसा महसूस होता है कि उनका अस्तित्व सरापा रौशनी है। उनकी याद के साथ मुझे वह शमा याद आ जातीं है, जो गिरजाघर की ऊँची क़ुर्बानगाह पर जलती और पिघलती रहती है और जब पादरी इबादत ख़त्म करके क़ुर्बानगाह से उतर जाता है तो वह ख़ामोश ज़बान से ख़ुदाबंद ईसा मसीह का पैग़ाम सुनाती रहती है, जो दूसरे के पाप बख़्शवाने के लिए सलीब पर चढ़ाया गया, मगर जो अब तक ज़िंदा है और क़यामत तक ज़िंदा रहेगा और सबको मुक्ति दिलाएगा।

रुक़इया भाभी की ज़ात मुझे ऐसी ही शमा नज़र आती है जो जलती और पिघलती रहती है लेकिन शमा रौशनी फैलाती और ज़बान से कुछ कहे बग़ैर हर वक़्त एक पैग़ाम सुनाती रहती है। ऐसा पैग़ाम जो अमर है और जो सारी दुनिया को रौशन करने वाला है।

भाभीजान ने सवेरे आवाज़ दी, ''ख़ैर तो है शहज़ादे घोड़े बेच कर सोए हो। चाय ठंडी हो रही है।'' आवाज़ सुनकर मैं उठ बैठा। वह मुस्कुरा दी और बोली, ''यानी बात यह है कि ठंडी चाय मुझसे पी नहीं जाती है और बच्चों को स्कूल भेजना भी है।''

''भाभी यही तो मुसीबत है, आपके साथ, सुबह हुई और उठाकर बिठा दिया। हम लोगों को भी आप विद्यार्थी समझती हैं।''

भाभी बोलीं, ''तो आज तुम कौन बूढ़े हो चुके हो, भई उठो जल्दी करो।''

भाभी ने ज़ोर से हाथ पकड़कर बिस्तर से खींच लिया। मैं ज़मीन पर खड़ा हो गया। वह हँसने लगीं।

मैं बोला, ''शुक्र है मैं आपका स्टुडेंट नहीं रहा।''

''बातें न बनाओ चाय ठंडी हो रही है, बच्चे बैठे हैं।''

''लेकिन मुझे नींद आ रही है। रात-भर नहीं सो सका।'' मैंने एतराज़ किया।

''चाय पीने के बाद दूसरी क़िस्त सो लेना।'' भाभीजान बोलीं। मैं क़िस्त का

शब्द सुनकर हँस पड़ा। वह बोलीं, "शायर होकर दाद नहीं देते। क्या लफ़्ज़ मैंने इस्तेमाल किया है। अगर अवध के नवाब बाक़ी होते तो इसी एक लफ़्ज़ के इस्तेमाल पर एक जागीर तो बख़्श देते। चलो भई, तुम ज़रा जल्दी करो। इतना ही सही।" और भाभीजान ख़ाने के कमरे में चली गईं। और थोड़ी देर बाद जब मैं पहुँचा तो बच्चे चाय ख़त्म कर रहे थे।

नन्ही रेहाना बोली, "चचाजान, हम लोग चाय ख़त्म कर चुके हैं। अब हमारी जूठी चाय पीजिए।" स्कूल की बस ने हॉर्न बजाया। बच्चियाँ तालियाँ बजाती बाहर चल दीं।

भाभीजान ने चाय प्याली में उँडेलकर मेरी तरफ़ बढ़ाई और बोलीं, "अगर तुम जवान इतनी देर तक सोते रहोगे तो क्या करोगे?"

"शेर कहूँगा और क्या करूँगा?"

भाभीजान अर्थपूर्ण ढंग से मुस्कुराईं। मैं झेंप गया। उनकी मुस्कुराहट में बड़ी नर्मी और मिठास और बहुत दूर तक इशारे। वह आते हुए बोलीं, "तुम्हारे भाईजान ठीक चार बजे उठ बैठते थे और चाय पीकर काम शुरू कर देते थे। शुरू में तो मुझे भी बड़ा सख्त लगता था, लेकिन आज सुबह जल्दी उठने की आदत काम आ रही है।"

मैंने पलटकर देखा। भाभीजान की मेज़ पर नन्हे भाई की ख़ूबसूरत-सी रंगीन तस्वीर रखी हुई थी। वह मुस्कुरा रहे थे। उस तस्वीर के पास भाभीजान और बच्चों की तस्वीरें थीं। अब सिंगार मेज़ नाम का था। उस पर बच्चों की किताबों का ढेर था और शायद एक कंघी के अलावा सिंगार की कोई दूसरी चीज़ न थी। भाभीजान उदास हो गई और बोलीं :

"न जाने तुम्हारे भाईजान किस हाल में हैं। देखो उनके मुक़दमे का क्या होता है। हज़ार मील की दूरी पर उनके कोई काम भी नहीं आ सकती। चंद ही दिनों में उनके मुक़दमे का फ़ैसला होने वाला है।"

भाभीजान जो हमेशा फूल की तरह खिली रहने और बुलबुल की तरह चहकते रहने की आदी थीं, बिल्कुल उदास हो गईं। कमरे में ख़ामोशी छा गई।

ज़रा देर में किसी के पाँव की चाप सुनाई दी फिर आवाज़ आई, "मैं आ सकती हूँ!"

"आ जाओ!" भाभीजान ने कहा और एक लड़की कमरे में दाख़िल हुई। भाभीजान ने देखते ही कहा, "आओ, शम्मी! चाय पियो। मैं आज शाम को तुम्हारे घर जाने वाली थी। बुन दिया तुमने स्वेटर?"

"वही लेकर आई हूँ। इसका ऊन बच गया था तो मैंने टोपी और मोज़े भी बुन दिए हैं।"

"बहुत अच्छा किया तुमने, लो चाय पियो।" और चाय की प्याली शम्मी की तरफ़ बढ़ा दी।

शम्मी मेरी मौजूदगी में कुछ शरमा रही थी। बोली, ''मैं चाय पी चुकी हूँ।''

''फिर भी पी लो। शरमाती क्यों हो, यह मशहूर शायर अख़्तर हैं, तुम्हारे बड़े भाई हैं।''

मैं नाश्ता ख़त्म कर चुका था। उठ खड़ा हुआ। ''मैं भी ज़रा शहर से हो आऊँ!''

''जाओ। मैं भी ज़रा अस्पताल से हो आऊँ। चलो शम्मी तुम भी साथ चलो।''

मैंने कमरे की खिड़की से भाभीजान को बँगले के अहाते से बाहर जाते देखा। उनके हाथ में दूध की वह बोतल थी, जो देर से मेज़ पर रखी थी। यह तो मुझे दो दिन बाद मालूम हुआ कि भाभीजान के एक पुराने नौकर की बेटी अस्पताल में है। दो महीने पहले उसके शौहर का इंतक़ाल हो गया था और उसके बच्चा पैदा हुआ है और कोई देखने वाला नहीं। भाभीजान ख़ुद ही दो फर्लांग दोनों वक़्त पैदल जातीं और दूध पहुँचातीं और स्वेटर और मोज़े इसी बच्चे के लिए बनवाए थे, क्योंकि सर्दी का मौसम शुरू होने वाला था और शम्मी उनके कॉलेज की ग़रीब विद्यार्थी थी जो सिर्फ़ उनकी मदद के सहारे पढ़ रही थी।

भाभीजान से मेरी दूसरी मुलाक़ात थी। अलबत्ता ख़त व किताबत थी लेकिन तीन दिन साथ रहकर मालूम हुआ कि वह आदमी नहीं मशीन थीं। सुबह उठकर काम शुरू कर देती थीं। इनका ज़माना बदल चुका था। कभी चार-पाँच नौकर और मामाएँ होती थीं। अब इनके पास सिर्फ़ एक नौकर था, जो बाज़ार से सौदा लाता और खाना भी पकाता। रुपयों की तंगी थी। पहले हज़ार रुपया शौक़ पर ख़र्च कर दिया करती थीं। अब चार सौ रुपये माहवार पर लड़कियों के एक कॉलेज में लेक्चरर थीं और पचास रुपये माहवार एक लड़की को पढ़ाने के मिलते थे। ले दे के यही उनकी आमदनी थी और ख़र्च अपनी जगह पर था, बल्कि ज़्यादा ही अपना और बच्चों का ख़र्च होता तो किसी तरह पूरा हो जाता, मगर ख़र्च बढ़ गया था। बच्चों और अपनी ज़रूरतों के अलावा एक रक़म इन्हें हर महीने मज़दूरों और तालिबे इल्मों की अंजुमन को देनी पड़ती थी। कॉन्फ्रेंसों, जलसों में शामिल होने के लिए सफ़र में अदा करना पड़ता था। दो ग़रीब लड़कियाँ सिर्फ़ इनकी मदद से पढ़ रही थीं।

भाईजान की शादी जब रुक़इय्या भाभी से हुई तो हम लोगों का ख़्याल था कि शादी कामयाब नहीं हो सकती है। एक तरफ़ नन्हे भाई थे, जिनको ऐसी सियासत का शौक़ था जो उन्हें बार-बार जेल भिजवाया करती थी। दूसरी तरफ़ भाभीजान थीं जो नाज़ो की पली थीं और ऐसे माहौल में पलकर जवान हुई थीं, जिसमें अपनी ही ज़ात सब कुछ है। कुछ लोगों का ख़्याल था कि भाईजान सियासत के चक्कर से निकलकर बैरिस्ट्री करेंगे। अपनी आलीशान सी कोठी में शानदार ज़िंदगी गुज़ारेंगे। या फिर आराम कुर्सी वाली सियासत चलेगी और किताबों की बातें दोहराई जाएँगी। लेकिन सबका ख़्याल ग़लत निकला। भाईजान ने जल्द ही रुक़इया भाभी को अपने रंग में

रंग लिया और वह क़दम ब क़दम उनके साथ चलने लगीं। शादी के तीन महीने में ही नन्हे भाई गिरफ़्तार हो गए और उन्हें दो साल की सज़ा हो गई। भाभीजान ने अपने लिए राह तलाश कर ली। बी.ए. वह पहले ही कर चुकी थीं। जल्द ही तैयारी करके एम.ए. कर लिया और एक कॉलेज में लेक्चरर हो गईं और इकलौती बच्ची की देखभाल में लग गईं।

दो साल बाद जब नन्हे भाई जेल से छूटकर आए तो फिर अपनी सरगर्मियों में लग गए और भाभीजान काम करती रहीं। दो बच्चे हुए उन्हें पालती रहीं। अब नन्हे भाई तीन साल से बंद थे और उन पर मुक़दमा चल रहा था तो भाभीजान बेशुमार ज़िम्मेदारियों और ग़म का बोझ उठाए फिरती थीं। लेकिन उनका चेहरा कभी मैला नहीं होता था। वह अपने ग़म को ख़ुशी समझने लगी हैं और दुख में सुख का पहलू निकाल लेती हैं।

वह सुबह सवेरे उठतीं। बच्चों को नहलातीं, इनके कपड़े बदलतीं और ख़ुद नहा धोकर तैयार हो जातीं। बच्चों को खिला-पिलाकर सात बजे स्कूल भेज देतीं। फिर मिलनेवालों का सिलसिला शुरू हो जाता। तरह-तरह के लोग इनसे मिलने आते और तरह-तरह की फ़रमाइशें करते। कोई इनसे नौकरी की सिफ़ारिश के लिए कहता, तो कोई किसी काम के लिए। सब इन्हें बड़े आदमी की बीवी और बहू समझते थे। कोई यह नहीं समझता था कि इनका संबंध अब बड़े लोगों से सिर्फ़ छोटे लोगों की वजह से रह गया है। वह बड़े लोगों के पास अब सिर्फ़ सिफ़ारिशें लेकर जाती हैं। वरना अब उनसे दूर का भी वास्ता नहीं रह गया है। भाभीजान कॉलेज जातीं और वहाँ हर लड़की के मामलात में दिलचस्पी लिया करतीं। कॉलेज से वापस आकर कई ख़त हर दिन लिखतीं और डाक में डलवातीं। आमतौर पर यह सारे पत्र नए लिखनेवालों के नाम होते जो इन्हें ख़त लिखा करते थे। भाभीजान ने केवल दिल बहलाने और वक़्त काटने के लिए लिखना शुरू किया, मगर वह बहुत अच्छा लिखने लगीं। नए लिखने वाले इनसे सुझाव माँगते और वह बड़ी मुहब्बत के साथ उनके पत्रों के उत्तर दिया करतीं। इस तरह के नए लिखने वाले न ग़लतफ़हमियों का शिकार होकर बहक सकें, और न इनका दिल टूटे। फिर शाम को एक जगह पढ़ाने चली जाया करती थीं।

यानी सुबह जागने के बाद से सोते वक़्त तक काम। आदमी कहाँ कोई मशीन मालूम होती थीं। इनके ख़त लिखने के शौक़ से तंग आकर मैंने कहा, "भाभीजान, आपने क्या इल्लत पाल रखी है! कॉलेज में सर खपाती हैं। घर पर भी कॉलेज खोल रखा है।"

भाभीजान बड़ी शालीनता से मुस्कुराईं और बोलीं, "अख़्तर इन लिखनेवालों को कैसे भूल सकती हूँ। यह तो हमारे भविष्य की आशाएँ हैं। अगर मैं इन-पौधों पर रोज़ छिड़काव नहीं पर सकती, इनकी ख़िदमत नहीं कर सकती कि इनमें फूल

लगें और सारा बाग़ महक उठे तो कम-से-कम जो कुछ कर सकती हूँ, वह तो करना ही चाहिए।''

इस जवाब के बाद मैं लाजवाब था।

दूसरे दिन शाम के वक़्त वही लड़की शम्मी इनके पास आई। वह बहुत उदास थी।

वह कुछ कहना चाहती थी, मगर कुछ बोल नहीं पा रही थी। बार-बार उसके होंठ काँप कर रह जाते थे और ऐसा मालूम होता था कि अब वह रो देगी। भाभी ने उसे बिठाया और बातें कीं। फिर आने की वजह पूछी तो वह कुछ न बोली। भाभीजान जितने इसरार से उससे पूछतीं मालूम होता कि उसके होंठ उतनी ही शिद्दत से आपस में चिपकते जाते थे। आख़िर वह कुछ न बोली। भाभीजान ने उसे उठाया और सोने के कमरे में ले गईं। दरवाज़ा अंदर से बंद किया और पूछा।

लेकिन शम्मी कुछ बताने के बदले रोने लगी। भाभीजान के चुप कराने पर भी रोती गई और बड़ी देर के बाद, भाभीजान के डाँटने के बाद उसने बताया कि दूसरे ही दिन इसके भाई को एम.ए. की फीस दाख़िल करनी है और रुपयों का कोई इंतज़ाम नहीं हो सका है। वह इस बात पर शर्मिंदा है कि भाभीजान उसके कॉलेज का ख़र्च देती हैं और अब वह भाई के इम्तहान की फीस माँगे। लेकिन दूसरा कोई ऐसा हमदर्द भी न था जिसके सामने अपने दिल का बोझ हल्का करती। वह सिर्फ़ अपने दिल का बोझ हल्का करने इनके पास आई थी।

भाभीजान ने इसके गाल पर बड़े प्यार से एक चपत लगाई और बोलीं, ''पगली! इसमें रोने की क्या बात है। इसमें शरमाने की क्या बात है। हम लोग इसी तरह से एक-दूसरे से कहकर अपना दुख-दर्द हल्का करते हैं।'' इतना कहकर उन्होंने अलमारी खोली और सोने की दो छोटी-छोटी चूड़ियाँ शम्मी के हाथ में देकर बोलीं, ''जाओ इन्हें बेचकर फीस अदा कर दो।''

शम्मी शायद गिर जाती, लेकिन भाभी ने उसे सँभाल लिया और उसकी पेशानी चूमकर बोलीं, ''सदा ऐसा ज़माना नहीं रहेगा। दिन बदलेंगे। जाओ सबेरे चले जाओ वरना अँधेरा हो जाएगा।''

शम्मी चूड़ियाँ लेकर चली गई। यह चूड़ियाँ वह थीं जो दो दिन पहले भाभीजान ने नन्ही रेहाना के लिए बड़ी मुश्किल से पैसा बचाकर बनवाई थीं और रेहाना ने इसे सिर्फ़ एक बार पहना था।

चूड़ियाँ देकर भाभीजान ख़ुश थीं जैसे इनके दिल पर से पहाड़ जैसा कोई बोझ उतर गया हो।

मैं चार दिनों से इनके पास था। एक ज़रूरी मामले में इनसे सलाह लेने गया था, मगर उनकी व्यस्तता और समस्याओं को देखकर बातें करने का समय नहीं मिला न हिम्मत हो सकी। मैंने सोच लिया था कि इनसे बग़ैर मशविरा किए और मदद माँगे

चला जाऊँगा। हालाँकि मैं अच्छी तरह समझता था कि सिर्फ़ वही ऐसी आदमी थीं, जो इस सिलसिले से मेरी मदद कर सकती थीं, मगर मैंने फ़ैसला कर लिया था कि इनसे इस समस्या पर कोई बात नहीं करूँगा।

भाभीजान ने ख़ुद ही कहा, "तुम चार दिनों से आए हुए हो और कोई बात नहीं की।"

मैंने कहा, "मैं सिर्फ़ सैर और आपसे मिलने के लिए आ गया था।"

वह बोलीं, "शादी का क्या हुआ, सुना है कि तुम में और तुम्हारे घरवालों में शादी के मसले पर ख़ासा मतभेद हो गया है।"

"जी हाँ...शादी का मतलब है कि या तो मैं अम्मी की पसंद की एक मूर्ख लड़की से विवाह कर लूँ या फिर चुपचाप बैठा रहूँ।"

"और वह जमीला... तुम जमीला से शादी करना चाहते थे न?" भाभीजान बोलीं।

मैंने कहा, "अब भी चाहता हूँ, मगर अम्मी ने कह दिया कि जमीला इस घर में बहू बनकर दाख़िल नहीं हो सकती है।"

"यह तो बड़ी ज़्यादती है।" भाभीजान बोली।

मैंने कहा, "है तो। लेकिन क्या किया जाए। बहुत से ज़ुल्म सहन करने पड़ते हैं।"

"फिर क्या सोचा।" भाभीजान ने पूछा।

मैंने अपने शब्दों पर ज़ोर देकर कहा, "शादी तो जमीला से ही करूँगा और घर छोड़ दूँगा।"

"तो बिस्मिल्लाह! ब्याह कर के आ जाओ। यहाँ मेरे साथ रहेगी। मैं भी अकेली हूँ।"

"उफ़!" भाभी की यह बात सुनकर मेरा सर चकरा गया। यह औरत है या हिम्मत और चुनौतियों को लेने की मीनार। अपने लिए हर रोज़ एक नया बोझ बढ़ाए जाती है। ख़ुद अपनी ज़रूरतें और ज़िम्मेदारियाँ क्या कम हैं, मगर हिम्मत है और हिम्मत के सहारे शौहर की दूरी और नज़रबंदी का गम, हँस-हँसकर भुलाए जाते हैं।

मैंने ज़रा सोचकर जवाब दिया, "मैं भी यही सोच रहा था। लेकिन अभी देर होगी। जमीला अभी बीमार।"

"जमीला बीमार नहीं थी बिल्कुल अच्छी थी, मगर मैं यह नहीं कहता तो ज़िद पर उतर आतीं। हालाँकि मैंने फ़ैसला किया था कि भाभीजान से मशविरा करके शादी करूँगा और इसे इनके पास छोड़कर नौकरी की तलाश में निकलूँगा। भाभीजान जमीला की बीमारी की ख़बर सुनकर अफ़सोस करने लगीं और बोली, "सचमुच जमीला बड़ी प्यारी लड़की है।"

मैं बाहर चला गया और तय कर लिया कि रात की गाड़ी से वापस चला जाऊँगा।

चार बजे वापस आया तो देखा भाभीजान बहुत उदास बैठी हैं, उनके हाथ में एक टेलीग्राम था, जिसको हाथ में लिए बस देखती जा रही थीं। उनके चेहरे का गोरा रंग सँवला गया था। मैं चुपचाप उनके पास जाकर बैठ गया।

''टेलीग्राम कैसा है भाभीजान।''

''अख़्तर!'' जैसे वह चीख़ पड़ीं। तार मेरे हाथ में दे दिया और मेज़ पर सर रखकर फूट-फूट कर रोने लगीं। नन्हे भाई को चार साल की सज़ा हो गई थी। मैंने कुछ देर के बाद बामुश्किल कहा, ''भाभीजान सब्र कीजिए। अभी तो इम्तहानों की मंज़िलों से और भी गुज़रना होगा।''

और भाभीजान को जैसे सुकून आ गया।

''ठीक कहते हो अगर मैं परेशान हुई तो बच्चे और परेशान होंगे।''

वह उठीं और मुँह-हाथ धोने चली गईं। जब वह वापस आईं तो मालूम होता था कि एक लहर थी जो आई और गुज़र गई...लेकिन हम लोग जितनी देर तक चाय पीते रहे भाभीजान की नज़र बार-बार सिंगार मेज़ पर रखी भाईजान की तस्वीर का चक्कर काटती रही। इसी वक़्त उन्होंने बताया कि इनकी पासपोर्ट की दरख़्वास्त नामंज़ूर हो गई और इसी रात इनका दिल्ली जाना ज़रूरी हो गया है।

उसी रात भाभीजान दिल्ली चली गईं और मैं वापस हो गया। रात के सन्नाटे में रेल गुज़रती जाती थी और मुझे ऐसा मालूम हो रहा था कि अँधेरी रात में भाभीजान मुझे रौशनी दिखा रही हैं।

मेरे दिल में नए इरादे, नए हौसले पैदा हो रहे थे। नई उम्मीदें और नई उमंगें जाग रही थीं।

अदब के दरबार में बाज़ारी किरदारों की तरफ़दारी

हयात उल्लाह अंसारी का जन्म 1 मई, 1912 में लखनऊ के फ़िरंगी महल में हुआ। आपके वालिद का नाम वहीदउल्लाह अंसारी था। आपके पुरखे मौलाना क़ुतुबउद्दीन क़स्बा सोहाली, बाराबंकी के रहने वाले थे। लगभग पाँच सौ साल से आपके ख़ानदान में लिखने-पढ़ने का सिलसिला जारी है। शहंशाहे हिंद जलालउद्दीन मुहम्मद अकबर ने अपनी राजगद्दी सँभालने के चार वर्ष बाद हयात उल्लाह अंसारी के परिवार के मुखिया मुल्ला हाफ़िज़ के ज्ञान और मालूमात को शाही ख़त से सराहा था। यह निजी ख़त अकबर द्वारा किसी को भेजा गया पहला पत्र गिना जाता है, जिसमें उन्होंने मुल्ला हाफ़िज़ को चार उपाधियों से सम्मानित किया था।

बचपन में नानी से क़ुरआन शरीफ़ पढ़ा। इसके बाद मदरस-ए-निज़ामिया फ़िरंगी महल लखनऊ से 'मौलाना' की सनद लेकर 1926 में अपनी शिक्षा समाप्त की और अरबी की तालीम के साथ 1929 में मैट्रिक किया। जुबली कॉलेज लखनऊ से 1931 में इंटर कर के लखनऊ विश्वविद्यालय से 'फ़ाज़िले अदब' किया और 1933 में मुस्लिम यूनिवर्सिटी अलीगढ़ से बी.ए. किया। मराकश विश्वविद्यालय ने आपको डॉक्टरेट की डिग्री से सम्मानित किया।

हयातउल्लाह अंसारी लेखक के साथ राजनेता भी रहे हैं। 1927 में उन्होंने कुछ अरसे तक मदरस-ए-निज़ामिया में अध्यापन का कार्य किया, फिर देश में मची हलचल से अगल-थलग न रह सके और गांधीजी के साबरमती आश्रम में दस वर्ष गुज़ारे। कांग्रेस पार्टी में शामिल हुए और राजनीति में सक्रिय होने के साथ पत्रकारिता में भी दख़ल रखा। 1938 से 1942 तक 'हिंदुस्तान' 1940 से 1982 तक क़ौमी आवाज़, 1982 से 1986 तक 'सब साथ' जैसे साप्ताहिक समाचार-पत्रों के संपादक रहे। अंजुमने तरक़्क़ी उर्दू-ए-हिंद, और 'तालीम घर' लखनऊ से जुड़े रहे। सद्भावना मिशन पर भारत सरकार की तरफ़ से विदेश यात्राएँ कीं और जहाँ जा नहीं सके वहाँ अपने ख़र्च पर दौरा किया। 1962 से 1966 तक यू.पी. की क़ानूनसाज़ असेंबली के सदस्य रहे। 1966 से 1982 तक राज्य सभा के भी सदस्य रहे। तरक़्क़ी उर्दू ब्यूरो के अध्यक्ष पद पर भी आसीन रहे। इस सारी व्यस्तता के बावजूद न उन्होंने साहित्य

लिखना-पढ़ना छोड़ा और न ही आम आदमी से अपनी दूरी बनाई।

उनका पहला छपा अफ़साना *बूढ़ा सूदखोर* [जून 1930] था। यह अफ़साना तो 1929 में लिखा गया, मगर छपा एक साल बाद। इस बीच उन्होंने बच्चों के लिए कई नाटक लिखे। उनके कहानी संग्रह *अनोखी मुसीबत* [1938], *भरे बाज़ार में* [1942], *शिकस्ता कंगूरे* [1945] हैं। उनका उपन्यास पाँच जिल्दों में *लहू के फूल* [1969] के नाम से आया, जो उपेंद्रनाथ अश्क की *गिरती दीवारों* से पहले का सबसे मोटा उपन्यास समझा जाता रहा है। दूसरे उपन्यास *मदार* [1981], *घरौंदा* [1982] हैं। इसके अलावा उनकी आलोचना की पुस्तकें हैं— *जज़्बाती अफ़साने की सैर* [1988] और *दस दिन में उर्दू क़ायदा* [1982], *दस दिन में हिंदी* [1953] इसी के साथ कुछ दूसरी किताबें भी लिखीं।

उन्हें *लहू के फूल* उपन्यास पर साहित्य अकादमी अवार्ड [1980] में मिला। कैंस 'फ़िल्म फेस्टिवल अवार्ड' फ़िल्म 'नीचा घर' की कहानी के लिए मिला।

उनका नज़रिया कला और साहित्य के बारे में कुछ इस तरह था—

''ज़िंदगी के चार सोपान, बीमारी, बुढ़ापा, ग़रीबी और मौत ने महात्मा गांधी को 'निर्वाण' की खोज में दर-दर भटकाया था। तब ज़िंदगी हल्की-फुल्की थी। पैदावार ख़ूब थी, आज की तरह शोषण न था जो दुकानदारी और पुलिस से लेकर सत्ताधारी और अंतर्राष्ट्रीय युद्धों तक जाता है और दूसरी तरफ़ वह पत्रकारिता, इतिहास लेखन और धार्मिक व्याख्याओं तक में प्रवेश पाता है। आज तो मुसीबतों से दूर के कोनों तक शोषितों की आहें पहुँच जाती हैं और सुकुन बिखर जाता है। इस अँधेरे तल में अफ़साना नवीसी का क़लम, निर्वाण तो बहुत बड़ी चीज़ है, रौशनी की छोटी-सी किरणें ढूँढता फिरता है, जहाँ वह मिल जाती है लालची मकड़ी की तरह उसको शब्दों के जाल में क़ैद करने की कोशिश करता है। [हामिद बेग को लिखे ख़त में 1984]

हयातउल्लाह अंसारी ने अपनी कहानियों द्वारा ज़हनी जड़ता को न केवल तोड़ा है, बल्कि उनकी सोच का खुला आसमान जो दुनिया की आधी आबादी के लिए था, उसे अपने चरित्रों द्वारा पाठकों तक पहुँचाया है। आलोचकों का कहना कि उनकी बेहतरीन कहानियाँ *कमज़ोर पौधा, ढाई सेर आटा, माँ बेटा, बारह बरस बाद, शुक्रगुज़ार, 'आँखें', सहारे की तलाश, परवेज़, आख़िरी कोशिश* और *भरे बाज़ार* हैं। उन्होंने बच्चों के लिए भी लिखा है, जिसमें *काला देव, राजा बंसी* मुख्य हैं!

हयातउल्लाह अंसारी ने बचपन से जवानी तक जिस तरह के माहौल में साँस ली हम उनसे कुछ अलग तरह की कहानी की उम्मीद कर सकते थे, मगर जवानी से बुढ़ापे तक समय को जिस तरह बजते उन्होंने सुना, उनके संवेदनशील अवलोकन के रिसीवर से हम इसी तरह की उत्कृष्ट कहानी की आशा कर सकते थे जो हर मौसम में अपनी पूरी ताज़गी के साथ हमारे ज़हनों में महकती रहेगी!

भरे बाज़ार में

ह्यात उल्लाह अंसारी

कोई चीज़ रख्खी के पेट पर फद से गिरी। रख़्खी कुनमुनाई और आँखें खोलने की कोशिश करने लगी। फिर एक और भारी चीज़ छाती पर आकर गिरी और साथ ही एक क़हक़हा सुनाई पड़ा। अब रख्खी की आँखें खुल गईं। उसने गली के नुक्कड़ पर कालू को देखा, जिसने रख्खी से आँखें मिलाते ही एक गंदा फ़िक़रा (वाक्य) चिपकाया और सड़क की भीड़ में ग़ायब हो गया।

रख्खी ने अपनी छाती पर से चीज़ उठाई। यह चार केलों का एक गुच्छा था। इस पर निगाह पड़ते ही रख्खी खिल गई और बेताबी से एक केला छीलकर मुँह से रख लिया और दो-तीन बार उधर मुँह मारकर निगल गई। फिर दूसरा केला छीला और आधा दाँत से काटकर ज़रा मज़ा लेकर ख़ाने लगी कि इतने में कुछ ख़्याल आया। जल्दी से रख्खी ने इसी तरह लेटे-लेटे इधर-उधर टटोला तो एक नारंगी हाथ लगी। नारंगी को देखते ही उसके दिल की कली खिल गई। दस-बारह रोज़ बीमार रहने के बाद ऐसा ख़राब मुँह का मज़ा हो जाता है। ऐसे मौक़े पर नारंगी का मिल जाना, रख्खी सोचने लगी कि यह खट्टी-खट्टी नारंगी नमक मिर्च के साथ खाई जाती तो? मगर नमक-मिर्च इस वक़्त कहाँ? मज़बूरी में रख्खी नमक-मिर्च को याद करके एक-एक फाँक मुँह में रखने लगी और उसको ख़ूब चटख़ारे लेकर ख़ाने लगी।

घड़घड़ करती सामने सड़क पर ट्राम निकली। इसमें एक साफ़-सुथरी लड़की सियाह किनारे की उजली साड़ी बाँधे बैठी थी। उसकी निगाह उधर पड़ गई तो उसने देखा कि बग़ल वाली पतली-सी गली में कुछ दूर पर एक दुकान के आगे एक तख़्ता-सा लटका हुआ है, जो ज़मीन से मुश्किल से दो फ़ीट ऊँचा होगा, उसके नीचे एक मैली गंदी एक पीली औरत बड़े आराम से लेटी नारंगी की फाँकें खा रही है। चेहरे पर ऐसा संतोष है जैसे वह आबादी के किनारे किसी शांत मकान के ड्राइंगरूम के सोफे पर इत्मीनान से लेटी हो। लड़की जब तक रख्खी को देख सकी, देखती रही। रख्खी ने भी उस पर एक सरसरी नज़र डाली और उसकी साड़ी और साफ़-सुथरी गर्दन को ज़रा ग़ौर से देखा और फिर अनजाने ही अपनी गर्दन मल-मल कर मैल की बत्तियाँ छुड़ाने लगी।

रखबी उठकर बैठ गई और अँगड़ाई के लिए दोनों हाथ ऊपर उठाना चाहा, मगर ऊपर इतनी जगह ही न थी। रखबी ने ज़रा बेचैन होकर बदन को एक बल दिया और जल्दी से अपने दोनों हाथ दाहिनी तरफ़ झटक दिए। फिर पीठ में एक बल देकर अँगड़ाई ली, फिर फ़ौरन ही एक सिसकी भरकर सीधी हो गई और घबराकर पीठ पर हाथ फेरा। देखती क्या है कि इसके सर के कुछ बाल चेचक के सूखे दानों में चिपक गए हैं। फिर इसने सर पर हाथ फेरा तो सिर को चिकटा हुआ पाया।

मैल था कि बदन को खाए जा रहा था। रखबी कुछ ऐसा घबराई कि बिलबिलाकर अपने बिल से बाहर निकल आई। खड़ी हुई तो चक्कर आ गया। इसने जल्दी से दुकान के पल्ले पकड़ लिए, फिर ज़रा सँभलकर पास वाले नल से पानी पिया और सोचने लगी कि कहाँ चलकर नहाना चाहिए।

जब तंदुरुस्त थी तो साफ़ साड़ी लेकर दरिया पर जाती। वहाँ मैली साड़ी धोती थी, फिर जी-भर कर नहाती थी।

इधर बारह रोज़ तक बीमार रही। इतने दिनों तक मैली गंदी पड़ी रही। पहले बच्चा हुआ, उसका बंदोबस्त किया था कि चेचक निकली। उसमें आठ रोज़ तक पड़ी रही। बीमारी ऐसी थी कि किसी को बता नहीं सकती थी। जो कोई पूछता तो उससे कह देती बुखार है। कुनैन खा रही हूँ। अच्छा हुआ जो चेचक ने हाथ और मुँह पर क़ब्ज़ा नहीं किया, जो यार आश्ना थे, अलग साथ छोड़ देते।

बारह रोज़ बीमार रही। अच्छे लोग ऐसी बुरी औरत के पास कैसे फटकते। बड़े लोगों ने इसकी ख़बर ली। पूरन ने दुकान के नीचे पड़ा रहने दिया। महावीर कल्लू ने दूध लाकर ख़ाने-पीने की ख़बर ली और बुरे दिन कट गए। दो चार रोज़ बाद फिर गालों पर रौनक आ जाएगी और फिर वही पार्क की तफ़रीहें होंगी और निगाहों से रिझाना।

कहाँ चलकर नहाना चाहिए? दरिया इतनी दूर है कि इसका ख़्याल ही फ़ुज़ूल है। महावीर और कल्लू मज़दूरी पर गए होंगे और उनके घरों में ताले पड़े होंगे। वह लोग होते भी तो उनके यहाँ नहाने की जगह कहाँ? वह अब नल पर नहाते हैं। चलो नलघट चलें।

कॉर्पोरेशन की तरफ़ से एक बड़ा सा स्नानघर बना था। रखबी उसे नलघट कहा करती थी। और कभी-कभी जब देर हो जाती तो नदी के बजाय नहाने धोने वहीं चली जाती थी। इस वक़्त उसी तरफ़ चली। रास्ते में यही सोचती जाती थी कि नहा कर पहनूँगी क्या? एक साड़ी पहने हुए हूँ और इसके जोड़ की जो दूसरी साड़ी थी वह बच्चे के साथ गई। रखबी डगमगा कर चल रही थी। अगर नहाने की तीव्र इच्छा उस पर यूँ सवार न होती तो उसे उठते भी बुरा लगता। लेकिन इस वक़्त तो यह ख़्याल दिल में घुसा था कि मैं नहा डालूँ तो यह मैल, बीमारी, कमज़ोरी, बदन का फीकापन सब कुछ दूर हो जाए और आज ही पार्क के क़ाबिल हो जाऊँ। इस विचार ने उसे ऐसी

हिम्मत दी कि पाँव काँप रहे थे मगर वह आगे बढ़ी चली जाती थी। थोड़ी दूर चली थी कि बदन पर एकदम से चींटियाँ-सी रेंगती मालूम हुई। यह खुजली...वह खुजली, सारे बदन में खुजली-ही-खुजली, तौबा! यह सब मैल-ही-मैल है और कुछ भी नहीं, अगर जल्दी मैल दूर न हुआ तो यह मेरा रंग व रूप खा जाएगा।

रखवी का नलघट, सामने आ गया। कुछ लोग कपड़े धो रहे थे। पानी की बूँदें दीवार के ऊपर उड़-उड़कर धूप से चमक रही थीं, मोती जैसी बूँदें! यह सब मैल साफ़ कर देगी। कहीं साबुन भी मिल जाता।

रखवी अंदर घुसी, एक मोटी-सी औरत उकड़ूँ बैठी आगे की तरफ़ झुकी कपड़े ज़मीन पर पटक रही थी। एक छोटी-सी लड़की पास बैठी अपने छोटे-छोटे हाथों से साबुन का फेन उठाकर टीला बना रही थी। मगर वह उधर टीला बनाकर ऊँचा करती थी, उधर पानी की एक-दो बूँदें गिर कर उसकी सारी मेहनत पर पानी फेर देतीं। वह फिर अपने काम में व्यस्त हो जाती। दूसरे कोने में, जो औरतें बदन मल रही थीं, एक तरफ़ एक लड़की नहाकर साफ़ कपड़े पहन रही थी। रखवी ने अंदर क़दम रखा ही था कि सबने तुरंत उसकी तरफ़ देखा और सबने बहुत बुरा मुँह बनाया। रखवी की हिम्मत इतनी निगाहों को देखकर कमज़ोर पड़ गई। 'यह घृणा क्यों? क्या यह जानती है कि मैं कौन हूँ? कैसे जानने लगी? कोई मेरे माथे पर मेरा पेशा लिखा हुआ है?'

रखवी ने मोटी औरत से कहा, "बहन, मैं ज़रा नहा लूँ।"

मोटी औरत ने पलटकर उसकी तरफ़ बड़ी तेज़ नज़रों से देखा फिर हाथ झटककर बोली, "भाग-भाग, मलीछ, इसके पास से बू कैसी आ रही है?"

सब औरतें उधर देख रही थीं, एकदम से बोल उठीं, "अरे तेरे पास से कैसी बू आ रही है। अलग-अलग।"

"उधर से जा।"

"नदी पर जा, वहाँ जाकर नहाना।"

"जाती है कि निकालूँ।"

"हट यहाँ से हट! इसको टी.बी. है। इसकी सूरत तो देखो।"

मोटी औरत ने कहा, "बिना पुलिस के नहीं जाएगी।"

रखवी इनकी चाँव-चाँव से घबरा गई। एक को जवाब देने लगती कि दूसरी भिड़ जाती। आख़िर रखवी को ग़ुस्सा आ गया। इसके जी में आ रहा था कि इन सबका मुँह नोच लूँ। बाल ख़ूब नोंच लूँ और बन पड़े तो काट खाऊँ कि इतने में मोटी औरत उठी और उसने अपनी बच्ची का बनाया हुआ साबुन के फेन का टीला हाथ में लेकर रखवी के मुँह पर खींच मारा। रखवी की आँखों में मिर्च-सी लगने लगी। उसने घबराकर साड़ी का पल्लू आँखों से भर लिया और बड़ी बेबसी से चिल्लाने लगीं। दोनों औरतें और लड़की क़हक़हा मारकर हँसीं।

रख्खी अच्छी होती तो इतनी आसानी से तो न भागती, बल्कि मोटी औरत को उसके किए की सज़ा ही देती, मगर अब उसे भागने के अलावा कोई चारा समझ में नहीं आया। घबराकर बाहर निकल आई। आँखों में ऐसी तकलीफ़ थी कि मैल-कुचैल, नहाना-धोना सब कुछ भूलकर बाहर आ गई।

नल-वल को बड़ी मुश्किल से एक आँख खोलकर इधर-उधर देखा तो दो सौ गज़ के फ़ासले पर एक नल था। रख्खी दौड़कर उधर गई। पानी से आँखों को ख़ूब धोया। जब ज़रा आराम मिला तो कुछ सोचकर इधर-उधर देखने लगी। एक दुकान पर एक आदमी मुँह पर पंखा रखे सो रहा था। उसके पास एक नौजवान सफ़ेद कुर्ता पहने हुए बैठा नींद भरी आँखों से रख्खी को तक रहा था। कुछ दूर एक कपड़े वाले की दुकान पर एक मियाँ साहब धूप से बचने को रूमाल मुँह पर डाले खड़े मोल भाव कर रहे थे। इनके क़रीब रिक्शा वाले पसीने और मैल में सने खड़े थे। रख्खी ने दुकान वाले नौजवान को एक बार देखा और कुछ इरादा करके अपनी साड़ी समेटी मगर फिर झिझकी। आख़िर जी कड़ा करके एक बार नल के नीचे बैठ ही गई और एक हाथ से खटका दबाया। कमज़ोरी की वजह से खटका अच्छी तरह नहीं दबाया, मगर फिर भी थोड़ा-थोड़ा पानी इसके सर और पीठ पर गिरने लगा।

नौजवान चिल्लाया, ''हाय...हाय...हाय...हाय!''

नौजवान का बाप ज़ोर से चिल्लाया, ''बाज़ार में नहाएगी, अरे ओ बेहया क्या करती है।''

इस सड़क पर शरीफ़ दुकानदार थे। सब बेतहाशा चिल्लाने लगे।

''मस्तानी।'' कपड़े की दुकान के मियाँ साहब भाव-ताव छोड़छाड़ उधर दौड़ पड़े। पास आकर उन्होंने रख्खी की उँगलियों पर छड़ी मारी। रख्खी के हाथ से नल का खटका छूट गया। नल बंद हो गया।

अब उन्होंने रख्खी की पीठ में छड़ी चुभोई और चिल्लाए, ''चल परे हट सड़क से, बड़ी आई नहाने!''

नल के चारों तरफ़ मेला लग गया। छड़ी की नोक जैसे ही गड़ी रख्खी ने तकलीफ़ से मुँह खोल दिया। आँखें सिकोड़ लीं और मुँह से एक छोटी-सी चीख़ निकल गई। फिर फ़ौरन ही दाँत भींचकर दोनों हाथों से नल पकड़ लिया और जमकर वहीं बैठ गई।

बड़े मियाँ, ''अरे हट-हट हटती नहीं?''

''क्या करना चाहती है।''

''क्या यहाँ नहाएगी।''

''कलकत्ता में कितनी बेहयाई है, राम! राम!''

''अरे! साड़ी तो देखो कैसी महीन है?''

''शक्ल चुड़ैलों की मिज़ाज परियों का, आती है नहाने।''

बड़े मियाँ ने हिम्मत करके एक बार फिर छड़ी गड़ाई, फिर हारकर हाथ ढीला कर लिया। रख्खी ने फिर नलके का खटका दबाया। यह देखकर रिक्शे वाले तो भीड़ को चीरकर अंदर आ गए। बोले, "क्या है, क्या है, नहा भी लेने दीजिए बेचारी को।"

"गर्मी सख़्त है।" भीड़ से एक ने आवाज़ कसी।

"चलो मेरे घर में नहाओ...ऐसा गोता दूँ।"

एक लुंगी बाँधे खड़े तमाशा देख रहे थे। एक बार जोश में आगे बढ़े। देखने वाले समझे कि दो-चार हाथ इस बेहया औरत पर झाड़ देंगे। इतने में पुलिस वाला पता नहीं किधर से अंदर घुस आया और उसने रख्खी का हाथ पकड़ एक झटके में इसको अपनी जगह से उठाकर भीड़ के बाहर कर दिया। फिर विजयी स्वर से कहा—"नहीं हटती थी...एक औरत को नहीं भगा सकते।"

भीड़ में तालियाँ, सीटियाँ बजने लगीं। क़ुहक़हे उड़े और आवाज़ें कसी गईं। हारे जनरल की तरह सर झुकाए पीठ सहलाती आगे बढ़ी।

उसने पलटकर सिपाही को देखा और फिर लुंगी वाले आदमी को देखा। उन हज़रत को तो उसने पहचान लिया। एक दिन उससे भी दोस्ती रह चुकी थी। मगर रख्खी को, उनका नाम याद नहीं था। वर्ना इस वक़्त पुकार कर अपमानित कर देती।

रख्खी की आँखों से आँसू बह निकले। लोग कैसे निष्ठुर होते हैं। ऐसी ही लाज आ रही थी, तो आँखें बंद कर लेते। मुझे तो नहा लेने देते और ग़ैरत कैसी? मैं तो साड़ी बाँधे हुए थी। यही शरीफ़ लोग, जब ज़नाने घाट पर औरतें नहाती हों तो घेरा बाँधकर बैठते हैं ओर ख़ूब घूरते हैं। उस वक़्त ग़ैरत नहीं आती!

रख्खी को अपना बचपन याद आने लगा। उसकी माँ दोपहर को उसके लिए गुड़िया बनाती थी और शाम को नहला धुलाकर साफ़ कपड़े पहनाती थी। अगर कपड़े खेलकूद में मैले हो जाते तो बहुत बिगड़ती थी। फिर रख्खी को अपना बच्चा याद आया जो बारह दिन हुए दो बजे रात को पैदा हुआ था। लड़का था। बेचारे ने एक ही बार कियाऊँ किया था कि रख्खी ने उसका मुँह, उसकी नन्ही गर्दन और उसका सारा बदन अपनी साड़ी से लपेट दिया और फिर एक गली में वह पोटली ले जा कर नाले का मुँह खोलकर अंदर डाल दिया। इस काम में सोहनी ने भी हाथ बँटाया और क्यों न बँटाती? उसको भी किसी-न-किसी दिन रख्खी की मदद की ज़रूरत होगी। यूँ ही लोग एक-दूसरे के काम आते हैं...हाँ...बच्चा गया और साड़ी भी! साड़ी इस वक़्त नहाने के काम आती। सर और पीठ के भीग जाने से नहाने की चाहत और बढ़ गई। बल्कि अब तो रख्खी को एक तरह की हठ आ गई कि कुछ हो नहाकर रहेगी। चलो नदी चलो। लेकिन वह दूर है।

दूर ही सही, क्या होगा? क्या रास्ते में थककर गिर पड़ेंगे?

मर जाएँगे और अच्छा है ऐसी ज़िंदगी से मुक्ति मिलेगी।

एक चाय की दुकान पर कुछ बेफ़िक्र बैठे क़हक़हे उड़ा रहे थे। इनको देखकर रख्खी सोचने लगी कि काश! ऐसा होता कि यह लोग पुकारते!

"आ हा...हा...कौन जा रहा है?"

"एक नज़र इधर भी।"

मैं जवाब न देती मगर अपनी लगावट वाली निगाह मार देती, फिर इठलाती क़दम फेंकती आगे बढ़ती फिर कोई कहता :

"अरे ज़रा इधर तो आजा, अरे बात तो सुन।"

"सुन तो सही तुझे कोई खाएगा क्या?"

मैं पलट पड़ती और कहती "क्या शोर मचा रखा है। मैं जा रही हूँ नदी पर नहाने! कैसी गर्मी है। मैल बदन को खाए जा रहा!"

चाय वाला कहता, "आओ तो, यहाँ नहा लो।"

मैं कहती, "बातें न बनाओ।" फिर ख़ुद ही गुनगुनाते लगती, "हट जाओ बातें न बनाओ।"

चाय वाला, "तुम्हारी जान की क़सम। इधर देखो घर के अंदर हौज़ बना है।" चाय वाला मुझे ख़ुशामद और मिन्नतें कर मुझे अंदर ले जाता तो वहाँ सच में एक हौज़ होता। फिर चाय वाला मुझे एक साड़ी लाकर देता। अब मैं चाय वाले से बाहर जाने को कहती, मगर वह न मानता और ज़िद करता कि मैं तो अंदर ही ठहरूँगा। आख़िर बड़ी मिन्नतों के बाद बाहर जाता और मैं ख़ूब नहाती। फिर बालों में कंघी करती, फिर साड़ी पहनती। रख्खी सोचने लगी कि अगर यह सपना पूरा हो जाए तो क्या कहना। बदन हल्का-हल्का हो जाए जैसे कि दोबारा जीवन मिल जाए।

सूरज डूबने को था और पार्क की चहल-पहल शबाब पर थी। ताल के उस पार छोटे-छोटे बच्चे तितलियों की तरह इधर-उधर उड़ते फिर रहे थे और शोर मचा रहे थे। एक बच्चा एक कुत्ते की रस्सी पकड़े टहला रहा था और दूसरा कुत्ते की पीठ पर बबुके को सवार कर रहा था। इनकी आयाएँ घास पर टाँगे फैलाए आधी लेटी और आधी बैठी अपनी-अपनी बक-बक में खोई हुई थीं। वहाँ से दूर पर दो तीन नौजवान मर्द और औरतें नुमाइशी कपड़ों में लेटे एक-दूसरे को अपने फ़िक़रे और क़हक़हे सुना रहे थे। दूसरी तरफ़ दस पंद्रह सफ़ेदपोशों की भीड़ थी। जिनमें से चार-पाँच ताल में वज़ू कर रहे थे। एक मौलवी साहब ताल में अपने पास बारह साल के लड़के को लिए दो ज़ानू बैठ नमाज़ के वक़्त का इंतज़ार कर रहे थे। एक कांस्टेबिल अकेला वक़्त गुज़ारी के लिए टहल रहा था। इस भीड़ में रख्खी आ निकली। उसने अपनी मंज़िल तय कर ली थी। दरिया क़रीब था बंदरगाह पर खड़े जहाज़ दिखाई दे रहे थे। जहाज़ पर काम करने वाली मशीनों की छक-छक और कुलियों की चीख़ व पुकार साफ़ सुनाई पड़ रही थी।

दरिया क़रीब था, लेकिन पार्क की इस चहल-पहल और आरामदेह वातावरण ने रख्खी को ऐसा पकड़ा कि वह थकी हारी ताल के किनारे बैठ गई और अपने दोनों पाँव घुटनों-घुटनों पानी में फैला दिए। नीले ताल के अंदर फैली हुई हरी बेल के बीचोबीच आसमान के सुर्ख़ बादलों की छाया पड़ रही थी। ताल ऐसा मनमोहना था कि बस जी चाहता था कि देखते ही जाओ, रख्खी ज़रा देर तक खोई-सी बैठी रही। फिर कुछ सोचकर उसने जल्दी-जल्दी इधर-उधर देखा और छम से पानी में उतर गई।

कांस्टेबिल यह देखकर चिल्लाता हुआ दौड़ा। नमाज़ियों ने शोर मचाया। मौलवी साहब ने लाहौल पढ़ी और आयाएँ चौंक कर खड़ी हो गईं। सिपाही घबराया हुआ ताल के किनारे दौड़ रहा था और चिल्ला रहा था :

"अरी, चालान हो जाएगा। जेल में डालकर सड़ा दी जाएगी।"

वज़ू करनेवालों को भी ग़ुस्सा आ गया। वह कांस्टेबिल को डाँटने लगे, "इसे निकाल, इसे निकाल।"

कांस्टेबिल देर से यही कोशिश कर रहा था। मगर उसकी समझ में नहीं आ रहा था कि निकालूँ तो कैसे निकालूँ।

रख्खी अपने ऊपर यह हमला देखकर घुटनों-घुटनों पानी में सीना तानकर खड़ी हो गई। जिसके सारे उतार-चढ़ाव साड़ी पर उतर आए। बीमारी ने चेहरा ज़रूर चूस लिया था, मगर कमर का कस बल और बहुत कुछ बाक़ी था। अच्छे कपड़े पहने नौजवानों को यह देखकर साथ की लड़कियों के सामने शर्म आने लगी। वह लोग पीठ फेरकर खड़े हो गए।

रख्खी के इस अचानक हमले से सब हमलावर ठिठक गए। रख्खी के होंठों पर दिन में पहली बार कामयाबी नाचने लगी। अब उसने दूसरा हमला किया। वह भीड़ को भूलकर इत्मीनान से साड़ी हटाकर बदन मलने लगी। आयाओं ने बच्चों को खींचा। मौलवी साहब ने अपने लड़के को, जो टकटकी बाँधे उधर देख रहा था, चटाख से एक थप्पड़ रसीद किया। वह भों-भों रोने लगा। वज़ू फिर से शुरू किया। पुलिस वाला उस औरत को पागल समझकर ख़ामोशी से इसकी हरकतें देखने लगा। रख्खी आक्रमणकारियों की सुस्ती देखकर बहुत ख़ुश हुई, मगर इसके दिल को धड़का लगा हुआ था कि कहीं यह कांस्टेबिल अपने और साथियों को बुलाकर मुझे पकड़वा न दे। इसलिए वह जल्दी-जल्दी नहाई और जीतकर निकल आई। बदन पर साड़ी चिपकी हुई थी और रख्खी इठलाती हुई अपना पसंदीदा गीत 'राजधानी रे' गाती एक तरफ़ को चल पड़ी।

पुलिस वाला सोचता ही रहा कि इस पागल को पकड़ूँ या न पकड़ूँ। मर्द घूम-घूम कर देख रहे थे कि कहीं यह पगली, ऐसा तो नहीं करेगी कि अपनी साड़ी निचोड़कर सूखने को फैला दे।

रूमानी फ़िज़ाओं में यथार्थ की पतंगबाज़ी

कृश्न चंदर 26 नवंबर, 1913 में भरतपुर में पैदा हुए। उनके वालिद डॉक्टर गौरी शंकर भरतपुर और पुंछ में नौकर थे। कृश्न चंदर की प्रारंभिक शिक्षा जम्मू-कश्मीर में हुई। अपने विद्यार्थी जीवन में भगतसिंह के साथियों से नज़दीकी की वजह से एक माह लाहौर क़िले में नज़रबंद भी रहे। 1930 में उच्च शिक्षा के लिए लाहौर गए और फोरमैन क्रिश्चियन कॉलेज में दाख़िला लिया। 1934 से पंजाब यूनिवर्सिटी से अंग्रेज़ी में एम.ए. किया। 1938 में पंजाब विश्वविद्यालय से एल.एल.बी. पास किया और कुछ दिन वकालत भी की। प्रोफेसर संत सिंह के साथ मिलकर अंग्रेज़ी पत्रिका 'द नॉर्दर्न रिव्यू' निकाली जो ग्यारह मास तक निकलती रही। फिर 1937 'द मॉडर्न गर्ल' निकाली। 'नया अदब' से जुड़े और 'नए ज़ाविए' की दो जिल्दें छापीं। फिर अंग्रेज़ी पत्रिका 'कॅरियर' का संपादन किया।

कृश्न चंदर ने साहित्य के बारे में अपने विचार इन शब्दों में व्यक्त किए हैं :

"मैं ख़ूबसूरती को पा लेने और ग़रीबी को खो देने को ही मानवता की बुनियादी समस्या समझता हूँ और अक्सर इन्हीं के बारे में लिखना पसंद करता हूँ।" उनकी साहित्यिक गतिविधियाँ लाहौर से शुरू हुईं जहाँ उन्हें सलाहउद्दीन अहमद का बड़ा प्रोत्साहन मिला। वहीं ऑल इंडिया रेडियो लाहौर में नौकरी मिल गई। साल भर में देहली और लखनऊ ट्रांसफ़र हुआ। उन दिनों लखनऊ प्रगतिशील आंदोलन का केंद्र था। लखनऊ में थे कि शालीमार पिक्चर्स से डायलाग लिखने का ऑफर मिला। इस्तीफ़ा दे पूना चले गए। बाद में सदा के लिए मुंबई आ गए।

कृश्न चंदर जब साहित्य के आकाश पर चमके तब राजेंद्र सिंह बेदी और सआदत हसन मंटो के साथ उनका नाम लिया जाता था। उनके क़लम का एतराफ़ सभी को था। उनका पहला अफ़साना *जेहलम में नाव पर* 1937 में 'हुमायूँ' पत्रिका में छपा था। और पहला कहानी संग्रह *तिलिस्मे ख़्याल* था। *एक गधे की सरगुज़िश्त* लिखकर उन्होंने हास्य-व्यंग्य के क्षेत्र में महत्त्वपूर्ण योगदान दिया। उनकी लगभग 80 पुस्तकें हैं, जिनमें चर्चित उनके उपन्यास *शिकस्त, जब खेत जागेंगे* और *आसमान*

रौशन हैं। उन्होंने बेशुमार कहानियाँ लिखीं। ड्रामे, रिपोर्ताज, लघु उपन्यास, लेख, लगभग सभी विधाओं पर क़लम चलाया; मगर बुनियादी रूप से उनकी पहचान अफ़सानानिगार की थी।

हिंद व पाक में छपी रचनाएँ जो दोनों जगह अलग नामों से भी छपी हो सकती हैं। कहानी संग्रह *तिलिस्मे ख़्याल* (1938), *नज़ारे* (1940), *ज़िंदगी के मोड़ पर पुराने ख़ुदा* (1944), *एक गिर्जा एक ख़ंदक़* (1948), *तीन गुंडे* (1948), *टूटे हुए तारे* (1947), *अजंता के आगे* (1948), *अन्नदाता* (चार बड़े अफ़साने 1959), *एक रुपया एक फूल* (1955), *दिल किसी का दोस्त नहीं* (1959), *दसवाँ पुल* (1968), *कश्मीर की कहानियाँ* (1945) के अलावा 26 कहानी संग्रह और हैं। उनके उपन्यास *एक औरत हज़ार दीवाने* (1957), *बावन पत्ते* (1957), *पाँच लोफर एक हिरोइन, जन्नत और जहन्नुम, चाँदी का घाव* (1964), '*मेरी यादों के चिनार* (1962), *जब खेत जागे* (1977) के अलावा बाईस उपन्यास और हैं। बच्चों के लिए *सितारों की सैर, ख़रगोश का सपना, गंडक का भूत* आदि-आदि।

कृश्न चंदर ने हास्य-व्यंग्य भी लिखा है, उसमें *एक गधे की सरगुज़िश्त* और *एक गधे की वापसी* काफ़ी चर्चित उपन्यास रहे हैं। कृश्न चंदर के लिए पाकिस्तानी आलोचक मिर्ज़ा हामिद बेग का कहना है कि कृश्न चंदर की पुस्तकों की गिनती करना बहुत कठिन काम है। इसका कारण अनेक प्रकाशकों द्वारा उनके संग्रहों का छापना है।

कृश्न चंदर ने दो बार विवाह किया। दूसरी बार विवाह प्रो. रशीद अहमद सिद्दीक़ी की बेटी सलमा सिद्दीक़ी से किया जो ख़ुद एक अच्छी अफ़सानानिगार थीं। शादी के वक़्त कृश्न चंदर को अपना नाम बदलना पड़ा। मुसलमान होने पर उनका नाम 'विक़ार मलिक' रखा गया। मुंबई में उनका देहांत 18 मार्च, 1977 में हुआ और उनको हिंदू रीति से विदा किया गया। उनकी शोक-सभा में मुसलमान दोस्तों ने क़ुरआन, सिक्खों ने ग्रंथ और हिंदुओं ने गीता पढ़ी।

उनको कई सम्मानों से सम्मानित किया गया। सोवियत नेहरू अवार्ड (1966), पद्मभूषण (1969), नेहरू कल्चरल एसोसिएशन अवार्ड मुंबई (1973)।

कृश्न चंदर ने कश्मीर के हुस्न को अपनी कहानियों में इस तरह जीवित किया कि वह ख़ुद उनकी कहानियों का किरदार बन बैठा। उनकी कश्मीरी कहानियों का मुख्य स्वर रोमांस रहा है, जिसमें कश्मीर का चप्पा-चप्पा धड़कता है। उस दौर में वह कहानियाँ जितनी पसंदीदा और आकर्षक लगती थीं, समय के साथ उसमें यकसानियत-सी लोग महसूस करने लगे और उनकी दोशीज़ा (नवयुवती) कहानियों से निकलकर किरदार में नहीं ढल पाई।

पूरे चाँद की रात उनकी बेहतरीन कहानियों में गिनी जाती है, जिसकी ज़बान सादा और प्रवाहपूर्ण है। बेशक आज के मौजूदा कश्मीर को देखते हुए उनकी यह

कहानी अजीब तरह का 'हीलिंग इफेक्ट' देती है। वाजिदा तबस्सुम की तरह भले ही उर्दूवालों के वर्तमान मिज़ाज ने इन दोनों लेखकों के प्रति ख़ासी उदासीनता निभाई है, मगर वक़्त बदलता है और अच्छी कहानियाँ शताब्दियों बाद भी अपने को दोहरा लेने में समक्ष होती हैं।

वही हुआ, आज नई सदी के आरंभ में आलोचकों को महसूस हुआ कि कृश्न चंदर के अदब का सही मूल्यांकन किन्हीं वजहों से नहीं हो पाया और आज की तारीख़ में उनका समग्र साहित्य छप रहा है। उन पर गोष्ठियाँ आयोजित हो रही हैं।

पूरे चाँद की रात

कृश्न चंदर

अप्रैल का महीना था। बादाम की डालियाँ फूलों से लद गई थीं और हवा में बर्फ़ीली ख़ुनकी के बावजूद बहार की लताफ़त आ गई थी। ऊँची फुनगियों के नीचे मख़मली दूब पर कहीं-कहीं बर्फ़ के टुकड़े सफ़ेद फूलों की तरह खिले थे। अगले माह तक ये सफ़ेद फूल इसी दूब में जज़्ब हो जाएँगे और दूब का रंग गहरा सब्ज़ हो जाएगा और बादाम की शाख़ाओं पर हरे-हरे बादाम पुखराज के नगीनों की तरह झिलमिलाएँगे, और नीली पहाड़ियों के चेहरों से कोहरा दूर हो जाएगा, और उस झील के पुल के पार पगडंडियों की ख़ाक मुलायम भेड़ों की जानी-पहचानी बा...बा...से झनझना उठेगी, और फिर उन ऊँचे तने वाले दरख़्तों के नीचे चरवाहे भेड़ों के जिस्मों से सर्दियों की पली हुई मोटी-मोटी गफ़ ऊन गर्मियों में कुतरते जाएँगे और गीत गाते जाएँगे।

लेकिन अभी अप्रैल का महीना था। अभी शाख़ाओं पर कोपलें नहीं फूटी थीं। अभी पहाड़ों पर बर्फ़ का कोहरा था। अभी पगडंडियों का सीना भेड़ों की आवाज़ से गूँजा न था। अभी समल की झील पर कँवल के चिराग़ रौशन न हुए थे। झील का गहरा सब्ज़ पानी अपने सीने के अंदर उन लाखों रूपों को छुपाए बैठा था जो बहार की आमद पर एकाएक उसकी सतह पर एक मासूम और निश्छल हँसी की तरह खिल जाएँगे। पुल के किनारे-किनारे बादाम के पेड़ों की शाख़ों पर शगूफ़े चमकने लगे थे। अप्रैल में शीत ऋतु के अंतिम शती में जब बादाम के फूल जागते हैं और बहार के संदेशवाहक बनकर झील के पानी में अपनी कश्तियाँ तैराते हैं। फूलों के नन्हे-नन्हे शिकारे सतह आब पर नाचते, काँपते बहार की प्रतीक्षा में हैं।

पुल के जँगले का सहारा लेकर मैं एक अरसे से उसका इंतज़ार कर रहा था। सहपहर ख़त्म हो गई। शाम आ गई। झील उलर को जाने वाले हाउसबोट पुल के सगलाखी महराबों के बीच में गुज़र गए और अब वह क्षितिज की लकीर पर काग़ज़ की नाव की तरह कमज़ोर और बेबस नज़र आ रहे थे! शाम का सुर्ख़ रंग सुरमई और सुरमई से सियाह होता गया। यहाँ तक कि बादाम के पेड़ों की क़तार की ओट में

पगडंडी भी सो गई और फिर रात के सन्नाटे में पहला तारा किसी मुसाफ़िर के गीत की तरह चमक उठा। हवा की ख़ुनकी तेज़तर होती गई और नथुने उसके बर्फ़ीले लम्स में सुन्न हो गए।

और फिर चाँद निकल आया।

और फिर वह आ गई।

तेज़-तेज़ क़दमों से चल रही थी, फिर रुक जाती, फिर तेज़ी से चलने लगती, उसने मेरे शानो को अपनी उँगलियों से छुआ और फिर अपना सिर वहाँ रख दिया और उसके गहरे सियाह बालों का परेशान घना जंगल दूर तक मेरी रूह के अंदर फैलता चला गया और मैंने उससे कहा—

"सहपहर से तुम्हारा इंतज़ार कर रहा हूँ।"

उसने हँसकर कहा, "अब रात हो गई है, बड़ी अच्छी रात है यह" उसने अपना नाज़ुक तन्हा छोटा-सा हाथ मेरे दूसरे शाने पर रख दिया और जैसे बादाम के फूलों से भरी शाख़ झुककर मेरे कंधे पर सो रही।

देर तक वह ख़ामोश रही। देर तक मैं ख़ामोश रहा। फिर वह आप-ही-आप हँसी और बोली—

"अब्बा मेरे, पगडंडी के मोड़ तक मेरे साथ आए थे क्योंकि मैंने कहा, मुझे डर लगता है। आज मुझे अपनी सहेली रज्जो के घर सोना है, सोना नहीं है, जागना है, क्योंकि बादाम के पहले शगूफ़ों की ख़ुशी में हम सब सहेलियाँ रात-भर जागेंगी और गीत गाएँगी और यही तो सहपहर से तैयारी कर रही थी इधर आने की! लेकिन धान साफ़ करना था और कपड़ों का यह जोड़ा कल धोया था आज सूखा न था। उसे आग पर सुखाया और अम्माँ जंगल से लकड़ियाँ चुनने गई थीं, वह अभी आई न थीं। और जब तक वह न आतीं मैं मकई के भुट्टे और ख़ुश्क ख़ूबानियाँ और ज़खालू तुम्हारे लिए कैसे ला सकती हूँ, देखो यह सब-कुछ है तुम्हारे लिए...हाय तुम तो सचमुच ख़फ़ा खड़े हो, मेरी तरफ़ देखो मैं आ गई हूँ, आज पूरे चाँद की रात है। आओ किनारे लगी हुई कश्ती खोलें और झील की सैर करें।"

उसने मेरी आँखों में देखा। और मैंने उसकी मुहब्बत और हैरत में गुम पुतलियों को देखा, जिनमें उस वक़्त चाँद चमक रहा था और यह चाँद मुझसे कह रहा था :

"जाओ कश्ती खोलकर झील के पानी पर सैर करो। आज बादाम के पीले शगूफ़ों का ख़ुशी भरा त्योहार है। आज उसने तुम्हारे लिए अपनी सहेलियों, अपने अब्बा, अपनी नन्ही बहन, अपने बड़े भाई सबको फ़रेब में रखा है। क्योंकि आज पूरे चाँद की रात है और बादाम की सफ़ेद ठंडी कलियाँ बर्फ़ के गालों की तरह चारों-तरफ़ फैली हुई हैं और कश्मीर के गीत उसकी छातियों में बच्चे के दूध की तरह उमड़ आए हैं। उसकी गर्दन में तुमने मोतियों की यह सतलड़ी देखी।" यह सुर्ख़ सतलड़ी उसके गले में डाल दी और उसने कहा—

"तो आज रात-भर जागेगी, आज कश्मीर के बहार की पहली रात है, आज तेरे गले से कश्मीर के गीत यूँ खिलेंगे, जैसे चाँदनी रात में केसर के फूल खिलते हैं, यह सुर्ख़ सतलड़ी पहन ले।"

चाँद ने यह सब-कुछ उस हैरान पुतलियों से झाँककर देखा। फिर एकाएक कहीं किसी पेड़ पर एक बुलबुल गा उठी और कश्तियों में चिराग़ झिलमिलाने लगे, फुनगियों से परे बस्ती में गीतों की मद्धिम सदा बुलंद हुई। गीत और बच्चों के क़हक़हे और मर्दों की भारी आवाज़ें और नन्हे बच्चों के रोने की मीठी सदाएँ छतों से और ज़िंदगी का आहिस्ता-आहिस्ता सुलगता धुआँ-धुआँ और शाम के ख़ाने की महक, मछली और भात और कडम के साग का नर्म नमकीन और स्वादिष्ट स्वाद और पूरे चाँद की रात की बहार का उठान वाला जोबन। मेरा ग़ुस्सा धुल गया। मैंने उसका हाथ अपने में ले लिया और उससे कहा—"आओ चलें, झील पर।"

पुल गुज़र गया। पगडंडी गुज़र गई। बादाम के दरख़्तों की क़तार ख़त्म हो गई। जब हम झील के किनारे-किनारे चल रहे थे, झाड़ियों में मेढक बोल रहे थे। मेढक और झींगुर की कर्कश आवाज़ों का शोर भी संगीत में ढल गया था। एक सपनीली सिम्फनी और सोई हुई झील के बीच में चाँद की कश्ती खड़ी थी, स्थिर चुपचाप, मुहब्बत के इंतज़ार में, हज़ारों साल से इसी तरह खड़ी थी। मेरी और उसकी मुहब्बत के इंतज़ार में, तुम्हारे और तुम्हारे महबूब की मुस्कुराहट की प्रतीक्षा में, इंसान को इंसान को चाहने की आरज़ू का इंतज़ार, यह पूरे चाँद की हसीन पाकीज़ा रात मुहब्बत के पवित्र स्पर्श की प्रतीक्षा में...

कश्ती ख़ूबानी के एक पेड़ से बँधी थी, जो बिल्कुल झील के किनारे उगा था। यहाँ पर ज़मीन बहुत नर्म थी और चाँदनी पत्तों की ओट से छनती हुई आ रही थी। मेढक हौले-हौले गा रहे थे और झील का पानी बार-बार किनारे चूमता जाता था और उसके चूमने की सदा बार-बार हमारे कानों में आ रही थी।

झील की सतह पर लाखों कँवल खिल गए। नर्म हवाओं के मुलायम झोंके यकायक बुलंद होके हज़ार गीत गाने लगे। और लाखों मंदिरों, मस्जिदों और गिरजाघरों से दुआओं का शोर उठा और ज़मीन के फूल और आसमान के तारे, हवाओं में उड़ने वाले बादल सब मिलकर नाचने लगे। फिर कँवल खिलते-खिलते सिमटते हुए कलियों की तरह और बुलंद होकर मद्धिम होते गए। नाच धीमा पड़ता रुक गया। अब वही मेढक की आवाज़ थी। वही झील के नर्म-नर्म चुम्बन।

मैंने आहिस्ता से कश्ती खोली। वह कश्ती में बैठ गई। मैंने चप्पू अपने हाथों में ले लिया और कश्ती को खेकर बीच में ले गया। यहाँ कश्ती आप-ही-आप खड़ी हो गई। न इधर बहती थी न उधर। मैंने चप्पू उठाकर कश्ती में रख लिया। उसने पोटली खोली, उसमें से ज़खालू निकालकर मुझे दिए। ख़ुद भी ख़ाने लगी। ज़खालू ख़ुश्क थे और खट्टे-मीठे।

वह बोली, यह पिछली बहार के हैं।

मैं ज़खालू खाता रहा और उसकी तरफ़ देखता रहा।

वह आहिस्ता से बोली—

पिछली बहार में तुम न थे।

पिछली बहार में मैं न था और ज़खालू के पेड़ फूलों से भर गए थे और ज़रा-सी शाख़ हिलाने पर फूट टूटकर ज़मीन पर मोतियों की तरह बिखर जाते थे। पिछली बहार में मैं न था और ज़खालू के पेड़ फलों से लदे-फदे थे। हरे-हरे ज़खालू। सख़्त खट्टे ज़खालू जो नमक मिर्च लगाकर खाए जाते थे और ज़बान सी-सी करती थी और नाक बहने लगती थी।

ज़खालू खा के हमने ख़ुश्क ख़ूबानियाँ खाईं। ख़ूबानी पहले तो बहुत मीठी मालूम न होती मगर जब मुँह की राल में घुल जाती तो शहद व शक्कर का मज़ा देने लगती।

"नर्म-नर्म बहुत मीठी हैं ये।"

उसने एक गुठली को दाँतों से तोड़ा और ख़ूबानी के बीज निकालकर मुझे दिया—

"खाओ, बादाम की तरह मीठा है।"

"ऐसी ख़ूबानियाँ मैंने कभी नहीं खाईं।"

उसने कहा, "यह हमारे आँगन का पेड़ है। हमारे यहाँ ख़ूबानी का एक ही पेड़ है मगर इतनी बड़ी सुर्ख़ और मीठी ख़ूबानियाँ होती हैं उसकी कि मैं क्या कहूँ। जब ख़ूबानियाँ पक जाती हैं तो मेरी सहेलियाँ इकट्ठी हो जाती हैं। और ख़ूबानियाँ खिलाने को कहती हैं...पिछली बहार में..."

और मैंने सोचा, पिछली बहार में, मैं न था, मगर ख़ूबानी का पेड़ आँगन में उसी तरह खड़ा था, पिछली बहार में वह नाज़ुक पत्तों से भर गया था। फिर उनमें कच्ची ख़ूबानियाँ के सब्ज़ और नुकीले फल लगे थे। अभी इन ख़ूबानियों में गुठली पैदा होती थी और यह कच्चे खट्टे फल दोपहर के ख़ाने के साथ चटनी का काम देते थे। पिछली बहार में, मैं न था और उन ख़ूबानियों में गुठलियाँ पैदा हो गई थीं, और ख़ूबानियों का रंग हलका सुनहरा होने लगा था। गुठलियों के अंदर नर्म-नर्म बीज अपने स्वाद में सब्ज़ बादामों को भी मात करते थे।

ख़ूबानियाँ खाकर उसने मकई का भुट्टा निकाला। ऐसी सोंधी-सोंधी ख़ुशबू थी। सुनहरा सिका हुआ भुट्टा। कुरकुरे दाने साफ़-शफ़्फ़ाफ़ मोतियों की-सी चमक लिए हुए और मज़े में बेहद मीठे।

वह बोली, "यह मिस्त्री मकई के भुट्टे हैं।"

"बेहद मीठे," मैंने भुट्टा खाते हुए कहा।

वह बोली, "पिछली फ़सल के रखे थे, घड़ों में छुपाकर, अम्माँ की आँख से ओझल।"

मैंने भुट्टा एक जगह से खाया। दानों की चंद क़तारें रहने दीं। फिर उसने उसी जगह से खाया और दानों की चंद क़तारें मेरे लिए रहने दीं। जिन्हें मैं ख़ाने लगा और इस तरह हम दोनों एक ही भुट्टे से खाते गए। और मैंने सोचा, यह मिस्त्री मकई के भुट्टे कितने मीठे हैं। यह पिछली फ़सल के भुट्टे, जब तू थी मैं न था। जब तेरे बाप ने हल चलाया था खेतों में, गोड़ाई की थी, बीज बोए थे।

बादलों ने पानी दिया था। ज़मीन में हरे-हरे धान के छोटे-छोटे पौधे लगाए थे। जिनमें तूने नलाई की थी फिर पौधे बड़े हो गए थे और हवाओं में झूमने लग थे और तू मकई पर हरे-हरे भुट्टे देखने जाती थी। जब मैं न था लेकिन भुट्टों के अंदर दाने पैदा हो रहे थे, दूध भरे दाने, जिनकी नाज़ुक जिल्द के ऊपर अगर ज़रा-सा भी नाख़ून लग जाए तो दूध बाहर निकल आता था। ऐसे नर्म नाज़ुक भुट्टे इस धरती ने उगाए थे और मैं न था। धरती थी, सृजनता थी, मुहब्बत के गीत थे, आग पर सेंके हुए भुट्टे थे, लेकिन मैं न था।

मैंने ख़ुशी से भर उसकी तरफ़ देखा और कहा, ''आज पूरे चाँद की रात को जैसे हर बात पूरी हो गई है।''

उसने भुट्टा मेरे मुँह से लगा दिया। उसके होंठों का गर्म-गर्म नमनाक स्पर्श अभी तक उस भुट्टे पर था।

वह पूरे चाँद की रात, मुझे अब तक नहीं भूलती। मेरी उम्र सत्तर बरस के क़रीब है, लेकिन वह पूरे चाँद की रात मेरे ज़हन में उस तरह चमक रही है जैसे अभी वह कल आई थी। ऐसी पाकीज़ा मुहब्बत मैंने आज तक नहीं की होगी। उसने भी नहीं की होगी। वह जादू ही कुछ और था। जिसने पूरे चाँद की रात को हम दोनों को एक-दूसरे से यूँ मिला दिया कि फिर वह घर नहीं गई और हम मुहब्बत में खोए-खोए बच्चों की तरह इधर-उधर जंगलों के किनारे नदी, नालों पर अखरोटों के साए तले घूमते रहे। दुनिया से बेख़बर। फिर मैंने उसी झील के किनारे एक छोटा-सा घर ख़रीद लिया और उसमें हम दोनों रहने लगे। कोई एक महीन बाद मैं श्रीनगर गया और उससे यह कहकर गया कि तीसरे दिन लौट आऊँगा। तीसरे दिन मैं लौट आया तो क्या देखता हूँ वह एक नौजवान के साथ घुल-मिलकर बातें कर रही है। वह दोनों एक ही रकाबी में खाना खा रहे थे। एक-दूसरे के मुँह में कौर डालते जाते हैं और हँसते जाते हैं। मैंने उन्हें देख लिया लेकिन उन्होंने मुझे नहीं देखा। वह अपनी ख़ुशी में इतना डूबे थे कि उन्होंने मुझे नहीं देखा और मैंने सोचा कि यह पिछली बहार या उससे भी पिछली बहार का महबूब है, जब मैं न था और फिर शायद और आगे भी कितनी ही ऐसी बहारें आएँगी। कितनी ही पूरे चाँद की रातें, मुहब्बत एक फ़ाहिशा औरत की तरह बेक़ाबू हो जाएगी और नंगी होकर नाच करने लगेगी।

आज तेरे घर में पतझड़ आ गया है जैसे हर बहार के बाद आता है। अब तेरा यहाँ क्या काम इसलिए मैं यह सोच उनसे मिले बग़ैर वापस चला गया और फिर अपनी पहली बहार से कभी नहीं मिला।

और अब मैं अड़तालीस बरस के बाद लौटकर आया हूँ। मेरे बेटे साथ हैं। मेरी बीवी मर चुकी है लेकिन मेरे बेटों की बीवियाँ और उनके बच्चे मेरे साथ हैं। हम लोग सैर करते-करते समल झील की तरफ़ निकल आए हैं। अप्रैल का माह है। सहपहर से शाम हो गई और मैं देर तक पुल के किनारे खड़ा बादाम के पेड़ों की क़तारें देखता जाता हूँ और ठंडी हवा में सफ़ेद कलियों के गुच्छे लहराते जाते हैं और पगडंडी की ख़ाक पर से किसी जाने-पहचाने क़दमों की आवाज़ सुनाई नहीं देती है। एक हसीन दोशीज़ा हाथों में एक छोटी पोटली दबाए पुल पर से गुज़र जाती है और मेरा दिल धक से रह जाता है।

दूर बस्ती में कोई बीवी अपने पति को आवाज़ दे रही। वह उसे ख़ाने पर बुला रही है। कहीं से एक दरवाज़ा बंद होने की आवाज़ आती है और एक रोता हुआ बच्चा एकाएक चुप हो जाता है। छतों से धुआँ निकल रहा है और परिंदे शोर मचाते हुए एकदम दरख़्तों की घनी शाख़ों में अपने पर फड़फड़ाते हैं और फिर एकदम चुप हो जाते हैं। ज़रूर कोई माझी गा रहा है। उसकी आवाज़ गूँजती-गूँजती क्षितिज के उस पार गुम होती जा रही है!

मैं पुल पार कर आगे बढ़ता हूँ। मेरे बेटे और उनकी बीवियाँ और बच्चे मेरे पीछे आ रहे हैं, अलग-अलग टोलियों में बँटे हुए हैं। यहाँ पर बादाम के पेड़ों की क़तारें ख़त्म हो गई। तल्ला भी ख़त्म हो गया। झील का किनारा है। यह ख़ूबानी का दरख़्त है लेकिन कितना बड़ा हो गया है मगर कश्ती, यह कश्ती है मगर क्या यह वही कश्ती है। सामने वह घर है मेरी पहली बहार का घर, मेरी पूरे चाँद की रात की मुहब्बत।

घर में रौशनी है बच्चों की आवाज़ें हैं। कोई भारी आवाज़ में गाने लगता है। कोई बुढ़िया उसे चीख़कर चुप करा देती है। मैं सोचता हूँ, आधी सदी हो गई मैंने उस घर को नहीं देखा। देख लेने में हर्ज भी क्या। मैं घर के अंदर चला जाता हूँ। बड़े अच्छे प्यारे बच्चे हैं, एक जवान औरत अपने पति के लिए रकाबी में खाना रख रही है, मुझे देखकर ठिठक जाती है, दो बच्चे लड़ रहे थे, मुझे देखकर हैरत से चुप हो जाते हैं। बुढ़िया जो ग़ुस्से में डाँट रही थी, थम के पास आकर खड़ी हो जाती है, क्या है—

"कौन हो, तुम!"

मैंने कहा, "यह मेरा घर है।"

वह बोली, "तुम्हारे बाप का है?"

मैंने कहा, "मेरे बाप का नहीं मेरा अपना है। अड़तालीस बरस हुए मैंने उसे ख़रीदा था। बस इस वक़्त तो यूँ ही मैं उसे देखने के लिए चला आया। आप लोगों

को निकालने के लिए नहीं आया हूँ। यह घर तो समझिए सब आपका है, मैं तो यूँ ही..." यह कह मैं लौटने लगा। बुढ़िया की उँगलियाँ सख़्ती से थम पर जम जाती हैं? उसने साँस ज़ोर से अंदर खींची। बोली, "तो तुम हो...अब इतने बरस के बाद कोई कैसे पहचाने..." वह थम से लगी देर तक ख़ामोश खड़ी रही। मैं नीचे आँगन में चुपचाप खड़ा उसकी तरफ़ ताकता रहा। फिर वह आप-ही-आप हँस दी, बोली—

"आओ मैं तुम्हें अपने घर के लोगों से मिलवाऊँ...देखो यह मेरा बेटा है। यह उससे छोटा है, यह बड़े बेटे की बीवी है। यह मेरा बड़ा पोता है, सलाम करो बेटा! यह पोती...यह मेरा पति है...श श श उसे जगाओ नहीं। परसों से उसे बुखार आ रहा है! सोने दो।" वह बोली, "तुम्हारी क्या ख़ातिर करूँ।"

मैंने दीवार पर खूँटी से टँगे हुए मकई के भुट्टों को देखा, सिंके हुए सुनहरे मोतियों के से साफ़ दाने।

हम दोनों मुस्कुरा दिए!

वह बोली, "मेरे तो बहुत से दाँत झड़ चुके हैं, जो हैं वह भी काम नहीं करते हैं।"

मैंने कहा, "यही हाल मेरा भी है। भुट्टा न खा सकूँगा।" मुझे घर के अंदर घुसते देखकर मेरे परिवार के सदस्य भी अंदर चले आए थे। अब ख़ूब भीड़भाड थी। बच्चे जल्द ही एक-दूसरे से घुलमिल गए।

हम दोनों आहिस्ता-आहिस्ता बाहर चले आए। आहिस्ता-आहिस्ता झील के किनारे चले गए। वह बोली, "मैंने छह बरस तुम्हारा इंतज़ार किया। तुम उस रोज़ क्यों नहीं आए।"

मैंने कहा, "मैं आया था, मगर तुम्हें किसी और नौजवान के साथ देखकर वापस चला गया था।"

"क्या कहते हो!" वह बोली।

"हाँ, तुम उसके साथ खाना खा रही थीं। एक ही रकाबी में और वह तुम्हारे मुँह में और तुम उसके मुँह में कौर डाल रहे थे। वह एकदम चुप हो गई फिर ज़ोर-ज़ोर से हँसने लगी।

"वह मेरा भाई मुझसे मिलने आया था। उसी रोज़ तुम भी आने वाले थे। वह वापस जा रहा था। मैंने उसे रोक लिया कि तुमसे मिलाकर जाए। तुम फिर आए ही नहीं।"

वह एकदम संजीदा हो गई।

"छह बरस मैंने तुम्हारा इंतज़ार किया। तुम्हारे जाने के बाद ख़ुदा ने मुझे बेटा दिया। तुम्हारा बेटा। एक साल बाद वह भी मर गया। चार साल और मैंने तुम्हारी राह देखी मगर तुम नहीं आए। फिर मैंने शादी कर ली।"

दो बच्चे बाहर निकल आए। खेलते-खेलते एक बच्चा दूसरी बच्ची को मकई के भुट्टे खिला रहा था।

उसने कहा, "वह मेरा पोता है।"

मैंने कहा, "वह मेरी पोती है।"

वह दोनों भागते-भागते झील के किनारे-किनारे दूर चले गए। ज़िंदगी के दो ख़ूबसूरत आकार। हम देर तक उन्हें देखते रहे। वह मेरे क़रीब आ गई और बोली :

"आज तुम आए हो, मुझे अच्छा लग रहा है। मैंने अब अपनी ज़िंदगी बना ली है। उसकी सारी ख़ुशियाँ और ग़म देखे हैं। मेरा हरा-भरा घर है। और आज तुम भी आए हो, मुझे ज़रा भी बुरा नहीं लग रहा है।"

मैंने कहा, "यही हाल मेरा है। सोचता था ज़िंदगी भर तुम से नहीं मिलूँगा, इसलिए इतने बरस इधर कभी नहीं आया। अब आया हूँ तो रत्ती भर भी बुरा नहीं लग रहा है।"

हम दोनों चुप हो गए।

बच्चे खेलते-खेलते हमारे पास वापस आ गए। उसने मेरी पोती को उठा लिया और मैंने उसके पोते को, उसने मेरी पोती को चूमा, मैंने उसके पोते को, और हम दोनों ख़ुशी से एक-दूसरे को देखने लगे।

उसकी पुतलियों में चाँद चमक रहा था और वह चाँद हैरत और हर्ष से कह रहा था—

"इंसान मर जाते हैं लेकिन ज़िंदगी नहीं मरती, बहार ख़त्म हो जाती है, लेकिन फिर दूसरी बहार आ जाती है। छोटी-छोटी मुहब्बत हमेशा क़ायम रहती है। तुम दोनों पिछली बहार में न थे। यह बहार तुमने देखी, उससे अगली बहार में तुम न होगे लेकिन ज़िंदगी भी होगी और मुहब्ब भी होगी, ख़ूबसूरती और मासूमियत भी होगी..."

बच्चे हमारे गोद से उतर पड़े क्योंकि वह अलग से खेलना चाहते थे। वह भागते हुए ख़ूबानी के दरख़्त की तरफ़ चले गए, जहाँ कश्ती बँधी थी!

मैंने पूछा, "यह वही दरख़्त है?"

उसने मुस्कुराकर कहा, "नहीं, यह दूसरा दरख़्त है।"

जज़्बात के समंदर को काग़ज़ पर निचोड़ने वाला जुनूनी

ख़्वाजा अहमद अब्बास 7 जून, 1914 में पानीपत, हरियाणा में पैदा हुए। उनके पिता का नाम ग़ुलाम अल सिफ़तैन अंसारी और माँ का नाम मसरूरह ख़ातून था, जो शिक्षाविद् सज्जाद हुसैन की बेटी और उर्दू के प्रसिद्ध कवि मोहम्मद अल्ताफ़ हुसैन हाली की पोती थीं। ख़्वाजा अहमद अब्बास की प्रारंभिक शिक्षा पानीपत में हुई, फिर 1933 में अंग्रेज़ी में एम.ए. की डिग्री हासिल की और 1935 में अलीगढ़ से एल.एल.बी. किया। पिता की तरफ़ से आपका ख़ानदानी सिलसिला अय्यूब अंसारी से शुरू होता है, जो प्राफेट मोहम्मद के नज़दीकी साथी थे।

ख्वाजा अहमद अब्बास लेखक, पत्रकार, डायरेक्टर, स्क्रीन राइटर थे। हिंदी, उर्दू, अंग्रेज़ी-तीनों भाषाओं में लिखते थे। इनकी 73 से भी अधिक पुस्तकें हैं। अंग्रेज़ी में *आउट साइड इंडिया एडवंचरस रोविंग रिपोर्टर*। उर्दू में *मुंबई रात की बाँहों में* (1965), *चमेली* (1968), *सलमा और समंदर* (1969), *फासले* (1974), *नीली साड़ी और दूसरी कहानियाँ* (1982) इत्यादि। डॉ. मिर्ज़ा हामिद के शोध के अनुसार उनका पहला अफ़साना *अबाबील* है जो जामिया दिल्ली में 1938 में छपा था। उनके चर्चित कहानी संग्रह *एक लड़की, ज़ाफरान के फूल, कहते हैं जिसे इश्क़, मैं कौन हूँ, नए धरती नए लोग, गेहूँ और गुलाब* आदि हैं। उनकी बेहतरीन रचना 'इंक़लाब' है जो सांप्रदायिक हिंसा पर है और जब यह किताब आई थी उस वक़्त घर-घर में यह शब्द लोगों की ज़बान पर चढ़ गया था। इस रचना का अनुवाद रूसी, जर्मन, फ्रेंच, इटैलियन और अरबी भाषा के अलावा अन्य कई भाषाओं में हुआ।

पत्रकारिता की शुरुआत 'नेशनल काल' नाम के पत्र से हुई, 1935 में बॉम्बे क्रॉनिकल ज्वॉइन किया। ब्लिट्ज में इनका रनिंग कॉलम काफ़ी लंबा चला और बेहद लोकप्रिय रहा। आपने अनेक साक्षात्कार लिए जैसे रूसी राष्ट्रपति ख़ुश्चेव, अमेरिकन राष्ट्रपति रूज़वेल्ट, चीन के नेता माओत्से तुंग, चार्ली चैपलिन, यूरीगागरिन।

ख़्वाजा अहमद अब्बास पर अनेक शोध पुस्तकें लिखी गई हैं, जिनमें मुख्य हैं, *द नावेल्स ऑफ ख़्वाजा* (अहमद हसीबी), *एथास ऑफ़ ख़्वाजा अहमद अब्बास*

नॉवेलिस्ट, फ़िल्म मेकर। ए स्टडी ऑफ़ सोशल रियलिज़्म (हेमेंद्र सिंह चंडेलिया)।

ख़्वाजा अहमद अब्बास ने बच्चों के लिए भी लिखा है। उनकी फ़िल्म 'ईद मुबारक' पर 1960 में ऑल इंडिया सर्टीफिकेट ऑफ़ बेस्ट फ़िल्म मिला। आपकी पहली फ़िल्म 'सात हिंदुस्तानी' (1969), 'दो बूँद' (1972) को नेशनल अवार्ड मिला। कैन्स फ़िल्म महोत्सव में भी वह शामिल हुई। 'परदेसी' (1957), 'शहर और सपना' (1963) में श्रेष्ठ नेशनल फ़िल्म अवार्ड फीचर फ़िल्म के लिए। स्क्रीन प्ले लिखे, 'धरती के लाल' (1945), 'नीचा नगर' (1946), राजकपूर की अधिकतर फ़िल्मों से जुड़े रहे, जैसे—'जागते रहो', 'आवारा', 'नया संसार', 'श्री चार सौ बीस', 'मेरा नाम जोकर', 'बॉबी' इत्यादि। ख़्वाजा अहमद अब्बास ने फ़िल्म पब्लिसिटी का काम भी किया। फ्रांस के आरकाइव्ज़ में दुनिया की बेहतरीन सौ फ़िल्में हैं, जिसमें ख़्वाजा अहमद अब्बास की 'धरती का लाल' भी है। ख़्वाजा अहमद अब्बास ने 1977 में अपनी जीवनी *आइ एम नाट एन आईलैंड : एन एक्सपीरिएंस इन ऑटोबायोग्राफी* लिखी, जो बाद में 2010 में रिलीज की गई।

उनके कथा साहित्य के लिए उन्हें 'द लीडिंग लाइट ऑफ उर्दू शॉर्ट स्टोरी' कहा गया। 1969 में ख़्वाजा को भारत सरकार ने 'पद्मश्री' से सम्मानित किया। 1969 में हरियाणा स्टेट ने रोब ऑफ आनर दिया। फ़िल्म निर्देशन के लिए 1980 में गोल्ड अवार्ड उर्दू गद्य के लिए ग़ालिब अवार्ड 1983 में, सोवियत लैंड लिटरेरी अवार्ड 1984, उर्दू अकादमी स्पेशल अवार्ड 1984, महाराष्ट्र उर्दू अकादमी अवार्ड 1985 इंडोसोवियत फ्रेंडशिप अवार्ड 1985 में मिला।

1987 में ख़्वाजा अहमद अब्बास ने मुंबई में अंतिम साँस ली।

ज़िंदगी की जलती मशाल तो बुझ गई, मगर ख़्वाजा अहमद अब्बास का योगदान आज भी उर्दू हिंदी, अंग्रेज़ी भाषा साहित्य में मशालेराह बना है।

उनकी भारत और पाकिस्तान में प्रकाशित रचनाओं के नाम हैं—

कहानी संग्रह—*एक लड़की* (1937), *मुहम्मद अली* (1936), *ज़ाफ़रान के फूल* (1948), *अँधेरा उजाला* (हिंदी में), *कहते हैं जिसको इश्क़* (1945), *नीली साड़ी* (1982), *पाँव में फूल* (1948) *मैं कौन हूँ* (1949), *नई धरती नए इंसान* (1977), *गेहूँ और गुलाब* (1965) *चिराग़ तले* (हिंदी में), *दिया जले सारी रात* (1959), *आधा इंसान* (हिंदी), *लव इन मसूरी* (हिंदी 1975)। उपन्यास—*चार दिल चार राहें* (1959), *रक़्स करना है*। ड्रामे—*ज़ुबैदा* (1944), *यह अमृत है* (1944), *चौदह गोलियाँ*। रिपोर्ताज—*मुसाफ़िर की डायरी* (1924), *सुर्ख़ ज़मीन और पाँच सितारे*, अंग्रेज़ी में दर्जन भर उपन्यास, कहानी व लेख संग्रह इत्यादि।

ख़्वाजा अहमद अब्बास का विवाह 1940 में हुआ। उनकी बेगम का इंतकाल 1958 में हुआ। उसी ज़माने में कुछ संभावना क़ुर्रतुल ऐन हैदर के साथ शादी की नज़र आई, मगर यह शादी न हो सकी।

ख़्वाजा अहमद अब्बास का एक ही जुनून था कि अपनी बातों को दिलचस्प अंदाज़ से लोगों तक पहुँचाएँ। इसमें वह कामयाब भी हुए और लोगों ने न सिर्फ़ उनके दृष्टिकोण, जीवन दर्शन को समझा बल्कि उनके लेखन पर फ़िदा भी रहे।

उनकी कहानी *बारह घंटे* जिस माहौल, जिस विचारधारा, जिस आशा के दौर में लिखी गई; स्वतंत्रता संग्राम का वह दौर गुज़र गया। न इंक़लाब आया न सोवियत संघ बचा, मगर उस दौर की तपिश यह कहानी बाख़ूबी कहती है, जिसकी आँच की गर्मी उसकी पंक्तियों के बीच आज भी महफ़ूज़ है।

सन् 2014, ख़्वाजा अहमद अब्बास का जन्म शताब्दी वर्ष है, जिसे भारत और पाकिस्तान एक साथ मना रहे हैं।

बारह घंटे

ख़्वाजा अहमद अब्बास

दिसंबर का महीना।

स्टेशन मास्टर के दफ़्तर का घंटा पौने आठ बजा रहा था। गाड़ी के आने में अभी भी पंद्रह मिनट बाक़ी हैं। मीना ने सोचा और प्लेटफॉर्म के चक्कर लगाने लगी।

छोटा-सा स्टेशन। न किताबों और अख़बारों की दुकान न कोई होटल। चाय की एक प्याली भी मिलनी मुमकिन नहीं। बस दो कमरों की छोटी-सी इमारत। एक कमरे में स्टेशन मास्टर का दफ़्तर। दूसरे में टिकटघर। टिकटघर पर भीड़ तो नहीं थी। दो किसान गाढ़े की चादरों में लिपटे, कानों को रात की ठंडी-ठंडी हवा से बचाने के लिए ढाटा बाँधे बरामदे में बैठे थे। दूर सिगनल की रौशनी अँधेरे में चमक रही थी।

बीना साड़ी पर एक स्वेटर पहने हुई थी। उस पर एक ऊनी चादर, मगर इस वक़्त उसको सर्दी नहीं लग रही थी। जब से वह इंक़लाबी पार्टी में शामिल हुई थी, यह पहला मौक़ा था कि एक अहम काम उसके सुपुर्द किया गया था। इसी ख़्याल से उसके दिल की धड़कन तेज़ थी। और बावजूद बर्फीली हवा के उसके गाल तमतमा रहे थे। क्या वह यह काम बाख़ूबी अंजाम दे सकेगी? कोई गड़बड़ तो न करेगी? घबरा तो नहीं जाएगी? नहीं हरगिज़ नहीं। उसने सोच-समझकर इंक़लाबी पार्टी में शिरकत की थी। वह बड़े-से-बड़ा काम करने को तैयार थी। उसने अपनी जान की भी परवाह नहीं की थी और यह बिल्कुल मामूली काम था। लीडर ने जो हिदायत दी थी वह अब तक मीना के कानों में गूँज रही थी।

"देखो हमारा पुराना साथी विजय सिंह, सोलह बरस की जेल काटकर आ रहा है, मगर हमें मालूम हुआ है कि शहर पहुँचते ही उसको फिर गिरफ़्तार कर लिया जाएगा। क्योंकि पुलिस डरती है कि उसकी वापसी से इंक़लाबी पार्टी का असर और ज़्यादा बढ़ जाएगा। इसलिए तुम उसे रामनगर के स्टेशन पर ही उतार लेना। रात-भर वह तुम्हारे मकान पर ठहरेगा और सुबह को वह शहर आकर अपने आपको पुलिस के सामने, गिरफ़्तारी के लिए पेश कर सकता है। मगर हम चाहते हैं कि दोबारा जेल जाने से पहले वह कम से कम बारह घंटे तो आज़ाद रहे। यह ख़त तुम उसे दे देना और उसका जवाब जो वह लिखे, पार्टी के दफ़्तर में पहुँचा देना।"

'रात भर वह तुम्हारे मकान पर ठहरेगा।' मगर बीना का घर तो दो छोटे-छोटे कमरों से ज़्यादा न था। साठ रुपये माहवार पाने वाली स्कूल की उस्तानी इससे बड़े मकान का ख़र्चा कैसे बर्दाश्त कर सकती थी। फिर वह रहती भी थी अकेली। न कोई रिश्तेदार न नौकर। अपना खाना ख़ुद ही पकाती थी। इन हालात में एक ग़ैर मर्द का अकेले मकान में उसके साथ रात गुज़ारना!

बीना की परवरिश एक मज़हबी, रिवायती घराने में हुई थी। अगरचे कॉलेज की शिक्षा और क्रांतिकारी विचारों ने उसका दिमाग़ काफ़ी हद तक आज़ाद कर दिया था। फिर भी उसके दिल की निचली तह में समाज का ख़ौफ़ समाया हुआ था। लोग क्या कहेंगे? और साथ ही एक जवान मर्द की नज़दीकी की नाक़ाबिले बयान कशिश, जिंसी तजुर्बे की दबी हुई ख़्वाहिश। ख़्वाहिश भी और ख़ौफ़ भी। वह जवान थी मगर मर्द की आग़ोशे मुहब्बत से नाआशना। वह किताबी ज्ञान की बुनियाद पर सेक्स पर सैद्धांतिक बहस कर सकती थी मगर उसके व्यावहारिक पक्ष से बिल्कुल अनजान थी। हाँ, क़ुदरत ने ख़ुद उसके बदन में एक अजीब सी गुदगुदी एक अजीब सी चुभन और मीठा-मीठा दर्द पैदा कर दिया था। वह जानती थी कि इसकी एक ही दवा है। मगर शादी से पहले इस दवा की ख़ुराक पीना, यह भी तो इतना आसान न था।

दूर अँधेरे में सिगनल की लाल रौशनी सब्ज़ रौशनी में तब्दील हो गई। प्लेटफॉर्म के सामने की रेल की पटरियाँ अपनी झनझनाहट से आने वाली ट्रेन की ख़बर देने लगीं। बीना का ध्यान जिस्मानी समस्या से हटकर विजय सिंह की तरफ़ चला गया जो अभी चंद मिनट में रामनगर पहुँचने वाला था। जो रातभर...बारह घंटे...के लिए उसका मेहमान था। विजय सिंह, क्रांतिकारी पार्टी में उसके नाम की धूम थी। उसके क्रांतिकारी कामों को आज तक याद किया जाता है। आज वह सोलह साल की क़ैद काटकर वापस आ रहा है। कल शायद फिर किसी काल कोठरी में बंद कर दिया जाए। यही उसकी ज़िंदगी थी। वह अपने उसूलों पर जान की बाज़ी लगा चुका था। वह न क़ैदख़ाने से डरता था न फाँसी के तख़्ते से। बीना ने पार्टी के दफ़्तर में लगी हुई विजय सिंह की तस्वीर देखी थी। शानदार जवान, चौड़ा चकला सीना, ऊँची पेशानी और चमकदार काली आँखें, जो तस्वीर के पर्दे में से भी दिलों को लुभा सकती थीं। ख़ूबसूरत आँखें, ख़्वाबनाक आँखें, उनकी गहराई में जुनून था। मगर उनकी सतह पर बच्चों की सी सादगी खेल रही थी। नामुमकिन था कोई उन आँखों को देखे और उनका शिकार न हो जाए। बीना ने उन आँखों से क्रांति का पाठ पढ़ा था। अपने सिद्धांतों पर मर मिटने की तमन्ना। और आज़ादी की ख़ातिर अपना सब कुछ क़ुर्बान करने की हसरत। सब कुछ तन, मन, धन, हाँ इज़्ज़त भी। जब कभी उसका क़दम इंक़लाब की राह पर डगमगाता, बीना उन आँखों की तरफ़ देखती और एक लम्हे में उसका दिल एक अनजान शक्ति से भर उठता था। फिर उसमें हर कठिन

डगर पर चलने की हिम्मत आ जाती। मगर यह आँखें एक इंक़लाबी की नहीं एक मर्द की भी आँखें थीं। उनमें एक हैवानी कशिश भी थी। एक जुनूनी चिनगारी, वर्जित इच्छाओं का एक इशारा! उस लुभावनी दुनिया की एक झलक जिसका दरवाज़ा समाज ने बीना जैसी अविवाहित लड़कियों के लिए बंद कर रखा था। मगर यह दरवाज़ा तोड़ा भी जा सकता है। बीना अपनी पार्टी में कई ऐसी लड़कियों को जानती थी, जिन्होंने इस ख़्याली दरवाज़े को तोड़कर स्वतंत्र शारीरिक संबंधों की ज़मीन पर क़दम रखा था। क्या आज की रात वह भी विजय सिंह की मदद... ? वह इस ख़्याल से ही शरमा गई। ऐसी बातें सोचनी भी नहीं चाहिए। मगर क्यों नहीं। विजय सिंह ख़ूबसूरत है, जवान है, तंदुरुस्त है और उसकी आँखों में मनमोहक ख़ुशी का पैग़ाम है।

ट्रेन प्लेटफॉर्म पर पहुँच गई। बीना के ख़्यालों का तार टूट गया और विजय सिंह की तलाश में एक सिरे से दूसरे सिरे तक दौड़ने लगी। कहीं उसका पता न मिला। किसी दर्जे में दफ़्तर में लगी तस्वीर से मिलता-जुलता मुसाफ़िर न था। ट्रेन से उतरा तो सिर्फ़ एक ढीला-ढाला आदमी, बूढ़ा फ़क़ीर। दोनों किसान बरामदे से उठकर एक थर्ड क्लास के भरे डिब्बे में घुस गए। इंजन ने सीटी दी और ट्रेन चल पड़ी। तो क्या विजय सिंह इस गाड़ी से नहीं आया? क्या उसको पहले ही गिरफ़्तार कर लिया गया? मगर वह बूढ़ा क्यों प्लेटफॉर्म की लालटेन के नीचे बीना को घूर-घूर कर देख रहा था?

"क्या आप मिस बीना हैं?" फ़क़ीर की आवाज़ में शालीनता थी। और जब बीना ने 'हाँ' कहा तो उसकी निगाह बूढ़े की आँखों पर पड़ी। आँखें जो एक झाड़-झंखाड़ दाढ़ी में से इस तरह चमक रही थीं, जैसे घने जंगल में किसी ख़ूबसूरत मकान की दो खिड़कियाँ जगमगा रही हों!

"आप...ही...कॉमरेड विजय सिंह हैं?"

"हाँ...मुझे पार्टी के सेक्रेटरी का तार पिछले स्टेशन पर मिल गया था कि मुझे इस स्टेशन पर उतरना है और यह कि तुम मुझे लेने आओगी।"

"चलिए।"

बीना विजय सिंह को अपने घर ले आई। जो खाना तैयार करके गई थी वह थाली में परोसकर उसके सामने रख दिया। बिना एक शब्द बोले, उसने खाना शुरू कर दिया। यह भी नहीं पूछा, तुम नहीं खाओगी? बीना पास की कुर्सी पर बैठ गई। विजय सिंह खाना ख़ाने में डूबे थे। ऐसा मालूम हो रहा था कि उसे कितने ही दिन के उपवास के बाद खाना मिला है। बीना की आँखों में आँसू आ गए! यह सोचकर कि सोलह बरस तक धूल मिली रोटी और तेल में पकी हुई दाल ख़ाने के बाद उसको इंसानों की ख़ुराक मिली है। वह विजय सिंह को ग़ौर से देख रही थी। क्या यह वही चौड़े-चकले सीने, ऊँची पेशानी, चिकने बालों वाला विजय सिंह है जिसकी तस्वीर

पार्टी के दफ़्तर की दीवार पर टँगी थी? नहीं, यह वह नहीं हो सकता है। इसका सर गंजा है। और उस पर अरसे से न नहाने की वजह से फुंसियों और मैल के खुरंट जमे हुए हैं। उसकी दाढ़ी...आधी काली आधी सफ़ेद...ख़ौफ़नाक़ तरीक़े से उगी है। होंठों के ऊपर और नीचे के बाल शायद दाल के धब्बे लगते-लगते पीले हो गए हैं। दाँत कुछ ग़ायब हैं, कुछ पीले से हैं। नाख़ून बढ़े हुए और मैल से भरे हुए। बावजूद शदीद हमदर्दी के अहसास के बीना यह सोचकर काँप उठी कि ट्रेन आने से चंद सेकंड पहले वह इसी आदमी के साथ शारीरिक संबंध की पहली मंज़िल तय करने का इरादा कर रही थी।

विजय सिंह ने खाना ख़त्म कर लिया तो बीना ने कहा, "अब आप नहाकर कपड़े बदल लीजिए। पार्टी वालों ने आपके लिए यह कपड़े भेजे हैं। मैं ग़ुसलख़ाने में यह गर्म पानी रखे देती हूँ।"

यह सुनकर विजय सिंह ने अपने फटे-पुराने कपड़ों पर नज़र डाली। जैसे उसको अचानक अपनी गंदगी का अहसास हुआ। बग़ैर एक शब्द बोले वह ग़ुसलख़ाने की तरफ़ चला गया। सोलह साल का लंबा समय उसने अकेले काल कोठरी में गुज़ारा था इसलिए उसको इंसान से बातचीत की आदत ही नहीं रही थी। और बीना जैसी नौजवान लड़की की मौजूदगी में तो ऐसा चुप हो गया था जैसे गूँगा है।

नहाकर विजय सिंह ने साफ़ कपड़े पहने और अँगीठी पर हाथ तापने लगा जो बीना ने सर्दी के ख़्याल से जला रखी थी। लाल-लाल कोयलों की रौशनी में उसकी आँखों में बीना को हल्की-सी ख़ुशी की झलक दिखाई दी जैसे अंगारों पर से राख झटक दी गई हो। उसने बीना से कैंची माँगकर अपने नाख़ून काटे और पार्टी सेक्रेटरी का ख़त पढ़ने बैठ गया। बीना को मालूम था कि इस ख़त में पिछले सोलह साल की सियासी घटनाओं पर टिप्पणियाँ हैं। क्रांतिकारी पार्टी की कार्रवाई रिपोर्ट है। ज्यों-ज्यों विजय सिंह उसको पढ़ता था, उसकी आँखों में वही पुरानी इंक़लाबी चमक वापस आती जा रही थी। ग़ुस्सा, अफ़सोस, ख़ुशी। सारी भावनाएँ उसकी आँखों के आईने में एक के बाद एक नज़र आ रहीं थीं। रिपोर्ट पढ़ते ही वह फिर क्रांतिकारी लीडर था। दोबारा गिरफ़्तार होने से पहले उसको अपनी पार्टी को हिदायत देना था। उसने बीना से काग़ज़ और क़लम माँगा और ख़त का जवाब लिखने बैठ गया, मगर उसका हाथ काँप रहा था। चक्की चलाते-चलाते क़लम पकड़ने की आदत न रही थी।

ख़त ख़त्म करके उसने बीना को दिया कि अगले दिन हिफ़ाज़त से सेक्रेटरी तक पहुँचा दे।

बीना ने घड़ी देखी अभी सिर्फ़ सवा नौ बजे थे। ख़ामोशी तोड़ने के लिए उसने कहा, "अभी आप सोना चाहते हैं या...कुछ देर और बैठना है।"

"मैं सिनेमा देखना चाहता हूँ। बोलता सिनेमा।" विजय सिंह का जवाब सुनकर बीना दंग रह गई। अचानक उसके दिमाग़ में सोलह बरस क़ैद के ख़तरनाक

प्रभाव की एक झलक बिजली की तरह कौंध गई। सोलह बरस 27 से 43 तक यानी विजय सिंह ने कोई टॉकी ही नहीं देखा था। न उसने सहगल की आवाज़ सुनी थी। न रमोला का हुस्न देखा न कानन बाला के रसीले गाने और चंद्रमोहन की कमाल अदाकारी। वह तो बोलती तस्वीरों की जादूगरी से इतना अनजान था जैसे अफ्रीका के अँधेरे जंगलों में रहने वाला। सोलह बरस वह ज़िंदगी के दिलचस्प और ख़ुशगवार पहलुओं से वंचित रहा था। सिनेमा और थियेटर, गाना और नाच, बच्चों की आवाज़ें, सूरज डूबने का रंगीन दृश्य, चाँद और सितारे, बरसात की रिमझिम और गीली मिट्टी की ख़ुशबू, दरख़्तों की छाँव, फूलों की बहार, माँ की ममता, औलाद की उमंग, औरत का प्यार, कुछ भी नहीं। बस एक गंदी अँधेरी कोठरी, जेल के अफसरों और वार्डरों की कर्कश आवाज़ें, मँझे अपराधियों, डाकुओं और ख़ूनियों का साथ। ज़िंदगी के समंदर में मौत का यह जज़ीरा। मनुष्यता की सीमा से बाहर, दुनिया के बीच में मगर दुनिया से बहुत दूर, और यहाँ विजय सिंह ने सोलह बरस यानी एक सो बानबे महीने लगभग छह हज़ार मुसीबत भरे दिन और छह हज़ार काली रातें और इसके बाद सिर्फ़ बारह घंटे ज़िंदगी। बारह घंटे रौशनी और ख़ुशबू के। इसके बाद फिर जेल के काले दरवाज़े बंद हो जाएँगे। मैं सिनेमा देखने जाना चाहता हूँ। बोलता सिनेमा। बचपन की सादगी के साथ कहा था। हर इंसान के अंदर बच्चा होता है और इंक़लाबी भी तो आख़िर इंसान है, फिर क्या ताज्जुब है कि आज की रात इसके दिल में सिनेमा देखने की यह तीव्र इच्छा पैदा हो गई। क्या मालूम है कि अब वह जेल जाए तो कभी ज़िंदा न निकले। शायद सिनेमा देखने की हसरत दिल में ही रह जाए।

रामनगर में एक ही मामूली सिनेमा घर जहाँ कई साल की पुरानी हिंदुस्तानी फ़िल्में दिखाई जाती थीं। बीना तो वहाँ एक बार भी नहीं गई थी। मगर विजय सिंह को ले गई। तमाशा शुरू होने वाला ही था। जब वह टिकट लेकर दाख़िल हुई, रोशनियाँ गुल हो गईं और रुपहले पर्दे पर तस्वीरों ने हरकत शुरू कर दी। फ़िल्म थी, 'तूफ़ान मेल' पुरानी ज़टियल फ़िल्म मगर विजय सिंह के लिए वह किसी करिश्मे से कम न था। तस्वीरों को चलते-फिरते तो उसने क़ैद होने से पहले ज़रूर देखा था, लेकिन गाते-बोलते देखकर बिल्कुल दंग रह गया। चार्ली और गौरी के भोंडे मज़ाक़ पर वह बच्चों की तरह हँसने लगा। खिलखिलाकर तालियाँ बजाकर। दूसरे तमाशाई मुड़-मुड़कर देखने लगे। बीना को पहले ज़रा कोफ़्त हुई फिर फ़ौरन ही उसको यह ख़्याल आया कि शायद सोलह बरस में पहली बार विजय सिंह हँस रहा है और यह ख़्याल आते ही 'तूफ़ान मेल' भी अच्छी लगने लगी।

माधुरी और बलमेरिया पर्दे पर मुहब्बत का रंगीन खेल-खेल रहे थे। बेबाक, बेपरवाह हैवानी मुहब्बत। मुहब्बत नहीं जो बिरह के आँसुओं में नज़र आती है, बल्कि वह प्रेम जो अर्थपूर्ण निगाहों और क़हक़हों में झलकता है। माधुरी एक चुस्त

बदन, चिपके हुए लिबास में इच्छा की मूर्ति बनी हुई, कामुक अदाओं की आग जो किसी को भी झुलसा देने की ताक़त रखती थी। उफ़ रे! इसकी शरारत भरी, कामुकता से भरी बातें। कँटीली नज़र, वह उसका सीने के उभार पर हाथ रखकर अजीब तरह से कहना 'हाय यहाँ।'

विजय सिंह बड़ी तन्मयता से फ़िल्म देख रहा था, मगर उसका हाथ। क्या भूल से बीना के हाथ पर रखा गया था। चक्की पीसते-पीसते हाथ सख़्त हो गया था। मगर फिर भी उसमें एक तरह की नर्मी थी। किसी ज़माने में यह हाथ नाज़ुक और संवेदनशील रहा होगा। उँगलियाँ अब भी लंबी और नाज़ुक थीं। विजय सिंह तमाशा देख रहा था और उसका हाथ बीना के हाथ पर रखा था। वह बीना के हाथ को दबाने की कोशिश नहीं कर रहा था।

"शायद ग़लती से ही यह हाथ मेरे हाथ पर रखा गया हो।"

बीना ने सोचा और नर्मी से अपना हाथ खींच लिया।

हॉल में अँधेरा था। मगर फिर भी बीना को ऐसा महसूस हुआ कि जैसे विजय सिंह को उसका हाथ हटा लेना, बुरा लगा हो। इसके बाद फ़िल्म में उसकी दिलचस्पी और तन्मयता ख़त्म हो गई। थोड़ी देर में उसने कहा, "चलो घर चलें। बस देख लिया फ़िल्म।"

और जब वह बाहर रौशनी में आए तो विजय सिंह एक रूठे हुए बच्चे की तरह ज़मीन पर नज़रें जमाए चल रहा था।

घर पहुँचकर बीना ने अपने पलंग पर विजय सिंह के लिए बिस्तर ठीक कर दिया और उससे कहा, "आराम से सो जाइए।"

क्योंकि सुबह ही उसको शहर जाना था।

इसके बाद उसने दूसरे कमरे में फ़र्श पर दरी बिछाकर अपने सोने का इंतज़ाम किया। एक गिलास में पानी भर कर विजय सिंह के सिरहाने रख दिया और पूछा, "और कुछ चाहिए।"

विजय सिंह ने इंकार में सर दिला दिया, मगर बीना ने ढिबरी की रौशनी में देखा कि उसकी नज़रें उसके चेहरे पर गड़ी हुई हैं और इन आँखों की गहराई में वही जुनून और उनकी सतह पर वही बच्चों की सी मासूमियत और साथ ही वह हैवानी कशिश भी है जो पार्टी के दफ़्तर वाली तस्वीर में थी। बीना के देखते ही आँखें धुँधला गईं और इनमें आग के बजाय धुआँ-सा, आदेश की जगह अनुरोध-सा झलकने लगा। बीना ने जल्दी से रौशनी बंद की और अपने कमरे में चली आई।

मगर दोनों कमरों के दरमियान जो दरवाज़ा था उसकी चिटखनी उस तरफ़ लगती थी जिस तरफ़ विजय सिंह का पलंग था। बीना ने किवाड़ बंद करते हुए आवाज़ दी, "मेहरबानी करके चिटखनी लगा लीजिएगा।" यह कहकर वह अपने बिस्तर पर लेट गई और इंतज़ार करती रही कि चिटखनी बंद करने की आवाज़ आए। एक मिनट।

पाँच मिनट। दस मिनट। और बीना को ऐसा महसूस हुआ कि जब तक चिटखनी बंद न होगी उसे नींद न आएगी। मगर चिटखनी बंद न हुई। बीना ने सोचा, 'क्या विजय सिंह सो गया?'

मगर दूसरे कमरे से करवटें बदलने की आवाज़ आई। थोड़ी ही देर के बाद ऐसा मालूम हुआ कि जैसे वह उठ बैठा हो। फिर कमरे में चलने की आवाज़। वह सोया न था। वह टहल रहा था।

बीना को विजय सिंह की बेचैनी की वजह मालूम थी। इसलिए कि वह ख़ुद उस बेचैनी की वजह थी। सोलह बरस का एकांत! और सूखे जीवन के बाद 'तूफ़ान मेल' के बेबाक मुहब्बत के सीन देखकर उसके सोए हुए जज़्बात जाग उठे थे और अपनी तृप्ति चाहते थे। कल सुबह वह फिर जेल चला जाएगा। यही चंद घंटे बाक़ी थे। बीना ने अब तक अपने आपको शारीरिक सुख से वंचित रखा था। क्या इसीलिए कि एक कुरूप लंबी दाढ़ी वाले, गंदे और बीमार बूढ़े की हवस की आग बुझाए? उसने हमेशा एक ख़ूबसूरत सेहतमंद नौजवान का सपना देखा था। नौजवान जो उससे प्यार करता हो। उसके साथ अपना सारा जीवन व्यतीत करने को तैयार हो। क़हाँ वह उसके सपने का कड़ियल जवान और कहाँ यह मुरझाया बुड्ढा! नहीं, हरगिज़ नहीं। वह हरगिज़ ऐसा नहीं कर सकती।

मगर बीना की कोमल, दयालु संवेदना ने दिमाग़ में यूँ पेश किया :

'बेशक विजय सिंह समय से पहले बूढ़ा हो चुका है। इसके चेहरे पर ख़ौफ़नाक दाढ़ी है। इसके ललाट पर झुर्रियाँ पड़ी हैं। इसके सर पर फुंसियाँ निकली हैं। इसके मुँह से पीले गंदे दाँत झाँक रहे हैं। मगर क्यों? बीना ने सोचा, सोलह बरस पहले यही विजय सिंह एक ख़ूबसूरत कड़ियल जवान था। तूने इसकी तस्वीर देखी है। क्या तूने इसकी तस्वीर की तरफ़ तमन्ना भरी निगाहों से नहीं देखा? आज इसी विजय सिंह की यह हालत क्यों है? फिर क्यों? सोलह बरस में पच्चीस बरस का नौजवान इतना बूढ़ा तो नहीं हो सकता। विजय सिंह क्यों अपनी जवानी, अपना हुस्न, अपनी सेहत खो बैठा? इंक़लाब के लिए। बीना, इंक़लाब के लिए। इसी इंक़लाब के ख़ातिर जिसके लिए तू अपनी जान देने को तैयार है। मगर तू तो बातें ही बनाती है। इसने तो कर दिखाया। अपनी जवानी, अपनी सेहत, अपने दोस्त और रिश्तेदार, अपने रूमानी सपने! सब कुछ क्रांति के लिए बलिदान कर दिए। सोलह बरस जेल में काटे। काल कोठरी में रहा। कोड़ों की मार खाई। वार्डरों की ठोकरें खाईं, गालियाँ सुनीं किसलिए? क्रांति के लिए। और तू! तेरा दिल इतना छोटा है कि आज तू विजय सिंह की दाढ़ी, उसकी झुर्रियों, उसकी फुंसियों को घृणा की दृष्टि से देखती है। लानत है तुझ पर!'

दूसरे कमरे में विजय सिंह अब भी टहल रहा था। क़दम चलते-चलते दरवाज़े के समीप आए और ठिठक गए। बीना का दिल हरकत करते-करते रुक गया। न

चिटखनी बंद करने की आवाज़ आई, न दरवाज़ा खुला। चंद पल बाद क़दम वापस चले गए। बीना का दिल फिर हरकत करने लगा।

'नहीं वह अपनी तरफ़ से पहल नहीं करेगा। वह संवेदनशील है। उसको अपनी कुरूपता का ज्ञान है। वह तुझे छेड़ने की हिम्मत न करेगा। अगर तू उस कमरे में नहीं जाएगी तो वह रातभर टहलकर गुज़ार देगा और सुबह को बिना शब्द कहे फिर जेल चला जाएगा। जिसने सोलह बरस यूँ गुज़ार दिए वह तो बाक़ी ज़िंदगी भी गुज़ार सकता है। मगर तूने उसे निराश लौट जाने दिया तो तू अपने आपको कभी माफ़ नहीं कर पाएगी। उसकी हसरत और आरज़ू भरी निगाहें हमेशा तेरा पीछा करती रहेंगी।'

विजय सिंह के क़दम चलते-चलते रुक गए। पलंग पर फिर बैठने की आवाज़ आई। फिर लेटने की।

'शायद सो जाए।'

बीना ने अपने आपको समझाने की कोशिश की मगर फ़ौरन ही करवटें बदलने की आवाज़ आई। और क्या-क्या? क्या बीना के कान धोखा दे रहे थे या सचमुच विजय सिंह रो रहा था।

बीना घबराकर उठ बैठी। विजय सिंह रो रहा है! विजय सिंह जिसके लिए मशहूर है कि जब उसे कोड़े मारे गए तो वह हँसता रहा था। विजय सिंह जो फाँसी का हुक्म पाकर मुस्कुराया था। वही विजय सिंह जिसने पचास दिन भूख हड़ताल की थी। जो न क़ैद से डरता था न मार से। न तो मौत से घबराता था न काला पानी की सज़ा से। वही विजय सिंह आज रो रहा है, बच्चों की तरह सिसकियाँ ले लेकर। विजय सिंह की आँखें बीना की वासना को जगा न सकी थीं। उसने बीना के हाथ को छुआ था। मगर यह पैग़ाम बेकार साबित हुआ था। लेकिन इसको रोता देखकर बीना की ममता जाग उठी। बच्चों की हर हठ पूरी करनी चाहिए और हिंदुस्तान का सबसे बड़ा निडर क्रांतिकारी विजय सिंह इस मामले में बच्चा ही तो था। बावजूद अपनी दाढ़ी, अपनी फुंसियों और अपने पीले-पीले गंदे दाँतों के।

बीना के दिल की तह में से रिवायती नैतिकता ने सर उठाया और उसको समझाने की कोशिश की :

'अस्मिता औरत का बेहतरीन ज़ेवर है। क्या तू उसे यूँ लुटा देगी?' जब वह यूँ भी न मानी तो अपने आपको डराने की कोशिश की, 'वह बीमार है। इसको फुंसियाँ निकली हुई हैं। तुझे कोई बीमारी लग जाएगी।'

मगर बीना इस वक़्त ख़ौफ़नाक सोलह वर्षों के बारे में सोच रही थी जो विजय सिंह ने क़ैद में गुज़ारे थे। वह लंबा जीवन का समय जिसमें वह ज़िंदगी की दिलचस्प रंगीनी से वंचित रहा था। सिनेमा, थियेटर, गाना और नाच। बच्चों की आवाज़। सूरज अस्त होने का रंगीन दृश्य। चाँद और सितारे, बरसात की रिमझिम और गीली मिट्टी की सुगंध। वृक्षों की छाँव। फूलों की बहार। माँ की ममता। औलाद की

उमंग, औरत का प्यार, और कल फिर वह एक बार नर्क में धकेल दिया जाएगा और ज़िंदगी के ये बारह घंटे यूँ ही गुज़र जाएँगे। विजय सिंह अपनी प्यास को लिए वापस चला जाएगा। वह जिसने अपनी जान क़ौम की आज़ादी और क्रांति के लिए क़ुर्बान कर दी थी। इसके वास्ते एक औरत चंद घंटे के लिए अपना जिस्म देने को तैयार न होगी। औरत, नर्मी, प्यार! दिल के क़रीब एक और धड़कन। सोलह बरस तक वह उनसे महरूम रहा। इस वक़्त उसको अगर यह नसीब न हुए तो शायद मरते दम तक नसीब न हो।

नहीं, वह ऐसा नहीं होने देगी। इसने अपनी जान इंक़लाब के लिए समर्पित कर दी थी। अपनी जान। और अपना जिस्म अपनी इस्मत। विजय की क़ुर्बानियों के सामने उसके तुच्छ तन का क्या मूल्य है। इससे बेहतर जिस्म बाज़ार में पाँच-पाँच रुपये में बिकते हैं, नहीं, वह अपनी मुहब्बत से अपने बदन की गर्मी से विजय सिंह के बदन को आराम पहुँचाएगी। चंद घंटे में सोलह वर्षों की कमी को पूरा करने की कोशिश करेगी! उसके बदन में विजय सिंह को चंद लम्हे के लिए ही सही फूलों की बहार, बच्चों की आवाज़, माँ की ममता, संगीत की ध्वनि, सूरज के अस्त होने का सौंदर्य, बरसात की रिमझिम सब कुछ मिल जाएगा। और भविष्य में जब वह जेल की सख़्ती से तंग आकर दुनिया और ज़िंदगी की तरफ़ से निराश होने लगेगा तो उसे इन चंद घंटों की याद आएगी। एक लड़की की याद। एक नौजवान जिस्म की याद और वह मुस्कुरा देगा। मायूसी के बादल छँट जाएँगे। वह ज़िंदगी से मुँह मोड़ते-मोड़ते रुक जाएगा। वह अपने जिस्म, दिमाग़ और दिल को ज़िंदा रखेगा। हिंदुस्तान की ख़ातिर। इंक़लाब की ख़ातिर। और जब मुल्क आज़ाद हो जाएगा तो विजयी सिंह निराश और टूटा दिल नहीं होगा। बल्कि मुस्कुराता हुआ क़ैदख़ाने से निकलेगा ताकि फिर अपनी क़ौम और अपने देश की सेवा कर सके। लाखों उसकी कहानियाँ सुनेंगे और उसके बलिदानों से इनके सर बुलंद हो जाएँगे और दिल गर्व से भर जाएँगे। उस वक़्त शायद विजय सिंह बीना का नाम भी भूल जाएगा। इंक़लाबी हुकूमत के चलाने के काम में, इसको एक गुमनाम लड़की को याद करने की कब फ़ुरसत होगी।

मगर एक वक़्त बीना को उस विजय भाव की अनुभूति होगी जो एक कलाकार को अपना शाहकार देखकर महसूस होती है।

बीना उठी। दरवाज़ा खोला और दूसरे कमरे में चली गई।

इन्सानी ज़ंग को शब्दों के ब्लेड से खुरचने का हौसला

इस्मत चुग़ताई का जन्म 21 अगस्त, 1915 में बदायूँ में हुआ। अपने बारे में लिखती हैं—"सच पूछिए तो असल मुजरिम मेरे भाई ही थे जिनकी सोहबत ने मुझे उनकी तरह आज़ादी से सोचने पर मजबूर किया।" उनके वालिद रिटायर होकर आगरा रहने चले गए उन्हें न आगरा पसंद आया और न ही आगरा में रहने वाले। आगरा से अलीगढ़ की तरफ़ गए और वहीं बस गए। यहाँ शिक्षा के बेहतरीन अवसर उपलब्ध हुए। भाई के साथ गुल्ली डंडा और दूसरे खेल-खेलते और थोड़ी बहुत पढ़ाई में बचपन गुज़रा था। यहाँ आकर भाई ने उन्हें भूगोल और इतिहास पढ़ाना शुरू किया। अज़ीम बेग चुग़ताई जो हास्य-व्यंग्य के महत्त्वपूर्ण लेखक ही नहीं इस्मत चुग़ताई के चहेते भाई भी थे। उन्होंने ही बहन को हदीस और क़ुरआन की तालीम भी दी।

इस्मत चुग़ताई की शिक्षा आगरा और अलीगढ़ में हुई। अलीगढ़ से ही बी.एड. किया। वहीं लिखना भी शुरू किया। हार्डी उनके प्रिय लेखकों में से थे। अपने बारे में बताती हैं, "उस ज़माने में अज़ीम भाई ने मुझे इतना प्रभावित किया कि मैं बिल्कुल उनकी आवाज़ की प्रतिध्वनि बन गई। मैंने उनके अफ़साने पढ़-पढ़कर छुपकर ख़ुद भी लिखना शुरू कर दिया। हिजाब इस्माइल, मजनूँ गोरखपुरी और नियाज़ फ़तेहपुरी के अफ़साने पढ़कर यह महसूस होता था कि जैसे यह सब कुछ मेरे ऊपर बीत रही है। सबसे पहला मज़मून बचपन में लिखा था जो 'तहज़ीबे निस्वाँ' को भेजा था। दूसरा 1938 में *फ़सादी* लिखा जो 'साक़ी' को भेजा। उन्होंने लिखा, "आपका मज़मून अच्छा, बल्कि बहुत अच्छा है। मैंने एक बैठक ही में ख़त्म कर दिया। उसे सालनामा अंक के लिए रख लिया गया है।"

इस्मत चुग़ताई ने अपने किरदारों विशेषकर महिला चरित्रों के बारे में बड़ा दिलचस्प उद्घाटन किया है, "सन् 1938 में रशीदा आपा, अंगारे वाली रशीदा आपा बन चुकी थीं। अब उनकी सुलगती हुई बातें पल्ले भी पड़ने लगी थीं और फिर मेरा वह हसीन डॉक्टर हीरो, शमा जैसी उँगलियाँ, नारंगी के शगूफ़े (कली) और क़िरमिज़ी (लाल) लबादे छू हो गए, मिट्टी से बनी हुई रशीद आपा ने संगमरमर के सारे बुत ध्वस्त कर दिए। ज़िंदगी नंगी आकर सामने खड़ी हो गई। उनसे घंटों बात करने के बाद भी दिल तृप्त न होता। जो रशीद आपा से मिल चुके हैं, उन्हें अच्छी तरह से जानते हैं। वह

अगर मेरी कहानियों की हीरोइन से मिलें तो दोनों जुड़वाँ बहनें नज़र आएँ, क्योंकि अनजाने तौर पर मैंने रशीद आपा ही को उठाकर कहानियों के ताक़चे पर बिठा दिया है कि मेरी कल्पना की दुनिया की हिरोइन सिर्फ़ वही हो सकती थीं। मगर जब ग़ौर से अपनी कहानियों के बारे में सोचती हूँ तो मालूम होता है कि मैंने सिर्फ़ उनकी बेबाक़ी और साफ़गोई को गिरफ़्त में लिया। उनका भरपूर पारे जैसे व्यक्तित्व मेरे क़ाबू में न आया। मुझे रोती, बिसूरती, हराम के बच्चे जनती, मातम करती ज़नानेपन से हमेशा से नफ़रत थी। ख़्वाहमख़्वाह की वफ़ा और वो ख़ास ख़ूबियाँ जो पूरब की औरत का ज़ेवर समझी जाती हैं, मुझे लानत मालूम होती हैं। भावुकता से मुझे सख़्त कोफ़्त होती है। ये सब मैंने रशीद आपा से सीखा।''

इस्मत चुग़ताई की यह स्वीकृति वास्तव में उनके साहित्य को समझने की कुंजी है। बक़ौल क़ुर्रतुल ऐन हैदर के हर लेखक का अपना वर्ग रहता है जिस पर वह लिखता है। उनकी बात के आईने में जब हम इस्मत का लेखन देखते हैं तो पता चलता है कि उन्होंने समाज के मध्यवर्ग को चुना है, जिसमें घरेलू माहौल के हर सदस्य को वह न केवल पूरा अधिकार देती हैं, बल्कि क़लम से उस चरित्र की तराश बड़ी बेदर्दी से करती हैं, जिसमें उसका वह रूप नज़र आता है जो उसके व्यक्तित्व का छुपा सच होता है। इस्मत अपने किरदारों पर हावी रहती हैं जो जैसा है उसे वैसा ही पेश तो करती हैं मगर अपने शब्दों के तीखे तेज़ ब्लेडों से उसकी कमज़ोरियों, कुंठाओं, इच्छाओं और व्यथा को बेदर्दी से कुरेदकर लहूलुहान नहीं करती हैं, बल्कि साफ़-सुथरा बनाकर बताती हैं कि इसको ऐसा इंसान होना चाहिए वह सब कचरा मैंने कुरेदकर गिरा दिया है। इस कोशिश में वह कभी-कभी चरित्रों की ख़ासी धुनाई भी कर डालती हैं। वह इंसानी मनोविज्ञान की पेचीदगियों को बड़ी महारत से अपनी पूरी कलात्मक ऊर्जा से पेश करती हैं। इसीलिए अस्सी के दशक में 'मानुषी' पत्रिका (संपादक मधुकिश्वर) के लिए उनसे इंटरव्यू लेते वक़्त उन्होंने अपने पहले इश्क़ के बारे में बताते हुए कहा था कि स्कूल में समस्या थी। उनका विवाह होने जा रहा था। वह मुझसे कहने आए थे कि चलो हम शादी कर लेते हैं, पहली शरीके हयात (जीवन-संगिनी) तुम होगी, मगर वह समय बहुत कठिन था। मैं जा न सकी वह चले गए। उसी सिलसिले से उन्होंने एक वाक्य कहा था कि इस से पहले इश्क़ मुझे मार डालता। मैंने उसकी गर्दन मरोड़ दी यानी जो गुज़र गया उसे एक हादसे तक सीमित रखा।

1942 में बॉम्बे में जब वह अध्यापन में व्यस्त थीं तब उनकी मुलाक़ात शाहिद लतीफ़ से हुई और 1942 में उन्होंने उनसे शादी कर ली और बॉम्बे में बस गईं। बॉम्बे में रहने और शाहिद लतीफ़ साहब की फ़िल्मी व्यस्तता के चलते उनकी दिलचस्पी उधर बढ़ी। कई कृतियों पर फ़िल्में बनीं और उस माहौल के कई जानदार चरित्र कहानियों और उपन्यासों के पन्नों पर क़ैद भी हुए।

इस्मत चुग़ताई की कई चर्चित कहानियाँ हैं। उन पर अश्लीलता का मुक़दमा भी चला, मगर क़लम की जो महारत उनकी इस कहानी में नज़र आती है उसका कोई जवाब नहीं, जहाँ ज़िंदगी साँस लेती है।

हिंदुस्तान और पाकिस्तान में छपी रचनाओं का ब्योरा—

उनके कहानी संग्रह *कलियाँ* (1940), *चोटें* (कहानी, शब्द चित्र, नाटक 1942), *एक बात* (1942), *छुई-मुई* (1952), *दो हाथ* (1962), *बदन की ख़ुशबू* (1979), *ज़हर, लिहाफ़, आधी औरत का ख़्वाब* (हिंदी में कहानियाँ), *लेडी किलर* (1979), *अमर बेल*। इसके अलावा उपन्यास *ज़िद्दी* (1942), *टेढ़ी लकीर* (1945), *मासूमा* (1962), *सौदाई* (1964), *जंगली कबूतर, इंसान और फ़रिश्ते, दिल की दुनिया, बांदी, एक क़तरा ख़ून,* और नाटक संग्रह *शैतान, धानी बाके* (1948), *शैतान* (1955) शब्द चित्र, *दोज़ख़ी*। इसके अलावा उन्होंने बच्चों के लिए भी लिखा। *तीन अनाड़ी, सूत का रेशम, जो यूँ होता तो क्या होता,* उपन्यास *नक़ली राजकुमार*।

उनकी आत्मकथा *काग़ज़ी है पैरहन* के नाम से आई।

उन्हें इक़बाल सम्मान (1989) मख़दूम, साहित्य अकादमी, नेहरू अवार्ड से सम्मानित किया गया। 1990 में उन्हें पद्मश्री मिला। इस्मत चुग़ताई अपने विचार साहित्य के बारे में लेख 'मुझे कहना है कुछ' (अलफ़ाज़ पत्रिका अलीगढ़ 1980) में लिखती हैं—

''सच्चा लेखक वही है जो रहनुमाई से कतरा जाए। वही लिखे जो उसके दिल की गहराई से उभरता है, जो वह देखता है, महसूस करता है, जो उस पर बीतती है।''

इसी कथन पर विश्वास करते हुए इस्मत चुग़ताई ने वसीअत की थी कि मौत के बाद उन्हें दफ़नाया न जाए। उनकी इस इच्छा का ख़्याल रखते हुए बंबई के चंडीवाड़ी में उन्हें आग के हवाले कर आख़िरी विदाई दी। लोग नाराज़ होते रहे उनकी बला से।

नन्ही की नानी

इस्मत चुग़ताई

नन्ही की नानी के माँ-बाप का नाम तो अल्लाह जाने क्या था। लोगों ने कभी उन्हें उस नाम से याद नहीं किया। जब छोटी-सी गलियों में नाक सुड़सुड़ाती फिरती थीं तो बफ़ातिन की लौंडिया के नाम से पुकारी जातीं। फिर कुछ दिन बशीरे की बहू कहलाईं, फिर बिस्मिल्लाह की माँ की उपाधि से याद की जाने लगीं। और जब बिस्मिल्लाह जापे के अंदर ही नन्ही को छोड़कर चल बसी तो वह 'नन्ही की नानी' के नाम से आख़िरी दम तक पहचानी गईं!

दुनिया का ऐसा कोई काम न था जो ज़िंदगी में नन्ही की नानी ने न किया हो। कटोरा गिलास पकड़ने की उम्र से वह तेरे मेरे घर में दो वक़्त की रोटी और पुराने कपड़ों के बदले ऊपर के काम पर धर ली गईं। ऊपर का काम कितना नीचा होता है, यह कुछ खेलने कूदने की उम्र से काम पर जोत दिए जाने वाले ही जानते हैं। नन्हे मियाँ के आगे झुनझुना बजाने की ग़ैर दिलचस्प ड्यूटी से लेकर बड़े सरकार की सर मालिश तक ऊपर के काम की सूची में आ जाती है।

ज़िंदगी की भागदौड़ में कुछ भुनना भुलसना भी आ गया और ज़िंदगी के कुछ साल मामागीरी में बीत गए। पर जब दाल में छिपकली बघार दी और रोटियों में मक्खियाँ पिरोने लगी तो मजबूरन रिटायर होना पड़ा। इसके बाद तो नन्ही की नानी बस लगाई-बुझाई करने, इधर की उधर पहुँचाने के सिवा किसी करम की नहीं रही। यह लगाई-बुझाई का पेशा भी ख़ासा मुनाफ़ाबख़्श होता है। मोहल्ले में खटपट चलती ही रहती है। विरोधी कैंप में जाकर होशियारी से ख़बरे ली जाएँ तो ख़ूब-ख़ूब आवभगत होती है। यह पेशा कै दिन चलता। नानी लुतरी कहलाने लगीं और दाल गलती न पाकर नानी ने आख़िरी और फ़ायदेमंद पेशा यानी बड़ी शालीनता से भीख माँगनी शुरू कर दी।

ख़ाने के वक़्त नानी नाक फैलाकर सूँघती कि किस घर में क्या पक रहा है। बढ़िया ख़ुशबू की डोर पकड़कर वह घर में आन बैठतीं।

"ए बीवी घुइयाँ डाली हैं गोश्त में..." वह बेतकल्लुफ़ी से पूछती।

"नहीं बुआ, घुइयाँ आजकल गले कहाँ है। आलू डाले हैं।"

"ए सुब्हान अल्लाह! क्या ख़ुशबू है! अल्लाह रखे बिस्मिल्लाह के बाबा को आलुओं से इश्क़ था। रोज़ यही कि बिस्मिल्लाह की माँ आलू गोश। जब देखो आलू गोश...हा...अब तो महीने गुज़र जावे हैं आलू गोश जो आँखों से भी दिख जावे...ए बीवी कोथमीर छोड़ दिया?" वह अचानक चिंतित हो जाती।

"नहीं बुआ कोथमीर निगोड़ा सब मारा गया। मुआ सक्के का कुत्ता क्यारी में लोट गया।

"हय-हय बग़ैर कोथमीर के आलू गोश क्या ख़ाक मज़ा देगा। हकीम जी के यहाँ मनो लगा है।

"ए नहीं नानी। हकीम जी के लौंडे ने कल शब्बन मियाँ की पतंग में कटकी लगा दी। इस पर मैंने कहा ख़बरदार जो छज्जे पर क़दम रखा तो..."

"ए मैं कोई तुमाए नाम से थोड़ी मागूँगी।"

और नानी बुर्क़ा सँभाल सलीपरें सटपटाती हकीम जी के यहाँ जा पहुँची। धूप ख़ाने के बहाने खिसकती घिसटती क्यारी के पास मुँडेर तक पहुँच जाती। पहले एक पत्ती सूँघने के बहाने चुटकी में मसलती। हकीम जी की बहू की आँखें बची और मारा नानी ने कोथमीर पर बकोटा। कोथमीर लाने के बाद ज़ाहिर है दो निवाले की हक़दार हो ही जातीं।

नानी अपने हाथ की सफ़ाई के लिए पूरे मोहल्ले में मशहूर थीं। ख़ाने-पीने की चीज़ें देखीं और लुक़मा मार गईं। बच्चे के दूध की पतीली मुँह से लगा ली और दो घूँट गट लिए। शक्कर की फंकी मार ली। गुड़ की डली तालू से चिपका ली, मज़े से बैठी धूप में चूस रही हैं। डली उठाई नेफे में खोस ली। दो चपातियाँ लीं और आधी नेफ़े के इधर आधी उधर, ऊपर से मोटा कुर्ता। धीरे-धीरे सदा की तरह कराहती-कूँकती खिसक गईं। सब जानते थे पर किसी को मुँह खोलने की हिम्मत न थी। क्योंकि नानी के बूढ़े हाथों में बिजली की सी फुर्ती थी। और बिना चबाए निगल जाने में वह कोई बुराई नहीं समझती थीं। दूसरे, ज़रा से शक पर वह शोर मचाने पर तुल जाती थीं और इतनी कस्में खाती थीं, क़ुरआन उठाने की धमकी देती थीं कि तौबा भली! अब कौन उनसे झूठा क़ुरआन उठवा अपनी क़ब्र में भी कीड़े पड़वाए।

लुतरी, चोर, चकमाबाज़ होने के अलावा नानी परले दर्जे की झूठी भी थीं। सबसे बड़ा झूठ तो उनका वह बुर्क़ा था जो हरदम उनके ऊपर सवार रहता था। कभी उस बुर्क़े में नक़ाब भी थी। पर जूँ-जूँ मोहल्ले के बड़े बूढ़े चल बसे या नीम अंधे हो गए तो नानी ने नक़ाब की छुट्टी कर दी। मगर कंगूरोंदार फैशनेबिल बुर्क़े की टोपी उनकी खोपड़ी पर चिपकी रहती। आगे चाहे महीन कुर्ते की जगह बनियान न हो, पर पीछे बुर्क़ा बादशाहों की झोल की तरह लहराता रहे और यह बुर्क़ा सिर्फ़ सर ढाँकने के लिए नहीं था बल्कि दुनिया का हर मुमकिन और नामुमकिन काम इसी से लिया

जाता था। ओढ़ने, बिछाने और गुड़ी-मुड़ी करके तकिया बनाने के अलावा जब नानी कभी ख़ैर से नहाती तो इसे तौलिया की तरह इस्तेमाल करतीं। पंचवक़्ता नमाज़ के लिए जाए नमाज़ और जब गली के कुत्ते दाँत निकोसें, तो उनसे बचाव के लिए अच्छी ख़ासी ढाल। कुत्ता पिंडली पर लपका और नानी के बुर्क़े का घेरा उसके मुँह पर फुँकारा। नानी को बुर्क़ा बहुत प्यारा था। फुर्सत में बैठकर हसरत से उसके बुढ़ापे पर बिसोरा करतीं। जहाँ कहीं चिंदी कतर मिली और एहतियातन पैबंद चिपका लिए। वह उस दिन के ख़्याल से ही लरज़ उठती थीं कि जब यह बुर्क़ा भी चल बसेगा। आठ गज़ लट्ठा कफ़न को जुड़ जावे यही बहुत जानो।

नानी कोई स्थायी हैडक्वार्टर नहीं। सिपाही जैसी ज़िंदगी है। आज इसके दालान में कल उसकी सहनची में। जहाँ जगह मिली पड़ाव डाल लिया। जब धुतकार पड़ी कूच करके आगे चल पड़ीं। आधा बुर्क़ा बिछाया, आधा ओढ़ा और लंबी तान ली।

मगर बुर्क़े से भी ज़्यादा वह जिसकी फ़िक्र में घुलती थीं, वह थी उनकी इकलौती नवासी नन्ही। कुड़क मुर्गी की तरह नन्हे पर फैलाए, उसे बूटे तले दाबे रहतीं। क्या मजाल जो नज़रों से ओझल हो जाए, मगर जब हाथ पैरों ने जवाब दे दिया और मोहल्ले वाले चौकन्ने हो गए। उनकी जूतियों की घिस-घिस सुनकर ही चाक़-चौबंद होकर मोर्चे पर डट जाते। ढिठाई से नानी के इशारे-इशारे में माँगने को सुना-अनसुना कर जाते तो नानी को इसके सिवा कोई चारा न रहा कि नन्ही को उसके पुराने पेशे यानी ऊपर के काम पर लगा दें। बड़े सोच-विचार के बाद उन्होंने उसे डिप्टी साहब के यहाँ रोटी कपड़ा और डेढ़ रुपया महीना पर छोड़ दिया। पर वह हरदम साये की तरह लगी रहतीं। नन्ही नज़र से ओझल हुई और वह बिलबिलाईं। लेकिन नसीब का लिखा कहीं बूढ़े हाथों मिटता है। दोपहर का वक़्त था। डिप्टिआइन अपने भाई के घर बेटे का पैग़ाम लेकर गई हुई थीं। नानी मुँडेर पर जामुन की छाँव में झपकी ले रही थीं। सरकार ख़सख़ाने में आराम कर रहे थे। नन्ही पंखे की डोरी थामे ऊँघ रही थी। पंखा रुक गया और सरकार की नींद टूट गई। शैतान जाग उठा और नन्ही की क़िस्मत सो गई।

कहते हैं—बुढ़ापे से बचने के लिए मुख़तलिफ़ जड़ी-बूटियों के अलावा हकीम उबैद चूज़ों की यख़नी भी बताते थे। नौ बरस की नन्ही चूज़ा ही तो थी।

मगर जब नन्ही की नानी की आँख खुली तो नन्ही ग़ायब। मोहल्ला छान मारा। कोई सुराग़ नहीं मिल पाया। मगर रात को जब नानी थकी माँदी कोठरी को लौटीं तो कोने में दीवार से टिकी हुई नन्हीं ज़ख़्मी चिड़िया की तरह अपनी फीकी-फीकी आँखों से घूर रही थी। नानी की घिग्घी बँध गई और अपनी कमज़ोरी को छुपाने के लिए वह उसको गालियाँ देने लगीं।

''मालज़ादी, उछाल छक्का! यहाँ आन कर मरी है। ढूँढते-ढूँढते पिंडलियाँ सूज गई हैं। ठहर तो जा, सरकार से कैसी चार चोट की मार लगवाती हूँ।''

मगर नन्ही की चोट ज़्यादा देर न छुप सकी। नानी सर पर दोहत्थड़ मारकर चिंघाड़ने लगी। पड़ोसन ने सुना तो सर पकड़कर रह गईं। अगर साहबज़ादे की ग़लती होती तो शायद डाँटडपट हो जाती, मगर डिप्टी साहब...मोहल्ले के मुखिया, तीन नवासों के नाना। पंचवक़्ता नमाज़ी। अभी पिछले दिनों मस्जिद में चटाइयाँ और लोटे रखवाए। मुँह से फूटने वाली बात नहीं।

लोगों के रहम व करम की आदी नानी ने आँसू पीकर नन्ही की कमर सेकी, आटे गुड़ का हलवा खिलाया और अपनी जान पर सब्र कर बैठी रहीं। दो-चार दिन बाद लोट-पोट कर नन्ही उठ खड़ी हुई और चंद दिनों में सब कुछ भूलभाल गई।

मगर मोहल्ले की शरीफ़ज़ादियाँ न भूलीं। छुप-छुपकर नन्ही को बुलातीं।

"नहीं, नानी मारेगी।" नन्ही टालती।

"ले यह चूड़ियाँ पहन लीजियो...नानी को क्या ख़बर होगी..." बीबियाँ बेक़रार होकर फुसलातीं।

"क्या हुआ...कैसे हुआ..." की तफ़सील पूछी जाती। नन्ही कच्ची-कच्ची तफ़सील देती। बीवियाँ नाको पर दुपट्टे रख खिलखिलातीं।

नन्ही भूल गई...मगर क़ुदरत न भूल सकी। कच्ची कली वक़्त से पहले तोड़कर खिलाने से पँखुड़ियाँ झड़ जाती, ठूँठ रह जाता है। नन्ही के चेहरे से भी जाने कितनी मासूम पँखुड़ियाँ झड़ गईं। चेहरे पर फिटकार और रूखापन। नन्ही बच्ची से लड़की नहीं, बल्कि छलाँग मारकर एक औरत बन गई। वह क़ुदरत के दक्ष हाथों की सँवारी भरपूर औरत नहीं बल्कि टेढ़ी-मेढ़ी मूरत जिस पर किसी देव ने दो गज़ लंबा पाँव रख दिया हो। ठिगनी, मोटी, कचौरा सी जैसे कच्ची मिट्टी का खिलौना कुम्हार के घुटने तले दब गया हो!

मैली साफ़ी से कोई नाक पोछे चाहे कूल्हे, कौन पूछता है। राह चलते उसकी चुटकियाँ भरते, मिठाई के दौने पकड़ाते। नन्ही की आँखों में शैतान थिरक उठता। मगर जब नानी उसे बजाय हलवे, अंडे, ठुसाने के उसका धोबी घाट करती, मगर मैली साफ़ी की धूल भी न झड़ती। जानवर, रबड़ की गेंद, पट्टा खाया उछल पडी।

चंद ही साल में नन्ही की चौमुखी से मोहल्ला लरज़ उठा। सुना कि डिप्टी साहब और लड़के में कुछ तन गई। फिर सुना मस्जिद कि मुल्ला जी को रजवा कहार ने मारते-मारते छोड़ा। फिर सुना सिद्दीक़ी पहलवान का भांजा स्थायी हो गया है।

आए दिन नन्ही की नाक कटते-कटते बजती और गलियों में लठ पोंगा होता।

और फिर नन्ही के तलवे जलने लगे। पैर धरने की रत्ती-भर जगह न रही। सिद्दीक़ी पहलवान के भांजे की पहलवानी और नन्ही की जवानी ने मोहल्ले वालों का नातक़ा बंद कर दिया। सुनते हैं दिल्ली में इस माल की थोक में खपत है। शायद दोनों वहीं चले गए।

जिस दिन नन्ही भागी नानी के फ़रिश्तों को भी शक न हुआ। दो-तीन दिन से निगोड़ी चुपचाप-सी थी। नानी से बदज़बानी भी न की। चुपचाप आप ही बैठी हवा में घूरा करती।

''ए नन्ही रोटी खा लें।'' नानी कहती।

''नानीबी भूख नहीं?''

''ए नन्ही, अब देर हो गई, सो जा।''

''नानीबी नींद नहीं आती।''

रात को नानी के पैर दबाने लगी।

''नानी बी...ए नानी बी ज़रा 'सुब्हा-न कल्लाहुम्मा...' सुन लो। याद है कि नहीं।''

नानी ने सुना फर-फर याद।

''जा बेटी सो जा!'' नानी ने करवट ली।

''अरी मरती क्यों नहीं।'' नानी ने थोड़ी देर बाद उसे आँगन में खटपट करते सुनकर कहा, ''समझी! खानगी ने अब आँगन भी पलीद करना शुरू कर दिया। कौन हरामी है जिसे आज घर में घुसा लाई है।''

पर सहन में घूर-घूर देखने पर नानी सहमकर रह गई। नन्ही इशा की नमाज़ पढ़ रही थी। और सुबह नन्ही ग़ायब हो गई।

कभी कोई दूर देस से आता तो ख़बर आ जाती है। कोई कहता है नन्ही को एक बड़े नवाब साहब ने डाल लिया है। टमटम है, मनो सोना है, बेगमों की तरह रहती है।

कोई कहता हीरा मंडी में देखा था।

कोई कहता फ़ारस रोड पर और किसी ने उसे सोनागाची में देखा।

मगर नानी कहती हैं नन्ही को हैज़ा हुआ था। चार घड़ी लोट-पोट कर मर गई। नन्ही का सोग मनाने के बाद नानी कुछ सनक भी गईं। लोग राह चलते छेड़खानी करते।

''ऐ नानी निकाह कर लो।'' भाभीजान छेड़तीं।

''किससे कल लूँ? ला अपने ख़स्म से करा दे।'' नानी बिगड़तीं।

''ए नानी मुल्ला जी से कर लो। अल्लाह क़सम तुम पर जान देते हैं।''

और नानी की गंदी गालियाँ शुरू हो जातीं। वह पैंतरे गालियों में निकालती कि लोग भौचक्के रह जाते।

''मिल तो जाए भड़वा...दाढ़ी न उखाड़ लूँ तो कहना!'' मगर जब मुल्ला जी कभी गली के नुक्कड़ पर मिल जाते तो नानी सचमुच शरमा जातीं।

अलावा मोहल्ले के लड़के नानी के दुश्मन तो मुए निगोड़े बंदर थे, जो पीढ़ियों से इस मोहल्ले में पलने-बढ़ते आए थे जो हर एक का कच्चा चिट्ठा जानते थे। मर्द ख़तरनाक होते हैं और बच्चे बदज़ात, मगर औरतें तो सिर्फ़ डरपोक होती हैं। पर नानी भी उन्हीं बंदरों के बीच पलकर बुढ़ियाई थीं। उन्होंने बंदरों को डराने के लिए

किसी बच्चे की ग़ुलेल हथिया ली थी और सर पर बुर्क़े का पगगड़ बाँधकर वह ग़ुलेल तानकर जब उचकतीं तो बंदर थोड़ी देर को लिए ठमे से ज़रूर रह जाते फिर लापरवाही से टहलने लगते।

और बंदरों से उनके लाए बासी टुकड़ों पर चख़ चलती रहती थी। मोहल्ले में जहाँ कहीं शादी ब्याह चिल्ला, चालीसवाँ होता नानी झूठे टुकड़ों का ठेका ले लेती थीं। लंगर ख़ैरात बँटती तो भी चार-चार बार चकमा देकर हिस्सा लेती थीं। मनो खाना बटोर लाने के बाद वह उसे हसरत से ताकतीं। काश! उनके पेट में भी अल्लाह पाक ने कुछ ऊँट जैसा इंतज़ाम किया होता तो कितने मज़े होते। मज़े से चार दिन की ख़ुराक पेट में भर लेतीं। छुट्टी होती। मगर अल्लाह पाक ने अन्न का इतना ऊटपटाँग इंतज़ाम करने के बाद पेट की मशीन क्यों इस क़दर बेकार बना डाली कि एक दो वक़्त के ख़ाने से ज़्यादा जमा करने का कोई ठौर ठिकाना नहीं है।

इसलिए, नानी टाट के टुकड़ों पर छोटे-छोटे टुकड़े फैलाकर सुखा लेतीं। फिर उन्हें मटकों में भर लेतीं। जब भूख लगी ज़रा से सूखे टुकड़े चुरमुर किए, पानी का छींटा दिया। चुटकी नोन मिर्च बुरका और स्वादिष्ट व्यंजन तैयार, लेकिन गर्मियों और बरसात के दिनों में कई बार यह तरकीब उन पर हैज़ा तारी करा चुकी थी। चुनांचे बुस जाने पर उन्हें औने-औने बेच डालतीं ताकि लोग अपने कुत्तों और बकरियों को खिला दें। मगर ज़्यादातर कुत्तों और बकरियों के मेदे नानी के ढीठ मेदे का मुक़ाबला न कर पाते, और लोग मोल तो क्या तोहफ़े में भी उसे क़ुबूल करने को तैयार न होते। वही जान से प्यारे छोटे टुकड़े जिन्हें बटोरने के लिए नानी को हज़ारों सलवातें और ठोकरें सहनी पड़तीं और जिन्हें धूप में सुखाने के लिए उन्हें पूरी तरह बंदर से जिहाद मोल लेना पड़ता। जहाँ टुकड़े फैलाए गए और बंदरों के क़बीले को बेतार बिजली की तरह खबर पहुँचती। अब क्या है। ग़ोल के ग़ोल दीवारों पर डटे बैठे हैं। खपरैलों पर धमाचौकड़ी मचा रहे हैं। छप्पर खसोट रहे हैं और आते-जाते पर खुखिया रहे हैं। नानी भी इस वक़्त मर्दे मैदान बनी सर पर बुर्क़े का ढाटा बाँधे हाथ में ग़ुलैल लिए मोर्चे पर डट जातीं। सारा दिन 'लगे-लगे' करके शाम को बचा खुचा कूड़ा बटोरकर बंदरों की जान को कोसती नानी अपनी कोठरी में जा थककर सो रहतीं।

बंदरों के इनसे कुछ ज़ाती तौर चिढ़-सी हो गई थी। अगर यह बात न होती तो दुनिया भर के नियामतों को छोड़कर सिर्फ़ नानी के टुकड़ें पर ही हमलावर होते और क्यों बदज़ात लाल पिछाए वाला उन्हीं का जान से प्यारा तकिया ले भागता। वह तकिया जो नन्ही के बाद नानी का इकलौता अज़ीज़ और प्यारा दुनिया में रह गया था। वह तकिया जो बुर्क़े सवार रहता था जिसकी सीवनों को वह हर वक़्त पक्का टाँका मारती रहती थीं। बारहा नानी किसी कोने खदरे में बैठी तकिया से ऐसा खेला करतीं जैसे नन्ही सी बच्ची हों और तकिया उनकी गुड़िया, वह अपने सारे दुख उस

तकिए ही से कहकर जी हल्का कर लिया करती थीं, जितना-जितना उन्हें तकिए पर लाड़ आता वह उसके टाँके पक्के करती जातीं।

क़िस्मत का खेल देखिए, नानी मुँडेर से लगी बुर्के की आड़ में नेफ़े से जुएँ चुन-चुनकर निकाल रही थीं कि बंदर धम से कूदा और तकिया ले, यह जा वह जा, ऐसा मालूम हुआ नानी का कलेजा नोच कर ले गया। वह दहाड़ी, चिल्लाई कि सारा मोहल्ला इकट्ठा हो गया।

बंदरों की आदत है कि आँख बची और कटोरा गिलास ले भागे और छज्जे पर बैठे दोनों हाथों से कटोरा दीवार पर घिस रहे हैं। कटोरे का मालिक नीचे खड़ा चुमकार रहा है। प्याज़ दे, रोटी दे। जब बंदर मियाँ का पेट भर गया, कटोरा फेंक अपनी राह ली। नानी ने मटके भर टुकड़े लुटा दिए पर हरामी बंदर ने तकिया न छोड़ना था न छोड़ा। सौ जतन किए मगर उसका जी नहीं पिघला और उसने मज़े से तकिया के ग़िलाफ़ प्याज़ के छिलकों की तरह उतारने शुरू किए। वही ग़िलाफ़ जिन्हें नानी ने चुँधी आँखों से घूर-घूर कर पक्के टाँकों से गूँथा था। ज्यों-ज्यों ग़िलाफ़ उतरते जाते नानी की बदहवासी और बिलबिलाहट में ज़्यादती होती जाती। आख़िरी ग़िलाफ़ भी उतर गया और बंदर ने एक-एक करके छज्जे पर से टपकाना शुरू किए...रुई के गाले नहीं, बल्कि शब्बन की फतूही, बन्नू सक्के का अँगोछा...हसीना बी की अँगिया, मुन्नी बी की गुड़िया का ग़रारा, रहमत की ओढ़नी और ख़ैराती का कच्छना...

ख़ैरुन के लौंडे का तबन्चा...मुंशीजी का मफलर और इब्राहीम की क़मीज़ की आस्तीन मय कफ!

डिब्बिया-मुल्लाजी की तस्बीह का इमाम और बाक़र मियाँ की शिऽज़देगाह!

बिस्मिल्लाह का सूखा हुआ नाल और कलावा में बँधी हुई नन्ही की पहली सालगिरह की हल्दी की गाँठ, दूब और चाँदी का छल्ला और बशीर ख़ाँ का गिल्ट का तमग़ा जो उसे जंग से ज़िंदा लौट आने पर सरकार-ए-आलिया से मिला था।

मगर किसी ने इन चीज़ों को न देखा—बस देखा तो उस चोरी के माल को जिसको सालहा साल की छापामारी के बाद नानी ने लख लूट जोड़ा था।

"चोर, बेईमान...कमीनी।"

"निकालो बुढ़िया को मोहल्ले से पुलिस में दे दो।"

"अरे इसकी तोशक भी खोलो। इसमें जाने क्या-क्या होगा।" ग़र्ज़ जिसके मुँह में जो आया बोल गया।

नानी की चीख़ें एकदम रुक गई। आँसू ख़ुश्क, सर नीचा, ज़बान बंद! काटो तो ख़ून नहीं। रात-भर ज्यों-ज्यों दोनों घुटने मुट्ठियों में दाबे हिल-हिल कर सूखी हिचकियाँ लेती रहीं। कभी अपने माँ-बाप का नाम लेकर कभी मियाँ को याद करके। कभी बिस्मिल्ला और नन्ही को पुकारकर बैन करतीं। दम भर को ऊँघ जाती

फिर जैसे पुराने नासूरों में चोटें चिटखने लगतीं और वह बिलबिलाकर चौंक उठतीं। कभी बहकी रोतीं, कभी ख़ुद से बातें करने लगतीं। चहकी फिर आप ही आप मुस्कुरा उठतीं फिर अँधेरे में से कोई पुरानी याद का भाला खींच मारता और वह बीमार कुत्ते की तरह नीम इंसानी आवाज़ से सारे मोहल्ले को चौंका देतीं। दो दिन इसी हालत में बीत गए। मोहल्लेवालों की धीरे-धीरे शर्मिंदगी का अहसास शुरू हुआ। किसी को भी तो इनकी इतनी ज़रूरत न थी। बरसों की खोई चीज़ों को कभी रो पीटकर भूल चुके थे। वह लोग ख़ुद कौन से लखपति थे। तिनके का बोझ भी ऐसे मौक़ों पर इंसान को शहतीर की तरह लगता है। लोग इन चीज़ों के बग़ैर ज़िंदा थे। शब्बन की फतूही अब सर्दियों से धींगामुश्ती करने के क़ाबिल कहाँ थी। वह उसके मिलने के इंतज़ार में अपनी बढ़वार थोड़ी रोक बैठा था। हसीना बी ने अँगिया चोली के महत्त्व को बेकार समझ कर उसे फेंक दिया था। मुन्नी की गुड़िया का ग़रारा किस काम का! वह तो कभी की गुड़ियों की उम्र से गुज़रकर हंड कुल्हियों की उम्र में पहुँच गई थी। मोहल्लेवालों को नानी की जान थोड़ी मंजूर थी।

पुराने ज़माने में एक देव था। उस देव की एक जान थी एक भौरे में। सात समंदर पार एक गुफा में एक संदूक़ था। उस संदूक़ में एक और संदूक़ और उस संदूक़ में एक डिब्बिया जिसमें एक भौरा था। एक बहादुर शहज़ादा आया...उसने पहले भौरे की एक टाँग तोड़ी। उधर देव की एक टाँग जादू के ज़ोर से टूट गई। फिर उसने दूसरी टाँग तोड़ी और देव की दूसरी टाँग भी टूट गई। फिर उसने भँवरे को मसल डाला और देव की मौत हो गई।

नानी की जान तकिए में थी और बंदर ने वह जादू का तकिया दाँतों में दबा के चीर डाला और नानी के कलेजे में गर्म सलाख़ उतर गई।

दुनिया का कोई दुख, कोई अपमान, कोई बदनामी ऐसी न थी जो नसीब ने नानी को न बख़्शी हो। जब सुहाग की चूड़ियों पर पत्थर गिरा था तो समझा था अब कोई दिन की मेहमान हैं, मगर जब बिस्मिल्लाह को कफ़न पहनाने लगीं तो यक़ीन हो गया कि ऊँट की पीठ पर यह आख़िरी तिनका है, और जब नन्ही मुँह पर कालिख लगा गई तो नानी समझी यह आख़िरी घाव है।

ज़मीन भर की बीमारियाँ पैदाइश के वक़्त झेलीं। सात बार तो चेचक ने उनकी सूरत पर झाड़ू फेरी। हर साल तीज त्योहार के मौक़े पर हैज़ा का हमला होता। तेरा मेरा गू-मूत धोते-धोते उँगलियों के पोर सड़ गए। बर्तन माँजते-माँजते हथेलियाँ छिल गईं। हर साल अँधेरे उजाले, ऊँची-नीची सीढ़ियों से लुढ़क पड़तीं। दो चार दिन लोट-पोट कर फिर घिसटने लगतीं। पिछले जन्म में नानी कुत्ते की कुल्ली रही होगीं तभी तो इतनी सख़्तजान थीं। मौत का क्या वास्ता जो उनके क़रीब फटक जाए। लबेरियाँ लगाएँ फिरें मगर मुर्दे का कपड़ा कहीं तन से न छू जाए। कहीं मरने वाला सलवटों में मौत न छुपा गया हो जो नाज़ों की पाली नानी को आन दबोचे।

मगर आख़िरत यूँ बंदर के हाथों लुटेगी, इसकी किसे ख़बर थी। सुबह सबेरे भिश्ती मश्क डालने गया तो देखा नानी खपरैल की सीढ़ियों पर उकड़ूँ बैठी हैं। मुँह खुला है। मक्खियाँ अधखुली आँखों के कोनों में घुस रही हैं। यूँ नानी को सोता देखकर लोग उन्हें मुर्दा समझकर डर जाया करते थे, मगर नानी हमेशा हड़बड़ाकर बलग़म थूकती जाग पड़ती थीं और होंसने को हज़ार सलवातें सुना डालती थीं।

मगर उस दिन सीढ़ियों पर उकड़ूँ बैठी हुई नानी दुनिया को एक पक्की गाली देकर चल बसीं। ज़िंदगी में कोई कल सीधी न थी। करवट-करवट काँटे थे। मरने के बाद कफ़न में भी नानी उकड़ूँ बिठाई गईं। हज़ार खींचतान पर भी अकड़ा हुआ जिस्म सीधा न हुआ।

क़ियामत के दिन...सूर फूँका गया। नानी हड़बड़ाकर खँखारती हुई उठी। जैसे लंगर की भनक कान में पहुँच गई हो... फ़रिश्तों को सलवातें सुनातीं लश्टम-पश्तम पुले सरात पर से उकड़ूँ, घिसटती ख़ुदाए जुलजलाल वल इकराम के हुज़ूर में लपकीं। इंसानियत की इतनी बड़ी तौहीन देखकर ख़ुदा का सर शर्म से झुक गया और वह ख़ून के आँसू रोने लगा।

और ख़ुदा के वह ख़ून में डूबे आँसू नानी के कच्चे ढेर पर टपके जहाँ सुर्ख़ लाल:* के फूल लहलहाने लगा।

---

* शहीदों के ख़ून की बूँद से उगने वाला फूल

कहानी के चाक पर किरदारों को तराशने वाला कुम्हार

राजेंद्र सिंह बेदी का जन्म 1 सितंबर, 1915 में लाहौर में हुआ। बेदी की माता जी ज़िनका नाम सेवा देवी था, वह हिंदू ब्राह्मण परिवार से थीं और पिता बाबा हीरा सिंह खत्री सिक्ख थे। बेदी या वेदी वेद से निकला शब्द है। वह खत्री जो वेद को अपना ग्रंथ मानते हैं—वेदी कहलाते हैं। यह ख़ुलासा ख़ुद राजेंद्र सिंह बेदी द्वारा किया गया है। उनकी माँ उनके पिताजी के साथ आई थीं और दोनों ने अपनी मर्ज़ी से आर्यसमाज मंदिर में शादी की थी। पिता पोस्ट ऑफिस में नौकर थे। घर में हिंदू-सिक्ख का मिला-जुला माहौल था। उनके पिता को सूफ़ियाना कलाम भाता था। ईद के मेलों में भी बच्चों को ले जाते थे। बेदी की माताजी उर्दू हिंदी और थोड़ा बहुत अंग्रेज़ी जानती थीं।

बेदी की माँ उन्हें परियों की कहानी सुनाने की जगह 'माहात्म्य' (जो गीता के हर अध्याय के बाद होते हैं) सुनातीं। माँ के बीमार होने के बाद पिता एक पैसा रोज़ पर कोई-न-कोई किताब किराये पर ले आते और पढ़कर माँ को सुनाते थे। चचा संपूर्ण सिंह लाहौर के एक प्रेस में मैनेजर थे, जिसमें हर तरह के नॉवेल और क़िस्से छपते थे। जब चचा ने स्टीम प्रेस ख़रीद लिया तो उसके साथ पाँच-छह हज़ार किताबें भी आई थीं। सर्दियों में चूल्हे के इर्द-गिर्द बैठ पिता किताबें पढ़ते और पूरा घर सुनता। इस माहौल ने बेदी को सींचा था जिसमें हर तरह के क़िस्से, अनुभव और अनुभूतियाँ थीं। बेदी ने अपनी माँ की बेहद सेवा की थी। वह तपेदिक की मरीज़ थीं, तब बेदी इंटर में थे। जिस दिन माँ का देहांत हुआ, उस शाम हीरा सिंह अपने बेटे के साथ ग़म ग़लत करने के लिए फ़िल्म 'सोनी और महिवाल' देखने आए थे। 1933-35 में उन्होंने इंटर पास किया। बेदी ने पिता के कहने से डाकख़ाने में नौकरी कर ली।

बेदी ने अंग्रेज़ी में नज़्में लिखीं और उर्दू पंजाबी में अफ़साने लिखे। विद्यार्थी जीवन के समय मोहसिन लाहौरी के नाम से लिखते थे। सत्रह-अठारह घंटे के काम के बावजूद वह अफ़साने लिखना नहीं भूलते थे। उनका पहला कहानी संग्रह 1937 में *दाना व दाम* के नाम से आया।

जब दूसरा कहानी संग्रह 1941 में *ग्रहण* आया। तब तक उर्दू अदब में उन्हें एक बड़ा अफ़साना निगार क़ुबूल कर लिया गया था। प्रो. मुजीब जो रूसी साहित्य पर गहरी नज़र रखते थे, वह 'दाना व दाम' को बग़ल में दबाए फिरते थे। उनका कहना था कि मैंने आज तक उर्दू में इतने अच्छे अफ़साने नहीं देखे।

1934 में जब बेदी उन्नीस वर्ष के थे तो उनका विवाह सतवंत कौर नाम की लड़की से हुआ। हालाँकि इससे पहले शादी से बचने के लिए अपने आबाई गाँव में एक सूखे कुएँ में छलाँग लगाई थी, मगर बच गए और उन्हें शादी करनी पड़ी। *गर्म कोट* और *अपने दुख मुझे दे दो* अफ़सानों में उनकी अपनी ज़िंदगी की झलकियाँ हैं। *अपने दुख मुझे दे दो* को *ख़ज़ाना* कहा गया है। तहदार अफ़साने पर पाठक जितना सोचता है उसके अनेक कोण सामने आते हैं। उस दौर में आलोचकों का ऐसा विचार था, मगर हक़ीक़त यह कि राजेंद्र सिंह बेदी का हर महत्त्वपूर्ण अफ़साना अपनी जगह जानलेवा है।

अहमदशाह बुख़ारी और पतरस उस समय रेडियो पर काम करते थे। जब बेदी अपनी नई नौकरी की तलाश में पहुँचे तो पतरस ने उनको देखते ही गले लगा लिया। यह उनके अफ़सानों का जलवा था। 1943 में वह 'स्क्रिप्ट राइटर' बन रेडियो में नौकरी करने लगे। वहाँ उन्होंने कई ड्रामे लिखे फिर इस्तीफ़ा देकर महेश्वरी फ़िल्म कंपनी में आ गए। बेदी साहब पहले कहानीकार थे जो फ़िल्मी दुनिया में कामयाब हुए। उनकी फ़िल्म 'दस्तक' आज भी आर्ट फ़िल्म के अव्वल नंबर पर रखी जाएगी। इसके अलावा उनकी पहली फ़िल्म 'बड़ी बहन' थी। अन्य फ़िल्में दाग़, देवदास, मधुमती, मिर्ज़ा ग़ालिब, अनुपमा, सत्यकाम वग़ैरह जिनमें उनके संवाद थे; मील का पत्थर साबित हुईं। मुंबई में फ़िल्मी व्यस्तता के कारण वह अफ़सानों के लिए समय पहले की तरह न निकाल सके। फिर भी उनके चार कहानी संग्रह आए। *कोखजली* (1949), *अपने दुख मुझे दे दो* (1965), *हाथ हमारे क़लम हुए* (1974), *मुक्तिबोध* (1983) उनके प्रसिद्ध कहानी संग्रह हैं। उनके नॉवेल *नमक* और *एक चादर मैली-सी* (1962) बहुत पसंद किए गए। इस पर फ़िल्म भी बनी और पसंद की गई।

राजेंद्र सिंह बेदी ने एक जगह लिखा है कि मैं अपनी तकनीक बदलता रहता हूँ। बतौर मिसाल जब किसी बच्चे को कहानी सुनाने का दिल चाहता है तो मैं *भोला* कहानी लिख लेता हूँ। यह कहानी बेदी की बेहतरीन कहानियों में से एक है, जिसे पढ़ते हुए महसूस होता है कि आप ख़ुद उस घर में साँस ले रहे हैं, जिसमें भोला रहता है; और आपको ज़िंदगी का असली रस किरदारों में से गुज़रते हुए महसूस होता है।

बेदी का दौर देश के बँटवारे का दौर रहा है, जिसमें वह भी अपनी तरह की भूमिका निभा रहे थे। जान पर खेल लोगों को बचा रहे थे और ख़ुद और ख़ुद के परिवार की भी हिफ़ाज़त कर रहे थे।

शायद इसीलिए उनकी लोकप्रिय कहानी *लाजवंती* केवल समय का दस्तावेज़ भर, बनकर नहीं रह जाती है बल्कि बदले माहौल में इंसान कैसे बदलता है और क्या झेलता है; उसका बयान बड़े मार्मिक ढंग से किया गया है, जो अपने में विशेष कालखंड का सच है।

कहानी संग्रह के अलावा नाटक—*सात खेल* (1946), *अब तो घबराकर, रूहे इंसानी, बेजान चीज़ें, कार की शादी* आदि-आदि। इनके दो दर्जन कहानी संग्रह पाकिस्तान से छपे हैं। आपको अनेक सम्मानों से सम्मानित किया गया है। साहित्य अकादमी अवार्ड, मोदी ग़ालिब अवार्ड, पद्मश्री, सज्जाद ज़हीर अदबी अवार्ड, फ़िल्म फेयर अवार्ड इत्यादि।

बेदी की पत्नी का देहांत 1977 में हो गया। 1978 में उन्होंने अपनी फ़िल्म 'आँखन देखी' की हीरोइन के लिए जिसे चुना, उससे जज़्बाती लगाव हुआ। इस संबंध ने उन्हें दुख ही दिए। पीने लगे, शुगर की बीमारी हुई। जिस बेटे से कभी मधुर संबंध नहीं रहे उसके पास जाकर रहना पड़ा। मोतियाबिंद का ऑप्रेशन हुआ। बेटा नरेंद्र उनके जीते जी ही मौत के आग़ोश में जा बैठा। ज़िंदगी अज़ाब बनकर रह गई। उन्होंने एक बार सातवीं मंज़िल से कूदकर आत्महत्या की कोशिश की, मगर बच गए।

उन्हें अपनी ज़िंदगी के इस मोड़ का अंदाज़ा न था, मगर उनका यक़ीन कला की कल्पना में था—"मेरे सामने जब कोई जानने वाला आता है तो मैं उसको वैसा ही बयान नहीं कर देता, बल्कि यथार्थ और कल्पना के मिश्रण से जो चीज़ पैदा होती है उसे मैं तहरीर की चहारदीवारी में ले आता हूँ।"

बेदी की ज़िंदगी में जज़्बाती उतार-चढ़ाव ग़ज़ब का रहा है। इसके बावजूद उनकी सृजनात्मकता का झरना सूखा नहीं। बेदी जैसा जिगर वाला क़लमकार हमारे बीच से 1984 में चला गया। पीछे छोड़ गया ज़िंदा किरदारों की बोलती कहानियाँ।

लाजवंती

राजेंद्र सिंह बेदी

''हथ लाइयाँ कुम्लाननी लाजवंती दे बूटे...''

(''यह छुई-मुई के पौधे हैं री हाथ भी लगाओ तो कुम्हला जाते हैं''
—एक पंजाबी गीत)

बँटवारा हुआ और बेशुमार ज़ख़्मी लोगों ने उठकर अपने बदन पर से ख़ून पोंछ डाला और फिर सब मिलकर उनकी तरफ़ ध्यान देने लगे जिनके बदन सही व सालिम थे, लेकिन दिल ज़ख़्मी...

गली-गली, मोहल्ले-मोहल्ले में 'फिर बसाव' कमेटियाँ बन गई थीं और शुरू-शुरू में बड़ी लगन से 'कारोबार में बसाओ', 'ज़मीन पर बसाओ' और 'घरों में बसाओ' प्रोग्राम शुरू कर दिया गया था। लेकिन एक प्रोग्राम ऐसा था जिसकी तरफ़ किसी ने तवज्जो न दी थी। वह प्रोग्राम भगाई औरतों के सिलसिले में था। जिसका नारा था 'दिल में बसाओ' और इस प्रोग्राम का नारायण मंदिर और उसके आसपास बसने वाले पुराने विचारवालों की तरफ़ से काफ़ी विरोध हुआ था।

उस प्रोग्राम को शुरू करने के लिए मंदिर के पास मोहल्ले 'मुल्ला शकूर' में एक कमेटी बनाई गई थी और ग्यारह वोटों के बहुमत से सुंदरलाल बाबू को उसका सेक्रेटरी चुन लिया गया था। वकील साहब, सदर चौकी कलाँ का बूढ़ा मोहर्रिर और मोहल्ले के दूसरे ज़िम्मेदार लोगों का ख़्याल था कि सुंदरलाल से ज़्यादा तन-मन लगा कर कोई और यह काम नहीं कर सकेगा। शायद इसलिए कि सुंदरलाल की अपनी पत्नी अपहरण की जा चुकी थी और उसका नाम भी लाजो था...लाजवंती।

चुनांचे प्रभात फेरी निकालते हुए जब सुंदरलाल, उसका साथी रिसालू और नेकी राम मिलकर गाते—

''हथ लाइयाँ कुम्लाननी लाजवंती दे बूटे...'' तो सुंदरलाल की आवाज़ एकदम बंद हो जाती थी और वह चलते-चलते लाजवंती के बारे में सोचता। जाने कहाँ वह होगी, किस हाल में होगी, हमारी बाबत जाने क्या सोच रही होगी, वह कभी आएगी भी या नहीं? और पथरीले फ़र्श पर चलते-चलते उसके क़दम लड़खड़ाने लगते।

अब तो यह स्थिति आ गई है कि उसने लाजवंती के बारे में सोचना ही छोड़ दिया था, उसका ग़म अब दुनिया का ग़म हो चुका था। उसने अपने दुख से बचने के लिए लोकसेवा में अपने को डुबो दिया। इसके बावजूद दूसरे साथियों की आवाज़ में आवाज़ मिलाते हुए उसे यह ख़्याल ज़रूर आता...इंसानी दिल कितना नाजुक होता है। ज़रा-सी बात पर उसे ठेस लग सकती है। वह लाजवंती के पौधे की तरह है जिसकी तरफ़ हाथ भी बढ़ाओ तो कुम्हला जाता है, लेकिन उसने अपनी लाजवंती के साथ दुर्व्यवहार करने में कोई कसर नहीं छोड़ी थी। वह उसे जगह बे जगह बैठने-ख़ाने की तरफ़ से लापरवाही बरतने और ऐसी ही मामूली-मामूली बातों पर पीट दिया करता था।

और लाजवंती एक पतली शहतूत की डाली की तरह नाज़ुक देहाती लड़की थी। ज़्यादा धूप देखने की वजह से उसका रंग साँवला चुका था। तबीयत में एक अजीब तरह की चंचलता थी। उसकी थरथराहट ओस की उस बूँद की तरह थी जो पारा बनकर उसके बड़े से पत्ते पर कभी इधर कभी उधर लुढ़कती रहती है। उसका दुबलापन उसकी सेहत के ख़राब होने की नहीं, बल्कि सेहतमंदी की निशानी थी। जिसे देखकर भारी-भरकम सुंदरलाल पहले तो घबराया फिर जब उसने देखा कि लाजो हर क़िस्म का बोझ, हर तरह का सदमा यहाँ तक कि मारपीट तक सह जाती है तो उसकी बदसलूकी धीरे-धीरे उसके प्रति बढ़ती गई। उसने उस सीमा का ख़्याल न किया जहाँ पहुँचकर इंसान धैर्य खो बैठता है। इन हदों को धुंधला देने में लाजवंती ख़ुद भी कारण साबित हुई थी। चूँकि वह देर तक उदास नहीं बैठ सकती थी। इसलिए बड़ी से बड़ी लड़ाई के बाद भी सुंदरलाल के सिर्फ़ एक बार मुस्कुरा देने पर वह हँसी न रोक सकती थी और लपककर उसके पास चली आती और गले में बाँहें डालती हुई कह उठती, ''फिर मारा तो तुम से नहीं बोलूँगी।'' साफ़ पता चलता कि सारी मारपीट भूल चुकी है। गाँव की दूसरी लड़कियों की तरह वह जानती थी कि मर्द ऐसा ही सलूक किया करते हैं, बल्कि औरतों में कोई सरकशी करती तो लड़कियाँ ख़ुद नाक पर उँगली रख के कहतीं, ''ले वह भी कोई मर्द है भला, औरत जिसके क़ाबू में नहीं आती...''

और यह मारपीट उनके गानों में चली गई थी। ख़ुद लाजो गाया करती थी।

मैं शहर के लड़के से शादी नहीं करूँगी।

वह बूट पहनता है और मेरी कमर बहुत पतली है।

लेकिन पहली ही नज़र में उसने शहरी लड़के से दिल लगाया जिसका नाम सुंदरलाल था। जो एक बारात के साथ गाँव चला आया था। और जिसने दूल्हा के कान में सिर्फ़ इतना कहा था, ''तेरी साली तो बड़ी नमकीन है यार! बीवी भी चटपटी होगी।''

लाजवंती ने सुंदरलाल की बात सुन ली थी। मगर वह यह भूल गई थी कि सुंदरलाल ने कितने बड़े-बड़े भद्दे जूते पहन रखे थे और उसकी अपनी कमर पतली है।

प्रभात फेरी के समय ऐसी ही बातें सुंदरलाल को याद आतीं और वह यही सोचता—एक बार सिर्फ़ एक बार जो मिल जाए तो सचमुच ही उसे दिल में बसा लूँ और लोगों को बता दूँ। इन औरतों के अगुवा होने में उनकी कोई ग़लती नहीं है। फ़सादियों की हवस का शिकार हो जाने में उनका क्या क़ुसूर है। वह समाज जो इन मासूम और बेक़ुसूर औरतों को स्वीकार नहीं करता, उन्हें अपना नहीं लेता है, वह एक गला-सड़ा समाज है और उसे ख़त्म कर देना चाहिए। वह इन औरतों को घरों में और उन्हें ऐसा स्थान देने में हिचकता है जो घर में किसी भी औरत, किसी भी माँ, बेटी, बहन या बीवी को दिया जाता है। फिर वह कहता उन्हें इशारे में भी ऐसी बातों की याद नहीं दिलानी चाहिए, जो उनके साथ घटित हुई हैं क्योंकि उनके दिल ज़ख़्मी हैं। वह नाज़ुक हैं छुई-मुई की तरह, हाथ भी लगाओ तो कुम्हला जाएँगी।

गोया 'दिल में बसाओ' प्रोग्राम को व्यावहारिक रूप से लोकप्रिय बनाने के लिए मोहल्ला मुल्ला शकूर की इस कमेटी ने कई प्रभात फेरियाँ निकालीं। सुबह चार-पाँच बजे का वक़्त इनके लिए सबसे उपयुक्त समय होता था। न लोगों का शोर न ट्रैफिक की उलझन। रात-भर चौकीदारी करने वाले कुत्ते तक बुझे हुए तंदूरों में सर देकर पड़े होते थे। अपने-अपने बिस्तरों में दुबके हुए लोग प्रभात फेरी वालों की आवाज़ सुनकर सिर्फ़ इतना कहते थे :

"ओ, वही मंडली हैं।" और फिर कभी धैर्यपूर्वक और कभी तुनक मिज़ाजी से वह बाबू सुंदरलाल का प्रोपेगंडा सुना करते। वह औरतें जो बड़ी हिफ़ाज़त से इस पार पहुँच गई थीं, गोभी के फूलों की तरह फैली पड़ी रहतीं और उनके पति उनके पहलू में डंठलों की तरह अकड़े पड़े-पड़े प्रभात फेरी के शोर पर अपनी झुँझलाहट व्यक्त करते हुए मुँह-ही-मुँह में मुनमुनाते चले जाते। या कहीं कोई बच्चा थोड़ी देर के लिए आँखें खोलता और 'दिल में बसाओ' की व्यथा भरी पुकार के प्रचार को सिर्फ़ गाना समझकर फिर सो जाता था।

लेकिन सुबह के समय कान में पड़ा हुआ शहद बेकार नहीं जाता। वह सारा दिन एक रिकार्ड की तरह बजता दिमाग़ में चक्कर लगाता रहता था। और कभी-कभी तो इंसान उसका अर्थ भी नहीं समझता मगर उसे गुनगुनाता चला जाता है। उसी आवाज़ के घर कर जाने की बदौलत ही था कि उन्हीं दिनों जबकि मिस मृदुला साराभाई हिंद और पाकिस्तान के बीच अपहरण हुई औरतों को बदले में लेकर आईं तो मोहल्ला मुल्ला शकूर के कुछ आदमी उन्हें फिर से बसाने के लिए तैयार हो गए। उनके वारिस शहर से बाहर चौकी कलाँ पर उनसे मिलने के लिए गए। कुछ लम्हे अग़वा की औरतें और उनके रिश्तेदार एक-दूसरे को देखते रहे, फिर सर झुकाए अपने-अपने बर्बाद घरों को फिर से आबाद करने के काम पर चल दिए। रसालू और नेकीराम और सुंदरलाल बाबू कभी 'महेंद्र सिंह ज़िंदाबाद और कभी 'सोहन लाल ज़िंदाबाद' के नारे लगाते...और वह नारे लगाते रहे यहाँ तक कि उनके गले सूख गए।

लेकिन अपहरण की गई औरतों में ऐसी भी थीं जिनके शौहरों, जिनके माँ, बाप, बहन और भाइयों ने उन्हें पहचानने से इंकार कर दिया था। आख़िर वह मर क्यों नहीं गईं? अपनी अस्मिता और मर्यादा बचाने के लिए उन्होंने ज़हर क्यों नहीं खा लिया? कुएँ में छलाँग क्यों न लगा दी? वह कायर थीं जो इस तरह ज़िंदगी से चिपटी हुई थीं। सैकड़ों हज़ारों औरतों ने अपनी इज़्ज़त लुट जाने से पहले जान दे दी, लेकिन उन्हें क्या पता कि वह ज़िंदा रहकर किस बहादुरी से काम कर रही हैं। कैसी पथराई आँखों से मौत को घूर रही हैं। ऐसी दुनिया में जहाँ उनके शौहर तक उन्हें नहीं पहचानते। या फिर उनमें से कोई जी ही जी में अपना नाम दोहरातीं...सुहागवती...सुहाग वाली...और अपने भाई को उस भीड़ में देखकर आख़िरी बार इतना कहती...तू भी मुझे नहीं पहचानता बिहारी? मैंने तुझे गोदी में खिलाया तुम्हारे...और बिहारी चिल्लाना चाहता है। फिर वह माँ-बाप की तरफ़ देखता और माँ-बाप अपने जिगर पर हाथ रख कर नारायण बाबा की तरफ़ देखते और बड़ी बेबसी से नारायण बाबा आसमान की तरफ़ देखता। जो वास्तव में कोई वजूद नहीं रखता जो सिर्फ़ हमारी नज़र का धोखा है जो सिर्फ़ एक हद है, जिसके पार हमारी निगाहें काम नहीं करतीं।

लेकिन फौजी ट्रक में मिस साराभाई तबादले में जो औरतें लाईं उनमें लाजो न थी। सुंदरलाल ने आशा और निराशा से आख़िरी लड़की को ट्रक से नीचे उतरता देखा और फिर उसने बड़ी ख़ामोशी और बड़े हौसले से अपनी कमेटी की सरगर्मियों में डूब गया। अब वह सिर्फ़ सुबह के समय ही प्रभात फेरी के लिए न निकलते थे, बल्कि शाम को भी जुलूस निकालने लगे और कभी-कभी एक आध छोटा-मोटा जलसा भी करने लगे। जिसमें कमेटी का बूढ़ा सदर वकील कालका प्रसाद सूफी, खख़ाँरों से मिली-जुली एक तक़रीर कर दिया करता और रसालू एक पीकदान लिए ड्यूटी पर हमेशा मौजूद रहता। लाउडस्पीकर से अजीब तरह की आवाज़ें आतीं। फिर कहीं नेकराम मोहर्रिर चौकी कुछ कहने के लिए उठते, लेकिन वह जितनी भी बातें कहते और जितने भी शास्त्रों और पुराणों का हवाला देते उतना ही अपने लक्ष्य के विरोध में बातें करते; और यूँ मैदान हाथ से जाते देखकर सुंदरलाल बाबू उठता, लेकिन वह दो वाक्यों से ज़्यादा कुछ नहीं कह पाता था। उसका गला रुँध जाता। उसकी आँखों से आँसू बहने लगते और रुआँसा होने के कारण वह भाषण न दे पाता और बैठ जाता। लेकिन श्रोताओं पर अजीब तरह की ख़ामोशी छा जाती और सुंदरलाल बाबू की इन दो बातों का असर जो कि उसके दिल की गहराइयों से चली आतीं; वकील कालका प्रसाद सूफी के सारे उपेदशात्मक उद्गार पर भारी पड़ता। लेकिन लोग वहीं रो देते, अपने जज़्बात को ठंडा कर ख़ाली ज़हन घर को लौट जाते थे।

एक दिन कमेटी वाले साँझ को प्रचार करने चले आए और होते-होते पुराने जड़ विचारों के गढ़ की तरफ़ चले गए। मंदिर के बाहर पीपल के पेड़ के इर्द-गिर्द

सीमेंट के थड़े पर कई श्रद्धालु बैठे थे और रामायण का हिस्सा सुना रहे थे, जहाँ एक धोबी ने अपनी धोबन को घर से निकाल दिया था और उससे कह दिया था—

"मैं राजा रामचंद्र नहीं जो इतने साल रावण के साथ रह आने पर भी सीता को बसा लेगा। और राम ने माँ संतोषी सीता को घर से निकाल दिया। ऐसी अवस्था में जब वह गर्भवती थीं। क्या इससे भी बढ़कर राम राज का कोई सबूत मिल सकता है?" नारायण बाबा ने कहा, "यह है राम राज! जिसमें एक धोबी की बात को भी इतना महत्त्व दिया जाता था।"

कमेटी का जुलूस मंदिर के पास रुक चुका था और लोग रामायण की कथा और श्लोक का वर्णन सुनने के लिए ठहर चुके थे। सुंदरलाल आख़िरी वाक्य सुनते हुए कह उठा—

"हमें ऐसा राम राज नहीं चाहिए बाबा।"

"चुप रहो जी...", "तुम कौन होते हो?", "ख़ामोश!" भीड़ से आवाज़ें आईं और सुंदरलाल ने बढ़कर कहा, "मुझे बोलने से कोई नहीं रोक सकता है।"

फिर मिली-जुली आवाज़ें आईं..."ख़ामोश...", "हम नहीं बोलने देंगे..." और एक कोने से यह भी आवाज़ आई..."मार देंगे।"

नारायण बाबा ने बड़ी मीठी आवाज़ में कहा, "तुम शास्त्रों की मान मर्यादा को नहीं समझते सुंदरलाल!"

सुंदरलाल ने कहा, "मैं एक बात तो समझता हूँ बाबा...राम राज में धोबी की आवाज़ तो सुनी जाती है, लेकिन सुंदरलाल की नहीं।" इन्हीं लोगों ने जो अभी मारने पर तुले थे, अपने नीचे से पीपल की गूलरें हटा दीं और फिर से बैठते हुए बोल उठे..."सुनो! सुनो! सुनो!"

रसालू और नेकीराम ने सुंदरलाल बाबू को ठोहका दिया और सुंदरलाल बोले, "श्रीराम नेता थे हमारे। पर क्या बात है बाबा जी, जो उन्होंने धोबी की बात को सत्य समझ लिया, मगर इतनी बड़ी महारानी के सत्य पर विश्वास नहीं कर पाए?"

नारायण बाबा ने अपनी दाढ़ी की खिचड़ी पकाते हुए कहा, "इसलिए कि सीता उनकी अपनी पत्नी थीं सुंदरलाल! तुम इस बात की महानता को नहीं जानते हो।"

"हाँ बाबा!" सुंदरलाल बाबू ने कहा, "इस संसार में बहुत-सी बातें हैं जो मेरी समझ में नहीं आतीं। पर मैं सच्चा रामराज उसे समझता हूँ जिसमें इंसान अपने आप पर भी ज़ुल्म नहीं कर सकता है। अपने आपसे बेइंसाफ़ी करना इतना ही बड़ा पाप है, जितना किसी दूसरे से बेइंसाफ़ी करना...आज भी भगवान राम ने सीता को घर से निकाल दिया है...इसलिए की वह रावण के पास रहकर आई थी। इसमें क्या क़ुसूर था सीता का? क्या वह भी हमारी बहुत-सी माओं और बहनों की तरह एक छल और कपट का शिकार न थीं? इसमें सीता के सत्य और असत्य की बात है या

राक्षस रावण के वहशीपन की, जिसके दस सर इंसान के थे, लेकिन एक और सबसे बड़ा सर गधे का है?''

''आज हमारी निर्दोष सीता घर से निकाल दी गई है...सीता...लाजवंती...'' और सुंदरलाल बाबू ने रोना शुरू कर दिया। रसालू और नेकीराम ने वह सारे लाल झंडे उठा लिए जिन पर आज ही स्कूल के छोकरों ने बड़ी सफाई से नारे काटकर चिपका दिए थे। और फिर वह सब लोग, ''सुंदरलाल बाबू ज़िंदाबाद!'' के नारे लगाते हुए चल दिए। जुलूस में से एक ने कहा, ''महासती ज़िंदाबाद!'' एक तरफ़ से आवाज़ आई।...श्री रामचंद्र।''

और फिर बहुत-सी आवाज़ें आईं...''ख़ामोश!'' और नारायण बाबा की महीनों की कथा बेकार गई। बहुत से लोग जुलूस में शामिल हो गए। जिसके आगे-आगे वकील कालका प्रसाद और हुक्म सिंह, मोहर्रिर चौकीकलाँ जा रहे थे अपनी बूढ़ी छड़ियों को ज़मीन पर मारते और एक विजय ध्वनि निकालते थे और उनके बीच कहीं सुंदरलाल जा रहा था। उसकी आँखों से अभी तक आँसू बह रहे थे। आज उसके दिल को बड़ी ठेस लगी थी और लोग बड़े जोश के साथ एक दूसरे के साथ मिलकर गा रहे थे।

हथ लाइयाँ कुम्लाननी लाजवंती दे बूटे...!

अभी गीत की आवाज़ लोगों के कानों में गूँज रही थी। अभी सुबह भी नहीं हो पाई थी और मोहल्ला मुल्ला शकूर के मकान 414 की विधवा अभी तक अपने बिस्तर में पीड़ायुक्त अँगड़ाइयाँ ले रही थी कि सुंदरलाल का 'गराई' लालचंद जिसे अपने प्रभाव और पहुँच से सुंदरलाल और ख़लीफ़ा कालका प्रसाद ने राशन डिपो दिया था, दौड़ा-दौड़ा आया और अपनी गाढ़े की चादर से हाथ फैलाए हुए बोला :

''बधाई हो सुंदरलाल।''

''सुंदरलाल ने मीठा गुड़ चिलम पर रखते हुए कहा, ''किस बात की बधाई लालचंद?''

''मैंने लाजो भाभी को देखा है?''

सुंदरलाल के हाथ से चिलम गिर गई और मीठा तंबाकू फ़र्श पर गिर गया।

''कहाँ देखा है?'' उसने लालचंद के कंधों को पकड़ते हुए कहा और जल्द जवाब न दे पाने पर झिझोंड़ दिया।

''वागे की सरहद पर।''

सुंदरलाल ने लालचंद को छोड़ दिया और इतना-सा बोला, ''कोई और होगी।'' लालचंद ने विश्वास दिलाते हुए कहा, ''नहीं भैया वह लाजो ही थी लाजो...''

''तुम उसे पहचानते भी हो?'' सुंदरलाल ने मीठे तंबाकू को फ़र्श पर से उठाते और हथेली पर मसलते हुए पूछा, और ऐसा कहते हुए उसने रिसालू की चिलम हुक्के पर से उठा ली और बोला, ''भला क्या पहचान है उसकी?''

"एक तेंदूला ठोड़ी पर है दूसरा गाल पर..."

"हाँ, हाँ हाँ।" सुंदरलाल ने ख़ुद ही कह दिया, "तीसरा माथे पर।" वह नहीं चाहता था कि अब कोई शंका शेष रह जाए और एकदम से उसे लाजवंती के जाने-पहचाने जिस्म के सारे तेंदूले याद आ गए जो उसने बचपने में अपने जिस्म पर सजाए थे। जो उन हल्के-हल्के सब्ज़दानों की तरह थे जो छुई-मुई के पौधे के बदन पर होते हैं और जिसकी तरफ़ इशारा करते ही वह कुम्हलाने लगता है। बिल्कुल इसी तरह इन तिलों की तरफ़ उँगली उठाते ही लाजवंती शर्मा जाती थी, और गुम हो जाती थी। अपने आपमें सिमट जाती थी। गोया उसके सारे भेद सबको पता चल गए हों और किसी नामालूम ख़ज़ाने के लुट जाने से वह ख़ाली हाथ हो उठी है...सुंदरलाल का सारा बदन एक अनजाने ख़ौफ़, एक अनजानी मुहब्बत और उसकी पवित्र अग्नि में फुँकने लगा हो। उसने फिर से लालचंद को पकड़ लिया और पूछा—

"लाजो वागे कैसे पहुँच गई?"

लालचंद ने कहा, "हिंद और पाकिस्तान में औरतों का तबादला हो रहा था न।"

"फिर क्या हुआ?" सुंदरलाल ने उकड़ूँ बैठते हुए कहा, "क्या हुआ फिर?" रिसालू भी अपनी चारपाई पर उठ बैठा और तंबाकू की लत वालों की विशेष ख़ाँसी-ख़ाँसते हुए बोला, "सचमुच आ गई है लाजवंती भाभी?"

लालचंद ने अपनी बात जारी रखते हुए कहा, "वागे पर सोलह औरतें पाकिस्तान ने दे दीं और उसके बदले में सोलह औरतें ले लीं। लेकिन एक झगड़ा खड़ा हो गया है। हमारे वालंटियर एतराज़ कर रहे थे कि तुमने जो औरतें दी हैं उनमें अधेड़, बूढ़ी और बेकार औरतें ज़्यादा हैं। इस बहसबाज़ी के कारण लोग जमा हो गए। उस वक़्त उधर के वालंटियरों ने लाजवंती भाभी को दिखाते हुए कहा, "तुम इसे बूढ़ी कहते हो? देखो...देखो...जितनी औरतें तुमने दी हैं उनमें से एक भी बराबरी करती है इसकी?" और वहाँ लाजवंती भाभी सबकी नज़रों से अपने तेंदूले छुपा रहा थीं।"

"फिर झगड़ा हो गया। दोनों ने अपना माल लेने की ठान ली। मैंने शोर मचाया, "लाजो...लाजो भाभी..." मगर हमारी फौज के सिपाहियों ने हमें ही मार-मार कर भगा दिया।"

और लालचंद अपनी कोहनी दिखाने लगा। जहाँ उसे लाठी पड़ी थी। रसालू और नेकीराम चुपचाप बैठे रहे और सुंदरलाल कहीं और देखते लगा। शायद सोचने लगा। लाजो आई भी पर नहीं आई...और सुंदरलाल की शक्ल ही से जान पड़ता था जैसे वह बीकानेर का रेगिस्तान फाँद कर आया है और अब किसी दरख़्त की छाँव में ज़बान निकाले बैठा हाँफ रहा है। मुँह से इतना भी न निकला, "पानी दे दे।" उसे यूँ महसूस हुआ बँटवारे के पहले और बाद का फ़साद अभी भी जारी है। सिर्फ़ उसकी शक्ल बदल गई है। अब लोगों में पहली सी झिझक नहीं रही। किसी से पूछो, सांभर वालाँ में लहनासिंह रहा करता था और उसकी भाभी नीतू...तो वह झट से

कहता, "मर गए" और इसके बाद मौत और उसके अर्थ से बिल्कुल बेख़बर, बिल्कुल ख़ाली आगे चला जाता। इससे भी एक क़दम आगे बढ़कर ताजिर इंसानी माल, इंसानी गोश्त-पोस्त की तिजारत और उसका तबादला करने लगे हैं। मवेशी ख़रीदने वाले किसी भैंस या गाय का जबड़ा हटाकर दाँतों से उसकी उम्र का अंदाज़ा करते थे।

अब वह जवान औरत के रूप, उसके निखार, उसके अति प्रिय भेदों, उसके तेंदूलों की खुलेआम नुमाइश करने लगे हैं। हिंसा व्यापारियों की नस-नस में बस चुकी है। पहले मंडी में माल बिकता था और भाव-ताव करने वाले हाथ मिलाकर उस पर एक रूमाल डाल लेते और यूँ 'गुप्ती' कर लेते थे। गोया रूमाल के नीचे उँगलियों के इशारों से सौदा हो जाता था। अब 'गुप्ती' का रूमाल भी हट चुका था। और सामने सौदे हो रहे थे। और लोग तिजारत के नियम भी भूल चुके थे। यह सारा लेन-देन, यह सारा कारोबार पुराने ज़माने की दास्तान मालूम हो रहा था, जिसमें औरत की आज़ादाना ख़रीद व फरोख़्त का क़िस्सा बयान किया जाता है। उजबक अनगिनत नंगी औरतों के सामने खड़ा उनके जिस्मों को ठोह-ठोह के देख रहा है। और जब वह किसी औरत के जिस्म को उँगली लगाता है, तो उस पर एक गुलाबी गड्ढा पड़ जाता है। और उसके इर्द-गिर्द एक पीला-सा घेरा और फिर पीलापन और गुलाबीपन एक-दूसरे की जगह लेने को दौड़ते हैं।...उजबक आगे गुज़र जाता है और नाक़ाबिले क़ुबूल औरत एक पराजय की स्थिति, एक शर्मिंदगी की कैफ़ियत में एक हाथ से अज़ारबंद थामे दूसरे से अपने चेहरे को जनता की नज़रों से छुपा सिसकियाँ लेती हैं।

सुंदरलाल अमृतसर (सरहद) जाने की तैयारी कर रहा था कि जो उसे लाजो के आने की ख़बर मिल गई। एकदम ऐसी ख़बर मिलने से सुंदरलाल घबरा गया। उसका एक क़दम फ़ौरन दरवाज़े की तरफ़ बढ़ा, लेकिन वह पीछे लौट आया। उसका जी चाहता था कि वह रूठ जाए और कमेटी के तमाम प्लेकार्डों और झंडियों को बिछाकर बैठ जाए और फिर रोए। लेकिन वहाँ जज़्बात का यूँ प्रदर्शन करना उचित न था। उसने पौरुषता के साथ अंदर होती उथल-पुथल को क़ाबू में किया और अपने क़दमों को नापते हुए चौकीकलाँ की तरफ़ चल पड़ा, क्योंकि वही जगह थी जहाँ अपहृत स्त्रियों की डिलीवरी दी जाती थी।

अब लाजो सामने खड़ी थी और एक ख़ौफ़ के जज़्बे से काँप रही थी। वही सुंदरलाल को जानती थी। उसके सिवाए कोई नहीं जानता था। वह पहले ही उसके साथ ऐसा सुलूक करता था। और अब जबकि वह एक ग़ैर मर्द के साथ ज़िंदगी के दिन बिताकर आई हो, तो जाने क्या करेगा? सुंदरलाल ने लाजो की तरफ़ देखा। वह ख़ालिस इस्लामी तर्ज़ का लाल दुपट्टा पहने हुई थी और बाएँ बक्कुल मारे हुई थी...आदत सिर्फ़ आदत के चलते...दूसरी औरतों में घुलमिल जाने और आख़िर में

अपने क़ैद करने वाले के चंगुल से भाग जाने की आसानी थी। वह सुंदरलाल के बारे में इतना सोच रही थी कि उसे कपड़ा बदलने या दुपट्टा ठीक से ओढ़ने का भी होश न रहा। वह हिंदू और मुसलमान तहज़ीब के बुनियादी फ़र्क़...दाएँ बक्कल और बाएँ बक्कल के फ़र्क़ को समझ नहीं पाई थी। अब सुंदरलाल के सामने खड़ी थी और काँप रही थी। एक उम्मीदवार, एक डर के जज़्बे के साथ...।

सुंदरलाल को धचका-सा लगा। उसने देखा लाजवंती का रंग कुछ निखर गया था और वह पहले के देखते कुछ तंदुरुस्त नज़र आती थी। नहीं, वह मोटी हो गई थी। सुंदरलाल ने जो कुछ लाजो के बारे में सोच रखा था, वह सब ग़लत था। वह समझता था ग़म में घुल जाने की वजह से लाजवंती बिल्कुल मरियल हो चुकी होगी और आवाज़ उसके मुँह से निकाले न निकलती होगी। इस ख़्याल से कि वह पाकिस्तान में बहुत ख़ुश रही है उसे बड़ा सदमा हुआ, लेकिन वह चुप रहा क्योंकि उसने चुप रहने की क़सम खा रखी थी। अगरचे वह न जान पाया कि इतनी ख़ुश थी तो चली क्यों आई ? उसने शोचा शायद हिंद सरकार के दबाव की वजह से उसे अपनी इच्छा के विरुद्ध यहाँ आना पड़ा। लेकिन एक चीज़ वह न समझ सका कि लाजवंती का सँवलाया हुआ चेहरा पीलापन लिए हुआ था और ग़म, सिर्फ़ ग़म से उसके बदन के गोश्त ने हड्डियों को छोड़ दिया था। वह दुख की अधिकता से मोटी हो गई थी और सेहतमंद नज़र आती थी, लेकिन यह ऐसी तंदुरुस्ती थी जिसमें दो क़दम चलने पर आदमी की साँस फूल जाती है।

अपहरण हुई उस औरत पर नज़र पड़ते ही जो भाव उसके दिल में तुरंत उभरे थे उसका सकारात्मक दृष्टि से मुक़ाबला किया और भी बहुत से लोग जमा थे, किसी ने कहा, ''हम नहीं लेते मुसलमरान (मुसलमान) की जूठी औरत...''

और यह आवाज़ रसालू, नेकीराम और चौकीकलाँ के बूढ़े मोहर्रिर के नारों में गुम होकर रह गई। इन सब आवाज़ों से अलग कालका प्रसाद की फटती और चिल्लाती आवाज़ आ रही थी। वह ख़ाँस भी लेता और बोलता भी जाता। वह इस नए यथार्थ, नई शुद्धि को पूर्ण रूप से स्वीकार कर चुका था। यूँ मालूम होता था आज उसने कोई नया वेद नया पुराण और शास्त्र पढ़ लिया है और अपने इन उसूलों में दूसरों को भी हिस्सेदार बनाना चाहता है। इन सब लोगों और उनकी आवाज़ों में घिरे हुए लाजो और सुंदरलाल अपने डेरे को जा रहे थे और ऐसा जान पड़ता था जैसे हज़ारों साल पहले के रामचंद्र और सीता जी किसी बहुत लंबे बनवास के बाद अयोध्या लौट रहे हैं। एक तरफ़ तो लोग ख़ुशी में दीपमाला कर रहे हैं और दूसरी तरफ़ उन्हें इतना लंबा कष्ट देने पर अफ़सोस भी।

लाजवंती के चले आने पर भी सुंदरलाल बाबू ने उसी जोश से 'दिल में बसाओ' प्रोग्राम को ज़िंदा रखा। उसने कथन और करनी दोनों को मिला दिया था। वह लोग जिन्हें सुंदरलाल की बातों में ख़ाली भावुकता लगती थी अब वह मानने

लगे। अक्सर लोगों के दिलों में ख़ुशी थी और ज़्यादातर के दिल में अफ़सोस। मकान नंबर चार सौ चौदह की बेवा के अलावा मोहल्ले मुल्ला शकूर की बहुत-सी औरतें सुंदरलाल बाबू सोशलवर्कर के घर आने से घबराती थीं।

लेकिन सुंदरलाल को किसी की लापरवाही या परवाह की चिंता न थी। उसके दिल की रानी आ चुकी थी। उसका ख़ालीपन दूर हो चुका था। सुंदर लाल ने लाजो की मूर्ति को अपने दिल में स्थापित कर लिया था। और ख़ुद दरवाज़े पर बैठा उसकी रक्षा करने लगा था। लाजो जो पहले भयभीत सहमी रहती थी, सुंदरलाल के आशा के विपरीत स्वभाव को देख खुलने लगी।

सुंदरलाल अब लाजवंती को लाजो के नाम से नहीं पुकारता था, वह उसे कहता था 'देवी' और लाजो एक अनजानी ख़ुशी से पागल हो जाती थी। वह कितना चाहती थी कि सुंदरलाल को अपनी कहानी सुना दे और सुनाते-सुनाते इतना रोये कि उसके सारे गुनाह धुल जाएँ। लेकिन सुंदरलाल लाजो की वह बातें सुनने से बचता था। और लाजो अपने खुल जाने में भी एक तरह सिमटी रहती। अलबत्ता जब सुंदरलाल सो जाता तो उसे देखा करती और अपनी इस चोरी में पकड़ी जाती। जब सुंदरलाल इसकी वजह पूछता तो वह 'नहीं' 'यूँही' 'उन्हूँ' के सिवा कुछ न कहती और सारे दिन का थका हारा सुंदरलाल फिर ऊँघ जाता। अलबत्ता शुरू-शुरू में एक दफ़ा सुंदरलाल ने लाजवंत के काले दिनों के बारे में सिर्फ़ इतना पूछा था—

"वह कौन था।"

लाजवंती ने निगाहें नीची करते हुए कहा, 'जुम्मा' फिर वह अपनी निगाहें सुंदरलाल के चेहरे पर जमाए कुछ कहना चाहती थी, लेकिन सुंदरलाल एक अजीब-सी नज़रों से लाजवंती के चेहरे की तरफ़ देख रहा था। और उसके बालों को सहला रहा था। लाजवंती ने फिर आँखें नीचे कर लीं।

और सुंदरलाल ने पूछा।

"अच्छा सुलूक करता था वह?"

"हाँ।"

"मारता तो नहीं था?"

लाजवंती ने अपना सर सुंदरलाल की छाती पर सरकाते हुए कहा, "नहीं"...और फिर बोली, "वह मारता नहीं था, पर मुझे उससे ज़्यादा डर लगता था। तुम मुझे मारते भी थे, पर मैं तुमसे डरती नहीं थी...अब तो न मारोगे?"

सुंदर लाल की आँखें में आँसू उमड़ आए। वह बहुत लज्जित और दुखी होकर कहा, "नहीं देवी! अब नहीं...नहीं मारूँगा।"

"देवी!" लाजवंती ने सोचा और वह भी आँसू बहाने लगी।

और इसके बाद लाजवंती सब कुछ कह देना चाहती थी। लेकिन सुंदरलाल ने कहा—

"जाने दो बीती बातें! इसमें तुम्हारा क्या क़ुसूर है? इसमें क़ुसूर है हमारे समाज का जो तुझ ऐसी देवियों को अपने यहाँ इज़्ज़त की जगह नहीं देता। वह तुम्हारी हानि नहीं करता, अपनी करता है।"

और लाजवंती मन-ही-मन में रही। वह कह न सकी सारी बात और चुपकी दुबकी पड़ी रही और अपने बदन की तरफ़ देखती रही जो बँटवारे के बाद अब 'देवी' का बदन हो चुका था। लाजवंती का न था। वह ख़ुश थी बहुत ख़ुश थी, लेकिन ऐसी ख़ुशी में सराबोर जिसमें एक संदेह था और भय। वह लेटी-लेटी अचानक बैठ जाती जैसे चरम ख़ुशी के पलों में कोई आहट पाकर एकाएक ध्यान उसकी तरफ़ आकर्षित हो जाए।

जब बहुत दिन बीत गए तो ख़ुशी की जगह पूरे शक ने ले ली। इसलिए नहीं कि सुंदरलाल बाबू ने फिर वही पुरानी बदसुलूकी शुरू कर दी थी, बल्कि इसलिए कि वह लाजो से बहुत ही अच्छा व्यवहार करने लगा था। ऐसा बर्ताव जिसकी लाजो को आशा न थी। वह सुंदरलाल की वही पुरानी लाजो होना चाहती थी जो गाजर से लड़ पड़ती और मूली से मान जाती। लेकिन अब लड़ाई का सवाल ही न था। सुंदरलाल ने उसे यह महसूस करा दिया हो जैसे वह...लाजवंती काँच की कोई चीज़ है जो छूते ही टूट जाएगी...और लाजो आईने में अपने सरापा की तरफ़ निहारती और अंत में इस नतीजे पर पहुँचती कि वह और तो सब कुछ हो सकती है पर लाजो नहीं हो सकती है। वह बस गई पर उजड़ गई...। सुंदरलाल के पास न उसके आँसू देखने की आँखें थीं और न आहें सुनने के लिए कान! प्रभात फेरियाँ निकलती रहीं और मोहल्ला मुल्ला शकूर का सुधारक रसालू और नेकीराम के साथ मिलकर उसी आवाज़ में गाता रहा—

"हथ लाइयाँ कुम्लाननी, लाजवंती दे बूटे...।"

व्यथा के घने वन में रौशनी भरे किरदरों की तलाश

शकीला अख़्तर 1916 में पैदा हुईं। जहाँ पैदा हुईं वहाँ का बयान ख़ुद उनकी ज़बानी सुनिए, "वहाँ लंबे-लंबे ताड़ के पंक्तिबद्ध और ऊँचे-ऊँचे शीशम और नीम के दरख़्तों के बीच, जहाँ सान नदी बहती है! बिहार के ऐसे ख़ूबसूरत इलाक़े 'अखल' में मेरा बचपन गुज़रा और उस दुनिया की जो चीज़ मुझे सबसे प्यारी लगी। वह मेरी माँ थीं!"

शकीला अख़्तर की पैदाइश के साल में मतांतर है। कहीं सन् 1919 और कहीं 1914 दर्ज है। उनके बारे में बहुत कम मालूमात हासिल है। शकीला अख़्तर अपने बारे में आगे बताती हैं—

"बचपन शरारतों में गुज़रा। मकतब के मौलवी साहब से कभी न डर सकी। घर से 'नैरंगे ख़्याल' निगार और 'अस्मत' पत्रिकाओं की आधी सूधी बातें सुनकर सारी लड़कियों पर रौब जमाती, होश सँभल ही रहा था, बेजोड़ मिस्त्रों के दिल व दिमाग़ में बगूले उड़ाने शुरू कर दिए। शरीर बच्चे शायद वक़्त से पहले ही बेदार हो जाते हैं। बड़ी हुई तो एक तूफ़ान आया और भयानक मौजें हर तरफ़ से उठने लगीं, लेकिन इस तूफ़ान में अब मैं अकेली न थी कोई और भी था। और हम साथ ही साथ डूबते चले गए। तभी से परेशानियों को अपनाना सीखा और अपने आपको अफ़सानों से बहलाने लगी।

मेरी ज़िंदगी के दोनों मीनार बड़े अजीब और हसरतअंगेज़ थे। एक दिल की मरीज़ माँ, दूसरा टी.बी. का मरीज शौहर। 6 फरवरी, 1950 को मेरी माँ...एक किनारा हमेशा के लिए डूब गया और दूसरा किनारा कौन जाने कब तक साथ देगा। क्या आपने उस दरख़्त को देखा है जिस पर बिजली गिर पड़ी हो। अब उस जले और झुलसे दरख़्त में पत्ते कहाँ से आएँगे?"

यह टुकड़ा पढ़कर शकीला अख़्तर को कौन नहीं जानना चाहेगा पूरे विस्तार के साथ?

शकीला अख़्तर के छह कहानी संग्रहों का पता चला है। *आँख मिचौली* (1940), *दर्पण* (1943), *लहू के मोल* (1947), *डायन* (1957), *आग और पत्थर* (1967),

आख़िरी सलाम (1980) उनके बारे में शहाब ज़फर आज़मी ने अपने लेख 'बिहार की नई अफ़साना निगार ख़्वातीन' (फ़िक्र व तहक़ीक़ पत्रिका 2 दिसंबर, 2013) में लिखते हैं :

डिप्टी नज़ीर अहमद को उनके उपन्यास *मिरातुलउरूस* (1869) की वजह से अगर बाबा-ए-उर्दू फिक्शन कहा जाता है तो बिहार की खातून उपन्यासिका रशीदातुन्निसा को उनके उपन्यास *इस्लाहुन्निसा* (1881) के सबब से 'मदर ऑफ़ उर्दू फिक्शन' ज़रूर कहना चाहिए। क्योंकि ख़्वातीन की क़िस्सागोई का आग़ाज़ बिहार में लिखे इसी उपन्यास से शुरू होता है।

1846 से 1931 के दरमियान जिन खातून का नाम अफ़साने के हवाले से सबसे पहले नज़र आता है, जिन्हें बिहार की अफ़सानानिगार कहा जा सकता है, वह शकीला अख़्तर हैं। शकीला अख़्तर की पैदाइश 1916 में हुई और उनका पहला अफ़साना *रहमत* (1936) में 'अदबे लतीफ़' लाहौर में छपा था। शकीला अख़्तर बिहार की पहली कहानीकार हैं मगर कला के जिस पायदान पर महत्त्व के साथ खड़ी हैं वह उनको एक कामयाबतरीन और बुलंदपाया अफ़सानानिगार साबित करते हैं। उनमें बेपनाह सलाहियत है जो ग़मे जाना को ग़मे दौरा में बदल डालती है। *आँख मिचौली* कहानी एक तरह से उनकी अपनी कहानी है। *डायन, लहू के मोल, आग और पत्थर, नंगी आँखें* और *एतराफ़* वग़ैरह उनके प्रतिनिधि अफ़साने हैं।

जिस लेखिका ने व्यथा में डूब ज़िंदगी के समंदर से मोती जैसे चरित्र दिए, उन्हीं के बारे में बहुत विस्तार से कुछ नहीं मिलता, जबकि अभी समय भी ज़्यादा नहीं गुज़रा है। उनकी रचनाओं और जीवन के बारे में मालूमात जमा की जानी चाहिए।

डायन कहानी उनकी बेहतरीन कहानियों में से गिनी जाती है जिसे पढ़कर महसूस होता है कि इंसानी जज़्बों की असलियत वहीं बची है, जहाँ इंसान भौतिक सुख-सुविधा में डूबा नहीं है।

डायन

शकीला अख़्तर

"हाय तौबा!" पलंग पर बैठी हुई तीनों बहनों की निगाहें एक साथ ऊपर उठ गईं। "यह जो सुबह-सुबह ऐसी डरावनी सूरत पर नज़र पड़ी है तो अब अल्लाह जाने सारा दिन कैसे कटेगा।" छोटी बहन शहनो मुँह ही मुँह में बुदबुदाई।

चिकनी-सी लाठी के सहारे बाएँ पहलू पर झुकी हुई एक बुढ़िया अजीब बेढंगी चाल से चलती हुई बरामदे के नीचे पाए से लगकर खड़ी हो गई। पसीने से सराबोर और सड़ी हुई मछली की बास से बसी हुई किसी मरियल कुत्ते की तरह वह मुँह फाड़े हुए हाँफने लगी। और इसी तरह से हाँफते हुए उसका काला भूत चेहरा और भी भयानक लग रहा था। "असली कोबरा बूट पॉलिश, ईमान से बाजी! कहिए तो, यह कहीं से आदमी लग रही है।" और शहनो घर के बच्चों को डराने के लिए खोजने लगी। "मिम्मी-निम्मी कहाँ हो सब?" और मिम्मी-निम्मी जैसे ही कमरे से चहकते हुए निकले उनकी चीख़ें निकल गईं। सुनहरे-सुनहरे बालों के गुच्छों में उनका सहमा हुआ चेहरा अंगारे की तरह दहक रहा था और वह चीख़ने लगे, "अम्मी भूत! अम्मी भूत!"

शहनो के पेट में हँसते-हँसते बल पड़ा जा रहा था। मगर यह तमाशा मँझली बहन रूशी को बेहद ख़राब लगा। "यह भला, सुबह ही सुबह अपन हसीन चेहरा ले के आ गई है तो उसी की तरह हम लोग भी बेकार बैठे हुए हैं क्या? घर भर का नाश्ता और चाय अभी पड़ा हुआ है राजमज़दूर सबके सब अलग सर पर सवार हैं। और लो, इस पर से यह बुढ़िया भी न जाने काहे को पहुँच गई है।"

"बीबी, मछली के दाम, दाम बाक़ी हैं, ओही ला अयली है। इगारह आना पइसा और पहले के सवागू रुपया।" बड़ी मुश्किल से मुँह फाड़ करके वह इतनी-सी बात बोल सकी थी।

"क्या? पैसा बाक़ी है तेरा? कब का? घर की झंझटों से ऐसे ही दिमाग़ ख़राब हो रहा है और इस पर से न मछली...न मछली की दुम...और दे दो इनको ग्यारह आने और सवा रुपया।" रूशी ज़ोर से झल्ला उठी—"झूठी एकदम से। ग्यारह आने में से आठ आने तो उसी रोज़ दोपहर को शहला ने आँचल में से

खोलकर दिए थे तुझे? फिर अब तीन आने ही चाहिए न? यह ग्यारह आना पूरा का पूरा कैसे बन गया?''

जब बुढ़िया ने कुछ कहने को मुँह फाड़ा तो उसके स्याह रंग के चमड़े में सुर्ख़ ज़बान, लाल-लाल होंठ और पीले-पीले दाँत झलक उठे।

''सवागू रुपया! वह तो है न? और तीन आना इगारह आना में के।'' बोलते वक़्त उसकी आँखों की पुतलियाँ तेज़ी से नाच रही थीं। रूशी ने अपनी गोद की बच्ची को आँचल से ढाँप लिया।

''अल्लाह कैसे दीदे घुमाकर बोल रही है। हाय अल्लाह! दे भी दीजिए न बच्चे सब अलग रो रहे हैं।'' बरामदे में धुली चाँदनी का फ़र्श बिछाते हुए शरबतनी छोकरी बड़ी धीमी आवाज़ से शीरिन से बोली—''जानते नहीं हैं सब, अरे यह डायन है डायन! अल्लाह क़सम पक्की डायन! मेरे मोहल्ले में कोई बोले है, इससे! बाप रे बाप! देखते ही कलेजा भूनकर खा जाए।'' नन्ही शीरिन हैरत से उसका मुँह तकने लगी!

''डायन! डायन क्या होती है?''

रूशी को सुबह-ही-सुबह उससे हिसाब-किताब करना बेहद बुरा लग रहा था। बच्चे सब कमरे में घुसे बुढ़िया के डर से अभी तक रो रहे थे। शीरिन और रूही अपनी मासूम निगाहों से बुढ़िया को घूरती हुई डायन का मतलब समझाना चाहती थी और नाश्ता था कि अलग ठंडा हुआ जा रहा था। अंडों के आमलेट और हाफ फ्राई तक तले जा चुके थे और ऐसा ठंडा पाला। वह कोई गत का भी नहीं रह गया होगा। शहनू ने ग़ुस्से की एक निगाह डाली।

''तू और रात रहते क्यों न आई थी। न खाना न पीना, लेके बैठे-बैठे तेरा हिसाब करते रहें। और यह तो नमकहराम है। शहनो बोलो। अपनी प्रजा होके मालिक से हिसाब-किताब करने आई है।'' किताबन दाई चुने हुए दस्तरख़्वान पर पंखा झलते हुए वहीं पर से बोलीं और बुढ़िया मारे ग़ुस्से के बिलबिला उठी कि देखो इतने दिन पैसा छोड़े रही तो मालिक ही का घर समझ के न? अब इस बात पर कोई नमकहराम बना रहा और कोई कुछ! वह चमकती हुई सीढ़ी पर धरना देकर बैठ रही जैसे आज सत्याग्रह के इरादे से ही आई थी। और बच्चों के आँसू थे कि अब तक बहते ही जा रहे थे।

''अम्मी अब न रोएँगे, अम्मी इसको भगा दीजिए।'' मिम्मी और निम्मी दोनों के दोनों सब्ज़ रंग के किवाड़ों के पीछे अपनी आँखें मूँदे खड़े चीख़ रहे थे।

''हाँ-हाँ रे नमकहराम नहीं तो और क्या। बड़ी बेचारी! जैसे खा जाएँगे इसका पैसा लेकर! अपनी प्रजा होकर मुँह से बोली कैसे निकाल रही है, तौबा छी, लाज भी न लगे, भला तीन आना पैसा भी कोई चीज़ है।''

किताबन की चलती ज़बान को रोकना कोई आसान काम न था। और बुढ़िया सिसक-सिसककर रोने लगी।

"हाय राम...हाय बस तीन आने? और सवागो रुपया किधर गेल?" उसके गिर्द दर्जन भर नौकरानियाँ जमा हो गई थीं।

"देखो तो जी इसकी नाक पर उजला-उजला-सा दाना जैसा क्या है।" रूशी ने बड़े ग़ौर से देखते हुए चुपके से शीरिन से कहा।

"अरे भई, यह कलेजा भून के जो खा जाती है। इसीलिए ऐसा दाना निकल आता होगा।" शीरिन को शरबतनी ने आहिस्ता से ठोहका दिया।

"अजी चुप भी रहो, सुन लिया तो शाम तक छुट्टी हो जाओगी। तुम का जानो उसको।"

बुढ़िया का रुका हुआ सैलाब आख़िर बाँध तोड़कर बह निकला। काला चेहरा और भी चमक उठा। आँखों की सफ़ेदी बढ़ गई और होंठों के पास पिपिलाते हुए गोश्त तेज़ी से हिलने लगे और वह देखने लगी, "तुम खाओ पीयो और भरे पेट डकारें ले ले के ख़ूब बोलो। मगर जिसका पेट जले वही न जाने कि दो दिन के फ़ाक़े के बाद तीन आना पइसा और उस पर से सवा रुपया पहला बाक़ी कितनी बड़ी दौलत है। फिर वह अपना पैसा काहे छोड़ेंगी। वह आसामी थी। प्रजा थी तो मालिक राजा होकर क्यों नहीं देखते कि अपनी मछुवाइन दो दिन से दाना-दाना के लिए तरस रही है। और वह किसी से भीख भी तो नहीं माँग रही है। अपना पैसा लुटाकर भला कोई देख तो ले," वह बोलते-बोलते हाँफने लगी। और उसकी बदतमीज़ी की बक-बक सुनते-सुनते उन तीनों बहनों को सचमुच में ग़ुस्सा आने लगा।

"सरदार! फैज़ू! सबके सब खड़े-खड़े तमाशा देख रहे हो? लो यह तीन आना पैसा। जल्दी निकालो इसको।" रूशी दूध के देगचे से मलाई निकालते-निकालते पैसा फेंककर बोली, "अपनी तरह हमें भी फ़क़िरनी समझे हुए है।" मगर सरदार और फैज़ू आगे बढ़ने के बजाए दो क़दम और पीछे हट गए, "बाप रे डायन है डायन।"

बुढ़िया ने लालच से भर पैसों को समेटते हुए घूरकर शहनो को देखा, "और उ सवागो रुपया?"

जुहिया, हसीना, बदमिया सब की सब छोकरियाँ फ़र्शों, कमरों और फर्नीचरों को झाड़ते-पोंछते छोड़-छाड़कर बुढ़िया के इर्द-गिर्द खड़ी हो गईं।

"इतिन बर मालिक के दरबार में जहाँ हाथी झूले, मोटर रहे हुवा हमनी भूख मरे।" बुढ़िया दार्शनिक अंदाज़ से अपनी आँखों को आधी खोलकर बड़ी हसरत से बोली। सालहा साल से मनो मन चावल हमेशा से यहीं मछवाइन कूट-छाँट कर अपने हाथों से ज़मींदारों के घरों में सेंती रही थी!

इस तरह से इन लोगों की ज़िंदगी के छह महीने ज़रा खा-खिलाकर चावलों की कटाई पर गुज़र जाते थे। फिर जिनके घरों में मर्दों की सूरत रहती वह तो मछली-वछली पकड़कर आराम से रह लेते, मगर जिस बेचारी का कोई नहीं होता उसको तो

कटी पर के चावलों के बाद सवन के किनारे रेतों के बस टीले ही नज़र आते थे। कभी कहीं मज़दूरी मिल गई, मगर वह भी रोज़-रोज़ वहाँ किसको मिलती थी। निकहत ने शहनो को ठोहका दिया, "तौबा! ग़रीब ही तो है दे दो। समझो ख़ैरात दे रहे हैं।"

"हाँ ख़ैरात! वह समझेगी भी कि ख़ैरात क्या बला है? और यह शेख़ी भी तो देखो, माँग कैसे रही है जैसे जमा-जुट रखा हुआ है इसका सवागो रुपया, झूठी कहीं की, मक्कार!" और यह ग़ुस्से की बात भी थी कि न कोई नाश्ता कर रहा था न चाय, बीच में एक काली सी बुढ़िया बैठी बक-बक करे जा रही थी और एक मेला था कि लगा हुआ था!

जुहिया, हसीना और बदमिया चुपके-चुपके डायन के क़िस्से सब दोहरा रही थीं। कलेजा, दिल और दिमाग़ यही सब तो खा-खा कर रहती हैं। नानी कहती थीं कि कल्लन मियाँ का लड़का अमरूद खाता चला जा रहा था कि बग़ीचे वाली डायन ने जैसे ही टोकारह दिया, "का खाये रे?" बस वह लड़का देखते-देखते मुर्गी की तरह छटपट-चटपट करके ख़त्म हो गया।" और इनके ग्रुप में शरबती मिलती हुई बोली, "बेकारे ही रूशी बोबो, शहनो बोबो उसके मुँह लग रही हैं। अरे अभी कितना दिन हुए है, छह महीने न कि इस घर की मालकिनी के जाने के बाद क्या क़ियामत टूट पड़ी है। अब और जो कुछ हो-हवा जाए तो और मुसीबत! तौबा, सवा सौ रुपया कोई दौलत है। अरे ईमान से तो लोग अनजान हैं। मेरे मोहल्ले में सब लोग इसकी साया से भी बचकर निकले हैं।"

यह सुनते ही तीनों छोकरियों के चेहरे पर हवाइयाँ उड़ने लगीं।

"हाय राम, बड़ा देर हुए ला, दे देना हमरा के सवागो रुपया।" बुढ़िया झुँझलाकर ज़ोर से बोली।

"अब तेरा दिमाग़ ख़राब हो जाएगा।" रूशी ज़ोर से चीख़ी, "अरे भई कोई पूछे तो इससे कैसा रुपया? कब का रुपया? भला यह भी कोई बात हुई जिसका पैसा घटा, ऊँची कोठी देखकर पहुँच गए। कब का बाक़ी है? किसके हाथ का बाक़ी है? कोई पता नहीं।"

निकहत ने हँसकर कहा, "अल्लाह तौबा कैसा हंगामा मचा रखा है। आप लोगों ने, सवा रुपया न हुआ दुनिया भर की दौलत हो गई। कोई सुने तो भी क्या कहे, अच्छे हैं इस घर के लोग, लीजिए मैं ही दिये देती हूँ।"

शहनो के जले दिल का फफोला रिस्ते-रिस्ते आख़िर फट बहा, "रहने दीजिए अपना रुपया, यह सवा रुपया का क़िस्सा थोड़ी है। देख नहीं रही हैं कि कैसी-कैसी बदतमीज़ियाँ करती जा रही है यह बुढ़िया! कब इस घर से किसको क्या कुछ नहीं मिला है। साफ़ क्यों नहीं कहती है कि भूखी हूँ खाना दो, पैसा दो। मगर जब हिसाब करने पर तुली है तो मैं भी हिसाब करके रहूँगी। बड़ी हिसाब वाली बनती है तो बता

दे न कब का बाक़ी है ? किसके हाथ में दिए थे ? मार घंटा भर से बक-बक करे जा रही है।''

''सुवागो रुपया मछली के...बुढ़िया का डोलता हुआ सर नीचे लटक गया। उसकी धीमी पड़ती हुई आवाज़ ऐसी लगी जैसे हवा भरी गुड़िया में से अब सारी हवा बाहर निकलती जा रही हो।

''अरे ये सवा रुपया-सवा रुपया तो चार घंटे से सुन रहे हैं, मगर किसको दिए हैं और किसके हाथ का बाक़ी है।'' किताबन को बुढ़िया की अधमिची हुई आँखों को देखते हुए शायद रहम आ गया।

''उ जो हमरे देवर की बेवा है ने! उही के हाथ के बाक़ी हैं। डेढ़ सेर मछली के दाम।'' बुढ़िया रुक-रुककर बोली।

''अब आई हैं बातें बनाने। झूठी, मक्कार कहीं की। जा तू फैजू! बुला के ले तो आ इसके देवर की बीवी को।'' शहनो हिसाबी बुढ़िया का हिसाब पूरा करने पर तुली हुई थी।

और यह सुनते ही बुढ़िया सीढ़ी के ऊपर पाया से लगकर और इत्मीनान से बैठ गई जैसे वह आज दूध-का-दूध पानी-का-पानी करके उठेगी।

घर के लोगों को बुढ़िया की बक-बक से थोड़ी देर के लिए नजात मिल गई थी। सबके सब दस्तरख़्वान पर झुक पड़ीं। मगर शहनो का जी नाश्ता करने में न लग रहा था। ऊपर से फैजू की माँ और किताबन सुलगती हुई आग पर तेल छिड़के जा रही थी। ''अरे यह बेगम साहब के न रहने से ऐसी हिम्मत है कि...और क्या। नहीं तो इतनी मजाल थी कि मुँह लगकर बोलती जाए। सब लोग यही समझते हैं कि मालिक तो घर कि झंझट में पड़ते नहीं भई सब को ख़ूब सुनाओ। ऊँह रूपया ऐसा ही था तो मुँह खोलकर माँग लेती कि भूखे हैं, कुछ पैसा दे दो, थोड़ा सा गल्ला दे दो।''

''और अब तो मैं भी हिसाब करके दूँगी। बदतमीज़ कितनी है। बोलने का सलीक़ा तक नहीं है। इतना नहीं जानती कि मालिकों से किस तरह बोला जाता है। अम्मीजान के न रहने से जैसे हम लोग राही हो गए है।'' शहनो के जख्मी दिल पर चोट लगी और उसकी आँखों में आँसू तैर गए।

''हम लोग को कभी इनसे वास्ता भी पड़ता था ? अम्मी जान के पास आती रहती थीं सब, मगर अम्मीजान बेचारी के बाद जाने कितने घरों में फ़ाक़ा हो रहा होगा। कैसा कैसा छुपा के सब को देती थीं।'' निकहत के आँसू टपक पड़े।

निकहत को रोता देखकर रूशी ने भी अपनी पोजीशन साफ़ करना चाही, ''तो भी यहाँ लेने देने का कुछ क़िस्सा थोड़ी है। यह तो अपने जी गढ़ा हुआ है। एक हिसाब के लिए बैठी है। अच्छा तुम्हीं बताओ न कब लिया है सवा सौ रुपया की मछली, तुमको याद है ? फिर यह फ़िज़ूल सी बात लेकर बेकार ही में इतनी देर से बक-बक कर रही है।''

चाय पीते-पीते निकहत उदास हो गई, ''आज का नाश्ता चाय सब का सब ख़राब हो गया और इस पर से जी भी कैसा लग रहा है कि सब कोई तो खा पी रहे हैं, मगर यह बेचारी बुढ़िया जाने कब से भूखी होगी और कैसी लग रही है। जैसे कोई आदमी नहीं जानवर बैठा हुआ है।''

''तो वह जो अपनी बढ़िया-बढ़िया साड़ी बक्से में सेतें हुई हो, उन्हीं के झंडे बना लो और कहती फिरो—इंकलाब ज़िंदाबाद, इंकलाब ज़िंदाबाद।'' शहनो चिढ़कर बोली। जली-भुनी शहनो को निकहत देर से छेड़ती भी जा रही थी।

''एक झंडा ही निकालने से बहुत बड़ा काम होता है क्या? अरे यह तों एक इन्सानियत है। आख़िर हम भी तो वैसे आदमी हैं जैसी यह, बेचारी बुढ़िया! और कंजूसी दुनिया की सबसे बुरी चीज़ है, बस इतना याद रखोगी।'' निकहत हँस पड़ी।

कंजूसी ! कंजूसी कौन कर रहा है। यह नहीं देख रही हो कि यह डायन जैसी बुढ़िया कितनी देर से बदतमीज़ी कर रही है। तुमको क्या है। तुम बैठी-बैठी तमाशा देखो तमाशा!'' रूशी ने शहनो की तरफ़दारी की।

चाय अभी ख़त्म नहीं हुई थी कि फैजू बुढ़िया की देवरानी को लेकर आ गया यह ग़रीबी और बेबसी की दूसरी तस्वीर थी। तेज़ आँखें मगर रोई-रोई सी। वह पुरानी मछवाइन थी और बचपन की जानी पहचानी हुई। बहुत ही छोटे क़द वाली बुढ़िया मगर तना हुआ चेहरा। काले रंग के अंदर से पीलापन फूट रहा था। वह आकर सीधी रूशी की पलंग की पट्टी से लगकर बैठ गई।

''बड़ी मुसीबत है बेटी। बड़ा दुख। न दिन चैन है न रात चैन। और वह फूट फूटकर रोने लगी। नई मुसीबत यह थी कि सोन नदी में बाढ़ का पानी चढ़ गया था। सारे लोग बह-बहकर आई लकड़ियों को निकाल रहे थे। उसका बेटा भी और मल्लाहों के साथ कश्ती पर बीच धारे में से बड़ी-बड़ी क़ीमती लकड़ियाँ पकड़ने को गया था। दो रोज़ क़िस्मत साथ देती रही, मगर तीसरे दिन पानी के रेले से पूरी कश्ती उलट गई। ऐसी बाढ़ में जान की उम्मीद किसको थी। मगर वह तो खुदा की मेहरबानी थी जो सब-के-सब तैराकू थे जो तैर-तैर कर निकल आए और उसका बेटा टाँग तोड़ाकर लाया गया है।''बेचारे के घुटने की चकरी ही अपनी जगह से टूट कर चूर-चूर हो गई है अब न दवा है न दारू। घर में एक पैसा ख़र्चे तक को नहीं है। इसलिए उसने अपनी जेठानी को भेजा था कि मेरे हाथ का बाक़ी सवा रुपया माँगकर ला दे।''

''हाँ, हाँ अब पूछ ला, अब पूछ ला।'' मरी हुई बुढ़िया में जैसे जान सी पड़ गई। उसका काला भूत जैसा रंग एकदम से चमक उठा और वह अपनी पूरी आँख खोलकर सब को घूरने लगी।

''बाप से बाप! नो नतेजा होगिल। पैसा तोरा और ओकर फल मिले ला हमरे।'' बुढ़िया ने दाँत पीसते हुए अपनी देवरानी को देखा।

"तो बता, कब ली गई थी तुझसे मछली ? किसने ली थी ? कितने दिन हुआ।" शहनो ने सुलझे हुए लहजे में धीरे से पूछा।

छोकरियों और दाइयों की भीड़ बड़ी तन्मयता से फ़ैसले की प्रतीक्षा में थी। फैजू और सरदार भी बाहर का काम छोड़कर खड़े तमाशा देख रहे थे। ठीक उसी वक़्त खिलाई बुआ सालन और सब्ज़ियों से भरा थैला लिए हुए बाज़ार से आईं।

"ए...यह मेला कैसा ? खिलाई बुआ हाँफती हुई पास आकर बोली, "अरे का हो रहा है जी ? कोई मुक़दमा उकुदमा करे लाई है का ?" वह हैरत से सब का मुँह ताकने लगीं। खिलाई बुआ इस घर की पुरानी आदमी थीं। घर में उनकी इज़्ज़त इसलिए ज़्यादा थी कि वह बेगम साहिबा के जहेज़ में आई थीं और सारे बच्चे उन्हीं के हाथों पले थे।

"न बुआ, कछो न, उ हमर मछली के पैसा बाक़ी है।" दूसरी मछवाइन ने समझ लिया था कि ऐंठी बातों से काम न चलेगा।

"हाँ,खिलाई बुआ तुम ही बताओ न सब, सवा सौ रुपए की डेढ़ किलो मछली कब ली गई थी। तौबा चार घंटे से नाक में दम आ गया है।" रूशी का दिल अब इस क़िस्से से बेहद घबरा गया था।

"कब ? कब लिया गया है ? मेरे तो याद न है।" खिलाई बुआ पाया से आड़ लेकर बैठती हुई बोलीं।

निकहत ने सवा सौ रुपये अपने बैग से निकालकर बुढ़िया के आगे फेंक दिए।

"ले भई ले, ख़त्म कर यह क़िस्सा!" बुढ़िया ने अपनी घिसी-घिसी काली काली दरारें पड़ी उँगलियों से बड़े ललचाए अंदाज़ से पैसों को समेटकर मुट्ठी में दाब लिया।

"हाँ, अब बता न किसको दिया था मछली और कब दे गई थीं ?" शहनो चिड़चिड़ी आवाज़ में बोली।

"आठ महीना हुआ बेटी पटना जाने से पहले आपन मालकिनी के पास डेढ़ सेर के मछली दे गेली हल। ओ घड़ी खिलाइन बुआ भी रहलन।" मछवाइन रोती हुई आवाज़ में बोली, "हाय ओ सी हाथ से पैसे लेती हिल भगवान!" और सब की आँखें आँसुओं से भर गईं।

"अम्मी के हाथ का बाक़ी था ?" शहनो और रूशी एक साथ बड़ी हसरत से बोलीं और निकहत के मुँह से एक लंबी साँस अकस्मात् निकल गई। खिलाई बुआ ने भी एक लंबी सी हुंकार भरी।

"हाँ, हाँ मेरे सामने ही उस उसारे पर तो, उस जगह पर बोबो बेचारी ने मछली लिया था।" खिलाई बुआ ने बचपन, जवानी और थोड़े दिनों तक बुढ़ापा भी साथ गुज़ारा था और इस तन्हाई में उनके मुँह से एकदम से आहें निकल जाती थीं। घर पर एक दुख भरा माहौल छा गया। सब के चेहरे नीचे झुक गए।

बुढ़िया अपनी जगह पर ऊँघते-ऊँघते गर्दन हिलाकर एक बार जैसे चौंक पड़ी, आईं का?'' उसके काले चेहरे पर लाल रंग के धब्बेदार होंठ और कुरूपता से फैल गए। मैले कपड़ों में पिलपिलाते हुए काले चमड़े की गठरी खिसकती रूशी के ज़रा नज़दीक पहुँच गई और तीनों बहनों ने सड़ी मछली की बिसान्द से बदहवास होकर अपनी अपनी नाकों पर चुपके से उँगलियाँ, अख़बार और आँचल रख लिए।

और बुढ़िया का वही भयानक मुँह एक बार फिर खुल गया, ''का मालकिन के हाथ के बाक़ी?'' उसने अपनी काँपती हुई उँगलियों से रूशी के पलंग पर बड़े आदर से पैसा रख दिया।

''न बेटी न। हाय अब दूसरे के हाथ से उनकर बाक़ी पैसा न तो लेब और न लेवे देब। हाय हमर मालकिनी तो हमर माई बाप थे ला।'' बुढ़िया का मुँह बेचारगी से फट गया और उसके सियाह चेहरे की झुर्रियों में चिपचिपाते आँसू फैल गए। बुढ़िया ने अपनी लाल-लाल आँखों से घूरकर अपनी देवरानी की लोभ भरी आँखों की तरफ़ देखा जो एक टक पलंग पर रखे पैसों को तक रही थी।

''इ सवागो रुपया से दिन न कट जाई।'' उसने अपनी देवरानी का हाथ पकड़कर खींचा।

घर के लोगों ने हज़ार जतन किए कि वह किसी तरह से पैसे ले ले, मगर बुढ़िया किसी तरह से भी पैसा छूने को राज़ी न हुई। जिस तरह से डगमगाती हुई वह आई थी उसी तरह से बाएँ पहलू पर झुकी लाठी के सहारे चलती हुई वह घर से बाहर निकल गई। घर के सारे लोग उसे हैरत से देखते रहे।

''पगली है साली पगली।'' फैजू ने क़हक़हा लगाया।

मगर जूहिया उसके जाते ही खुलकर ज़रा ज़ोर से बोली—

''डायन थी जी अल्लाह कसम! पक्की डायन! और रूशी ने अपनी गोद की बच्ची को चूमकारते हुए सोचा—

''क्या वह सचमुच डायन थी?...डायन... ?''

कहानी की बिखरी चाँदनी में सोज़िश भरी सदाएँ

रज़िया सज्जाद ज़हीर का असली नाम दिलशाद था। 5 फरवरी, 1917 में शहर अजमेर में वे ख़ानबहादुर रज़ा हुसैन के यहाँ पैदा हुई, जो अजमेर इस्लामिया स्कूल के हेडमास्टर थे। ख़ानदान में सख़्त पर्दा था। इसलिए बी.ए. तक की पढ़ाई प्राइवेट की और 10 दिसंबर, 1938 में सर वज़ीर हसन के चौथे बेटे सज्जाद ज़हीर से शादी हुई। शादी के बाद इलाहाबाद यूनिवर्सिटी से उर्दू में एम.ए. किया। करामत हुसैन गर्ल्स कॉलेज लखनऊ में अध्यापन शुरू किया। फिर कुछ दिनों बाद मुंबई आ गईं।

उनकी कहानियाँ फूल, तहज़ीबे निस्वां और अस्मत पत्रिकाओं में छपीं। फिर वे प्रगतिशील आंदोलन से जुड़ गईं। उन दिनों उनका पहला कहानी संग्रह *अल्लाह दे, बंदा ले* नाम से आया फिर *ज़र्द गुलाब, सरे शाम, काँटे और सुमन* नाम से उपन्यास आए। उन्होंने अनुवाद भी किए हैं। आख़िरी दिनों में मज़ाज पर एक उपन्यास *दीवाना मर गया* लिख रही थीं। अभी ग्यारह अध्याय ही लिखे थे कि उनका इंतक़ाल 18 दिसंबर, 1979 में देहली में हो गया। यह एक बहुत बड़ा अदबी नुक़सान था।

रज़िया आपा के लिए बताया जाता है कि वे अपनी कहानियों पर बहुत मेहनत करती थीं। अपनी इसी मुहब्बत के चलते एक भी शब्द कहानी में ग़ैरज़रूरी सहन नहीं कर पाती थीं, उन्हें कहानी में झोल क़तई पसंद न था। वह बेहद संवेदनशील लेखिक थीं, जिसका असर उनकी कहानियों के चरित्र गठन पर भी पड़ा है। उनकी कहानियों में बारीक़-से-बारीक़ बयान नज़रअंदाज़ नहीं किए जा सकते हैं। मध्य वर्ग के मनोविज्ञान पर उनकी गहरी पकड़ थी।

रज़िया सज्जाद ज़हीर की यह कहानी *बड़ा सौदागर कौन* समय के गुज़रने के साथ अपनी ताज़गी नहीं खो पाई है, बल्कि आज के वर्तमान संदर्भ में यह नई कहानी है। इसमें स्त्री-विमर्श वाले अपनी बात पकड़ लेंगे और आधुनिक समस्या को ध्यान में रखते हुए यह कहानी नए समाज की बुनावट को पेश करती है। जहाँ इंसान तन्हा रह जाता है अपने बुढ़ापे तक पहुँचता है और तब शुरू होता है एक नया

समझौता। रज़िया सज्जाद्र ज़हीर की ज़बान सादा, प्रभावी और प्रवाहपूर्ण है। भारी शब्दों का प्रयोग नहीं है और न भाषा-जाल कहीं भी कहानी के प्रवाह को अवरुद्ध होने देता।

अल्लाह की मर्ज़ी, रंग रोते हैं, ज़र्द गुलाब उनकी अन्य रचनाएँ हैं।

रज़िया सज्जाद ज़हीर के साहित्य पर जितना काम और ध्यान दिया जाना चाहिए था, वह किन कारणों से नहीं हो पाया वह तो ज़ेहन में नहीं, मगर उनका सारा अदब पढ़कर यह प्रश्न पाठक के दिलो-दिमाग़ में उभरता ज़रूर है।

बड़ा सौदागर कौन

रज़िया सज्जाद ज़हीर

एक तरफ़ एक नन्हा-सा बच्चा लंबी डोरी में बँधी रेत की थैली घसीट रहा था। दूसरी तरफ़ एक नौ-दस बरस की गुड़िया एक चरखा-सा चलाने की कोशिश कर रही थी। उतना ही बड़ा एक लड़का उसी तरह सहज-सहज क़दम उठा रहा था, जैसे पहली बार पाँव-पाँव चलना सीख रहा हो। पानी से भरे बर्तन के किनारे एक बच्चा, उस बर्तन में दूर तैरती बतख़ की तरफ़ हाथ बढ़ाता। बार-बार बतख़ क़रीब आ जाती और नर्स फिर उसे दूर हटा देती। बच्चे के हाथ से पानी में जो हिलकोरे पैदा होते, वे उसे फिर क़रीब ले आते और नर्स फिर दूर हटा देती। तीन पहियों वाली कई साइकिलें थीं जिन पर बैठे हुए बच्चे अपने पाँवों को खींच-खींचकर पैडल घुमाने की कोशिश कर रहे थे। यह जगह किसी नर्सरी स्कूल का एक कमरा लगती थी।

लेकिन दरअसल यह अस्पताल का वह हिस्सा था जहाँ इंसान से उसके बेकार अंग को फिर से काम में लाने का अभ्यास कराया जाता था। यहाँ खिलौने, थैलियाँ, चरख़े, लकड़ी के ब्लाक, छोटी-छोटी मोटरें और अजीब-अजीब क़िस्म की पहियों और पैडिलों वाली साइकिलें इसी इलाज के लिए इकट्ठा की गई थीं। उनसे खेलनेवालों में से हर एक के बदन के किसी-न-किस हिस्से में कोई-न-कोई ख़राबी थी और इसी को दूर करने की कोशिश में यह सारा इंतज़ाम किया गया था।

इस अस्पताल के एक हिस्से में, मुझे भी अक्सर अपना ख़ून जाँच के वास्ते देने के लिए जाना पड़ता था। आते-जाते मैं उस कमरे में ज़रूर रुकती थी। यहाँ के नौजवान और लायक़ काम करनेवालों से भी मुझे मुहब्बत थी और फिर दर्द, अपंगता, मजबूरी और हिम्मत, कोशिश और उम्मीद का यह हैरतनाक माहौल मुझे बेहद प्रभावित करता था।

यही वजह थी कि मैं उस दिन हैरान रह गई, जब मैंने देखा कि एक ऊँची-सी तीन पहियों की साइकिल पर एक बूढ़ी औरत बैठी है...सलेटी रंग का घटिया रेशम का शलवार सूट, सफ़ेद मलमल का दुपट्टा, हाथों में सोने की मैली-मैली चूड़ियाँ, बाल सन सफ़ेद, चेहरे पर झुर्रियों का जाल, साँवला रंग जो कलोनस ले आया था आँखों पर ऐनक मगर उसमें से झाँकती हुई छोटी-छोटी आँखें, जवानों की तरह

जानदार...पाँव में काले जूते थे, जिनमें से एक ख़ासतौर पर उसके बेकार हुए पाँव के हिसाब से बना था। तीन पहियों की ऊँची-सी साइकिल की ऊँची-सी गद्दी पर बैठी वह अजीब-सी लग रही थी।

मैंने नर्स से धीरे से पूछा, ''बीबी, यहाँ इतने उम्र के लोग भी आते हैं?'' वह मुस्कुराई, शायद चारों तरफ़ अपंगता देख-देखकर उसकी मुस्कुराहट में एक अजीब-सी उदासी आ गई थी, बोली, ''जी हाँ, कभी-कभार आ जाते हैं।

फिर आवाज़ बदलकर कहने लगी, ''वैसे इनका पैर ठीक होगा नहीं मगर इन्होंने और इनके शौहर ने इतना कहा कि मैंने सोचा चलो कुछ दिन के लिए दाख़िल कर लेते हैं।''

इसके बाद वह बुढ़िया से मुख़ातिब हुई, ''क्यों माताजी! इक्सरसाइज़ नहीं कर रही हो?'' माताजी ने सर इतना ऊँचा उठाया जैसे कमरे की छत पर उनकी अपंगता का नुस्खा लिखा हो, फिर सर ज़रा नीचे लाई, और ऐनक में से झाँककर बोली, ''अजी, वह संतरा लेने गया है न!''

इतने में दरवाज़ा खुला और एक बूढ़ा आदमी अंदर आया। दरमियाना क़द, गठीला जिस्म, लट्ठे की ख़ूब घेरदार बहुत उजली साफ़-सुथरी कलफ़ दी हुई शलवार, धारीदार कपड़े की गोलदामन, टेनिस कॉलर वाली इतनी ही साफ़-सुथरी क़मीज़, काली सदरी जिस पर उधड़ा-उधड़ा कारचोब बना हुआ, पाँव में भारी ख़ूब पॉलिश की हुई चप्पलें, नंगे सर, छोटे-छोटे सन सफ़ेद तराशे हुए बाल, सुर्ख़ सफ़ेद रंगत, बड़ी-बड़ी आँखें, हाथों में संतरे से भरा लिफ़ाफ़ा...उसको देखते ही अंदाज़ा होता था कि बड़ी नफ़ीस इमारत थी जो खँडहर हो गई...वह सीधा अपनी बीवी के पास गया और उसके पाँवों के पास ज़मीन पर उकड़ूँ बैठ गया। बुढ़िया ने उसके बैठते ही पाँव बढ़ाकर पैडिल चलाने की कोशिश की और बढ़ा उसके पैर पकड़ उसे सहारा देने लगा। बुढ़िया आगे को ज़ोर लगाकर पाँव बढ़ाती। बूढ़ा उसके टखने और जूते को पकड़कर पाँव को आगे की तरफ़ खींचता और चक्कर पूरा हो जाता। थोड़ी देर बाद वह हाँफने लगा। मुझे भी वहाँ खड़े-खड़े अंदाज़ा हुआ कि ख़ासा वक़्त गुज़र गया है। मगर बुढ़िया थी किसी सूरत न रुकती थी बल्कि बीच-बीच में शौहर पर झुँझला भी पड़ती थी। एक-दो बार पैडिल उसके पैरों के नीचे से निकल गया तो उसने शौहर को काफ़ी सख़्त सुस्त भी कहा...मैं और वहाँ की निगराँ, दोनों खड़े देख रहे थे। वह मेरी तरफ़ देखकर मुस्कुराई। मैं भी होंठ दबाकर मुस्कुराई। हम दोनों भी शौहर वाले थे। बड़ा अजीब लग रहा था।

फिर मैं अपना ख़ून देने चली गई। वापसी में एकदम जी चाहा कि चलकर देखें तो ज़रा कि अब क्या हो रहा है। मैं कमरे के अंदर गई मगर गलियारे में से गुज़रते हुए मैंने कनखियों से देखा, वही मंज़र जारी था। अब मैं कभी-कभी आते-जाते वहाँ रुकती। बुढ़िया और उसके शौहर दोनों मुझे पहचानने लगे, अलैक सलैक, हाल-

चाल पूछने की शुरुआत हो गई, लेकिन वे दोनों अपने काम में इतने डूबे होते कि मैं उनका ध्यान अपनी तरफ़ खींचना ठीक न समझती। यह भी ख़्याल आया कि कभी मौक़ा मिला तो दोनों से अलग-अलग बात करूँगी।

और उस दिन मुझे यह मौक़ा मिल ही गया।

मैंने इधर से गुज़रते हुए देखा कि बुढ़िया का शौहर नहीं था। वह उसी तरह साइकिल पर बैठी संतरे खा रही थी...मुझसे रहा नहीं गया, उसके क़रीब जाकर बोली, "माताजी जी! आपके पति चले गए?"

"नहीं जी बेटा, अभी कैसे जाएगा, मैं यहाँ से दो बजे जाती हूँ तो मुझको लेकर जाएगा...ज़रा किसी काम से गया है!"

"आप कैसे जाती हैं?" मैंने पूछा—

"अजी बाहर तक अस्पताल की पहियेदार कुर्सी ले जाती हूँ, फिर वह स्कूटर ले आता है, हम दोनों साथ-साथ जाते, साथ-साथ आते हैं।" मैंने प्रभावित हो कहा, "आपके पति बड़े अच्छे आदमी हैं आपकी इतनी सेवा करते हैं, और कोई मर्द ऐसा नहीं कर सकता।" उसने ऐनक के शीशों में से बड़ी अर्थपूर्ण, कटाक्ष भरी निगाहों से मुझे देखा, फिर एक पल चुप रहकर मुझसे बोली, "अब मैं किसी और मर्द को क्या जानती हूँ बेटा, पर सेवा तो मैंने उसकी कभी कम नहीं की है। पंद्रह बरस की यह मुझे ब्याह कर लाया था। मैंने इसके घर में बर्तन माँजे, झाड़ू दी, खाना पकाया, पंद्रह-पंद्रह बीस-बीस जनों के लिए रोटी थोपी। कपड़े धोए, पापड़ व बड़ियाँ अचार बनाकर बेचती थी। मेरे मायके से जितनी मिठाई, फल आते थे सब यह और इसके सगे खाते थे...पचास बरस तक।"

"पचास बरस तक?" मैंने हैरत से पूछा।

वह मुस्कुराई, "हाँ, हाँ पचास बरस तक और मैंने इसके लिए बहुत से बच्चे भी जने, जिनमें से बस दो लड़के एक लड़की ज़िंदा हैं। मैंने इसकी बहनों की गालियाँ भी खाईं, कभी-कभी यह किसी औरत से आँखें भी लड़ाता था, मैं रात को एक-एक बजे तक इसके लिए दरवाज़ा खोलने को जगती थी। और यह शराब पीकर आता था, कभी-कभी मुझे मारता भी था!" मेरे चेहरे पर आश्चर्य के भाव उभरे देखकर वह मुस्कुराईं, बोली, "यह जवानी में बड़ा बाँका था। लाल-सफ़ेद रंग था इसका और मैं साँवली थी।" फिर एक आह भरकर बोली, "दरअसल इसने कभी भी मुझसे प्यार नहीं किया था...और कभी-कभी तो मेरा भी जी चाहता था कि मैं उसे जान से मार डालूँ पर...मैं इसकी सेवा करती थी...देखने वाले समझते थे मैं बड़ी सती सावित्री हूँ..." वह फिर मुस्कुराई। मैंने उसकी बात काटी, "अब तो कोई सोच भी नहीं सकता है कि यह आपको कभी मारते भी थे...अब तो..."

वह बड़े ज़ोर से हँसी। मुँह इतना खुल गया कि उसमें रखी संतरे की अधकुचली हुई फाँक दिखाई देने लगी, "बूढ़ा हो गया है न...अब क्या मारेगा...और औरत भी

अब कौन मुँह लगाएगी। बेटे भी बहुओं को ले-लेकर अलग हो गए हैं, अब उसे पता चला है कि उसकी साथी बस मैं ही हूँ।''

मुझे ज़रा बुरा लगा, ''ऐसा न कहिये माता जी, अब तो वह आपसे बहुत प्यार करते हैं।''

उसने एक ठंडी साँस भरी, ''हाँ, सब यही कहते हैं, तो मैं भी कहती हूँ जो है वह ठीक ही है। जैसा लोग देखते हैं वैसा ही समझते हैं और जैसा समझते हैं वैसा ही हो तो ठीक है, जब तक जो कोई कुछ भी कर दे।''

वह चुप हो गई और संतरे की बाक़ी फाँकें, ख़त्म करने लगी।

मैं बाहर निकली तो उसका शौहर मुझे बाहर गेट के फाटक से अस्पताल के अंदर दाख़िल होता मिला और मैं एकदम उससे मुख़ातिब हो गई, ''अब बड़े कमाल के आदमी हैं भाई साहब, अपनी बीवी की इतनी देखभाल और ख़िदतम करते हैं आप...भला कौन ऐसा मर्द होगा जो यूँ घंटों अपनी बीवी का पैर पकड़े बैठा रहे?''

उसने पहले तो मुझे हैरानी से देखा फिर व्यंग्य-भरी मुस्कान चेहरे पर उभरी फिर हिचकिचाते हुए बोला, ''अजी बात यह है कि मेरे दो बेटे हैं दो बहुएँ हैं, बेटी दामाद हैं, पर आजकल औलादों का अजीब हाल है।...और अब मुझे पता चल गया है कि मेरा साथ देने वाली यही है। सो काली, साँवली जैसी भी है मैं इसकी सेवा कर रहा हूँ। कोशिश कर रहा हूँ कि यह बिल्कुल ठीक हो जाए उसके हाथ-पैर ठीक से काम करने लगें।''

मुझे एकदम उस बुढ़िया पर ग़ुस्सा आने लगा, देखो तो ज़रा, यह एक बेचारा है कि इतने ख़ुलूस से ख़िदमत कर रहा है और एक वह है कि उसके बुढ़ापे का मज़ाक़ उड़ाती है...चुनांचे मैंने बेहद आदर और सहानुभूति के साथ कहा, ''बहुत अच्छा कर रहे हैं भाई साहब, ऐसा तो होना चाहिए।''

वह बोला, ''बात यह है जी कि मेरी उम्र भी सत्तर-बहत्तर से ऊपर हुई, किसी भी दिन खाट पकड़ सकता हूँ तो यही मेरी सेवा करेगी, वरना मेरा क्या होगा। आप सोचिये अपनी सेवा मैं इसके अलावा किससे करवा सकता हूँ।'' मेरे दिमाग़ का पहिया एकदम उलटा घूम गया। और इतना घूमा कि मैं ख़ुद फ़ैसला करने के बजाय आपसे यह पूछने पर मजबूर हुई हूँ कि इन दोनों में बड़ा सौदागर कौन था?

इंसानी अहसास की पर्तों को खोलने वाला लेखक

कर्तार सिंह दुग्गल 1 मार्च, 1917 में धमयाल, ज़िला रावलपिंडी पूर्वी पंजाब में पैदा हुए। प्रारंभिक शिक्षा धमयाल में प्राप्त की, फिर गार्डेन कॉलेज रावलपिंडी में (1935-1938) पढ़ाई जारी रखी। इसके बाद अंग्रेज़ी भाषा में एम.ए. करने के लिए एफ.सी. कॉलेज लाहौर चले गए। चार ज़बानों—पंजाबी, अंग्रेज़ी, हिंदी, उर्दू में बराबर से लिखने वाला यह लेखक जीवन-भर महत्त्वपूर्ण पदों पर रहा और भारी व्यस्तता के बावजूद साहित्य के प्रति गहरा लगाव रहा।

कर्तार सिंह दुग्गल ऑल इंडिया रेडियो और नेशनल बुक ट्रस्ट में डायरेक्टर और प्लैनिंग कमीशन में एडवाइज़र की पोस्ट पर रहे। राजा राममोहन राय लाइब्रेरी, ज़ाकिर हुसैन एजूकेशनल फाउंडेशन, इंस्टीट्यूट ऑफ सोशल चेंज बैंगलोर की स्थापना की। तरक़्क़ीपसंद लेखक संस्था से गहरे जुड़े रहे। कई वर्षों तक तरक़्क़ी से महरूम रहे, मगर बार-बार तबादले के कारण भारतवर्ष के कई इलाक़े देखे। अपने समय में बेहतरीन ड्रामा डायरेक्टर के रूप में ख्याति अर्जित की। 1970 में रूस गए। फ़िलिस्तीन आंदोलन की पत्रिका 'लोटस' के संपादक भी रहे। 1984 में पंजाबी विश्वविद्यालय के फैलो बने और अगस्त 1997 में राज्य सभा के मेंबर बने।

आपका लिखा पहला पंजाबी अफ़साना (1914) और उर्दू में भी वही अफ़साना *सवेर बाज़ार,* (1941) के नाम से छपा था। उनके पंजाबी कहानी संग्रह लगभग उन्नीस हैं। *एक किरण चाँदनी की* उर्दू कहानियों का संग्रह है। लगभग चौदह पुस्तकें अंग्रेज़ी में हैं। *ऊपर की मंज़िल* (हिंदी नाटक), *दिया बुझ गया* (उर्दू नाटक), *बलमुरीदों का, उजला आँचल* (उर्दू उपन्यास), *मोतियों वाली, बचपन की कहानियाँ, एक किरण चाँदनी, फूल तोड़ना मना है, सीमा रेखा, एक अँधेरी रात* सभी कहानी संग्रह। नाटक—*पदम शरणम, मीठा पानी, एक आँख, एक नज़र, पुरानी बोतलें, कहानी कैसे बनाई* (हिंदी नाटक)। कर्तार सिंह दुग्गल को अनेक सम्मानों से सम्मानित किया गया।

'ग़ालिब अवार्ड', 'साहित्य अकादमी अवार्ड' (पंजाबी 1966), 'सोवियत लैंड अवार्ड' (1981), 'पद्मभूषण अवार्ड' (1988) के साथ तीन-चार महत्त्वपूर्ण सम्मान और भी मिले।

उनका कहानी के बारे में ख़्याल था कि अफ़साना शेर की तरह सुरीला, नाटक की तरह स्वाँग से भरा, क़िस्से की तरह कहानी बयान करने वाला होना चाहिए। कर्तार सिंह दुग्गल कहते हैं, "अगर कहानी में छोटी-छोटी बातें और घटनाएँ कहानी बनाती हैं तो फिर बयान में तहदारी आ जाती है।"

उनकी यह बात सौ फ़ीसद उनकी कहानी *बंद दरवाज़े* पर लागू होती है, जहाँ तहदारी बाहर और अंदर की दुनिया अलग-अलग होने के बाद एक साथ चलती रहती है!

26 जनवरी, 2012 में कर्तार सिंह दुग्गल हमसे जुदा हुए।

बंद दरवाज़े

कर्तार सिंह दुग्गल

बार-बार वह कह रहा था, मैं कल नहीं तो परसों लौट आऊँगा, दिल्ली है ही कितनी दूर? बस मैं गया और आया। हर बार वह कहता और वह हँस देती। एक फीकी-सी हँसी।

उसके सपनों का देश पाकिस्तान बन रहा था। दुरदाना को यह सोचकर नशा-सा चढ़ जाता। क़ायदे आज़म की दीवानी कई बरसों की जद्दोजहद के बाद इन्हें कामयाबी मिली थी। कॉलेज के ज़माने से वह मुस्लिम लीग की वालंटियर में भरती हो गई थी। दिन-रात पाकिस्तान के लिए प्रोपेगंडा करना। रात-दिन पाकिस्तान के लिए चंदा जमा करना। रात दिन पाकिस्तान के लिए क़ुर्बानियाँ देने के लिए लोगों को तैयार करना। हर जलसे में दुरदाना शामिल होती। पाकिस्तान के लिए हर प्रदर्शन में वह हिस्सा लेती। 'पाकिस्तान ज़िंदाबाद! क़ायदे आज़म ज़िंदाबाद' नारे लगा-लगाकर उसका गला बैठ जाता था। और फिर कितनी-कितनी बार नमकीन गुनगुने पानी के ग़रारे करती रहती। पास के फ्लैट में रहते डॉक्टर अशोक से गोलियाँ लेकर खाती रहती। सारा-सारा दिन गली मोहल्लों में घूम-घूम कर मुस्लिम लीग के पैग़ाम को घर-घर पहुँचाती। जब थकी हारी घर को लौटती तो अपने पड़ोसी डॉक्टर से दवाई की एक ख़ुराक लेती और वह भली चंगी हो जाती। ख़ुश-ख़ुश चहक रही, हर वक़्त किसी-न-किसी ग़ज़ल का शेर गुनगुनाती रहती या फिर उसे वक़्त मिलता तो सजने लगती। सजने की शौक़ीन घंटों सिंगार मेज़ के सामने बैठी रहती।

ख़ूबसूरत भी तो कितनी थी दुरदाना। उसके चेहरे से आँखें हटाना मुश्किल होता। जब से एक बच्चे की माँ बनी थी और भी ख़ूबसूरत लगने लगी थी।

"हमारी बेटी की शक्ल हू-ब-हू डॉक्टर अशोक पर है।" एक दिन अपनी बच्ची को गोद में ले उसको प्यार करते हुए दुरदाना के शौहर ने कहा।

"क्या मतलब?" दुरदाना चौंक गई।

"उसी की तरह कोमल रंग, गोरी-गोरी, पान जैसा मुखड़ा, वैसी ही बिल्ली जैसी आँखें।"

"अरे हाँ, मैंने तो कभी ख़्याल नहीं किया।" दुरदाना ने अपनी बच्ची के चेहरे को देखते हुए कहा—

"अगर तुझे इस बच्ची की आस हमारे उस फ्लैट में आने से कई महीने पहले पिंडी में न लगी होती।"

"तो आपको किसी की वफ़ा पर शक होने लगता।" दुरदाना ने अपने शौहर का जुमला पूरा किया और फिर दोनों हँसने लगे। हँसते-हँसते अपनी बच्ची को प्यार करते रहे।

डॉक्टर अशोक सचमुच दुरदाना के बहुत क़रीब था। आम औरतों की तरह वह उसे 'भाई साहब' नहीं कहती थी। हर अपने पड़ोसी को दिल से चाहती थी और डॉक्टर अशोक भी जैसे दुरदाना का दीवाना हो। उसकी हर ज़रूरत हर फ़रमाइश का ख़्याल रखता। दुनियाभर के टॉनिक ला लाकर उसे और उसकी बच्ची को पिलाता रहता। जितनी बार परदेस जाता दुरदाना और उसके घरवालों के लिए ढेरों सौग़ातें लाता। उसकी बच्ची तो अशोक के फ्लैट में रहती थी। एक अकेला नौजवान जब उसे फुर्सत होती 'बेबी' को बुलाकर उससे खेलने लगता।

आजकल दुरदाना पाकिस्तान के उद्घाटन समारोहों की तैयारी में जुटी हुई थी! जलसे, जुलूस, गली मोहल्लों की सजावट नाच-गाने की महफिलें। यह फ़ैसला हुआ था कि सब मस्जिदों को रंगीन बल्बों से सजाया जाए। मस्जिदें ढेर सारी थीं और रंगीन बल्ब पूरे नहीं पड़ रहे थे। हिंदू दुकानदारों ने सांप्रदायिक दंगों के बीच बल्बों के बम बना-बनाकर स्टॉक ख़त्म कर दिए थे और दुरदाना कहती, ढाके से वह लोग बल्ब मँगवा रहे हैं। रंगदार बल्बों से हवाई जहाज भरकर पूरबी बंगाल से आ रहा था। इसलिए तो हमने पाकिस्तान बनवाया है ताकि हिंदुओं की इजारादारी ख़त्म हो जाए। बार-बार दुरदाना कहती और कई बार इस तरह हिंदू क़ौम के ख़िलाफ़ बोलती। मगर जब उसकी नज़रें डॉक्टर अशोक पर पड़तीं तो उसकी ज़बान लड़खड़ा जाती, अशोक भी तो हिंदू था!

अशोक की और बात थी। अशोक तो उन लोगों में से था जिन पर कोई जानं भी दे सकता है। अशोक जैसे पड़ोसी तो बहुत ही कम होते हैं। दो फ्लैट थे पर जैसे घर एक ही हो। कई-कई दिन एक घर में खाना पकता और एक ही मेज़ पर बैठकर खाया जाता। दुरदाना की बच्ची चचा की दीवानी थी। फ्लैट भी दो नाम भर का था। असल में मकान एक ही था। किराया ज़्यादा लेने के लिए एक मकान को दो हिस्सों में बाँट दिया गया था।

और डॉक्टर अशोक वह दिन कभी नहीं भूल सकता था, सारा दिन वह लोग बैठे पाकिस्तान के बारे में बहस करते रहते थे। दुरदाना उसके हक़ में और अशोक उसके ख़िलाफ़ बोल रहा था। उनके मुँह से झाग निकलने लगे। दुरदाना कहती, "पाकिस्तान बनकर रहेगा चाहे उसके लिए ख़ून की नदियाँ ही क्यों न बहानी पड़ें।

चाहे पाकिस्तान में बसे हिंदुओं की लाशें रौंद हमें बढ़ना पड़े, हम मंज़िल पर पहुँचकर रहेंगे।

इस तरह बहस भी बदमज़गी की हद तक पहुँच जाती। इस तरह दुरदाना जब हिंदू, सिख लीडरों को लाख-लाख कोसने सुना रही थी वह पाकिस्तान बनाए जाने की मुख़ालफ़त करते थे। रेडियो से खबर आई कि पनहार में सांप्रदायिक दंगे भड़क उठे हैं और अशोक का गाँव भी उन गाँवों में से एक था जो फ़सादियों ने जलाकर राख कर दिया था।

दुरदाना ने सुना और उसके सोते सूख गए। काटों तो जैसे ख़ून की बूँद न हो। उसके हाथ-पाँव फूल गए। उसकी समझ में नहीं आ रहा था कि क्या करे और क्या न करे, और फिर उसने टेलीफ़ोन उठाया और एक के बाद एक अपने हर जान-पहचान वाले को टेलीफ़ोन करने शुरू कर दिए और जब तक उसे यह ख़बर न मिली कि अशोक के माँ-बाप सही सलामत रावलपिंडी शहर पहुँच गए हैं, उसने चैन की साँस नहीं ली। बार-बार कहती मैं तो ख़ुद जाऊँगी। मैंने कभी उन्हें देखा नहीं पर मैं उन्हें ढूँढ लूँगी, उनके घर का सारा लुटा सामान वापस लाऊँगी।

दुरदाना का शौहर हैरान होता, एक तरफ़ तो पाकिस्तान बनवाने के लिए वह लाखों हिंदुओं को ख़ून में नहलाने के लिए तैयार थी, दूसरी तरफ़ एक हिंदू की चुभे काँटे की तकलीफ़ उसे इस तरह परेशान कर रही थी। और अब जब से अगस्त शुरू हुआ था, अशोक दिल्ली जाने को तैयार हो रहा था। दीगर हिंदू सरकारी मुलाज़िमों की तरह उसने भी हिंदुस्तान में अपनी नौकरी के लिए अपनी ख़्वाहिश ज़ाहिर की थी। तीन महीने तक वह अपना फ़ैसला बदल सकता था। और अशोक को रत्ती भर भी शुबह न था कि वह तीन महीने बाद लौट आएगा। तीन महीने क्या वह तो अगले रोज़ ही वापस आ जाएगा। दिल्ली अस्पताल का चार्ज लेकर अगले दिन ही वह छुट्टी के लिए अर्ज़ी देगा और छुट्टी के सारे दिन लाहौर में गुज़ारेगा।

अब जब उसके जाने का दिन नज़दीक आ रहा था, वह दुरदाना की बच्ची को उठाकर बार-बार कहता, "मैं कल नहीं तो परसों लौट आऊँगा, दिल्ली है ही कितनी दूर, बस मैं गया और आया।" हर बार यह कहकर डॉक्टर अशोक अपने दिल को तसल्ली दे लेता। दुरदाना के मुरझाए हुए चेहरे को देखकर उसे तसल्ली देता। हर बार वह यह कहता और वह सुनकर हँस देती एक फीकी सी हँसी।

और फिर दुरदाना और उसका शौहर लतीफ़ डॉक्टर अशोक को दिल्ली की गाड़ी पर चढ़ाने गए। उसने अपने साथ कुछ न लिया। अटैची केस में एक जोड़ा फालतू रख लिया और बस! अगले रोज़ तो वह वापस आ रहा था। चलती बार उसने अपने फ्लैट का दरवाज़ा बस भेड़ दिया था। उसको कुंडी तक नहीं लगाई। वैसे भी उसका घर दरवाज़े के हवाले ही रहता था। वही उसकी सफाई करवाती, झाड़-पोंछ करवाती, वहीं बावर्ची को पकाने के लिए हिदायत देती। गाड़ी चलने से पहले

दुरदाना ने अपने हाथों से अशोक की सीट पर बिस्तर बिछाया। अशोक उसकी बच्ची को छाती से चिपकाए हुए थे। क्या मजाल जो बेबी एक पल के लिए भी अशोक चचा से दूर हो जाए। अशोक चचा अगर सामने होते तो वह दुमक-दुमक कर उसकी गोद में चढ़ जाती।

फिर गाड़ी चलने का वक़्त हो गया। घंटी बजी सिग्नल डाउन हो गया। गार्ड ने हरी झंडी दिखाई। गार्ड बार-बार सीटी बजा रहा था। दुरदाना का दिल जैसे डूबता जा रहा हो। उसका चेहरा पीला पड़ गया था। फिर गाड़ी चल दी। अशोक सबसे मिल चुका था। दुरदाना के पास जाकर उसने हौसला देने के लिए उससे फिर कहा, ''मैं कल नहीं, परसों लौट आऊँगा।''

''नहीं! नहीं! नहीं अशोक तुम नहीं आओगे। लाहौर कभी नहीं आओगे। जब तक मैं तुम्हें न लिखूँ और दुरदाना फूट-फूट कर रोने लगी। रोते-रोते उसके कंधे पर जा गिरी। दुरदाना के शौहर लतीफ़ की समझ में कुछ नही आ रहा था कि दुरदाना इस तरह क्यों फूट पड़ी है! आगे-पीछे खड़े लोग हैरान थे। और जब तक गाड़ी आँखों से ओझल न हो गई, वह दीवानों की तरह रोती रही। हिचकियाँ ले-लेकर उसका बुरा हाल था। प्लेटफॉर्म से बाहर आकर वह अपनी मोटर में बैठ गए।

जब मोटर चली तो दुरदाना के शौहर ने उससे पूछा, ''तुम इस तरह क्यों परेशान हो? कल नहीं तो परसों अशोक लौट आएगा!''

''नहीं, नहीं, वह नहीं आ सकेगा।'' दुरदाना ने अपने शौहर ने चेहरे की तरफ़ देखते हुए कहा, ''वह नहीं आ सकेगा। नहीं आ सकेगा, पता नहीं कितनी देर और...''

लतीफ़ उसके मुँह की तरफ़ देखता रह गया। उसकी समझ में कुछ नहीं आ रहा था। घर पहुँचकर भी उन्होंने एक-दूसरे से आँख नहीं मिलाई। कोई बात नहीं की।

और अगली सुबह अभी अँधेरा ही था कि उसके आसपास गोलियाँ चलने लगीं। चीख़ व पुकार, आग की लपटें, फायरब्रिगेड की घंटियाँ! एक और क़यामत सी आ गई और यह फ़िर्क़ेवाराना फ़साद पहले लाहौर में फिर दिल्ली में शुरू हो गए।

अशोक का दरवाज़ा वैसा का वैसा भिड़ा पड़ा है और पाकिस्तान की दीवानी दुरदाना का दिल कहता है—यह दरवाज़ा ऐसे ही भिड़ा रहेगा न जाने कितने दिन और...।

इंसान में छुपे इंसान को क़लम से उभारने वाला बाज़ीगर

बलवंत सिंह 1921 में गुजराँवालाँ पंजाब में पैदा हुए। शिक्षा गाँव की पाठशाला में हुई। कुछ दिनों मियाँ वाली और जालंधर के मिडिल स्कूल में पढ़ा। देहरादून के ए.पी. मिशन स्कूल से मैट्रिक किया। बचपन ग़रीबी और तंगी में गुज़रा। पिता भी सख़्त मिज़ाज थे। बचपन से दिल चित्र बनाने और बाँसुरी बजाने में लगता था। यह शौक़ आख़िर तक रहा। इलाहाबाद यूनिवर्सिटी से एफ.ए. किया और उसके बाद 1942 में बी.ए.।

कहानी लिखने का बीज पढ़ाई के दौरान पड़ चुका था। 'प्रताप' के कहानी विशेषांक में डंड नाम से (1940) पहली कहानी छपी। 'सच्ची दुनिया' और 'तेजवीकली' में लगातार छपते रहे, मगर कमाल तब हुआ जब *सज़ा* नाम का अफ़साना 'साक़ी' नामक पत्रिका में छपा। इससे उनकी गिनती प्रथम श्रेणी के कहानीकारों से होने लगी।

पिता के इंतक़ाल के बाद उन्हें दिल्ली से इलाहाबाद आना पड़ा। दिल्ली में 'आजकल', 'नौनिहाल', 'बिसाते आलम' पत्रिकाओं से जुड़े हुए थे। बचपन में तीन बार घर से भागे थे, मगर इस बार उन्हें घर वापस जाना पड़ा सब कुछ छोड़कर और इलाहाबाद में उन्हें इम्पीरियल होटल सँभालना पड़ा। यहाँ पर उन्होंने मुहम्मद अहमद हुनर के साथ मिलकर 'फ़साना' नामक पत्रिका निकाली, जिसमें सिर्फ़ कहानियाँ छपती थीं। कुछ अरसे बाद उन्होंने होटल बेच दिया। 1948 में विवाह हुआ और 1949 में तलाक़। अरसे तक तन्हा जीवन व्यतीत किया फिर दूसरा विवाह अपने से पच्चीस वर्ष छोटी अध्यापिका से किया। उसके बाद वह सख़्त बीमार पड़े उन्हें आँतों की तकलीफ़ हो गई। चाहने के बावजूद वह चंडीगढ़ नहीं जा सके। 1986 में बलवंत सिंह ने अपने केश कटवा दिए थे और दाढ़ी भी तराश ली थी। मई 1986 में इलाहाबाद में उनका इंतक़ाल हुआ।

उनके कहानी संग्रह *जग्गा* (1943), *पहला पत्थर* (1953), *ताख पौद* (1944), *सुनहरा देश, हिंदुस्तान हमारा* (1974), *पंजाब की कहानियाँ* (1954), उनके उपन्यास *काले कोस, एक मामूली लड़की, औरत और आबशार, रात,* चोर और

चाँद, रावी बियास इत्यादि। बाद के दिनों में उन्होंने उर्दू में लिखना छोड़ हिंदी में लिखना शुरू कर दिया था। हिंदी में छपे कहानी संग्रह *मैं ज़रूर रोऊँगी, चक पीरा का जशा, चिलमन, देवता का जन्म,* और हिंदी में उनके उपन्यास *सूना आसमान, जाने आलम, आग की कलियाँ, बासी फूल, फिर सुबह होगी, राका की मंज़िल* इत्यादि।

उन्हें यू.पी. सरकार अदबी अवार्ड, पटियाला सरकार अदबी अवार्ड, शिरोमणि साहित्य अवार्ड, पंजाब सरकार अवार्ड इत्यादि मिले। उन्होंने जिस तादाद में नायाब कहानियाँ दी हैं उस हिसाब से उन्हें अवार्ड कम मिले हैं! उनकी महत्त्वपूर्ण कहानियाँ *समझौता, दीमक ग्रंथी, बीमार, काले कोस, पहला पत्थर, बाबू मानिक लाल जी, खुदा की वसीअत, जग्गा* इत्यादि हैं।

बलवंत सिंह बचपन से बाग़ी रहे थे। मिज़ाज की यह आज़ादाना अदा उनकी इस बात से भी ज़ाहिर होती है—"मैं कहानी बहुत कम लिखता हूँ। इसलिए कि मैं ज़्यादा लिख नहीं सकता। दूसरी वजह यह है कि मैं इस बात से भी डरता हूँ कि कहीं मैं अफ़सानानवीस होकर ही न रह जाऊँ।"

बक़ौल आलोचक मुमताज़ शीरीं के, "उर्दू में बहुत कम ऐसे किरदार हैं, जो अफ़साने से अलग होकर ज़िंदा रह सकें और यह ख़ूबी बलवंत सिंह के यहाँ नज़र आती है।" (हमारी अफ़सानानिगारी 'नया दौर' बंगलौर, अंक 11)

कठिन डगरिया उनके महत्त्वपूर्ण और चर्चित अफ़सानों में से है, जिसकी सबसे बड़ी ख़ूबी है कि कहानी का मुख्य पात्र ख़ुद तो लक्ष्मण रेखा के पार जाता है, साथ ही उसे अपनी पत्नी का उसी डगर पर चलना बुरा नहीं लगता। बैजनाथ और उसके घर में एक ही तरह का मामला चल रहा है, मगर तूफ़ान की न कहीं सूचना है और न ही नैतिकता की दुहाई है। मर्द औरत का रिश्ता जब बनता है तो सारे मूल्य, वाद, विचार पीछे छूट जाते हैं। और आप उसे जीवन का यथार्थ कहेंगे या फिर उसे पाप? लेकिन रखीचंद्र पत्नी की बेवफ़ाई पर उसे न प्रताड़ित करता है और न नैतिकता की दुहाई देता है। वह ख़ुश होता है और अब्दुल्ला ब्रांड का सिगरेट सुलगा लंबा कश भरना चाहता है। कहानी में न ढकोसला है और न ही बनावट, बल्कि बलवंत वह सच सामने ला खड़ा करता है कि औरत मर्द एक ही मिट्टी से बने हैं अपनी ख़ूबियों और कमज़ोरियों के साथ।

कठिन डगरिया

बलवंत सिंह

रखीचंद्र दुकान से वापस आ रहा था। सूरत से ज़ाहिर होता था। वह इस वक़्त कोई मज़ेदार बात सोच रहा है। होंठों पर मुस्कान खेल रही थी। चलते-चलते जब उसे सिगरेट जलाने की ख़्वाहिश महसूस हुई तो उसे ख़्याल आया कि माचिस तो दुकान पर ही रह गई है। ख़ैर कोई बात नहीं अब वह घर के पास पहुँच चुका है। वह अपनी धुन में इतना मगन था कि उसे सिगरेट मुँह से निकालने का ख़्याल तक न आया। किसी राहगीर की नज़र उसके ढीले-ढाले होंठों में फँसे हुए सिगरेट पर जा पड़ती तो वह एकदम से मुस्कुरा देता। इस पर तुर्रा यह कि वह ख़ुद-ब-ख़ुद मुस्कुराए जा रहा था। कभी सर को हरकत देने लगता। कभी होंठों ही होंठों में कुछ कहने लगता। वह बिल्कुल पागलों वाली हरकत कर रहा था लेकिन वह पागल नहीं था। चौंतीस-पैंतीस बरस के क़रीब उम्र, सूरत भी बुरी नहीं थी। सेहत भी काफ़ी अच्छी थी। तीन बच्चों का बाप था। बड़े पैमाने पर रेडियो की दुकान चला रहा था। ग्यारह बजे दुकान पर जाता। उसका साथी पहले ही से वहाँ मौजूद होता था। एक से दो बजे तक लंच के लिए दुकान बंद कर दी जाती। शाम के पाँच बजे के लगभग वह घर चला आता। अलबत्ता दुकान सात बजे तक खुली रहती।

आज कारोबार के सिलसिले में एक शख़्स से मिलने के लिए उसे देहली जाना था। उसने अपनी बीवी शांता को सामान ठीक करने के लिए भी कह दिया था। लेकिन अचानक दुकान पर उसे तार मिला कि कल वह आदमी ख़ुद लाहौर पहुँच रहा है। चलो सफ़र की मुसीबत से जान छूटी। लेकिन आज शाम को प्रोग्राम क्या हो ? यह सवाल बिलावजह उसके ज़ेहन पर उभर आया और वह चंद लम्हों तक इस फ़िक्र में डूबा रहा और फिर दिल की पुकार ख़ुद-ब-ख़ुद साफ़ हो गई कि यह शाम अपने दोस्त बैजनाथ के यहाँ गुज़ारी जाए बल्कि रात का खाना भी वही खाया जाए।

कुछ दिनों से बैजनाथ की बीवी कामिनी उसके लिए ख़ास आकर्षण की वजह बनी हुई थी। यह बात ठीक नहीं थी लेकिन वह दिल के हाथों मजबूर था। जवानी के ज़माने में वह हद से ज़्यादा शर्मीला बना रहा। ज़िंदगी का सुनहरा ज़माना किसी से मुहब्बत के पेंगे बढ़ाए बग़ैर गुज़र गया। जब शादी हुई तो चंद साल तक वह भी

बीवी का दीवाना-सा रहा, मगर धीरे-धीरे बीवी में कोई कशिश बाक़ी नहीं रही। जब कभी बीवी आँखों को भली लगी तो सिर्फ़ हाथ बढ़ाने की देर थी। वहाँ इंकार का सवाल ही पैदा न होता था। रफ़्ता-रफ़्ता अपनी बीवी बेरस मालूम पड़ने लगी, उसने बाज़ार का रुख़ किया। वहाँ दलाल यही कहता कि बस साहब हफ़्ते भर से ही बाज़र में बैठने लगी है। पहले पहल तो यह ख़्याल अपने आपमें कम मज़ेदार न था, लेकिन जब दलालों के हथकंडों का पता चला तो तबीयत बुझ गई। दुनिया का धंधा तो चलता रहा, मगर मुहब्बत की प्यास के मारे दिल में हरदम काँटा-सा खटकने लगा।

पिछले दिनों इतवार के दिन वह अपने मकान के सामने चबूतरे पर बैठा अख़बार देख रहा था कि उसने बैजनाथ को कामिनी के साथ अपने क़रीब आते देखा! दोनों की आँखें चार होने पर बैजनाथ ने कहा, ''हम अजनबी हैं। मकान की तलाश कर रहे हैं। क्या आप हमारी मदद कर सकेंगे?''

यह उनकी पहली मुलाक़ात थी। उसने बड़ी दौड़धूप के बाद उसे मकान दिलवा दिया। वैसे तो उनके मकानों के बीच में कम फ़ासला न था। इसके बावजूद दोनों घरानों के संबंध गहरे होते गए। एक-दूसरे के यहाँ जाना, शुभ-अवसरों में शामिल होना, कभी-कभार सैर सपाटे के लिए शहर से बाहर चले जाना उनके रोज़मर्रा में दाख़िल हो गया था।

ऐसे मौक़ों पर कामिनी उसकी तरफ़ ग़लत अंदाज़ से निगाहें डालती। पहली बार तो उसका कलेजा धक-धक करने लगा। वह समझा कि उसकी निगाहों ने धोखा खाया है, मगर जब दबी-दबी मुस्कुराहटों का तबादला भी होने लगा तो उसे महसूस हुआ कि शायद वह एक-दूसरे से मुहब्बत भी कर सकेंगे। कभी-कभी उसका दिल बुरा भला भी कहता। फिर वह अपने दिल को यह कहकर ढाढस दे लेता कि कामिनी की तरफ़ से ही शुरुआत हुई है, कभी सोचता मामूली दिल लगी ही तो है। ज़रा सी ज़रा चुहल हो जाती है! दिल बहला रहता है। इसमें बुराई या झिझक क्यों है। लेकिन यह सब तो ऊपरी बातें थीं, क्योंकि दिल की गहराइयों में वह अच्छी तरह से महसूस करने लगा था कि उसे कामिनी से मुहब्बत हो गई है।

रास्ता चलते-चलते वह कामिनी की बात सोच रहा था। अभी तक उसने उसे छुआ तक नहीं। शायद आज कोई अहम घटे। मुमकिन है कि वह इस पहली महबूबा के बहुत क़रीब पहुँच जाए। अब वह अपनी गली में पहुँच चुका था। ज़िया पनवाड़ी की दुकान उसके घर के पास ही थी। दुकान के क़रीब से होकर गुज़रते वक़्त सुलगती रस्सी देखकर उसे सिगरेट सुलगाने का ख़्याल आया। अगर कोई दोस्त उससे मिलने आता तो घर वालों को ख़बर हो या नहीं हो, लेकिन ज़िया ज़रूर इस बात का ख़्याल रखता था। चुनांचे सिगरेट सुलगाकर उसने ज़िया से पूछा, ''क्यों बे ज़िया, मुझसे कोई शख़्स मिलने के लिए तो नहीं आया था? इस वक़्त ज़िया नसवार

सूँघ रहा था। छींक आने को ही थी, इसलिए मुँह से तो ज़वाब न दे सका। कभी 'हाँ' में सर हिलाता कभी 'नहीं' में, अंत में पता चला कोई नहीं आया था।

रखी ने सिगरेट का कश खींचा और घर की तरफ़ बढ़ा। दरवाज़े के आगे जो तीन सीढ़ियाँ बनी हुई थीं उनकी दो ईंटें उखड़ गई थीं, हरदम उन पर से फिसलन का डर बना रहता था। उसे कई बार ख़्याल आया कि उनकी मरम्मत कर दी जाए। मगर लापरवाही से काम पूरा न हो सका।

घर के अंदर दाख़िल हुआ तो देखा कि शांता बड़े आइने के सामने बैठी बाल बना रही है। मालूम होता था, अभी-अभी नहाकर आई है। इस वक़्त ख़ासी प्यारी दिखाई दे रही थी। उसके दोस्त कहा करते, "यार तेरी औरत तो बहुत हसीन है। फिर बाज़ारों में इधर-उधर धक्के क्यों खाते फिरते हो?

शांता ने बाल एक हाथ से घुमाकर आगे किए और उन पर कंघी करते हुए कहा, "जी, मैंने आपका सामान तैयार कर दिया।"

"भई आज तो मैं नहीं जाऊँगा।"

"क्यों?" शांता ने ताज्जुब से आँखें फैलाकर पूछा।

"जिस आदमी से मिलना था वह ख़ुद कल यहाँ आ रहा है। नल बंद तो नहीं हुआ? ज़रा नहा लूँ।"

वह ग़ुसलख़ाने में चला गया। और वहाँ 'का करूँ बू से उलफ़त हो गई' गाता रहा। जब कपड़े पहन चुका तो बीवी ने कहा, "अब खाना खाकर ही बाहर जाइएगा।"

"नहीं भई मुझे देर हो रही है। एक शख़्स से मिलना है। खाना बाहर खाऊँगा। इंतज़ार में मत बैठी रहना।"

हालाँकि उसकी बीवी को उस पर किसी क़िस्म का शक नहीं था, लेकिन उसने बैजनाथ के घर का नाम जानबूझकर नहीं लिया। आख़िर क्या फ़ायदा? औरतें शक्की तो होती हैं। आईने के सामने खड़े-खड़े उसने अपनी बीवी का जायज़ा लिया और उसने ख़ुद ही फ़ैसला लिया कि उसकी सूरत बैजनाथ से कहीं बेहतर है और अगर कामिनी उसे अपने शौहर पर तरजीह देती है तो उसे उसकी ख़ुशज़ौकी का सबूत समझना चाहिए।

ख़ूब बन सँवरकर उसने अपने आप पर आख़िरी निगाह डालीं। कोट के ऊपर वाली जेब में रंगीन रूमाल ठीक से रखा। रूख़े गालों पर हाथ फेर उसकी बराबरी को महसूस किया। टाई की गिरह दुरुस्त की। पतलून की क्रीज़ पहलू बदल-बदल कर देखी। हैट पर जमी हुई गर्द की बारीक तह चुटकी बजा-बजा कर साफ़ की। चाँदी का सिगरेट केस जेब में डालते हुए उसने एक नज़र बीवी की तरफ़ देखा। आज वह सचमुच हसीन दिखाई दे रही थी। दोनों लड़के नाना के घर गए हुए थे। उनकी ग़ैर मौजूदगी में बीवी को प्यार करने में भी कोई रुकावट नहीं थी, लेकिन वह जल्दी में था। इसलिए छड़ी घुमाता हुआ घर से बाहर निकल आया। पल-भर के

लिए उसे ख़्याल आया कि अगर वह सिगरेट केस में अब्दुल्ला के सिगरेट रख लेता तो बेहतर होता। वह अब्दुल्ला सिगरेटों का बड़ा प्रशंसक था और उन्हें ख़ासतौर से उस वक़्त पीता था जब वह ख़ुश हो। अब सिगरेट लेने के लिए वापस जाने में उसने बदशगुनी समझी, इसलिए कूचए यार की तरफ़ बढ़ता चला गया।

उसका दिल ख़ुश था। क़दम बड़े बाँकपन से उठ रहे थे। इर्द-गिर्द की चीज़ें उजली और नई-सी दिखाई दे रही थीं। जैसे हर चीज़ ने नया जन्म लिया हो। उसमें चमक थी। हरकतों में चुलबुलापन साफ़ झलक रहा था। अपनी बीवी और घर से दूर वह अपने को आज़ाद परिंदे की तरह हल्का-फुल्का महसूस कर रहा था। वह कॉलेज के उस छोकरे की तरह दिख रहा था जो घर से तालीम हासिल करने के लिए भेजा गया हो और अब माँ-बाप के पैसों से इश्क़ लड़ा रहा हो। सिर्फ़ औरत की हैसियत उसके सामने कुछ न थी, वह तो इश्क़ का भूखा था। वह इश्क़ करना चाह रहा था। असल चीज़ तो वह इकलौता अहसास था जो वह कम्मो के लिए महसूस कर रहा था। वह दिल ही दिल में कामिनी को प्यार से कम्मो कहा करता था। उसकी यही एक तमन्ना थी कि अगर उनकी मुहब्बत परवान चढ़े और दोनों के धड़कते हुए सीने किसी रोज़ मिल जाएँ तो वह उसे प्यारी कम्मो कहकर बुलाए। कभी-कभी जब वह कल्पना के जादू से निकलता तो सोचता, क्या मालूम उसके नसीब में हसीन कामिनी की सिर्फ़ मुस्कुराहट ही लिखी हो ?

आख़िर शाम के धुँधलके में जब बैजनाथ का बिना प्लास्टर का ईंटों का बना हुआ मकान नज़र आने लगा तो उसके क़दम डगमगाने लगे। यहाँ तक वह एक धुँधले नशे की-सी कैफ़ियत में चला आया था, लेकिन अब वह सोचने लगा कि उसे उनके घर में किस अंदाज़ से दाख़िल होना चाहिए। चुनांचे वह बड़ी बेतकल्लुफ़ी से उनके घर के अंदर चला गया।

बड़े कमरे से मियाँ-बीवी के हँसने और बातें करने की आवाज़ें सुनाई दे रही थीं। रखी दरवाज़े पर जाकर खड़ा हुआ। बैजनाथ हाथ-पाँव फैलाए कुर्सी के बाज़ूगीर पर बैठा था। उसने नए कपड़े पहन रखे थे जिससे ज़ाहिर होता था कि शायद वह बाहर जाने की तैयारी कर रहा था। कामिनी उसकी कमीज़ में बटन टाँक रही थी। और वह गा रहा था। बीवी बिगड़ रही थी—

''अब ज़रा गाना बंद कर दीजिए न। सुई छाती में उतर जाएगी तो फिर मत कहिएगा।'' शौहर मसख़रेपन से बोला, ''तुमसे नहीं कहेंगे तो किससे कहेंगे माई डार्लिंग! और हमारा कौन है।'' वह फिर निहायत भोंड़े अंदाज़ में नथने फुला-फुला कर फटे बाँस की सी आवाज़ में एक घिसा-पिटा गाना गाने लगा—

''तेरा कौन है।''

''किसे करता तू प्यार-प्यार-प्यार।''

''तेरा कौन है...तेरा कौन है...हाँ तेरा कौन है।''

उधर मियाँ-बीवी में चुहलें चल रही थीं, इधर छह माह का बच्चा पालने में पड़ा रो रहा था। मालूम होता था कि बैजनाथ उस वक़्त बड़े ख़ुशगवार मूड में था। ज्यों-ज्यों उसकी बीवी उसकी हरकतों से चिढ़ती त्यों-त्यों वह उसे और ज़्यादा परेशान किए जाता। वह झुंझलाकर कहती—

"अब मटकना बंद कीजिए, मुन्ना रो रहा है।"

रखी दो क़दम आगे बढ़ा और ख़ाँसकर उन्हें अपने आने की ख़बर दी। बैजनाथ ने सर उठाकर उसकी तरफ़ देखा। पहले तो हैरान रह गया फिर चिल्लाया—

"हैलो हैलो! यार मेरा ख़्याल था, अब तक तुम गाड़ी में बैठे चुके होगे।"

रखी ने हाथ मिलाने के लिए हाथ बढ़ाते हुए जवाब दिया, "नहीं भई, देहली जाने का प्रोग्राम टल गया। कृपा राम से मिलना था। उसका तार आया है कि कल वह ख़ुद लाहौर पहुँच रहा है।"

इतने में कामिनी ने भी हाथ जोड़ नमस्ते कर दी, "जी नमस्ते।"

उसने बड़ी मासूमियत और ख़ुशी से जवाब दिया।

मुन्ना रो रहा था। कामिनी उसे प्यार से पालने से उठाकर चुप कराने की कोशिश करने लगी।

"मुन्ना क्यों रो रहा है? हमारा मुन्ना क्यों रो रहा है? न, न...क्यों जी आपकी मुन्नी भी रो रही थी?"

"जी नहीं।" रखी ने जवाब दिया, "हमारी मुन्नी तो सोई पड़ी थी। आजकल हमारे घर में बच्चों का शोर बहुत कम होता है। गूशी और जियू दोनों नाना के घर गए हुए हैं। बच्चे हैं न, नई जगह उनका दिल बहला हुआ है। घर में बेचारी मुन्नी है। सो चुपचाप पड़ी रहती है।"

"न जी न हमारा मुन्ना भी नहीं रोता," कामिनी ने बच्चे को पुचाकरते हुए कहा, "आज इसके बाबू जी ने इसे रुला-रुला कर हलकान कर दिया। मैं इनके बटन टाँक रही थी और यह हिल-हिल कर गाए जाते थे। मुन्ना जाग उठा और रोने लगा।"

जब वह बातें कर रही थी तो रखी उसके लचकीले बदन और तेज़ी से हिलते हुए उसके होंठों की तरफ़ देखता रहा। इस वक़्त सजधज का तो कोई सवाल न था लेकिन मामूली घरेलू लिबास में भी वह किस क़दर हसीन दिखाई दे रही थी। और फिर अचानक उसे कुछ ख़्याल आया तो बैजनाथ से बोला, "यार! मालूम होता है तुम किसी काम से जा रहे थे तो चलो!"

"नहीं यार, बैठो, बातें करें।"

"नई भाई यह मुझसे न होगा।"

कामिनी ने बच्चे को गोद में झुलाते हुए कहा, "आज इनकी दावत है कहीं।"

"वाक़ई, भाई वाह, अब तो मैं तुम्हारा रास्ता रोकना नहीं चाहता। ज़रूर जाओ। तकल्लुफ़ की ज़रूरत ही क्या है?

"नहीं, अब मैं नहीं जाऊँगा। तुम इतनी दूर से आए हो, अब तो मिलकर बातें करेंगे। और हाँ जिलानी के हाँ ब्रिज खेलने क्यों न चलें?"

लेकिन रखी को अपनी हरकत बहुत मुनासिब नहीं मालूम हो रही थी "बैज भाई अपना प्रोग्राम ख़राब मत करो। मैं तो यूँ ही चला आया था। बस अब सैर करता हुआ घर चला जाऊँगा। यह ज़रा बदतमीज़ी की बात है कि मेरी वजह से तुम्हारा मेज़बान परेशान हो, और फिर हम दोनों में तकल्लुफ़ भी तो नहीं होना चाहिए।"

बैजनाथ चंद लम्हों तक चुप रहा। फिर बोला, "इतनी दूर से आए हो। हम दोनों का वक़्त ख़ूब कट सकता है। हाँ यार, एक और बात सूझी है मुझे, तुम यहीं बैठो और मैं ज़रा खाना खाकर, ज़्यादा से ज़्यादा एक घंटे के अंदर वापस आजाऊँगा। मेरी वापसी तक तुम खाना भी यहीं खा लोगे और फिर हम जिलानी के घर चलेंगे। बड़े मज़े का आदमी है। गप्प भी उड़ेगी और ब्रिज भी खेली जाएगी।"

रखी का दिल उछलकर जैसे हलक़ में आ रहा। एक घंटे के लिए वह और कामिनी अकेले रह जाएँगे। गोदी का मुन्ना तो सो ही जाएगा। इससे बड़ा चार साल का लड़का सुलाया भी जा सकेगा। उसने तेज़ी से उचटती हुई निगाह कामिनी पर डाली। अनेक तरह के अहसास के हुजूम में वह कुछ न बोल सका। बैजनाथ कहता चला गया—

"कहो यार कैसी रही? भई कहीं जाना नहीं, तुम्हें मेरे सर की क़सम! मैं बहुत दूर नहीं जा रहा हूँ, यहीं अपने डॉक्टर शर्मा के यहाँ तो दावत है। तुम शायद नहीं जानते इन्हें। तुम्हारे रास्ते में ही तो मकान पड़ता है। अच्छा तो वायदा करो, तुम नहीं जाओगे। यह न हो कि मैं भागम-भाग वापस पहुँचूँ और तुम ग़ायब हो जाओ। बस आज शानदार प्रोग्राम रहेगा।"

रखी चुप खड़ा रहा। भला वह कहाँ जा सकता था? उसे यक़ीन नहीं आता था कि तक़दीर भी इस क़दर, अच्छी हो सकती है। वह तो एक मामूली-सी उम्मीद पर यहाँ आया था। इधर भगवान ने भगत की प्रार्थना क़ुबूल करके ख़ुद अपने हाथ से उसके रास्ते का काँटा साफ़ कर दिया था।

"लो यह रहे सिगरेट और यह रही वीकली। कम्मो! इन्हें रोटी खिला देना। ज़रा ख़्याल रखना, भाग न जाए कहीं, मैं चुटकी बजाते में आया।"

यह कहकर जल्दी-जल्दी पतलून के बटन लगाने लगा। ब्रश से बाल ठीक किए, टाई की गिरह ढीली करके अगला पल्लू नीचे-ऊपर किया। फिर तेज़-तेज़ क़दम उठाता हुआ बाहर वाले दरवाज़े की तरफ़ बढ़ा। कामिनी पुकारकर बोली, "हाय कैसे भागे जा रहे हैं। घर से बाहर जाना हो तो पाँव ज़मीन पर लगते ही नहीं, अब जल्दी लौट आइएगा।"

"हाँ भई, लौट आऊँगा। लोग हमारा ईंधन उठा-उठाकर ले जाते हैं। उसकी फ़िक्र किया करो, ड्योढ़ी का दरवाज़ा बंद कर लो। अच्छा यार मैं चला।" ड्योढ़ी

का दरवाज़ा बंद करके कामिनी बैठक की खिड़की के क़रीब आ खड़ी हुई। एक बार फिर शौहर से नज़रें चार हुईं। शौहर ने हवा में हाथ बुलंद करके हिला दिया। वह वहाँ चुप खड़ी उसे गली के नुक्कड़ से ग़ायब होते हुए देखती रही। इस बीच रखी भी चुपके से दीवार से लग कर उसके क़रीब खड़ा हो गया था। कुछ देर तक कामिनी सुनसान गली की तरफ़ देखती रही। फिर उसका हाथ ऊपर उठकर बिजली के बटन की तरफ़ बढ़ा और दूसरे लम्हे में बिजली का बल्ब बुझ गया और फ़र्श पर बिछी हुई दरी पर खिड़की में से आती हुई चाँदनी फैल गई।

रखी ने बाज़ू बढ़ाया जो कामिनी के पेट से होता हुआ उसके गोश्त से भरपूर कूल्हे पर जाकर टिक गया। कामिनी की कमर ज़रा-सी काँपी पर ठहर गई। वह क़रीब होकर उसके साथ खड़ा हो गया। उन दोनों की आँखें चार नहीं हुईं, लेकिन कामिनी की कमर ने हल्की-सी कँपकँपाहट के बाद सुकून में जाकर जैसे उसके सवाल का जवाब 'हाँ' में दे दिया था!

वह ख़ामोश खड़ी थी। दो एक बार रखी के होंठों से निकलती हुई दर्दे मुहब्बत में डूबी हुई बेहद धीमी आवाज़ सुनाई दी। "कम्मो-कम्मो।"

"बीबी जी! बी, बी, जी।" बड़े लड़के की आवाज़ सुनाई पड़ी।

वह बुलंद आवाज़ में बोली, "आई बेटा! आई, बैठे रहो वहीं।" रखी की पकड़ ढीली पड़ गई और वह ज़रा परे सरक गई, "सुनो कम्मो सुनो," उसकी आवाज़ बुरी तरह लरज़ रही थी।

कामिनी दो क़दम परे दीवार से पीठ लगाए दोनों हथेलियाँ दीवार पर लटकाए सर झुकाए खड़ी थी। कमरे की फ़िज़ा ख़्वाबनाक थी, हर तरफ़ सुरमई ग़ुबार छाया हुआ था। कामिनी की धुँधली काया हसीन मूर्ति की तरह दिखाई दे रही थी। सिर्फ़ उसकी छातियों के उतार-चढ़ाव से पता चलता था कि वह बेजान मूर्ति नहीं है।

"कम्मो! सुनो, मैं तुमसे बहुत मुहब्बत करता हूँ।"

"मैं तुमसे मुहब्बत करता हूँ।" कैसे घिसे-पिटे शब्द थे, जिसे उसने बीसियों बार किताबों में पढ़ा था। फ़िल्म के पर्दे पर सुना था लेकिन आज वह वाक्य इस तरह अदा कर रहा था जैसे यह उसकी खोज हो।

जवाब में कामिनी ने पलकें ऊपर उठाईं और एक बार भरपूर अंदाज़ से उसकी तरफ़ देखा। फिर समर्पण के अंदाज़ से पलकें झपाकर रह गई। वह बिजली के कौंधे की तरह आगे बढ़ा। उसकी कमर बाज़ुओं में लेकर उसे आनी तरफ़ खींचा तो उसे महसूस हुआ जैसे उसने फूलों की नाज़ुक डाली पकड़कर झनझना दी हो। उसका जिस्म सर से पाँव तक कामिनी के नर्म और लचकीले बदन का सुख लेने लगा था। एक और फ़ौरन आए भाव की तेज़ी से उसने न मालूम किस-किस तरह भींचा, चूमा और फिर लड़के की पुकार की आवाज़ें हथौड़ों की तरह सुनाई देने लगीं। फिर कामिनी उड़ती हुई ख़ुशबू की तरह उसकी आँखों से ओझल हो गई।

वह कमरे में तन व तन्हा खड़ा रह गया। खिड़कियों में दाख़िल होने वाली चाँद की रौशनी में कुर्सियाँ, तिपाइयाँ, तस्वीरें, पर्दे और किताबें, ग़र्ज़ हर चीज़ सपनीली और जमी हुई दिखाई दे रही थी। सिर्फ़ उसकी टाँगें और बाज़ू थराथरा रहे थे। साँस तेज़ी से चल रही थी। बिना किसी इरादे के उसके मुँह से चंद आवाज़ें निकल गईं। कुछ देर वह सामने घूर-घूर कर देखता रहा। एक बार पाप के विचार से काँप भी उठा। लेकिन सिर्फ़ एक लम्हे के लिए। फिर उसने रूमाल से मुँह और पेशानी साफ़ की, कपड़ों की सिलवटें और कोट की झोल खाई आस्तीनें खींचकर सीधी कीं, फिर धीरे-धीरे क़दम उठाता हुआ सहन में बावर्चीख़ाने की तरफ़ बढ़ा। कामिनी चूल्हे के क़रीब बैठी देगची में चम्मच चला रही थी। उसका बड़ा लड़का उसके घुटनों से लगा ऊँघ रहा था। वह चूल्हे की लपलपाती हुई शोलों की रौशनी में कामिनी के दमकते हुए चेहरे की तरफ़ देखता रहा। आपसी कशमकश में कामिनी के बाल परेशान हो गए थे। गाल लाल हो गए थे। कमीज़ दो-तीन जगह से मसक गई थी। यह सब उसी की दस्तदराज़ी की वजहें थीं। इस ख़्याल से वह नई तरह के लज़्ज़त भरे अहसास में गुम हो गया।

बज़ाहिर कामिनी उसके आने से बेखबर दिखाई देती थी। वह अपने काम में व्यस्त रही। बच्चे का ऊँघते देखकर उसने कहा, "चलो तुम्हें सुला दूँ।" और उसे सुलाने के लिए वह अंदर चली गई।

रखी चूल्हे के क़रीब एक स्टूल पर बैठ गया। वह दिल ही दिल में हालात का जायज़ा लेने लगा। कामिनी फिर चूल्हे के क़रीब आ बैठी। उसकी हरकतों से किसी ग़ैरमामूली घटना के होने का पता नहीं चल रहा था। देगची चूल्हे से उतारकर उसने तवा रख दिया और आटा तोड़कर पेड़े बनाने लगी, और उससे आँखें मिलाए बग़ैर बोली, "आपको सर्दी लग रही होगी। चूल्हे के क़रीब आ जाइए न।"

"सचमुच सर्दी बहुत सख़्त पड़ रही है।" यह कहकर उसने स्टूल खिसकाया और चूल्हे के क़रीब आ गया।

रखी की नज़रें उसके गालों, आँखों और तेज़ी से हिलते हुए होंठों और हाथों पर जमी हुई थीं। रखी दिल में वह बेचैनी और प्यास बड़ी शिद्दत से महसूस कर रहा था, जो प्यासे होंठों से शबरत का गिलास परे हठ जाने से महसूस होने लगती है। कामिनी ने रोटी उलटते हुए कहा, "आपको भूख तो लग रही होगी।"

उसने उठकर कामिनी से रुख़सार पर होंठ रख दिए, "नहीं कम्मो! मुझे भूख नहीं लग रही है", यह कहकर वह उसे अपने बाजुओं में समेटने की कोशिश करने लगा। कामिनी ने अपने आपको उसकी मर्ज़ी पर छोड़ते हुए कहा, "मुझे रोटी तो पका लेने दीजिए।"

"नहीं, जान से प्यारी कम्मो! रोटियाँ फिर पका लेना।" यह कहकर उसने हाथ मारकर तवा चूल्हे से गिरा दिया।

वह ख़ुश था। वह ऊपर से नीचे तक नशे में डूबा हुआ था। अब वह बैठक में दरी पर लेटा हुआ था। टाँगें उठाकर क़रीब बिछी हुई कुर्सी पर पाँव लटका रखे थे और बिजली की जगमगाती हुई रौशनी में वीकली का परचा पेट पर रखकर उसके पन्ने पलट रहा था।

• एक बार फिर कामिनी चूल्हे के सामने बैठी उसके लिए पराँठे पका रही थी। इस रोज़ से पहले ज़िंदगी के जो दिन गुज़र चुके थे, वह बिल्कुल फीके नज़र आने लगे थे। यह ख़ुशी, यह लज़्ज़त इससे पहले कभी महसूस नहीं हुई थी। दिल मुतमईन था। जिस्म हल्का-फुल्का और चुस्त महसूस हो रहा था। रूह पर ऐसा नशा छाया था जो बयान नहीं किया जा सकता था। आज वह और कामिनी एक हो गए थे।

खाना तैयार हो गया था। उन्होंने एक साथ मिलकर खाया। एक-दूसरे के मुँह से मुँह मिला कौर छीनते रहे। हँसी मज़ाक़ और चुहल में वक़्त गुज़र गया और आख़िर दरवाज़े पर दस्तक सुनाई दी।

कामिनी ने दरवाज़ा खोला। बैजनाथ का मासूम चेहरा देखकर रखी के दिल में फ़ितूर पैदा हो गया। लेकिन कामिनी आड़े आई, "आपके दोस्त तो उठकर भाग रहे थे। बड़ी मुश्किल से बिठाए रखा मैंने।"

बैजनाथ ने बेतकल्लुफ़ाना उसके कंधे पर हाथ मारकर कहा, "यार कमाल करते हो। आख़िर घबराने की क्या बात थी?" दोस्त की सादगी और ख़ुलूस देखकर रखी को शर्म सी महसूस होने लगी थी! और वह कुछ भी न कह सका।

"कहो, खाना खा लिया?"

"हाँ!"

"आओ, तो चलो जिलानी के यहाँ।"

रास्ते में बैजनाथ दावत की बातें करता रहा, कहने लगा, "डॉक्टर शर्मा मेरे बहुत गहरे दोस्तों में से हैं। बड़े प्रेम से खाना खिलाया। वापस नहीं आने देते थे। हज़ारों बहाने बना जान छुड़ाकर आया हूँ।"

जब वह जिलानी के यहाँ पहुँचे तो मालूम हुआ कि उनके यहाँ कोई फ़ौजी रिश्तेदार बाहर से आए हुए हैं। इसलिए वह ब्रिज न खेल सकेंगे। उनका प्रोग्राम चौपट हो गया। ख़ैर वह देर तक इधर-उधर टहलते रहे। फिर बैजनाथ ने कहा, "आओ घर बैठें। सर्दी बहुत ज़्यादा है?"

"भई अब इजाज़त दो। अब मैं घर वापस जाता हूँ। फिर मुलाक़ात होगी।" हाथ मिलाकर के वह एक-दूसरे से विदा हो गए।

आज की सुखद घटना से उसका दिल यूँ तो ख़ुश था, लेकिन दोस्त से इस पाजीपन की वजह से अंतर्मन उसे लानत भी भेज रहा था। और जब वह अपने घर के क़रीब पहुँचा तो हमेशा की तरह उसने पूछा, "क्यों बे ज़िये! कोई आया तो नहीं था हम से मिलने के लिए?"

ज़िया ने सर ऊपर उठाया, ''अजी बाबू बैजनाथ आए थे। सीधे भीतर चले गए। मुझसे तो कुछ बोले नहीं। जब आप नहीं आए तो बेचारे इंतज़ार करके चले गए।''

''बैजनाथ!'' उसके हलक़ से हल्की-सी चीख़ निकल गई और वह ठिठककर खड़ा हो गया।

''हाँ जी! बैजनाथ बाबू।''

दुकान से मकान तक चंद क़दम का फ़ासला उसने बहुत आहिस्ता-आहिस्ता तय किया। जब वह सीढ़ियों पर क़दम रखने लगा, तो उसने देखा उखड़ी हुई दो ईंटें फिर अपनी जगह से हट गई हैं। उसने सँभालकर उन्हें टिकाकर रख दिया और फिर पल-भर की ख़ामोशी के बाद उसके मुँह से धीमी हँसी निकल गई, और जब वह ड्राइंगरूम में दाख़िल हुआ तो वहाँ हर चीज़ जानी-पहचानी थी। माहौल शांतिमय व आरामदेह लग रहा था!

उसकी बीवी अंदर वाले दरवाज़े में खड़ी दिखाई दी। वह इस वक़्त ताज़ा खिले फूल की तरह तरोताज़ा और उजली दिखाई पड़ रही थी। वह फूल जिसका मुँह शबनम ने बड़ी सावधानी से धो डाला हो। जिस पर जमी हुई गर्द की अनदेखी पर्त किसी ने चूम ली हो।

बड़े कोच पर बैठ गया। शांता फूल भरी टहनी की तरह लचकती हुई नज़दीक आई और उसके क़रीब कोच में धँस गई। उसने सिर से पाँव तक बीवी को ध्यान से देखा और मुस्कुराकरा बोला, ''सुनो, आज तो तुम बहुत ख़ुश दिखाई देती हो।''

अपने ख़ास अंदाज़ से अपने बालों पर हाथ फेरते हुए वह लजाकर मुस्कुरा दी। उसके तरोताज़ा होंठों से सफ़ेद दाँत थोड़ा-सा दिखे और उसने बग़ैर कुछ कहे हाँ में सर हिलाते हुए उसके कंधे पर अपना गाल टिका दिया।

शान्ता की नींद से बोझिल आँखें झपकने लगीं। वह कुछ पलों तक शान्ता के चेहरे की तरफ़ देखता रहा, फिर उसकी पीठ पर हल्की-सी थपकी देकर बोला, ''मैं भी बहुत ख़ुश हूँ शान्ता! ज़रा इधर लाओ तो अब्दुल्ला सिगरेटों का डिब्बा!''

ज़िंदगी की ऊबड़-खाबड़ राहों का मतवाला क़िस्सागो

जोगेंदर पाल 5 सितंबर, 1925 में पश्चिमी पाकिस्तान के सियालकोट शहर में पैदा हुए। उनके वालिद का नाम लालचंद सेठी था और माँ का नाम मायादेवी। पिताजी की एक छोटी-सी दुकान थी। बचपन गुज़र रहा था कि अचानक हालात के थपेड़ों ने सब कुछ बदल डाला। दुकान बिक गई। किसी तरह एफ.ए. की पढ़ाई ख़त्म की और प्राइवेट ट्यूशन, मिलिट्री में रोज़ की दिहाड़ी पर पैराशूट फैक्ट्री में काम किया, कुछ और भी काम लिया, मगर पढ़ाई जारी रखी। 1942 में बी.ए. किया, फिर क्लर्की की और 1947 में अपने ख़ुशहाल मामू के सेक्रेटरी बने और 1955 में अंग्रेज़ी में एम.ए. चंडीगढ़ यूनिवर्सिटी से किया।

पिता की दूध की दुकान पर साइकिल से घर-घर दूध पहुँचाया, बँटवारे की त्रासदी के साथ पिता के देहांत का ग़म झेला।

1948 में कृष्णा पाल से विवाह हुआ। दोनों कुछ समय नैरोबी में जाकर रहे। 1949 से 1964 तक कीनिया में अध्यापन कार्य किया। फिर रिटायरमेंट ले महाराष्ट्र लौट आए। औरंगाबाद में 1964-1965 तक अंग्रेजी के अध्यापक रहे, फिर 1965 से लेकर 1978 तक प्रिंसिपल रहे और फिर दिल्ली आ गए। कृष्णा पाल जामिया में अध्यापन कार्य में व्यस्त रहीं और जोगेंदर पाल कीनिया से मिली ब्रिटिश पेंशन के साथ अपने लेखन में व्यस्त रहे।

उनका पहला लिखा अफ़साना 'साक़ी' पत्रिका देहली में 'त्याग से पहले' शीर्षक से 1945 में छपा था।

उनकी पहली पुस्तक *धरती का लाल* नाम से (1961) आई, जिसके सारे अफ़साने अफ्रीकाई परिवेश पर लिखे हुए थे। फिर *मैं क्यों सोचूँ* (1962), *रसाई* (1969), *मिट्टी का इदराक* (1970), *सलवटें* (लघु कहानियाँ 1975), *लेकिन* (1977), *बेमुहावरा* (1978), *बेइरादा* (1981), *कथानगर* (लघु कहानियाँ 1997)।

उपन्यास *एक बूँद लहू की* (1962), उपन्यासिका *आमद व रफ़्त* (1975), *बयानात* (1975), *नदीदा* (1983), *ख़्वाबरु* (1990) आदि।

आलोचनात्मक लेख संग्रह *राब्ता* (1998) *बेइस्तेलाह* (1999) भी प्रकाशित हुए।

जोगेंदर पाल का साहित्य के बारे में कहना था कि अफ़साने की कला इतनी ग़ैर रस्मी है कि जैसे भी कहानी बस जाए और उसे पढ़ते हुए महसूस हो कि उसमें जो कुछ पेश आ रहा है, वह ज़िंदगी की किसी सच्ची घटना की तरह पहली और आख़िरी बार घट रहा है!

जोगेंदर पाल की दो ख़ूबियाँ समकालीनों में अलग दिखाई देती हैं। एक ख़ूबी यह कि जोगेंदर पाल ने बड़ी संख्या में लघुकथाएँ लिखी हैं। उर्दू में इतनी लघुकथाएँ किसी लेखक ने नहीं लिखी होंगी। दूसरी जिस ख़ूबी के लिए जोगेंदर पाल पहचाने जाते हैं, वह नए किरदारों की संरचना। वे जिस चाव से कहानी लिखते हैं, उसी चाव से कहानी पढ़ते भी हैं।

उनकी *भाभो* कहानी उनके मुँह से सुनने का सौभाग्य मिला। जोगेंदर पाल के लिखे पाकिस्तानी यात्रा संस्मरणों को पढ़कर पता चलता है कि पाकिस्तानी उर्दू पाठक कितना प्यार और सम्मान देते हैं। उनको अनेक सम्मानों से सम्मानित किया गया है।

उर्दू अकादमी अवार्ड (1978), मीरा अवार्ड (1983), ग़ालिब फिक्शन अवार्ड (1983), उत्तर प्रदेश हिंदी-उर्दू अवार्ड (1983), पंजाब सरकार सम्मान, ग़ालिब अवार्ड, बहादुरशाह ज़फ़र अवार्ड इत्यादि।

जोगेंदर पाल की रचनाओं के अनुवाद अंग्रेज़ी, हिंदी, पंजाबी, मराठी, मलयालम और रूसी भाषा में हो चुके हैं।

उर्दू पत्रिका 'शायर' के संपादक एवं कवि इफ़्तिख़ार इमाम ने जोगेंदर पाल को उर्दू फिक्शन का तख़्लीक़ी सय्यारा (सृजन ग्रह) कहा है। 2016 में वह सय्यारा हमसे जुदा हो गया।

जागीरदार

जोगेंदर पाल

वह बारह-तेरह साल की बड़ी मासूम छोकरी थी। दरवाज़ा खुलते ही पहले तो मुझे देखकर उसने अपना हाथ झट से पीछे कर लिया और फिर झिझकते हुए उसी हाथ को आगे बढ़ाकर बोली—

"यह चिट्ठी!"

मैं उसके हाथ से काग़ज़ का पुर्ज़ा लेकर पढ़ने लगा।

जनाब आली मैं आपके मोहल्ले में रहता हूँ। कभी बहुत अच्छे दिन देखे थे। आज बहुत नाज़ुक सूरतेहाल से दो-चार हूँ। अपनी बेटी को भेज रहा हूँ, मुमकिन हो तो कम-से-कम पाँच रुपये भेज दीजिए ताकि घर में हांडी पक सके। आपके पैसे जल्द ही लौटा दूँगा। शरीफ़ आदमी हूँ मगर...

मैंने आख़िरी दो सतरें पढ़े बग़ैर चिट्ठी लिखने वाले का नाम देखने के लिए नज़र नीचे सरकाई...जागीरदार...और जेब से पाँच का नोट निकालकर लड़की के हाथ में थमा दिया।

मुझे यहाँ आए पूरा एक माह भी नहीं हुआ था। और इतने बड़े मोहल्ले के सभी लोगों से क्या अपने निकट पड़ोसियों से अभी तक नावाक़िफ़ था...होगा कोई ग़रीब बेचारा...मैं दरवाज़ा बंद करके अंदर वापस आ गया।

इस घटना को कोई डेढ़-दो माह हो लिए। मैं एक दिन सिनेमा का मेटिनी शो के लिए जाने की तैयारी कर रहा था कि किसी ने दरवाज़ा खटखटाया। दरवाज़े पर वही लड़की खड़ी थी।

मुझे ख़्याल आ गया कि शायद पैसे लौटाने आई हो।

"यह चिट्ठी।"

उसके बाप ने उसी इबारत के साथ फिर पाँच रुपये माँग भेजे थे। मैंने जल्दी से जेब से दो रुपये निकाले और लड़की से कहा ले जाओ।

लड़की चली गई। मुझे शर्मिंदगी-सी हुई। कोई ऐसी मजबूरी हो तो सफ़ेदपोश इस तरह हाथ फैलाते हैं। मुझे पाँच ही भेज देना चाहिए था।

इसके बाद वह लड़की मुझे चार-पाँच माह तक नज़र न आई। और फिर एक दिन दरवाज़े पर वैसी ही खटखटाहट हुई।

वही लड़की खड़ी थी।

''यह चिट्ठी।''

जागीरदार ने ठीक उसी इबारत में इस बार दस रुपयों की माँग की थी। मैंने मुस्कुराकर लड़की के हाथ में इस दफ़ा भी दो रुपये का नोट थमा दिया, और यूँ ही सोचने लगा कि भला आदमी इस तरह माँग कर वक़्त काटने का आदी मालूम होता है। चलो, मैंने दो ही तो दिए हैं। सर झटककर मैं अपने काम में मशग़ूल हो गया।

पिछले सात-आठ माह से ज़्यादा वक़्त मैंने कारोबार के सिलसिले में घर के बाहर बिताए। इस बीच वह लड़की कभी आई हो तो मुझे मालूम नहीं। आज सुबह के वक़्त मैं दूध वाले का इंतज़ार कर रहा था। थोड़ी देर बाद घंटी की आवाज़ सुनकर मैं बर्तन लेकर बाहर आ गया कि दूध डलवा लूँ। दरवाज़े पर दूध वाले के बजाय एक अधेड़ उम्र का शरीफ़पोश शख़्स खड़ा था।

''मेरा नाम जागीरदार है!''

''आइए।''

''नहीं, मुख़्तसर सी बात करना है यहीं कहे देता हूँ।''

''कहिए।''

''इस बार लड़की को चिट्ठी देकर नहीं भेजा, ख़ुद ही हाज़िर हो गया हूँ। मुझे आपसे यह दरख़्वास्त करना है कि...''

मैंने उसे दो रुपये देने के लिए जेब में हाथ डाला।

''नहीं, ठहरिए। पहले मेरी गुज़ारिश सुन लीजिए। मैं अपनी चिट्ठियों में जो रक़म लिखूँ, मेहरबानी करके आप वही 'भेजा करें' मैं उसकी तरफ़ हैरत और ग़ुस्से से देखने लगा।

''मेरी बेटी अब पूरी जवान हो चुकी है जनाब, अब तो आपको पूरे ही पैसे चुकाने होंगे।''

उर्दू अदब की आँखों की पुतली एक ख़ुदाई करिश्मा

क़ुर्रतुल ऐन हैदर की पैदाइश 20 जनवरी, 1927 में अलीगढ़ में हुई। उनके वालिद सज्जाद हैदर यलदरम उर्दू के प्रारंभिक लेखकों में शुमार किए जाते हैं। उनकी वालिदा नज़र अब्बास हैदर उर्दू की उपन्यासकार थीं। मशहूर माँ-बाप ने अपनी बेटी का नाम फ़ारसी कवयित्री क़ुर्रतुल ऐन ताहिरा के नाम पर रखा था। क़ुर्रतुल ऐन का अर्थ आँखों की पुतली, रौशनी, बेहद प्यारा वग़ैरह है।

प्रारंभिक शिक्षा देहरादून और लखनऊ कान्वेंट में पाई। 1947 में लखनऊ विश्वविद्यालय से एम.ए., अंग्रेज़ी में डिग्री हासिल की। गवर्नमेंट स्कूल ऑफ आर्ट लखनऊ और स्कूल ऑफ़ लंदन में आर्ट की तालीम हासिल की। कैंब्रिज यूनिवर्सिटी से 1952 में अंग्रेज़ी शार्ट कोर्स किया। रीजेंट स्ट्रीट पॉलिटेक्निक, लंदन से पत्रकारिता की डिग्री ली। इसके बाद 1950 में सूचना प्रसारण मंत्रालय कराची में नौकरी की और 1952 में पाकिस्तान हाईकमीशन में प्रेस-अटैची रहीं। 1954 पाकिस्तान इंटरनेशनल एयरलाइंस में इनफार्मेशन ऑफिसर, 1955 से 1960 तक सूचना प्रसारण मंत्रालय में डाक्यूमेंट्री फ़िल्मों की प्रोड्यूसर राइटर के अलावा 'पाकिस्तानी क्वाटर्ली' की संपादिका भी रहीं। 1961 में पाकिस्तान से भारतवर्ष लौट आईं।

मुंबई में 'इंप्रिंट' की संपादिका के साथ 'एलेस्ट्रेटेड वीकली' से भी जुड़ी रहीं। फ़िल्म सेंसरबोर्ड की मेम्बर रहीं। 1968 से 1977 तक साहित्य अकादमी जनरल काउंसिल की उर्दू सलाहकार कमेटी की सदस्या, मुस्लिम यूनिवर्सिटी में विज़िटिंग प्रोफेसर (1981-82), मुंबई में बेनेट कोलमेन की मेंबर, जामिया मिल्लिया में 1979 में विज़िटिंग प्रोफेसर रहीं। ज़िंदगी के विभिन्न कार्यक्षेत्रों के अनुभव और बचपन में माँ-बाप के साथ विदेशों में रहने का तजुर्बा वास्तव में क़ुर्रतुल ऐन हैदर की ज़हनी ग्रोथ का सबूत रहे हैं। ऊपर से ख़ुदा ने उन्हें हर तरह के इल्म और हुस्न से जी-भर कर नवाज़ा भी था!

उनकी लिखी पहली कहानी *बी चुहिया की कहानी उन्हीं की ज़बानी* बच्चों की पत्रिका 'फूल' में 24 सितंबर, 1938 के अंक में छपी थी, जब उनकी उम्र केवल ग्यारह-बारह वर्ष की थी।

साहित्य को लेकर उनका नज़रिया था कि मैंने कोई नुस्ख़े नहीं पेश किए हैं।

मेरी बुनियादी एप्रोच इंसानपरस्ती है। इसकी सारी दुनिया को आजकल ज़रूरत है। इसकी वज़ाहत को मैं ज़रूरी नहीं समझती हूँ।

क़ुर्रतुल ऐन हैदर अपने दो नामों से पाठकों और आलोचकों के बीच जानी जाती थीं। पहला 'एनीआपा' दूसरा 'पोम पोम डार्लिंग।'

उनका पहला छपा अफ़साना *ये बातें* 'हुमायूँ' पत्रिका में 1942 में छपा था। उनकी लगभग पचास किताबें हैं। ज्ञानपीठ सम्मान (1989-90) लेते हुए उन्होंने अपने भाषण में कहा था कि उन्हें अपनी किताबों की कभी कोई रॉयल्टी नहीं मिली। उनकी किताबें पाकिस्तान में बिना उनकी इजाज़त के छपती रही हैं।

उर्दू के आलोचक क़मर रईस ने उनके बारे में लिखा है—

"क़ुर्रतुल ऐन हैदर का क़द बिलाशुब्हा अपने समकालीनों में सबसे बुलंद है। उनके आर्ट में जिस नर्मी, लोच, तहदार संतुलन और वैचारिक गहराई का अनुभव होता है और जिस विशेष योग्यता भरी सर्जनात्मक शैली का वह अनुसरण करती हैं, उसके वास्ताविक स्रोत की तरफ़ ख़ुद एनीआपा ने अपने एक लेख में इशारा किया है..."हिंद के बँटवारे के सदमे ने 1974 के आख़िर में मुझसे *मेरे भी सनमख़ाने* लिखवाई...जिलावतनी ने मुझे बहुत परेशान किया था। उन्नीस सदी के अदीबों के लिए यह समस्या सियासी बन चुकी थी। सार्त्र ने एक जगह लिखा है कि अदीब इसलिए लिखता है कि सृजन द्वारा एक चीज़ का रिश्ता दूसरी चीज़ से बना सके, लेकिन आज के दौर में अदीब और दुनिया के बीच बहुत-सी दीवारें बना दी गईं हैं। कार्लमार्क्स का नज़रिया है कि इंसान समाज की इकाई है और वह उससे अलग नहीं रह सकता है और क़ाफ़्क़ा का कहना है कि इंसान बुनियादी तौर से अकेला है। इन दोनों भिन्न दृष्टिकोणों ने सारे जदीद (आधुनिक) अदब को प्रभावित किया है। मगर मेरे सामने मसला कम्युनिकेशन का था। मैंने मुहब्बत, नफ़रत, मज़हबी कट्टरपन और बेरहमी, के बारे में बहुत ग़ौर किया। इंसान की इंसान के प्रति क्रूरता, व्यक्तिगत और सामाजिक निर्दयता के साथ बँटवारे की समस्या फिर सामने आ गई। मुल्क का बँटवारा क्यों हुआ?" (क़ुर्रतुल ऐन हैदर! एक अध्ययन 490)

उनके दिल व दिमाग़ को बँटवारे की हिंसा ने जो ज़ख़्म दिए वह शायद वक़्त के साथ भर भी जाते, मगर उस बँटवारे की प्रतिध्वनियों ने जो ज़ेहनी हिंसा और सामाजिक बिखराव दिया वह लगातार आत्मा का नासूर बनता गया, जिसके साथ इंसान की अपने दिल व दिमाग़ की परेशानियाँ भी शामिल हो गईं, जो आर्थिक बदलाव से जुड़ी थीं। इसकी ज़िंदा तस्वीर *हसब नसब* कहानी है जो छम्मी बेगम के वंशजों से जुड़ी उत्थान और उनके ख़ानदान के पतन की कहानी है।

सितारों से आगे संग्रह की कहानियों में जिस रूमानी भरी व्याकुलता से लेखिका ने अपने लेखन का आरंभ किया, वह धीरे-धीरे एक संवेदनशील रचनाकार, एक अद्भुत विचारक में ढलता गया। उनकी रचनाएँ इस बात की गवाह हैं कि

उनका लेखन किसी एक शैली में क़ैद नहीं रहा। उनके क़लम से बयानिया, प्रतीकात्मक क़िस्से और दास्ताँगोई के साथ यथार्थ का जो गद्य निकलकर आया है वह उनकी रचनात्मकता की उत्कृष्टता की ओर इशारा करता है, जिसके कारण अदब और अदीब दोनों के बीच उन्होंने विशेष स्थान बनाया और उनकी इसी ख़ूबी के चलते बड़े-बड़े उर्दू के लेखक उनकी लेखनी के प्रति नतमस्तक हैं।

उनके कहानी संग्रह *सितारों से आगे* (1947), *शीशे के घर* (1954), *पतझड़ की आवाज़* (1966), *रौशनी की रफ़्तार* (1982), *जहाँ फूल खिलते हैं, रौशन की रफ़्तार* इत्यादि।

उपन्यास *सफ़ीना-ए-गमे दिल* (1949), *मेरे भी सनमख़ाने* (1949), *आग का दरिया* (1959), *आख़िरी शब के हमसफ़र* (1979), *कारे जहाँ दराज़ एक* (1977), *कारे जहाँ दराज़-दो* (1979), *गर्दिशे रंगे चमन* (1982), *चाँदनी बेगम* (1998) आदि।

उपन्यासिका *सीता हरण, हाउसिंग सोसाइटी* (1966), *चाय का बाग़* (1964), *दिलरुबा* (1976), *अगले जनम मोहे बिटिया न कीजो* (1977), चार उपन्यासिकाएँ (1981) आदि।

रिपोर्ताज़ *सितंबर का चाँद* (1958), *कूए दमावंद* (ईरान यात्रा 1978), *दर चमन-हर वर्क़ी* (1968), *जहाने दीगर* (अमेरिका पर-1980), *गुलगश्त* (यात्रा रूस-कश्मीर) लेख संग्रह *पिक्चर गैलरी* (1983), *ख़तसंग्रह दामाने बाग़बान* (2003), *उस्ताद बड़े ग़ुलाम अली ख़ाँ* (2003) आदि।

बच्चों के लिए *शेर ख़ाँ, भेड़िए के बच्चे, लोमड़ी के बच्चे, मियाँ ढेचू के बच्चे, बहादुर, हिरन के बच्चे, जिन हसन अब्दुल रहमान* (दो जिल्दों में) 'अप्रैल फूल' वग़ैरह-वग़ैरह।

अनुवाद, *हमीं चिराग़ हमीं परवाने* (1957), *अलप्स के गीत* (वासल हाई कोफ की किताब), *दोन बहता रहा* (शोलोखोफ का उपन्यास), *आदमी का मुक़द्दर* (शोलोखोफ 1965), *माँ की खेती* (उपन्यास एतमातोफ़ चंगेज़ 1966), *कलीसा में कत्ल, डिंगू* (उपन्यासिका आरफर मैन 1966), *ख़ियाली पुलाव* (1967), *क़फ़े गुलफ़रोश* (तस्वीरी एलबम 2004) आदि।

ऐनीआपा को अनेक सम्मानों से सम्मानित किया गया है।

साहित्य अकादमी अवार्ड (1967), सोवियत लैंड नेहरू अवार्ड अनुवाद के लिए (1969), ग़ालिब अवार्ड (1982), पद्मश्री (नेशनल अवार्ड 1984), ग़ालिब-मोदी अवार्ड (1984), इक़बाल सम्मान (मध्यप्रदेश 1987-1988), ज्ञानपीठ अवार्ड (1990), भाई वीरसिंह इंटरनेशनल अवार्ड (1991)।

क़ुर्रतुल ऐन हैदर 21 अगस्त, 2007 को साढ़े तीन बजे सुबह हमसे जुदा हुईं। उनसे हुई चंद मुलाक़ातें यादगार के तौर पर ज़ेहन में मौजूद हैं।

उनको क़ब्र की आग़ोश में आराम से लिटाने की वह दोपहर बहुत गर्म थी। जामिया के क़ब्रिस्तान में उनकी मय्यत के इंतज़ार में पसीने से डूबे कुछ लोग टहल रहे थे। कुछ पेड़ के साए में थे। कुछ कारों में बैठे थे। उस भीड़ में कुछ जाने-पहचाने अदीब थे। पूरा माहौल शब्दहीन था, मगर वातावरण में ऐसा कुछ था जो लगातार बज रहा था या फिर मेरा वहम था!

यहाँ उनकी कहानी हसब नसब (बुर्जुगों की शराफ़त का सिलसिला) दे रही हूँ। हिंदी पाठकों के बीच कुर्रतुलएन हैदर एक पसंदीदा लेखिका हैं। हिनकी *आग का दरिया* उपन्यास विशेष रूप से सराहा गया है।

हसब नसब

क़ुर्रतुल ऐन हैदर

लंबे-चौड़े सीले हुए ग़ुसलख़ाने में दिन को भी अँधेरा रहता था। पीतल के झाल बाल ततेड़े, ऊँचा हमाम, मटके चौकी, रंग-बिरंगी साबुनदानियाँ, बेसन, उबटन, झावें, लोटे, आफ़ताबे, मग्गे, खूँटियों पर मैले ग़रारों और मैले दुपट्टों का अंबार, आँवलों रीठों से भरी तश्तरियाँ, अँधेरा अख़्नदूस मुआ अलीबाबा चालीस चोर का ग़ार, लेकिन यही ग़ुसलख़ाना छम्मी बेगम की दुखी ज़िंदगी में वक़्त बेवक़्त पनाह का काम देता था। उसी की हरे शीशों वाली बंद खिड़की का रुख़ चमेली वाले मकान की तरफ़ था। उसके शीशे का हरा रंग नाख़ून से ज़रा-सा खुरचकर छम्मी बेगम ने बाहर झाँकने का इंतज़ाम भी कर रखा था। छम्मी बेगम के लाडले चचा के बेटे अज्जू भाई चमेली वाले मकान में रहते थे। पहरों वह उस शीशे में से सामने वाले घर को इस तरह ताकतीं जैसे शाहजहाँ अपने क़ैदख़ाने में से ताजमहल को देखा करता था।

मध्यवर्ग के इस ज़मींदार ख़ानदान के पुश्तैनी घर के दो हिस्से थे। बाहर वाला मर्दाना हिस्सा जिसके सहन में चमेली की घनी झाड़ियाँ थीं। वह 'चमेली वाला' मकान कहलाता था। ज़नाने घर के आँगन में इमली का सायादार दरख़्त खड़ा था। इसलिए सारे मोहल्ले में उसका नाम 'इमली वाला' मकान पड़ गया था। दोनों घरों के बीच में खड़ी दीवार में आने जाने के लिए एक खिड़की थी।

छम्मी बी के अब्बा और अज्जू भाई के अब्बा एक साथ रहते थे। छम्मी बी के पैदा होते ही अज्जू भाई से मँगनी हो गई थी। नौ साल की उम्र में मंगेतर से काना पर्दा करा दिया गया था। अज्जू भाई बला के ख़ूबसूरत और खिलेंदरे थे। इकलौते लाडले बेटे और दो भाइयों के घर के अकेले चिराग़। इसलिए वह तो जी भर के बिगड़े। पतंगबाज़ी, कबूतरबाज़ी, यह बाज़ी वह बाज़ी लेकिन बड़े अब्बा और अम्मा को इत्मीनान था कि ब्याह होते ही सुधर जाएँगे। छम्मी बेगम तो होश सँभालते ही उन्हें अपना दुनियावी ख़ुदा समझने लगी थीं। माँ-बाप की इकलौती वह भी थीं। उनके नाज़ भी कम न उठाए जाते थे। ज़िद्दी, ग़ुस्सैली और तनतने वाली छम्मी बेगम

सोलह साल की हुईं तो शादी की तारीख़ तय कर दी गई। दोनों तरफ़ से धूमधाम से तैयारियाँ शुरू हो गईं कि अचानक मौत ने सुखी और ख़ुशहाल घराने की बिसात उलट दी। इस साल शाहजहाँपुर में जो हैज़े की बीमारी फैली उसमें पंद्रह दिन के अंदर-अंदर छम्मी बेगम के अम्माँ, अब्बा दोनों चटपट। छम्मी बी पर क़ियामत गुज़र गई, लेकिन अभी ताया-ताई का साया सर पर सलामत था। सबसे बड़ी बात यह कि अज्जू भाई से ब्याह होने वाला था। छम्मी बेगम माँ-बाप का शोक मनाने के बाद फिर पूरी तरह भविष्य के सुहाने सपने देखने में डूब गईं।

शादी कुछ दिनों के लिए टल गई। इससे पहले की बड़े अब्बा कोई तारीख़ तय करते उनका बैठे-बिठाए हार्ट फेल हो गया।

बड़े अब्बा के मरते ही अज्जू भाई ने कहा कि वह चंद मुक़दमों के सिलसिले से लखनऊ जा रहे हैं और मुसाहिबों के साथ उड़न छू हुए। अब इमली वाले मकान में रह गईं बड़ी अम्माँ जो बिल्कुल बावली हो रही थीं और छम्मी बेगम। मर्दाना सूना हो गया। ड्योढ़ी पर पुराने नौकर धम्मू ख़ाँ डंडा सँभाले बैठे रह गए। अंदर सलामत बुआ और उनकी लड़कियाँ रोती, नाक छिनकती खाना पकाने में जुटी रहतीं। घर की हिफ़ाज़त के लिए बड़ी अम्माँ ने एक बूढ़े रिश्तेदार मल्लन ख़ाँ को बरेली से बुलवा भेजा जो चमेली वाले मकान के दालान में खटिया डालकर पड़े रहते।

अज्जू भाई लखनऊ गए तो वहीं के हो रहे। हर ख़त में अम्माँ को लिख भेजते कि मुक़दमे की तारीख़ बढ़ गई है। महीने-दो महीने में आ जाऊँगा। पूरे छह महीने बाद आए तो बड़ी अम्माँ ने शादी का ज़िक्र छेड़ा। बोले जब तक ज़मीनों के मामलात नहीं सुधर आते, मैं शादी वादी नहीं करता।

तभी से छम्मी बेगम अँधेरे ग़ुसलख़ाने के कोने में मेले कपड़ों के ढेर पर बैठकर चुपके-चुपके रोने लगीं।

अब छम्मी बेगम उन्नीस की हो चुकी थीं। अज्जू भाई ने शायद तय कर लिया था कि लखनऊ ही में रहेंगे। लोगों ने आकर बताया था कि वहाँ ख़ूब रंगरलियाँ मना रहे हैं। छम्मी बेगम न जाने क्या नसीबा लेकर आई थीं। एक दिन बड़ी अम्मा पर दिल का दौरा पड़ा और वह भी चल बसीं। अब छम्मी बेगम हैरान व परेशान तन्हा रह गईं। आँगन में उल्लू बोलने लगा। घर की हिफ़ाज़त के चलते मल्लन ख़ाँ चमेली वाले मकान से इमली वाले मकान पर आ गए। इधर दालान में पड़े वह ख़ाँसा करते, ड्योढ़ी में धम्मू ख़ाँ ख़ाँसता रहता।

अज्जू भाई माँ के मरने पर आए थे। तीजा करते ही वापस चले गए। किस तरह उन्होंने बीच मझदार में छम्मी बेगम का साथ छोड़ा। अल्लाह! अल्लाह! जब वह यह सब सोचती तो कलेजा फटने लगता। महीने-के-महीने लखनऊ से दो सौ रुपये का मनीऑर्डर आ जाता। कभी-कभार मल्लन ख़ाँ के नाम ख़ैर व ख़बर का ख़त।

मल्लन ख़ाँ की बीवी और बेटी भी बरेली से आ गई थीं, लेकिन अपनी

तुनकमिज़ाजी की वजह से छम्मी बेगम की उनसे एक दिन भी न बनी। दिनभर रिश्तेदारों से लड़ने-झगड़ने या आप-ही-आप तिलमिलाने और कलपने के बाद छम्मी बेगम ग़ुसलख़ाने में घुस जाती और रोती या शाहजहानी शीशे में से चमेली वाले मकान को ताका करतीं। यह ज़िंदगी भी कैसी ज़िंदगी है। वह सोचतीं। अभी सब कुछ है, अभी कुछ भी नहीं है। कल की बात मालूम होती है कि इस घर पर कितनी रौनक थी। दालान में आराम कुर्सियाँ पड़ी हैं। सहन में मूढ़े बिछे हैं। गैस के हंडे सनसना रहे हैं। अब्बा और बड़े अब्बा के दोस्तों की महफ़िल जमी है। मुशायरे हो रहे हैं। क़व्वाल गा रहा है। जब अज्जू भाई के दोस्त आते तो अज्जू आँगन वाली खिड़की में आकर खँखारते और एक ख़ास अंदाज़ में आहिस्ता से पुकारते, "अरे भई छम्मो, ज़रा चाय तो भिजवा दो।"

इस भरे पूरे घर को किसकी नज़र लग गई?

अपनी इस शदीद नाउम्मीदी के बाद छम्मी बेगम को यक़ीन था कि एक-न एक दिन अज्जू वापस आएँगे। चमेली वाला मकान फिर आबाद होगा।

जुमे के जुमे दिन वह मरदाने मकान में जातीं। धम्मू ख़ाँ और सलामत बुआ की लड़कियों के साथ मिलकर बाग़ के झाड़-झंकार की सफाई करवातीं। दालान के जाले साफ़ कराए जाते। अंदर के कमरों में ताले पड़े थे। दरवाज़ों के शीशों में से झाँककर वह बड़े अब्बा, अज्जू और अब्बा के कमरों पर नज़र डालतीं और सर हिलाती ठंडी आहें भरती वापस आ ज़ातीं।

छम्मी बेगम तीस साल की हो गईं। बाल वक़्त से पहले सफ़ेद हो चले। अब उन्होंने चमेली वाले बाग़ की देखभाल भी छोड़ दी। दिल दुनिया से उचाट सा हो गया। लेकिन ग़ुस्से और ग़ुस्से का आलम वही रहा बल्कि उम्र के अकेलेपन के साथ उसमें इज़ाफ़ा होता जा रहा था।

इनके इस तनतनेपन और तेवर के लिए वजहें कुछ कम न थीं। माँ-बाप ख़ालिस अस्ल व नस्ल, रोहिला पठान, दादा, परदादा हफ़्त हज़ारी न सही एक हज़ारी, दो हज़ारी (या निगोड़े जो कुछ भी वह होते थे।) ज़रूर रहे होंगे, सारे कुनबे का सुर्ख़ व सफ़ेद रंग, और पठानी ख़ुद्दारी और ग़ुस्सा इस बात का सच्चा सबूत था कि इस ख़ानदान में मिलावट कभी नहीं हुई। गुज़रे सरदारों की शान और ख़ानदान की पाकीज़गी पर कोई आँच न आ जाए इस फ़िक्र में वह बिल्कुल क़िलाबंद होकर बैठ गईं। मोहल्ले की औरतों से मिलना-जुलना भी बंद कर दिया। विधवाओं जैसे सफ़ेद कपड़े पहनने लगीं। उनका ज़्यादातर वक़्त नमाज़ में गुज़रता था। अक्सर दोपहर के सन्नाटे में सलामत बुआ आँगन की खिड़की में बैठ कर ज़र्दा फाँकते हुए बड़ी डरावनी आवाज़ में आपसे आप बड़बड़ाती, "ऊपर वाला फ़रमाता है कि

मुझे दो बख़्त अपने बंदो पर हँसी आती है। एक, जब मैं जिसे बना रहा हूँ, उसे कोई बिगाड़ने की कोशिश करे और दूसरे जब जिसे मैं बिगाड़ रहा हूँ वह अपने को बनाने की कोशिश करे, बस दो बख़्त।'' और छम्मी बी दहल कर डाँटती, ''ए सलामत बुआ मनहूस बातें मत करो।'' लेकिन सलामत बुआ इत्मीनान से उसी तरह बड़बड़ाती रहती।

उस रोज़ नौचंदी जुमेरात थी। छम्मी बेगम ग़ुसलख़ाने में नहा रही थीं। सर्दियों का ज़माना था। हमाम के नीचे सुलगते अंगारे कब के बुझ चुके थे। और छम्मी बेगम को कँपकँपी चढ़ रही थी। जल्दी से बाल तौलिया में लपेट खड़ाऊँ पैरों में पहन रही थीं। जब बाहर से सलामत बुआ की सिड़बिल्ली नवासी ने ज़ोर से ग़ुसलख़ाने के दीमक लगे किवाड़ की कुंडी खड़खड़ाई, ''आपा, ए आपा! जल्दी निकलो।''

''अरे क्या है बावली?'' छम्मी बेगम ने झुँझलाकर कहा!

''आपा! चमेली वाले मकान में आपसे कहा है कि चार-पाँच जनों के लिए चाय भिजवा दो जल्दी से।''

''क्या...क्या?'' छम्मी को अपने कानों पर यक़ीन न आया उन्होंने जल्दी से शाहजहाँनी शीशे से आँख लगा दी।

सहन का फाटक खुला हुआ था। बाहर दो ताँगे खड़े थे। दो-तीन लुकंदरे सामान उतरवा रहे थे। एक काले रंग की मगर तीखे नैन-नक़्श की औरत सुर्ख़ जारजेट की साड़ी पर हरे रंग की बनारसी शाल पहने मूढे पर बैठी टाँगें हिला-हिला कर नौकर पर हुक्म चला रही थी। एक उसी से मिलती जुलती तेरह-चौदह साल की टर्री शक्ल वाली उछाल छक्का सी लड़की कासनी शलवार कमीज़ पहने फ़र्श पर उकड़ूँ बैठी एक बक्स खोलने में लगी थी। इतनी देर में अंदर से अज्जू भाई...हमेशा की तरह बाँके झबीले अज्जू भाई दालान में आए। झुककर उस लाल चुड़ैल से कुछ कहा। वह क़हक़हा लगाकर हँसी। छम्मी बेगम की आँखों के सामने अँधेरा छा गया। अँधेरा ग़ुसलख़ाना अब बिल्कुल अंधा कुआँ बन गया। उन्होंने जल्दी से एक खूँटी पकड़ ली। लड़खड़ाती हुई बाहर आईं और बेसुध होकर अपने पलंग पर गिर गईं।

बात यह थी कि अज्जू भाई जिन्होंने बरसों से लखनऊ वाली कल्लो को घर में डाल रखा था अब बाक़ायदा निकाह करके उसे अपने साथ ले आए थे। कासनी शलवार वाली लड़की अशरफ़ी जिसे कल्लो अपने साथ लाई थी, अज्जू भाई की नहीं थी।

शाम को अज्जू भाई पर्दा करवाए बग़ैर तेज़ी से ज़नाने में चले आए और दालान में पहुँचकर पुकारा, ''अरे भई छम्मो...आओ अपनी भाभी से मिल लो।''

छम्मी बेगम काँपकर रह गईं। पलंग से उठकर फिर ग़ुसलख़ाने में जा घुसीं और

ज़ोर से चटखनी चढ़ा दी! अज्जू भाई चोर से बने दालान के एक दर में खड़े रहे। कल्लो उनके पीछे खड़ी थी। दोनों मियाँ-बीवी चंद मिनट तक इसी तरह चुपचाप खड़े रहे और फिर सर झुकाए चमेली वाले मकान में वापस चले गए।

उस दिन के बाद से छम्मी बेगम की दुनिया बदल गई। अब वह सारे दिन क़ुरआन शरीफ़ ही पढ़ा करतीं। अज्जू ने उन्हें इतने बरसों हवा में लटका रखा और उनकी ज़िंदगी तबाह कर किसी और से शादी कर ली। इस नाक़ाबिल बर्दाश्त सदमे से ज़्यादा दहशत उन्हें इस बात की थी कि उन्होंने कल्लोबाई तवायफ़ से निकाह करके ख़ानदान का हसब नसब (बुज़ुर्गों की शराफ़त का सिलसिला) बर्बाद कर दिया था। छम्मी बेगम इस जुर्म के लिए उन्हें मरते दम तक माफ़ न कर सकती थी। कल्लो ने कई बार उनकी तरफ़ दोस्ती का हाथ बढ़ाया। अक्सर वह आँगन की खिड़की में आहिस्ता से कहती, "बिटिया, किसी चीज़ की ज़रूरत हो तो बता दीजिए। कभी कोई ख़ास खाना पकता तो नौकर के हाथ सेनी भिजवाती, लेकिन छम्मी बेगम ने छम्मूख़ाँ को हुक्म दे रखा था कि चमेली वाले मकान से कोई चिड़िया का बच्चा भी उसकी तरफ़ आए तो उसकी टाँगें तोड़ दो। घर वापस आने के दूसरे महीने अज्जू भाई ने मिल्लन ख़ाँ के हाथ दो सौ रुपये भिजवाए, जो वह अब तक लखनऊ से भेजा करते थे। लेकिन अब हालात बदल चुके थे।

छम्मी बेगम खिड़की में जाकर ललकारीं, "जुम्मा ख़ाँ मरहूम की बेटी और शब्बू ख़ाँ मरहूम की भतीजी चकले से आया हुआ एक पैसा भी अपने ऊपर हराम समझती है। मिल्लन ख़ाँ ग़ैरत वाले पठान हो तो जाकर यह दो-सौ रूपल्ली भेजने वाले के मुँह पर दे मारो।" इतना कहकर उन्होंने खिड़की का दरवाज़ा बंद किया और उसमें यह मोटा ताला डाल दिया।

अब छम्मी बेगम अपने ज़ेवर बेचकर गुज़र बसर करने लगीं। ज़ेवर ख़त्म हो गए तो घर का पुराना क़ीमती सामान कबाड़ी के हाथ बेच डाला, लेकिन भूख तो सदा रहने वाला मर्ज़ है, जिसका वक़्ती इलाज काफ़ी नहीं और छम्मी बेगम को धम्मू ख़ाँ, मिल्लन ख़ाँ, सलामत बुआ और उनके चींगड-पोटों का पेट भरना था। उन्होंने बच्चों को क़ुरआन शरीफ़ और उर्दू पढ़ाने के लिए घर में बच्चियों का स्कूल खोल लिया। मोहल्ले वालों की सिलाई करने लगीं। जब मेहनत करके बीमार पड़ गईं और हलहलाकर बुखार चढ़ आया तो सलामत बुआ हड़बड़ा गईं और ग़ुस्से से बोली, "बीबी क्या आन पर जान दे दोगी? ऐसी भी क्या निगोड़ी आन।"

लेकिन छम्मी बेगम पर बेहोशी-सी तारी थी। सलामत भागी-भागी चमेली वाले मकान पहुँची!

कल्लो फ़ौरन सर पर बुर्क़ा डाल गली के रास्ते अंदर आई। डॉक्टर बुलाया गया। कल्लो सारी रात नंद की पट्टी से लगी बैठी रही। अज्जू भाई ने कई बार आकर दुखियारी चचाज़ाद बहन की हालत देखी। लेकिन शायद अब भी उस बेइंसाफ़ी

का अहसास उन्हें न हुआ जो उन्होंने छम्मी बी के साथ की थी, क्योंकि बक़ौल सलामत बुआ उस काली कलूटी ने उन्हें उल्लू का गोश्त खिला रखा था।

छम्मी बेगम को ज्यूँ ही होश आया, आँखें खोलीं और कल्लो का फ़िक्र में डूबा चेहरा सामने देखा। उन पर ग़म व ग़ुस्से का भूत सवार हो गया। कल्लो उनके पठानी तेवर से बहुत डरती थी। कान दबाकर अपने घर वापस चली गई।

ज़्यादातर तवायफ़ों की तरह जो शादी करके बेहद वफ़ादार बीवियाँ साबित होती हैं, कल्लो भी बड़ी पतिव्रता औरत थी। उसकी सबसे बड़ी तमन्ना यही थी कि छम्मी बेगम उसे कुनबे की बहू और भावज समझकर इमली वाले मकान में दाख़िल कर ले। उसकी तमन्ना कभी पूरी न हुई।

दस साल निकल गए। अज्जू भाई को छम्मी बेगम के रिश्ते की फ़िक्र भी थी। मगर छम्मी बेगम अधेड़ हो चुकी थीं। अब उनसे शादी कौन करेगा?

छम्मी बेगम उनसे और कल्लो से इस तरह शदीद पर्दा करती थीं। किसी तरह मदरसा चलाकर गुज़ारा कर रही थीं कि मुल्क का बँटवारा हो गया। आधा शाहजहाँपुर समझो ख़ाली हो गया। उनके मकतब की सारी लड़कियाँ अपने माँ-बाप के साथ पाकिस्तान चली गईं। छम्मी बेगम के यहाँ रोटियों के लाले पड़ गए। उसी ज़माने में क़िस्मत का फेर कि किसी काम से अज्जू भाई दिल्ली गए और फ़सादों में वह अल्लाह के प्यारे हो गए। जब उनकी मौत की ख़बर आई तो कल्लो पछाड़ें ख़ाने लगीं। चूड़ियाँ तोड़ डालीं। आँगन की खिड़की पर मुक्के मार-मार कर हाथ लहूलुहान कर लिए, ''बिटिया...दरवाज़ा खोलिए...हाय बिटिया...बिटिया...अरे मैं कहीं की न रही।''

छम्मी बेगम दालान के तख़्त पर बेख़बर सो रही थीं। बैन सुनकर जाग उठीं। दीवार की कील से टँगी कुंजी उतारी। ताला खोला। कल्लो बाल बिखराए, भूतनी की तरह खड़ी चीख़ रही थी।

''अरे लोगो! मेरा सुहाग लुट गया। हाय बिटिया! मेरी माँग उजड़ गई।'' उसने आगे बढ़ कर छम्मी से लिपटना चाहा। वह दो क़दम पीछे हट गईं।

नींद से बोझिल आँखें मिलीं और अचानक उनकी समझ में बात आ गई। तब वह भी खिड़की पर बैठ गई। सफ़ेद दुपट्टा मुँह पर रख लिया। सिसक-सिसक कर रोने लगीं, और रोते-रोते बोलीं—

''अरी मुरदार तू तो आज बेवा हुई है, मैं क़िस्मत की विधवा हूँ।''

अज्जू भाई के चालीसवें के बाद कल्लो जाने कहाँ ग़ायब हो गई। उसकी लड़की अशरफ़ी जिसका चंद साल पहले अज्जू भाई मरहूम ने अपने किसी मुसाहिब से निकाह करवा दिया था लखनऊ से आई और चमेली वाले मकान के साज़ो-सामान पर क़ब्जा किया और सब चीज़ें छकड़ों पर लदवाकर चलती बनी। छम्मी

बेगम ग़ुसलख़ाने के शीशे में लापरवाही के साथ इस नश्वर दुनिया के सारे तमाशे देखती रहीं।

चमेली वाले मकान पर कस्टोडियन का ताला पड़ गया? क्योंकि छम्मी बेगम अदालत में यह किसी तरह साबित न कर पाईं कि अज्जू भाई पाकिस्तान नहीं गए बलवे में मारे गए हैं। ख़ुद किसी पुराने भूत की तरह वह इमली वाले घर में मौजूद हैं। मिल्लन ख़ाँ और धम्मू ख़ाँ दोनों बुढ़ापे और भुखमरी से मर गए। सलामत बुआ पर फ़ालिज़ गिर गया। उनकी लड़कियाँ और दामाद पाकिस्तान चले गए। छम्मी बेगम सिलाई कर पेट पालती रहीं। तन व तन्हा मकान में रहने से अब उन्हें डर नहीं लगता क्योंकि सर सफ़ेद हो चुका था। बहुत जल्द मोहल्ले की बड़ी बूढ़ी कहलाएँगी। कुछ दिनों बाद चमेली वाले मकान में एक सिख शरणार्थी डॉक्टर आ गए। कभी-कभी सरदारनियाँ आँगन की खिड़की में आन बैठतीं और वह और छम्मी बेगम अपने-अपने दुख-सुख की बातें करतीं। डॉक्टर साहब की लड़की चरणजीत की शादी नई देहली में किसी अफसर से हुई थी।

अबकी बार वह मायके आई तो उसने अपनी माँ से कहा कि उसके शौहर के मुसलमान बड़े अफसर की बेगम को उस्तानी की ज़रूरत है। जो उनके घर में रहकर बच्चों को क़ुरआन और उर्दू पढ़ाए। मैं तो छम्मी मौसी से कहते डरती हूँ, उन्हें ग़ुस्सा आ गया तो, आप कहकर देखिए।''

बड़ी सरदारनी ने छम्मी बेगम से उस नौकरी का ज़िक्र किया। समझाया बुझाया—

''बहन जी, इस तंगदस्ती और तन्हाई में कब तक बसर करोगी? दिल्ली चली जाओ। सबीहउद्दीन के यहाँ इज़्ज़त व आराम से बुढ़ापा कट जाएगा।''

छम्मी बेगम का ग़ुस्सा कब का धीमा पड़ चुका था। जोश व ख़रोश तनतने और जलाल में कमी आ गई थी। उनकी समझ में यह बात आ गई कि अगर कल को मर गई तो आख़िर वक़्त में 'यासीन शरीफ़' पढ़ने वाला तो कोई होना चाहिए।

क़िस्सा कोताह यह कि छम्मी बेगम बुर्क़ा ओढ़ सिर्फ़ एक बक्स और बिस्तर लोटा साथ लेकर घर से निकलीं, जो अब तक बिल्कुल खँडहर हो चुका था और जिसके खँडहर हो जाने का उन्हें अब कोई ग़म न था। क्योंकि अब वह त्याग और संन्यास की स्थिति में पहुँच चुकी थीं। वह रेल में बैठकर दिल्ली पहुँचीं। जहाँ रेलवे स्टेशन पर बेचारी बेगम सबीहउद्दीन चरणजीत का ख़त मिलने पर कार लेकर ख़ुद उन्हें घर ले जाने के लिए आ गई थीं।

उस रोज़ से छम्मी बेगम बिन्ते जुमाख़ाँ, ज़मींदार शाहजहाँपुर, मुग़लानी जी बन गईं।

छम्मी बेगम ने पूरे बारह साल सफ़ेद दुपट्टा माथे से लपेटे सबीहउद्दीन साहब के घर में गुज़ार दिए। बच्चे जिन्हें वह क़ुरआन और उर्दू पढ़ाने आई थीं बड़े हो गए। बड़ा लड़का बी.ए. के बाद पाकिस्तान अपने चचा के पास भेज दिया गया। मँझली

लड़की भी कराची चली गई। छोटी लड़की कॉलेज में पहुँच गई। अब बेगम सबीहउद्दीन को छम्मी बी की ज़रूरत न थी। सबीहउद्दीन रिटायर होकर अपने वतन मिर्ज़ापुर जानेवाले थे। देहली से रवाना होने से पहले बेगम सबीहउद्दीन ने छम्मी बेगम को अपनी दोस्त बेगम राशिद अली के यहाँ रखवा दिया। राशिद अली साहब भारत सरकार में आला अफसर थे! छम्मी बेगम सबीहउद्दीन के यहाँ बहुत सुख चैन से रही थीं। उनसे घर की बड़ी जैसा बर्ताव किया जाता था। उन्हें तीनों बच्चों से बेहद प्यार हो गया था। ग़ुस्सा भी बहुत कम आता था। अगर आता भी तो अपनी मजबूरियों का ख़्याल करके पी जाती थीं। अब वह नख़रा न दिखातीं, दिखाएँ भी तो किसे! नाज़ उठाने, ख़फ़गी बर्दाश्त करने वाले सब अल्ला को प्यारे हो चुके थे! कभी-कभी कल्लो का ख़्याल आ जाता और सोचती न जाने कमबख़्त अब कहाँ और किस हाल में होगी या शायद वह भी मर खप गई हो, आजकल ज़िंदगियाँ का क्या भरोसा है।

बेगम राशिद अली बेगम सबीहउल्लाह की तरह दर्दमंद और दीनदार औरत तो न थीं आजकल की मॉडर्न लड़की थीं, लेकिन इज़्ज़त उन्होंने भी छम्मी बेगम की बहुत की। यहाँ भी वह घर के फ़र्द की तरह से रहीं। राशिद अली उनका बड़ा ख़्याल रखते थे। उनकी बारौब, पुरविक़ार शक्ल व सूरत और आला ख़ानदान से वह बड़े मुतास्सिर थे। बेगम अली अक्सर सहेलियाँ से कहतीं, "भई सचमुच ज़िंदगियों में कैसे-कैसे बदलाव आते हैं। पल के पल में क्या से क्या हो जाता है। हमारी मुग़लानी बी का क़िस्सा सुना है आपने? शाहजहाँपुर के फ़लाँ ख़ानदान..." और सुनने वाली औरतें सर हिलाकर ठंडी साँसें भरतीं और दूसरे इस तरह के नसीहत और गर्दिश के क़िस्से सुनातीं।

बेगम राशिद अली के बच्चे अभी छोटे थे। उन पर हैदराबादी आया माँ की देख-रेख थी। छम्मी बेगम हाउस कीपर बन गई। घर सँभालने के लिए बेगम राशिद को छम्मी बेगम की बेहद ज़रूरत थी क्योंकि उनका अपना वक़्त ज़्यादातर क्लबों और पार्टियों के साथ सरकारी समारोहों में गुज़रता था।

पाँच साल छम्मी बेगम ने राशिद अली के यहाँ काट दिए। जब राशिद अली का ट्रांसफ़र हिंदुस्तानी दूतावास वाशिंगटन में होने लगा तो उनकी बेगम को फ़िक्र हुई कि छम्मी बेगम का कहीं और ठिकाना बनाएँ। एक दिन वह अपनी विदाई पार्टी के लिए रौशनआरा क्लब गई हुई थीं और छम्मी बेगम से कहती गई थीं कि फलाँ वक़्त कार लेकर मुन्नी को मेरे पास ले आइएगा।

जब छम्मी बेगम रौशनआरा क्लब पहुँचीं लंच अभी ख़त्म नहीं हुआ था। छम्मी बेगम बच्ची का हाथ पकड़े सब्ज़े पर टहलती रही। छम्मी बेगम अब पर्दा नहीं करती थीं और साड़ी पहनती थीं। इस निगोड़ी दिल्ली में उन्हें पहचानने वाला कौन था। सामने दालान में एक रमी की महफ़िल जमी हुई थी। और एक बेहद तेज़ तर्रार

चालीस-पैंतालीस साल की एक ख़ातून पाँच छह मर्दों के साथ क़हक़हे लगा-लगा कर ताश खेलने में मसरूफ़ थी।

सत्रह बरस नई दिल्ली में रहकर छम्मी बेगम इस नई ऊँची सोसाइटी मॉडर्न हिंदुस्तानी औरत के रहने के ढंग को समझ चुकी थीं इसलिए छम्मी बी आराम से लॉन में टहलती रहीं। चंद मिनट बाद उस ख़ातून ने सर उठाकर छम्मी बेगम को ज़रा ग़ौर से देखा और अपने साथी से कुछ कहा। तब छम्मी बेगम ने देखा एक मर्द ताश की मेज़ से उठकर लंबे-लंबे डग भरता उनकी तरफ़ आ रहा है।

छम्मी बेगम संजीदगी से बरामदे में पहुँची। अजनबी ख़ातून ने पूछा यह बच्ची किसकी है और वह किसकी नौकर है? छम्मी बी ने बताया। ख़ातून ने बताया कि वह बंबई में रहती हैं और आजकल उन्हें भी एक एतबार वाली बड़ी बी की तलाश है। अगर वह अपनी जैसी किसी बड़ी बी को जानती हैं तो बताएँ। छम्मी बेगम फ़ौरन दिल में उस रब करीम का लाख-लाख शुक्र बजा लाईं जो एक रोज़ी का दरवाज़ा बंद करता है तो दूसरा खोल देता है। फिर उन्होंने उसी शालीनता से जवाब दिया कि वह बहुत जल्द अपनी नौकरी से आज़ाद होने वाली हैं, "मेरी बेगम अभी बाहर आती होंगी। उनसे बात कर लीजिए।" इतना कहकर वह बेगम राशिदा के इंतज़ार में वहीं बरामदे के एक दर से टिक गईं। जब बेगम राशिदा लंच रूम से निकलीं तो मेज़ से उठकर अजनबी ख़ातून ने फ़ौरन अपना परिचय कराया। अपना नाम मिसेज़ रज़िया बानो बताया और छम्मी बी के बारे में बातें कीं। बेगम राशिद भी बहुत ख़ुश हुईं और वायदा किया कि वाशिंगटन जाने से पहले वह छम्मी बेगम को ख़ुद बंबई जाने वाली रेलगाड़ी में बिठवा देंगी। रज़िया बानो ने बताया था कि वह आज शाम ही बंबई वापस जा रही हैं। अपने घर का पता लिखकर उन्होंने छम्मी बेगम दे दिया, लेकिन बेगम राशिद ने ज़रा फ़िक्र से पूछा, "ख़ाला तुम इतनी दूर का सफ़र कर लोगी?" छम्मी बेगम ने फ़ौरन हाँ में अपना सर हिला दिया।

छम्मी बेगम को अब ज़िंदगी में किसी बात के लिए 'नहीं' कहने की ज़रूरत ही नहीं रही थी। उन्होंने रज़िया बानो से तनख़्वाह का फ़ैसला भी न किया, क्योंकि उन्होंने हमेशा के लिए एक तनख़्वाह तय कर ली थी। चालीस रुपये माहवार और खाना। यह चालीस रुपये उनकी अपनी ज़रूरतों के लिए ज़रूरत से ज़्यादा थे। कपड़े हमेशा उन्हें अपनी बेगमों से मिल जाते थे। अरसा हुआ उन्हें मालूम हो चुका था कि कपड़े लत्ते, गहने पाते, ज़मीन जायदाद, रिश्तेनाते, दोस्ती मुहब्बत का न कोई मतलब है और न यह टिकने वाली चीज़ें हैं।

बेगम राशिद अली और छम्मी बेगम बरामदे से उतरने लगीं तो रज़िया बानो ने बैग खोलकर दो सौ के नोट छम्मी बेगम के हवाले कर दिए, "सफ़र ख़र्च और दूसरों की ज़रूरतों के लिए।" उन्होंने ज़रा लापरवाही से कहा। बेशम राशिद को उनकी इस दरियादिली पर हैरत हुई, लेकिन उन्हें ख़ुद मालूम था कि बंबई में एक

से एक बड़ी सेठानी बसती हैं। छम्मी बेगम ने ख़ामोशी से नोट सदरी की जेब में अड़ोस लिए। उन्होंने अब ज़िंदगी की अनोखी घटनाओं पर ताज्जुब करना भी छोड़ दिया था।

मिस्टर और मिसेज़ राशिद के अमेरिका जाने से दो दिन पहले छम्मी बेगम ने भी ट्रेन में सवार होकर बंबई का रुख़ किया।

मुंबई सेंट्रल पहुँचकर वह पहली बार ज़रा घबराईं। नई दिल्ली की पुरसुकून कोठियों में उन्होंने अभी तक बहुत शांत व सुरक्षित ज़िंदगी गुज़ारी थी। अल्लाह का नाम लेकर प्लेटफॉर्म से बाहर निकलीं। क़ुली के सर से अपना टीन का बक्स और दरी में लिपटा बिस्तर उतरवाया। अपना लोटा, दस्ती पंखा और पन्दनिया हाथों में सँभालकर टैक्सी की। सरदार जी को पता बताया, ''गुलज़ार जाडन रोड।''

चंद मिनट में टैक्सी एक ऊँची इमारत की बरसाती में जा रुकी।

छम्मी बेगम ने बूढ़े सरदार जी को किराया दिया। जो रास्ते में उनसे दुनिया के हालात पर बातें करते आए थे। उसी वक़्त दो बेहद स्मार्ट लड़कियाँ लिफ्ट से निकल सरदार जी की टैक्सी में बैठ गईं। सरदार जी ने ख़ामोशी से फ्लैग गिराया और फाटक से बाहर निकल गए। कैसी मशीनी और सधी हुई ज़िंदगी थी इस शहर की।

छम्मी बेगम ने सदरी की जेब से मैला काग़ज़ का टुकड़ा निकालकर फिर आँखें चुधियाईं और पता पढ़ा। ग्यारहवीं मंज़िल फ्लैट तीन। स्टूल पर बैठे चौकीदार ने उकताए हुए अंदाज़ से उनका सामान उठाकर लिफ्ट में रख दिया। लिफ्ट ऑटोमैटिक थी। छम्मी बेगम बहुत घबराईं। चौकीदार जल्दी से अंदर आया और उन्हें ग्यारहवीं मंज़िल पर पहुँचाकर फ़ौरन नीचे चला गया। अब छम्मी बेगम लंबी गैलरी में सामान के साथ तन्हा खड़ी थीं। फिर उनकी नज़र एक नज़दीकी दरवाज़े पर पड़ी जिसके ऊपर नंबर तीन लिखा हुआ था। दरवाज़े पर एक और लोहे का जालीदार दरवाज़ा चढ़ा था जो अंदर से लॉक था जैसे बैंकों के दरवाज़े होते हैं। छम्मी बेगम ने आगे बढ़कर घंटी बजाई। चंद मिनट बाद एक भूरी आँख ने अंदरूनी किवाड़ के जालीदार सुराख का पट हटाकर झाँका। छम्मी बेगम को अचानक बरसों बाद अपने ग़ुसलख़ाने की खिड़की का खुरचा हुआ शीशा याद आ गया जिसमें से उन्होंने पहली बार उस मनहूस चिड़िया को देखा था। कुछ देर बाद दोनों दरवाज़े खुले और एक ग़ुस्सैल-सा गोरखा बाहर निकला। उसने संदेहभरी सख़्त निगाहों से छम्मी बी को घूरा। छम्मी बेगम डर-सी गईं लेकिन फिर याद आया कि वह भी पठान हैं। सर उठाकर भारी-भरकम लहजे से कहा, ''बेगम साहिब से कहो छम्मी बेगम दिल्ली से आ गई हैं।''

''मालूम है तुम दिल्ली से आया है, अंदर आ जाओ।'' गोरखे ने रूखेपन से कहा और बाहर निकलकर उनका बिस्तर बक्स उठाया। उसके पीछे-पीछे छम्मी बेगम अंदर आ गईं सो उसने खट से दोनों दरवाज़ों में ताला डाल दिया।

अब छम्मी बेगम एक नीम अँधेरे एयरकंडीशन आलीशान ड्राइंगरूम में खड़ी

थीं। ऐसा शानदार ड्राइंगरूम न बेचारे सबीहउद्दीन साहब का था न बशीर अली साहब का। एक तरफ़ की दीवार पर काला पर्दा पड़ा हुआ था। जो ज़रा सा सरका हुआ था और उसके पीछे दीवार में लगी सिनेमा की छोटी-सी स्क्रीन नज़र आ रही थी। कमरे के दूसरे हिस्से में बार थी।

"बेगम साहिबा हैं?" छम्मी बेगम ने दोनों हाथों में लोटा, पंखा, पन्दनिया उठाए-उठाए पूछा।

"मेम साहब सो रहा है।"

"और साहब?" नौकरी शुरू होने से पहले घर के साहब के इंटरव्यू से वह हमेशा झिझकती थीं।

गोरखे ने कोई जवाब नहीं दिया और ड्राइंगरूम से निकलकर एक गैलरी की तरफ़ चला। उसके पीछे-पीछे छम्मी बेगम दोनों तरफ़ देखती हुई। गैलरी में दो तरफ़ चार दरवाज़े थे जो सब अंदर से बंद थे। यह बहुत बड़ा और शानदार फ़्लैट था।

आगे जाकर गैलरी बाईं तरफ़ को मुड़ गई थी। यहाँ बावर्चीख़ाना और नौकरों के दो छोटे कमरे थे, जिनके बाहर बाल्कनी थी। नौकरों के इस्तेमाल वाले ज़ीने में भी ताले पड़े थे। एक साफ़-सुथरी और रौशन ख़ाली कोठरी में जाकर गोरखे ने बक्स बिस्तर धम से ज़मीन पर रख दिया और उसी तरह चुपचाप बाहर चला गया।

छम्मी बेगम ने पन्दनिया बड़े ताक़ के तख़्ते पर रखकर अपनी नई पनाहगाह, नए ठिकाने पर नज़र डाली। कोने में लोहे का एक बड़ा पलंग पड़ा था। उन्होंने दिल में सोचा यह बहुत चुभेगा। दीवारों पर पिछले शौक़ीन तबीयत नौकर की चिपकाई हुई फ़िल्म एक्ट्रेसों की तस्वीरें मुस्कुरा रही थीं। कोठरी में घुटन थी। छम्मी बेगम ने खिड़की खोली तो अचानक समंदर आँखों के सामने आ गया। नीला विस्तृत, यहाँ से वहाँ तक फैला हुआ। अनहोनी ज़िंदगी की घटनाओं की तरह अकस्मात् उन्होंने समंदर पहले कभी नहीं देखा था। एकाएक ख़्याल आया इस दुनिया बनाने वाले के क़ुर्बान जाऊँ। समंदर पहुँच गईं। अब इंशाल्लाह हज भी कर आऊँगी। इसी समंदर के उस पार मक्का मदीना है। यह सोचकर उनका जी भर आया।

कोठरी के पास नौकरों का ग़ुसलख़ाना था। छम्मी बेगम ने बक्सा खोला। कपड़े निकाले ग़ुसलख़ाने में गईं। अपने ख़ानदानी ग़ुसलख़ाने का वह लंबा-चौड़ा नीम अँधेरा ग़ुसलख़ाना, मामाएँ, वह बरसों की कोशिश के बाद भुला चुकी थीं। इंसान ज़िंदगी की लगातार होती तब्दीलियाँ का आदी होता चला जाता है, वरना मर जाए।

नहा-धोकर, कपड़े बदल वह फिर अपनी कोठरी में आईं। सारा घर सुनसान पड़ा था। नौकर न चाकर। साहब दफ़्तर गए होंगे। बच्चे स्कूल। मेमसाहब सो रही थीं। दोपहर का वक़्त था। अब उन्हें चाय की तलब सताने लगी। सारी उम्र शदीद ज़ेहनी और जज़्बाती सदमे सहते रहने से छम्मी बेगम की तेज़ी-तर्रारी कब की हवा

हो चुकी थी। और...वह बुढ़ापे की वजह से सत्तरी, बहत्तरी हो गई थीं। सादगी से सोचा अब किचन जाकर चाय बनाऊँ!

सुनसान बावर्चीख़ाने में पहुँचीं वहाँ गैस के चूल्हे नज़र आए जो इस्तेमाल करना न जानती थीं। ज़रा झुँझलाकर गैलरी में आईं जिसके चारों दरवाज़ों में से एक खुल चुका था और उस पर पड़ा बेशक़ीमती पर्दा दिखाई दे रहा था।

उनके क़दमों की चाप सुनकर पर्दे के पीछे से किसी ने आवाज़ दी।

"कौन है?"

"छम्मी बेगम...दिल्ली से आई हूँ।" उन्होंने उसी सादगी से जवाब दिया।

"ओहो...आ गईं, आओ आजाओ।"

पर्दा सरकाकर अंदर गईं। एक बिल्कुल शहाना ख़्वाबगाह में एक लंबे-चौड़े अमेरिकन छप्परखट पर रज़िया बानो गुलाबी नायलान का नाइटगाउन पहने नमीदराज़ थीं। उँगलियों में सिगरेट सुलग रहा था। छम्मी बेगम को उनका यह नंगा पहनावा ज़रा भी पसंद नहीं आया।

लेकिन सोचा, भई अपना-अपना दस्तूर है। इस शहर के यही रंग-ढंग हैं। रज़िया बानो का सिगरेट भी उन्हें अच्छा न लगा। बेगम सबीहउद्दीन और बेगम राशिद दोनों सिगरेट नहीं पीती थीं। बहरहाल उन्होंने बड़ी सहनशीलता से कहा, "सलाम अलैकुम!"

"आ जाओ...बुआ बैठो।"

जब से छम्मी बेगम बुर्क़ा सर पर डालकर हक़ व हलाल की रोटी कमाने बाप दादा की दहलीज़ से बाहर निकली थीं आज तक किसी ने बुआ नहीं कहा था। सबीहउद्दीन साहब और राशिद साहब दोनों के यहाँ उन्हें छम्मी ख़ाला या ख़ाला कहकर पुकारा जाता था। वह बड़े अभिमान से दीवान के किनारे पर टिक गईं।

रज़िया बेगम के सिरहाने दो टेलीफ़ोन रखे थे। सफ़ेद वाले की घंटी बजी। रज़िया बानो ने रिसीवर उठाकर अंग्रेज़ी में आहिस्ता-आहिस्ता कुछ बातें कीं। हाथ बढ़ाकर साइड टेबिल से एक बड़ी-सी जिल्द वाली नोटबुक उठाई। उसमें कुछ लिखा, फिर रिसीवर रखकर लाल रंग के टेलीफ़ोन का एक नंबर मिलाया और आहिस्ता से कहा 'माधो...चार नंबर...नाईन थर्टी' और फ़ोन बंद कर दिया। छम्मी बेगम ख़ामोश बैठी कमरे की सजावट देखती रहीं। संगमरमर की बड़ी-बड़ी मूर्तियाँ, तस्वीरें, रेडियोग्राम, लंबा-चौड़ा सफ़ेद रंग का वार्डरोब। इतने में पर्दा सरकाकर एक नाज़ व अदा वाली लड़की हाउस कोट पहने अंदर आई। गैलरी के दरवाज़े में से एक खुला। कमरे में से ज़ोर से हाई-फाई की आवाज़ सुनाई दी। लड़की ने रज़िया बानो से कुछ गिटपिट की, उल्टे पाँव वापस गई और गैलरी वाला दरवाज़ा फिर बंद हो गया।

"अल्लाह रखे कितने बच्चे हैं?" छम्मी बेगम ने जानना चाहा।

"मेरे यहाँ कोई औलाद नहीं, यह मेरी भांजियाँ हैं। मेरे साथ रहती हैं।" रज़िया

बानो ने छोटा-सा जवाब दिया और नोटबुक खोली।

"कॉलेज में पढ़ती होंगी?" छम्मी बेगम ने कहा।

"कौन?" रज़िया बानो ने बेख़्याली से पूछा।

"भांजियाँ आपकी?"

"हूँ।"

"अल्लाह रखे...आपके मियाँ बिज़नेस करते हैं?" छम्मी बेगम को मालूम था कि बंबई में सब लोग बिज़नेस करते हैं।

"हैं...क्या?" रज़िया बानो ने नोटबुक से सर उठाकर ज़रा नागवारी से पूछा, "मियाँ?...मियाँ मर गए।"

"अना..." छम्मी बेगम के मुँह से निकला। पल-भर के लिए अज्जू भाई अल्लाह बख़्शे की मौत का ज़ख़्म फिर हरा हो गया। हर मौत की ख़बर पर हरा हो जाता था। कोई क्या जान सकता था कि छम्मी बेगम ने अपनी सारी उम्र कैसे गहरी व्यथा में डूब बड़े धैर्य से गुज़ार दी। सब्र शुक्र।

चूड़ीदार पायजामा पहने एक और हसीन नौजवान लड़की क़यामत बन लहराती बलखाती कमरे में आई। रज़िया बानो ने उससे अंग्रेज़ी में कुछ कहा। लड़की उसी तरह लहराती मुस्कुराती बाहर चली गई। अब रज़िया बानो का ध्यान छम्मी बेगम की तरफ़ गया जिन्हें चाय की तलब के चलते जमाइयाँ आनी शुरू हो गई थीं। रज़िया बानो ने एक तकिया कोहनियों के नीचे दबाकर कहना शुरू किया, "बुआ!" छम्मी बेगम फिर कुलबुलाई।

"आपने बहुत अच्छा किया जो मेरे पास आ गईं। मैंने पहली नज़र में अंदाज़ा लगा लिया था कि आप बेसहारा और दुखी हैं।"

अब आप इस घर को अपना घर समझिये। मैं हमेशा यह चाहती हूँ। कोई बुज़ुर्ग बीबी मेरे घर में नमाज क़ुरआन पढ़ती रहा करे। बरसों से मेरे पास एक हैदराबादी बड़ी बी थीं। पिछले साल बेचारी हज करने गईं और वहीं इंतक़ाल हो गया। रज़िया बानो ने पहलू बदलकर बात जारी रखी। "मैं अब आपको बताना चाहती हूँ बुआ कि यह बंबई शहर मैदाने हश्र है। तरह-तरह की बातें, तरह-तरह के लोग आप किसी बात पर कान न धरिए। अपने काम से काम रखिए। किचन की निगरानी कर लीजिए। बाक़ी वक़्त अपने नमाज़ रोज़े में गुज़ारिए। अब आपके लिए मेहनत का नहीं आराम का वक़्त है। क़ुरआन शरीफ़ पढ़िए। मेरे हक़ में दुआए ख़ैर करती रहिए। बाक़ी यह कि लड़कियों...मेरी भाँजियों के लिए दूसरी आया मौजूद है। इब्राहीम ख़ानसामा का नाम है। बिशन सिंह गोरखा है। माधो मेरा ड्राइवर है। लेकिन किसी झगड़े में न पड़िए।"

"मैं खुद..." छम्मी बेगम ने कहना चाहा मगर रज़िया बानो ने उनकी बात काटी।

"मेरी अल्लाह के फ़ज़्ल से बहुत बड़ी बिज़नेस है।" कुछ ठहरकर आगे बोलीं, "एक्सपोर्ट-इंपोर्ट जानती हैं आप?"

"जी हाँ।" छम्मी बेगम ने सर हिलाया। सबीहउद्दीन साहब तिजारत के विभाग में अफसर थे और इस तरह के अल्फ़ाज़ छम्मी बेगम के कानों में पड़ते रहते थे! रज़िया बानो छम्मी बेगम को बहुत समझदार और नेक बीबी मालूम हुईं और इसी तरह अल्लाह वाली भी। छम्मी बेगम ने उनका बारीक़ नाइटगाउन और सिगरेट नोशी माफ़ कर दी।

"मैं औरत ज़ात तन व तन्ह इतना बड़ा कारोबार चला रही हूँ। इसकी वजह से दस तरह के लोगों से मिलना पड़ता है। भांजियाँ भी आजकल की लड़कियाँ हैं। उनके दोस्त अहबाब भी आते जाते रहते हैं। फिर मेरी बिज़नेस की वजह से पुलिस दो बार रेड कर चुकी है।"

"पुलिस?" छम्मी बेगम ने ज़रा दहलकर दोहराया।

रज़िया बानो हँस पड़ी, "डरिए नहीं। यहाँ बड़े-बड़े व्यापारियों को पुलिस और इनकमटैक्स वाले अक्सर परेशान करते हैं। मैं अकेली औरत, दसियों दुश्मन पैदा हो गए हैं। किसी ने पुलिसवालों से जड़ दी कि मैंने इनकमटैक्स नहीं दिया है। बस दौड़ कर आ गई। इसी वजह से मैंने बाहर लोहे का दरवाज़ा लगवा लिया है। आपसे कहना यह है कि जब बाहर की घंटी बजे तो आप पहले सुराख में से देखकर इत्मीनान कर लीजिए। कभी-कभी यह पुलिस वाले सादे कपड़ों में भी आ जाते हैं।"

छम्मी बेगम सफ़र की थकान और चाय की तलब से निढाल हुई जा रही थीं। उठ खड़ी हुईं और बोलीं, "बीबी गैस का चूल्हा कैसे जलता है।"

रज़िया बानो ने सिरहाने लगा बिजली का बटन दबाया। एक मिनट में इब्राहीम बावर्ची दरवाज़े में नमूदार हो गया।

"इब्राहीम यह हमारी नई बुआ हैं। उनके लिए चाय तो बना दो झटपट!"

ज़ोहर, असर, मग़रिब सारी नमाजें पढ़कर वह फिर बाल्कनी में जाकर खड़ी हुईं। घर में करने को कुछ काम न था। रज़िया बानो बन सँवर कर बाहर जा चुकी थीं। दो भांजियों के कमरों में रौशनी जल रही थी। तीसरी भांजी ग़ायब थी। तीनों-चारों नौकर भी फ्लैट में न थे। घंटी बजी तो बजती ही चली गई। छम्मी बेगम नई दिल्ली की आदत के अनुसार फ़ौरन दरवाज़ा खोलने के लिए ड्राइंगरूम की तरफ़ लपकी और जल्दी से अंदर वाला दरवाज़ा खोल दिया। बाहर का लोहे का दरवाज़ा पहले से एक तरफ़ सरका हुआ था। और जिस तरह सबीहउद्दीन साहब और राशिद साहब की कोठिया में ड्राइंग की दहलीज़ पर आकर वह मेहमानों का स्वागत कर कहती थीं, "तशरीफ़ लाइए" उसी आदत के चलते उन्होंने बड़ी ख़ुशमिज़ाजी से कहा, "तशरीफ़ लाइए।"

दो मोटे मारवाड़ी और एक इत्र से महकता अमीरज़ादा जवान अंदर दाख़िल हुए। अमीरज़ादा सीधा बार की तरफ़ चला गया। मोटे मारवाड़ी धम से एक सोफे पर बैठ गए। सबीहउद्दीन के यहाँ भी ऐसे हुलिए के कारोबारी अपने काम से आया करते थे। उस महकते नौजवान को देखकर ज़रूर ताज्जुब हुआ। फिर सोचा इस शहर का यही दस्तूर होगा। अभी वह यही तय कर रही थीं कि सम्मानित मेहमानों से चाय के लिए पूछें या काफ़ी के लिए कि सोने के बटनों और हीरे की अँगूठियों वाले मोटे मारवाड़ी ने डपट कर पूछा—

"मैडम किधर हैं?"

छम्मी बेगम को अच्छी तरह पता था कि बेगम को अंग्रेज़ी में मैडम कहते हैं। सलीक़े से जवाब दिया, "मैडम बाहर गई हैं।"

"साला छोकरी लोग किधर गया?"

छम्मी बेगम को ग़ुस्सा आ गया। यह सही है कि बंबई वाले तमीज़दार और ज़बान अच्छी तरह जानने वाले नहीं हैं लेकिन गाली-गलौज का क्या मतलब? उन्होंने होंठ बिचकाकर पूछा, "बेगम साहिब की भांजियाँ?" इतने में दरवाज़ा खुला और रज़िया बानो ख़ुद तेज़ी से अंदर आ गईं। छम्मी बेगम से बोली, "बुआ तुम जाकर अपनी कोठरी में आराम करो।"

"जी अच्छा!" उन्होंने जवाब दिया। उनके गैलरी से गुज़रने के बाद एक भांजी के कमरे से एक साहब बाहर निकलकर चले गए।

छम्मी बेगम ने अपनी कोठरी में जाकर एक बार फिर जाए नमाज़ निकाली, वज़ू किया, नफ़लें पढ़ने लगीं और उस रब का शुक्र अदा किया जिसे अपने बंदों पर सिर्फ़ दो बख़्त हँसी आती है और उसी पाक परवरदिगार ने उनके बाप दादा की लाज, उनके हसब नसब की इज़्ज़त रख ली और एक बार फिर एक शरीफ़ घराने की हक़ हलाल की कमाई में उनका हिस्सा भी लगा दिया।

ज़िंदगी और अफ़सानों के बीच भटकता मुसाफ़िर

ग़यास अहमद गद्दी का जन्म 27 फरवरी, 1928 में झरिया (झारखंड) के एक मुसलमान ग्वाले के घर हुआ। आपके वालिद का नाम अहमद गद्दी था जिनका दूध का व्यापार था। उनके चचा हबीब गद्दी ने उन्हें गोद ले लिया। उनकी प्रारंभिक शिक्षा अरबी भाषा के मदरसे से शुरू हुई और बाद में उर्दू, अंग्रेज़ी और गणित की शिक्षा घर में अध्यापक द्वारा प्राप्त की। बहुत अधिक सुविधा न होने के कारण वह डिग्री न ले सके और घर के काम में चचा का हाथ बँटाने लगे।

ऊपर वाले ने उनकी मिट्टी में क़िस्सागोई का ख़मीर मिला दिया था। जिसके कारण बार-बार वह साहित्य की तरफ़ आकर्षित होते और अपने इलाक़े की छोटी-सी पब्लिक लाइब्रेरी में जाते, जहाँ साहित्यिक पत्रिकाएँ जैसे हुमायूँ, आलमगीर, अदबी दुनिया, ख़य्याम, अदबे लतीफ़ आया करती थीं। यह पत्रिकाएँ अपने समय की महत्त्वपूर्ण साहित्यिक पत्रिकाएँ थीं। ग़यास अपनी अदबी प्यास बुझाने के लिए इनसे गहरे जुड़ गए। रचनात्मकता क्या होती है, कहानी किसे कहते हैं, उसे कैसे लिखना चाहिए इन सारी छोटी-छोटी बातों की मालूमात उन्हें गहरे अध्ययन से निरंतर मिलती रही। उनके अंदर का अदीब अँगड़ाइयाँ लेने लगा। वह कृश्न चंदर से बहुत प्रभावित थे और उसी प्रभाव में उन्होंने अपनी पहल कहानी 1947 में लिखी जो *देवता* के नाम से 'हुमायूँ' में छपी।

नरेश कुमार शाद को इंटरव्यू देते हुए कृश्न चंदर ने ग़यास अहमद गद्दी को भविष्य का एक अहम क़लमकार बताया तो एकाएक सबकी नज़रें ग़यास अहमद पर टिक गईं। वह दौर साम्यवादी लेखकों का था। लेखक एक से एक अपनी बेहतरीन रचनाएँ सामने ला रहे थे। साम्यवादी आंदोलन के प्रभाव को ग़यास पढ़ भी रहे थे और देख भी रहे थे। वह कहानी लिखने का भेद जान चुके थे। उनकी चर्चित कहानियों में *आखथू, जूही का पौधा, चाँद और बाबा लोग* का नाम लिया जा सकता है। दूसरी तरफ़ *परिंदे पकड़ने वाली गाड़ी, दो पहिया* और *डूबने वाला सूरज* उनकी प्रतीकात्मक कहानियाँ हैं जो रूपक की कसौटी पर टिकी हैं। उर्दू में *जदीदियत* आधुनिक आंदोलन के प्रभाव में लिखी यह कहानियाँ हैं! उन्होंने चरित्र भी गढ़े हैं

जो उनकी कई कहानियों में दिखते हैं, जिनमें *ख़ाने तहख़ाने, अंधे परिंदे का सफ़र, इमामबाड़े की ईंट,* और *प्यासी चिड़िया* प्रमुख हैं।

उनका विवाह 1944 में हुआ और उनको दिल की बीमारी भी लग गई। जनवरी 1982 में हार्ट अटैक में वह हमें छोड़ गए। कम उम्र में अगर न जाते तो यक़ीनन और अच्छी कहानियाँ लिखते। शायद तब तक वह बचपन में बड़े लेखकों की शैली के प्रभाव से भी मुक्त हो जाते। उनके कहानी संग्रह *बाबा लोग* (1969), *परिंदे पकड़ने वाली गाड़ी* (1977), *सारा दिन धूप* (1985), उनकी उपन्यासिका *पड़ाव* (1980) आदि हैं। उनका नज़रिया साहित्य और कला के बारे में बहुत गहरा और महत्त्वपूर्ण है।

"ख़ूब से ख़ूबतर की तलाश...यह बात अहम है।" (1980 में हामिद बेग को लिखे पत्र में)

दीमक कहानी उनकी अच्छी कहानियों में से है जो सांकेतिक और वर्णनात्मक के बीच यथार्थ का रास्ता ढूँढ़ती है और उस पर मज़बूती से खड़ी रहती है। इसमें ग़रीबी केंद्र में है और इंसानों के बदले तेवर और संवेदनाएँ उन्हीं स्थितियों से संचालित हैं जो पाप और पुण्य उन कमज़ोर लम्हों से गुज़र जाते हैं और विश्वास की ठंडी छाँव का अहसास देते हैं।

अहमद सग़ीर का कहना है कि ग़यास अहमद गद्दी ने उर्दू अफ़साने को जो भाषा दी है वह उनके समकालीनों में से कुछ ही लेखकों के पास है।

यह विडंबना के साथ बहुत बड़ा सच है कि अच्छा लेखन करके भी कुछ लेखक समय की ख़ाक व धूल के बीच खोते चले जाते हैं।

दीमक

ग़यास अह्मद गद्दी

यह भी कोई जीना है। जी चाहता है पिंजरे को फूँककर खुले आसमानों की तरफ़ उड़ जाऊँ। मगर इस इच्छा की पूर्ति इतनी सरल नहीं। ज़िंदा रहने की तमन्ना में आदमी को कितनी बार आत्महत्या करनी पड़ती है और मरते दम तक जीवित भी रहना पड़ता है। ऐसा भी होता है। एक छोटी-सी शमा जलाने के लिए सारे घर को जलती आग में झोंकना पड़ता है फिर भी शमा नहीं जल पाती। यहाँ तक अँधेरे में टामक टुइयाँ मारते हुए कोई ग़रीब ख़ुद जलकर राख हो जाता है।

''क्या मर गए वहाँ जाकर या बहरे हो गए।''

मेरी बीवी की आवाज़ मेरे कानों से टकराई। कितनी कड़वी गोली है यह। शादी से पहले जिस नग़मे के लिए मेरे लब ही नहीं आत्मा तक तरस रही थी, शादी के चंद साल बाद वही नग़मा दिल को जलाने लगा। मगर ख़ैर, अच्छा ही हुआ, वरना उल्टी सीधी सोचकर मैं बावला हुआ जा रहा था। रेशम की जिस डोर को मैं अपने गले के चारों तरफ़ कसने लगता हूँ, मेरी बीवी सईदा की आवाज़ का तेज़ चाक़ू फ़ौरन उसे काट डालता है।

''मैं पूछती हूँ आपने आज अफ़ीम तो नहीं खा ली?'' इस बार मेरे सर पर एकदम सवार हो गई।

''ओह...हो...आख़िर क्या हुआ, कुछ कहो भी तो... ?''

''हमीदा को फिर बुख़ार आ गया है।''

''तो मैं क्या करूँ?''

मेरी बीवी सईदा रोने लगी। उम्मीद के ख़िलाफ़ यह जवाब पाकर उसकी आँखें भर आईं। आँखें, हाय सईदा की ख़ूबसूरत आँखें!''

''अब मुझे अल्लाह मौत ही दे दे तो अच्छा है।'' वह मेरे क़रीब ज़मीन पर बैठ गई।

''पैदा करते हुए आपने यह नहीं सोचा था...''

इस बार मैंने महसूस किया कि सचमुच बात मैंने सख़्त कह दी थी।

निर्लज्जता से हँसते हुए मैंने कहा, ''ग़लत है, पैदा मैंने नहीं तुमने किया है।'' और सईदा की ठोड़ी पकड़ ली। सईदा भी मुस्कुरा पड़ी पता नहीं क्यों...। पेशानी पर बिखरे हुए बालों को हटाते हुए बड़ी नर्मी से बोली, ''जाइए न डॉक्टर के पास। मेरी जवान बच्ची को जाने क्यों बुख़ार नहीं छोड़ता।''

''अच्छा जाता हूँ...'' एक सौ सत्तर रुपये में चार बच्चे, एक बीवी और एक अपना जहन्नुम। फिर यह रोज़-रोज़ की बीमारी...

''देखिए।'' पलटकर देखता हूँ तो सईदा कुछ और कह रही है।

''क्यों?''

''जल्दी से आ जाइएगा, बच्चे स्कूल से आ रहे होंगे, साथ नाश्ता कीजिएगा।''

''अच्छा जल्द ही आ जाऊँगा...तुम्हारी ख़ूबसूरत आँखों की क़सम।''

हँसने लगी। ''आप मेरे कान के बुंदे कब ला रहे हैं?''

''हत तेरे की। तारीफ़ आँखों की कीजिए, बात बुंदे तक पहुँचती है। जी में आया, पूछ ही लूँ लगे हाथों, यह आँखों में बुंदे कब से पहने जाने लगे हैं? मगर उस ख़ूबसूरत शाम को क्योंकर ख़राब करूँ।

रात गए, बच्चे तो सो चुके थे, मैंने यूँ ही सईदा को छेड़ा—

''सईदा! तुम्हारी आँखें भी क्या चीज़ थीं। अगर अब भी गाल उभरे हों तो यह क़ियामत ढा सकती हैं।''

''इन्हीं आँखों ने तो आपको चुना था। शादी से पहले जब मैंने अपने दरवाज़े पर देखा था, उस वक़्त आप मुझे पसंद आ गए थे।''

''लेकिन उस वक़्त तो तुमने बड़ी सख़्त डाँट पिलाई थी।''

''वह तो ऊपरी दिल से, फिर मुझे क्या मालूम था कि आपसे ही मेरी शादी होगी...हाँ तो आप उस वक़्त कितने बुद्धू लग रहे थे।''

''दरअसल मैं उस वक़्त तुम्हारी आँखों में डूबा था।''

''और आज...?''

''और आज भी तुम मुझे हर वक़्त उन्हीं में पा सकती हो...''

फिर यूँ ही छेड़छाड़ में आधी रात गुज़र गई।

यह क़िस्सा है जब का कि आतिश जवान था।

आतिश तो ख़ैर अब भी जवान है। मगर जेब में पैसे नहीं, इस पर चार बच्चे आँगन में अलग खेल रहे हैं और सईदा के गालों की रौनक ग़रीबी ले गई।

अब तो मुझे सईदा की फ़िक्र से ज़्यादा और फ़िक्रें खाए जाती हैं। घर लौटते हुए मैंने सोचा कि यूँ थकथका कर भागते सायों के पीछे दौड़ने का क्या अर्थ, इससे क्या हासिल, पंद्रह आने में भी सिनेमा देखा जाता है और मज़े से सीज़र्स के धुएँ उड़ा-उड़ा कर देखा जाता है। लेकिन तीन दिनों के बाद जेब में पैसे आए...सईदा की आँखों में वह बात न थी कि एक डुबकी लगाकर आदमी दुखों को भूल सके।

इसलिए सिनेमा की तरफ़ आपसे आप क़दम उठ गए। वहाँ जो भीड़ की मोमबत्तियों को देखा तो फ़ौरन नज़र अपने कपड़े की तरफ़ गई, कपड़े साफ़-सुथरे थे। गोया धोबी ने दो आने लेकर चार आने की मेहनत की हो। इसलिए सेकंड क्लास के बजाए तीन रुपये चार आने वाले दर्जे की तरफ़ ताका, लेकिन ग़लत। हलीम शरर से लेकर कृश्न चंदर तक को पढ़ आए। सब झूठ, सब बेकार, एक नज़र में मरना तो दूर की बात है, यहाँ तो बक़ौल शख़्से दर्जनों नैन बान चलाए गए मगर सब बेसूद। ये मोमबत्तियाँ ख़ुद जलती हैं न दूसरों को जलाना जानती हैं। इस मशीनी दौर में जलने-जलाने की बात सिरे से ग़लत है...और यूँ ही पाँच रुपये लुट गए।

घर आया तो सईदा ने हथेली फैला दी। एक...दो...तीन...चार...पाँच, तेरह दर तक?''

सवाल बड़ा टेढ़ा था। मेरे हाथ आप ही आप कनपटियों की तरफ़ गए।

''मैं पूछती हूँ, और एक पाँच का नोट क्या हुआ... ?''

''गिर गया एक नोट...''

''गिर गया, कैसे गिर गया...कहाँ गिर गया?''

''कैसे गिर गया, कहाँ गिर गया? कोई सवाल है? नहीं बताते हम तुम्हारे बाप के नौकर हैं।''

बखेड़ा कौन खड़ा करता। कुछ और कह दूँ, सोचता हूँ मगर क्या कहूँ?

''हाय कहाँ गिरा दिया एक नोट? हाय साँप सूँघ गया, कुछ फटिए तो।''

''नहीं बोलते, तुम्हारे बाप के कोई नौकर हैं।''

''तो क्या मैं तुम्हारे बाप की नौकर हूँ। दर्जन भर बच्चों को क्या मैं अपना कलेजा खिला दूँ?''

भागने की कोई राह नहीं मिलती तो आदमी काँटों में भी छलाँग लगा देता है, आग में कूद पड़ता है, लेकिन यहाँ तो चारों तरफ़ सईदा ही सईदा थी! राहे फ़रार बंद सईदा और सईदा की हाय हाय।

फिर पल-भर में कनपटियाँ गर्म हो गईं। उँगलियाँ हिलीं और सूखे गालों पर तड़ातड़ा तीन-चार तमाचे पड़ गए।

बात ख़त्म हुई। चलिए अब आराम से सोइए, गहरी नींद आएगी।

कोई अब इस एक सौ सत्तर रुपये माहवार और पाँच बच्चों वाले क्लर्क से पूछे वह तान कर तुलसीदास के दोहे का दोहा सुनाएगा। दोहे का मतलब यह है :

औरत, ढोल और जानवर होते इस लायक़ हैं कि उन्हें पीटा जाए। पीटने से ही वह ख़ुश रहते हैं।

सोचिए तो यह दलील भी कहाँ तक दुरुस्त है कि खोई हुई बहारों की तलाश में मर्द चाहे तो धूल फाँक सकता है, औरत को उसकी इजाज़त नहीं। आप सब कुछ कर सकते हैं। जवान लड़कियों को मोमबत्तियाँ बनाकर उनके क़रीब बैठकर जल

मरने की सोच सकते हैं और पंद्रह आने की जगह पाँच रुपये फूँक सकते हैं, मगर सईदा अब सवाल नहीं कर सकती है। पाँच रुपये वह ख़र्च कर डाले तो मुजरिम किसी जवान लड़के के पहलू में बैठने की इच्छा भी प्रकट करें तो महापाप।

लेकिन तीर तो कमान से निकल चुका था। अब उससे हासिल? अंतरात्मा दुष्ट है। उसे धमकियाँ देकर सुला दो यार। ऐसे वक़्त में भी यही सूझती है इसे।

मगर इस बेचारी सईदा को क्या करूँ जो पहलू वाले पलंग कर सिसक-सिसक कर रो रही है।

"सईदा? ऐ सईदा?"

"सईदा क्या सो गई?"

"जी।" रुँधे हुए गले की आवाज़ को मैं पहचान सकता हूँ।"

इसी वक़्त कहीं से यह ख़्याल छलाँग लगाता है। तुलसीदास ने सच ही कहा है शायद, मगर मैं ऐसा नहीं सोचता। बीवी आख़िर बीवी है। ख़ुद तुलसीदास को देखो। उसने अपनी पत्नी रत्ना के लिए क्या कुछ नहीं किया। उनसे मिलने के लिए दरिया को लाश पर बैठकर पार किया। साँप को रस्सी समझकर थामा। यह कविगण हमेशा उल्टी सोचने के आदी होते हैं।

"सईदा ज़रा इधर आना।"

"बैठ जाओ।" वह बैठी नहीं ख़ामोश खड़ी रही।

मैंने आहिस्ता से उसका हाथ थामकर चारपाई पर बिठा दिया...अब कुछ कहना चाहता हूँ तो ज़बान नहीं खुलती और चुप रहूँ तो दिल भरा-भरा है। फिर अंतरात्मा काँटे अलग चुभो रही है। यह वह दोराहा हैं जहाँ पहुँचकर हमारे वर्ग के जवान अजीब मुसीबत में फँस जाते हैं। एक तरफ़ सदियों का घमंड कि औरत पैरों की जूती है, कमतर है...ज़्यादती हो भी जाए तो वह ज़्यादती नहीं। औरत का हक़ है। जो ग़ुरूर सदियों से गर्दन को अकड़ाए हुए है। अचानक गर्दन झुकाने से वह टूटता-सा मालूम होता है और उसके साथ ख़ुद गर्दन टूटने लगती है। दूसरी तरफ़ दिल बेहाल है। दिल चाहता है अपनी ज़्यादती पर सिर पीट लूँ। सईदा के क़दमों पर गिर पड़ूँ और फूट-फूटकर रोने लगूँ। चौदह साल से जिस प्यार को, दिल में पौधे की तरह बसाए रखा है, उसकी जड़ों में ख़राश-सी पड़ गई है। नाज़ुक-नाज़ुक पोरों को सहलाता हूँ...

"छोड़िए मुझे, पहले तमाचे फिर यह प्यार, मुझे पसंद नहीं है यह सब, अल्लाह करे मैं मर जाऊँ।"

"ऐसा न कहो, एक बेचारा फिर किसके सहारे ज़िंदा रहेगा!"

"सब बनावटी बातें हैं। थप्पड़ मारते हुए कहाँ सो गया था यह बेचारा।"

अब मैं उस नादान को क्या बताऊँ कि यह थप्पड़ मैंने उसके गालों पर नहीं बल्कि ख़ुद अपने मुँह पर मारा है।

''क्या करूँ सईदा आजकल तबीयत ठीक नहीं रहती। सीने का दर्द फिर लौट आया है। बात-बात पर ग़ुस्सा आता है, अपनी मजबूरियों का सोचकर कि यह भी कोई ज़िंदगी है।''

सईदा वह सब नहीं जानती। वह शायद यही समझती है कि दरअसल यही ज़िंदगी है और इन मुसीबतों का चक्कर जहाँ ख़त्म होगा वह मंज़िल होगी मौत की...उसके इधर-उधर कुछ नहीं। मज़े में सईदा ही है जो सिर्फ़ इतना सोचती है। पढ़-लिखकर लोग बिना कारण रास्तों में काँटे बिखेर लेते हैं।

''एक बात कहूँ।'' बड़े प्यार और शौक़ से बोली।

''कहो।''

''यह अँगूठी देखी है आपने?'' उसने अपनी उँगली में पहनी अँगूठी मेरे हाथ से छुवाई। अँधेरे में सिर्फ़ इतना ही अंदाज़ा लगा सका कि वह अँगूठी है।

''बहुत अच्छी है, मगर तुमने कहाँ से पाई?''

सईदा ने पहली बात सुनी मगर दूसरी नहीं, झट बोली, ''हाँ बहुत अच्छी है सोने की है। आप भी मेरे लिए ऐसी ही सोने की अँगूठी बनवा दीजिए न।''

''बनवा दूँगा। ज़रूर बनवा दूँगा। इस माह को मेरा सलाना बोनस मिलेगा न। उस वक़्त बनवा दूँगा तुम्हें एक अच्छी सी अँगूठी।''

वास्तव में पहली बार मैंने सोचा। चौदह साल में मैंने उसको कौन-सा ज़ेवर दिया है? बल्कि उसके शादी के ज़ेवर भी मेरे हाथों बिक गए।

''लेकिन सईदा यह अँगूठी तुम्हारे पास आई कहाँ से? जिज्ञासा-सी जागी।

''यह अँगूठी पड़ोसन वाली आमना की है। वह कल मायके गई है न?''

''तो तुम्हें दे गई?''

''हाँ, कहने लगी मेरे भाईजान देख लेंगे तो ज़रूर छीन लेंगे...देखिए न क्या ज़माना आ गया है। सगी बहन को सगे भाई का ऐतबार नहीं।''

बात बड़ी ख़ूबसूरती से एक अलग रास्ते की तरफ़ मुड़ रही थी कि अचानक सईदा को अपने कानों की बालियाँ याद आ गईं।

''हाँ तो एक काम कीजिए। अभी तो आप अँगूठी नहीं बनवा सकेंगे। मुझे वह ईयररिंग ला दीजिएगा जिसका आपने वायदा किया था।''

दूसरे दिन दफ़्तर से वापसी पर ख़ान से एक रुपया सूद पर पाँच रुपये कर्ज़ लेकर एक न्यू अमेरिकन गोल्ड की ख़ूबसूरत-सी ईयररिंग ख़रीद लीं और अकेले कमरे में सईदा के कानों में अपने हाथों से पहना दीं।

''जियो मेरी जान जब तक तुम्हारा जी चाहे।''

''मेरा क्यों, जब तक आपका जी चाहे, यूँ कहिए।'' वह मुस्कुराने लगी।

अमेरिकन गोल्ड की सारी ख़ूबसूरती मंद पड़ गई।

''अब्बा चाय पी लीजिए...'' मेरी ग्यारह साल की बच्ची हमीदा की आवाज़

आई जिसे सुनकर सईदा ने जल्दी से ईयररिंग उतारकर बक्स में रख लिए। मैं सर पकड़कर कुर्सी पर बैठ गया। एक अफ़साना याद आ गया जिसमें एक बाप अपने बच्चे के नदी में बह जाने पर घटना से इसलिए मुतमईन था कि चलो अच्छा हुआ, वर्ना दूसरी तरह मौत होती तो कफ़न के पैसे कहाँ से आते?

चाय और नाश्ता आ गया। इतने में स्कूल से लड़ते-झगड़ते बच्चे भी आ गए।

रात को सईदा ने बड़े प्यार से एक प्याले में अंडे का हलवा लाकर रख दिया।

''लीजिए इसे खाइए। दो-चार दिन खाइएगा, छाती का दर्द ठीक हो जाएगा।''

कौन कहता है सईदा को मुझसे से प्यार नहीं! वह मुझे नहीं चाहती। यह सोने के रंग का हलवा तो चखो। देखो कितनी मोहब्बत से बनाया है। एक ज़रा मैंने सीने के दर्द का ज़िक्र कर दिया था कि दूसरे दिन हलवा तैयार हो गया।

अभी हलवा चख ही रहा था कि तीनों बच्चों ने मुझे घेर लिया। माँ ने उन्हें

सोता हुआ समझ रखा था। और अब वह बड़ी दरियादिली और बेतकल्लुफ़ी से मेरा हाथ बँटाने लगे और यूँ हलवा हम पाँच बाप बच्चों में ऊँट के मुँह में ज़ीरे की तरह बँट गया।

मैं और सईदा दोनों हँसने लगे। बच्चे बेचारे क्या सोचते होंगे कि किस घर में जन्म लिया है। जहाँ छोटी-छोटी चीज़ को भी जी तरस जाता है। लेकिन बच्चे इतना ही सोचते कि शुक्र है परवरदिगार तेरा वर्ना पता नहीं तेरी दुनिया कब की तबाह हो जाती।

सईदा ने एक कहानी बच्चों को सुनानी शुरू कर दी।

''एक था राजा और एक थी रानी...''

मैंने कहा, ''ठहरो जी, यह हर रोज़ एक था राजा, एक थी रानी! एक था हनीफ़ एक थी सईदा क्यों नहीं?''

''तुम अपना काम करो जी।''

''हाँ, तो एक था राजा, एक थी रानी, उनके सात बच्चे थे। वह सब बड़ी ख़ुशी-ख़ुशी रह रहे थे। हर तरह का आराम था। कोई ग़म न था। इतना कहकर सईदा लम्हे भर के लिए रुकी। फिर बच्चों की तरफ़ देखकर बोली, ''हुंकारी दो जब कहूँगी वर्ना मैं भी सोती हूँ।''

तीनों बच्चों बल्कि हमीदा तक ने एक साथ कहा, ''हूँ...हूँ।''

''फिर अल्लाह का करना यह हुआ कि उसकी राजगद्दी छिन गई और वह लोग एकदम कंगाल हो गए। ऐसे ही जैसे हम हैं।''

सईदा कोई दास्तानगो नहीं, कहानीकार नहीं। मगर जब कोई कहानी, कोई क़िस्सा सुनाने लगती है तो मेरा ध्यान भी खींच लेती है, मगर बेचारी में थोड़ी-सी कमज़ोरी है। वह उपमा और उदाहरण देने में बराबर चूक जाती है। राजा कंगाल हो गया जैसे हम हैं। वह मूर्ख नहीं जानती कि हाथी बैठ भी जाए तो गधे से ऊँचा ही होता है।

"फिर अम्मा?" सफ़िया ने पूछा।

"फिर दिन भंर वह राजा-रानी गली-गली भीख माँगते और शाम को जब पका कर ख़ाने बैठते तो वह सातों बच्चे सारे का सारा खाना खा जाते और राजा रानी हर रोज़ की तरह जूठे बर्तन चाटकर रह जाते..."

"यह तुम अपने मायके का क़िस्सा सुना रही हो जहाँ लोग दिन को भी चिराग़ रौशन करके बाज़ार में घूमने निकलते हैं।"

"चुप रहो जी।" सईदा का मूड अच्छा था। इसलिए खिलखिला कर हँस पड़ी। वरना मायके की बुराई किसी ने ससुराल में सुनी है। हालाँकि मैं अच्छी तरह जानता हूँ कि मायके में भी सईदा को फ़ाक़े करने पड़ते थे। और ज़रा-ज़रा सी चीज़ के लिए तरसना पड़ता था।

"फिर राजा रानी ने एक तरकीब सोची।"

"अरे सोची होगी। हमें तुम सोने भी दोगी या मीर हमज़ा की दास्ताँ चलती रहेगी रातभर?"

"आप सोइये न! आपको कौन कहता है क़िस्सा सुनिए?"

मैं ख़ामोश हो गया। सईदा के क़िस्से की क्या। उसकी कोई तुक नहीं। अपने तो राजा-रानी कंगाल हो गए थे। अंत तक पहुँचते-पहुँचते सुनेंगे एक साधु था फ़क़ीर आया और उसने जादू की छड़ी घुमाई और वह कंगाल कंगालिन फिर से राजा रानी बन गए। यानी आरंभ भी ग़लत और अंत भी ग़लत। राजा से कोई कंगाल नहीं होता और कंगाल के यहाँ कोई जादू की छड़ी वाला फ़क़ीर नहीं आता।

"इसके बाद?" रफ़्फ़ू बोला।

"इसके बाद सोची हुई तरकीब पर राजा-रानी ने अमल किया। वह इस तरह से कि खाना पकाकर रात को बच्चों को सुलाकर वह फिर भीख माँगने निकले देर रात वापस आए। बच्चों को सोता देखा। गहरी नींद में डूबे बच्चों के पास जाकर उन्हें घूर-घूरकर देखा। जब इत्मीनान हो गया कि सचमुच बच्चे सो रहे हैं तो पोटली खोली और आटा गूँथकर तैयार किया। फिर रानी ने राजा से धीरे से कहा, "ज़रा देखना रोटी बेलने वाली चौकी कहाँ हैं? इतने में सबसे छोटी बच्ची उठ खड़ी हुई।

"यह रही चौकी अम्मा।" और उसने चौकी माँ के सामने रख दी। रानी ने उससे कहा, "चुपचाप बैठी रह तेरी बहनें उठ जाएँगी।" फिर राजा से बोली, "देखना तो ज़रा बेलन कहाँ है?"

दूसरी लड़की ने बिस्तर पर से जवाब दिया, "मैं लाती हूँ बेलन!"

राजा रानी ने उसे ख़ामोश रहने को कहा और ऊपर वाले का शुक्र अदा किया कि बाक़ी बच्चे सो रहे हैं। रानी जैसे-जैसे ज़रूरतों की चीज़ें तलाश करती गईं। बच्चियाँ उठती गईं और अंत में सातों उठ बैठीं।

"बहुत ख़ूब!" मैं उछल पड़ा। इसलिए नहीं कि सईदा ने कोई बहुत बढ़िया कहानी सुना दी थी। बल्कि उसने पहली बार कहानी में सच का ध्यान रखा। इस बार कोई बेचारा साधू या फ़क़ीर नहीं आया।

"क्या बहुत ख़ूब?"

"यही कि तुमने कंगाल और कंगालिन को फिर से राजा-रानी नहीं बना दिया।" उसने मेरी बात का जवाब नहीं दिया।

"तो बच्चो! इस तरह तुमने भी आज एक हरकत की है। आज तुमने अपने अब्बा को हलवा ख़ाने नहीं दिया। वह तुम्हारे अब्बा की दवा थी। बुरी बात है। तुम नेक बच्चे हो। ऐसी आदत हरगिज़ मत सीखो, समझे।" किसी बच्चे ने हुंकार नहीं दी। सईदा ने पलटकर देखा तो सबके सब सो रहे थे। वह नाचार मेरी तरफ़ मुड़ी।

"सुन रहे हैं? देखिए तो हमीदा जवान हो रही है।"

"तो अच्छी बात है। मैं उसके लिए दूल्हा तलाश करूँगा..."

"दूल्हा को नहीं कह रही हूँ, अक़्लमंद साहब! हमीदा अब सियानी हो रही है। उसके लिए अब दुपट्टा ख़रीदना पड़ेगा।"

मैं जानता था सईदा क्या कहना चाहती है और यूँ जो सईदा के इशारे का ग़लत जवाब दे रहा हूँ तो उसमें ज़िंदा रहने का एक नुक्ता पोशीदा है। हक़ीक़त से फ़रार।

"अच्छा भई, दुपट्टा ला दूँगा!" मैंने टालना चाहा।

"लेकिन इस तरह तो महीनों से टाल रहे हैं। इस तरह भागने से फ़ायदा? भाग कर कहाँ जाइएगा?"

सईदा सच कहती है। भाग कर आदमी कहाँ जाएगा? दो पाटों के बीच से कोई साबुत बचा है जो मैं बचूँगा? फिर सईदा ने मुझे आहिस्ता से एक बात बताई कि किस तरह नुक्कड़ वाली पान की दुकान में बैठे चंद आवारा लोगों ने उसकी लड़की हमीदा की तरफ़ कंकरी फेंकी और उसे छेड़ा। मुझे अफ़सोस हुआ जैसे किसी ने तेज़ाब छिड़क दिया हो मुझ पर।

सचमुच जीना बहुत मुश्किल है, भूखा मरकर, नंगे रहकर, एक-एक चीज़ के लिए तरस-तरसकर जीना कितना बड़ा कमीनापन मालूम होता है। ग़रीबी की चक्की में पिसते-पिसते एक दिन आदमी अल्लाह को प्यारा हो जाता है। कितनी हसरत से कहा जाता है कि आत्मा का सुख तो केवल ग़रीबों को प्राप्त है। हम अमीर लोग तो इतने भाग्यहीन हैं कि शराब की क़िस्में और उसकी तारीख़ें याद करके मिट्टी में मिल जाते हैं!

"क्या सोच रहे हैं?"

"सोच रहा हूँ कि साए कैसे पकड़े जाते हैं। मैं तो थक-सा गया हूँ उनके पीछे भागते-भागते।"

हसरत भरी नज़रों से सईदा देखती है और सूप में दाल लिए फटकती-फटकती बावर्चीख़ाने की तरफ़ चली जाती है। शायद वह कह नहीं पाती कि एक सौ सत्तर रुपये में पहले ही गुज़र मुश्किल थी। यह वह चादर है कि पैर ढँकिए तो सर खुल जाता है और सर छुपाइए तो पाँव नंगे हो जाते हैं। समद ख़ाँ के एक सौ चालीस रुपये हो गए हैं पचास रुपये सूद के। फिर भी दूध वाले का तीन माह का पैसा चढ़ गया है। धोबी ने कपड़े धोने से इन्कार कर दिया है। हमीदा को दूसरे-तीसरे दिन बुख़ार लग जाता है। दवा नहीं आ पाती। रुपये हमीदा के दुपट्टे के लिए चाहिए या फिर यह कीजिए कि उसे पर्दे में बैठा दीजिए। हमीदा जवान हो रही है वह बिना दुपट्टे बाहर नहीं निकल सकती है। दुनिया की नैतिकता को आग लग गई है। ग्यारह साल की बच्ची को बुरी नज़र से ताकते हैं। लोगों की अपनी माँ बहनें नहीं हैं। या यह कि हमीदा वक़्त से पहले क्यों जवान हो रही है।

दिल चाहता है उन सारी किताबों में आग लगा दूँ, जिसमें ग़रीबी को ख़ुदा की नियामत कहा गया है। बड़ी मुश्किल है। एक शरीफ़ आदमी को अपनी लाज रखनी बड़ी कठिन है।

बहरहाल, पाँच सात रुपये ख़र्च करने ही पड़ेंगे...ढाई गज़ कपड़ा हमीदा की गर्दन में डाल दीजिए तो कई फ़ायदे हैं। नुक्कड़ वाली दुकान से सौदा सुलुफ आ जाएगा। दफ़्तर में दोपहर का खाना पहुँच जाएगा। नल पर से ज़रूरत भर पानी आ जाएगा और भी छोटे बड़े काम निकल सकते हैं, जैसे नन्हे को लेकर ख़ैराती अस्पताल जाना। कंपनी के मैदान से अपने से उगे साग पत्ते चुनकर ला सकती है। ढाई गज़ के कपड़े को गर्दन में डाल दीजिए तो ढेरों काम निकल सकते हैं। या उसी कपड़े को दरवाज़े पर डाल दीजिए और अंदर मज़े से पड़े रहिए। नंगे रहिए, उधड़े रहिए कोई बात नहीं है, किसी बात में शर्म नहीं। कोई पूछने वाला नहीं, क्यों साहब आप कैसे जी रहे हैं? बल्कि गलियारे-गलियारे तारीफ़ें होंगी कि हनीफ़ मियाँ ने अपनी लौडिया को कितनी उम्र कम्र में पर्दे में बिठा दिया है। ऐसे होते हैं शरीफ़ आदमी! लीजिए साहब देख लिया अपने ढाई गज़ का करिश्मा? पर्दा बड़े काम की चीज़ साबित हुआ। इंसान की इज़्ज़त आबरू का रक्षक बन गया। आगे ज़बान मत खुलवाइए बात शरीअत की हद को पार कर जाएगी। बेपर्दगी धर्मशास्त्र में मना है। भूखों मरना भी धर्मशास्त्र में मना है...फिर उस फक्कड़ का क्या, जिसके पास न ख़ाने को है न निचोड़ने को।

इंसान हूँ शरीफ़ हूँ। ग़रीब होने का मतलब यह नहीं कि कोई शराफ़त के टाँके उधेड़ने लगे। यह क्या कम दुख की बात नहीं कि एक आठ साल का बच्चा फीस न जमा कर पाने की वजह से स्कूल से निकाल दिया जाता है। अब वह सिगरेट के टुकड़ों को चुन-चुनकर फक-फक धुआँ उड़ाता फिर रहा है। इतना ही नहीं, आज किसी ने हमीदा पर कंकरी फेंक दी...उसे छेड़ा।

पेंचताव खाता दफ़्तर पहुँचा। काम करने के बजाय साथी क्लर्कों से हँसी-मज़ाक़ में अपना ग़म खोना चाहा। फ़िल्म स्टारों की जवानियों के चर्चे किए, अफ़सानों की बात छेड़ी। मतलब भागना चाहा हक़ीक़त से...लेकिन सईदा सच कहती है भागकर कहाँ जाइएगा।

सचमुच मैं भागकर कहाँ जाऊँगा। चारों-तरफ़ गहरे कुएँ हैं। अँधेरा है। थोड़ी-सी रौशनी कहीं नज़र आती है दौड़ पड़ता हूँ...दौड़कर पकड़ता हूँ, मगर रौशनी क्या हाथ आएगी ख़ुद हाथ जल जाता है।

वापसी पर घर में एक हंगामे से दो-चार होना पड़ा। मोहल्ले की कुछ औरतें और मर्द बच्चे मेरे दरवाज़े को घेरे खड़े थे और वह पड़ोसन आमना जो कल ही अपने मायके से वापस हुई थी, हाथ फेंक-फेंककर मुझे और मेरी पत्नी को कोस रही थी। बात क्या हुई...कैसा हंगामा है मेरे घर में?

पता चला मायके जाते वक़्त आमना ने जो अँगूठी अपने भाई के डर से मेरी सईदा को दी थी, वह सईदा से गुम हो गई है। वह घर के सारे कोने, खदरे ढूँढकर थक हार गई थी और अब सिर्फ़ आँसू बहा रही थी, जिसका आमना पर कोई असर नहीं हो रहा था। औरत के आँसू कामयाबतरीन हथियार सही मगर इस हथियार से औरत पर वार किया जाता है तो वह सिर्फ़ बेकार साबित होता है। बल्कि अपमान का कारण भी बनता है। चुनांचे आमना के कोसने में पल-पल तेज़ी और ग़मी आती जा रही थी। और वह बड़ी-बेबाकी से हमारे ईमान पर, हमारे बाप दादाओं की लाशों के संग हमारे ऊपर झाड़ू फेरे जा रही थी।

बहुत देर ख़ुशामद और विनती के बाद आमना के शौहर को इस बात के लिए राज़ी किया कि अब जब भी बोनस मिलेगा तो मैं उन्हें पहली फुर्सत में एक अँगूठी बनवा दूँगा।

ख़ुदा-ख़ुदा करके उन्हें विदा किया। अब सईदा की आँखें लाल अंगारा हो रही थीं। मैंने बड़े प्यार से उसकी ठोड़ी को ऊपर उठाते हुए कहा, "इन आँखों से मुझे ज़िंदगी की छाँव वाली राहत मिला करती है। उन्हें क्यों बहा देने पर तुली हो?" सईदा कुछ नहीं बोली लगातार आँखों से आँसू गिराती रही।

आँखें-आँखें...हाय सईदा की आँखें।

लेकिन...लेकिन...!

लेकिन सईदा सिर्फ़ आँखें ही तो नहीं, वह एक दिल भी तो है जो बेईमान भी हो सकता है। जो अमानत में ख़ियानत भी कर सकता है...मैं उलझने लगता हूँ। हालात इंसान को गिरा सकते हैं। सईदा गिर भी सकती है, लेकिन इस में सईदा का क्या क़ुसूर। रहीम ने एक दोहे में सच ही कहा है धतूरा और सोना अगरचे दोनों ही नशा हैं, धतूरे को पीने के बाद नशा चढ़ता है तो सोना सिर्फ़ छू देने से ही आदमी मदहोश हो जाता है। फिर आज तक मैंने उसके आग्रह के बावजूद उसे कोई ज़ेवर

लाकर नहीं दिया। आख़िर इसमें सईदा की क्या ख़ता? लेकिन...लेकिन ऐसा नहीं सोचना चाहिए। मैं ख़ुद अपने आपको कमीना महसूस करने लगता हूँ। कुछ भी हो सईदा मेरी बीवी है, मेरी जीवन साथी है। अपनी जीवन साथी पर ऐसा अविश्वास...फिर मैं किस तरह कह सकता हूँ कि अँगूठी सईदा ही ने रख ली है, वह वास्तव में खो भी सकती है। मैंने अपने आप पर अंकुश लगाया। वह विचार जो दिमाग़ में धुआँ-सा फैला रहे थे उन्हें दबाना चाहा...लेकिन शाम तक वह अँगूठी मिल गई।

ख़ुशी से झूमती हुई मुस्कुराती सईदा अँगूठी लिए मेरे पास आई।

''देखिए अँगूठी मिल गई। संदूक़ के दराज़ के कोने में रह गई थी।''

''मिल गई, शुक्र है तेरा, मेरे रब!'' मैं बोला।

कुछ पल बाद उसने गर्दन झुकाकर आहिस्ता से कहा, ''मैं भी कितनी गुनाहकार हूँ। मैं सोच रही थी अँगूठी कहीं आपने रख ली हो...''

पत्रकारिता की धूप और साहित्य की छाँव का पथिक

आबिद सुहैल का जन्म 27 नवंबर 1932 में उत्तर प्रदेश के लखनऊ शहर में हुआ। आपके वालिद का नाम सैयद जाफ़रयाब हसन था। आबिद सुहैल ने लखनऊ यूनिवर्सिटी से फिलासफ़ी में एम.ए. किया। अध्यापन की जगह उनका रुझान पत्रकारिता की तरफ़ हुआ और क़िस्मत ने भी साथ दिया। वह 1957 में 'क़ौमी आवाज़' उर्दू समाचार-पत्र में उपसंपादक बने। इसके बाद वह 'नेशनल हेराल्ड' (1906) में रहे, 'द पायनियर' में 1995-1997 तक कार्यरत रहे। इसी के साथ आपने एक पत्रिका 'किताबे मंथली' की शुरुआत की और उसका संपादन भी किया। 'सहाफ़त डेली' लखनऊ के मुख्य सलाहकार रहे। 'टाइम्स ऑफ इंडिया' में लगभग बारह वर्ष तक 'उर्दू प्रेस' के शीर्षक से लखनऊ एडिशन में कॉलम (1989-2011) लिखते रहे हैं। दूरदर्शन लखनऊ न्यूज़ के इंचार्ज भी रहे।

सबसे छोटा ग़म उनकी चर्चित कहानी है, जो आज भी उनके नाम से जुड़ी हुई है। जबकि उन्होंने कई ऐसी कहानियाँ लिखी हैं जो बेहतरीन कहानियों की सूची में दाख़िल हैं।

उर्दू और अंग्रेज़ी में बराबर लिखने वाले आबिद सुहैल ने सिर्फ़ कहानियाँ ही नहीं लिखीं बल्कि बड़ी संख्या में रेडियो ड्रामे भी लिखे, जो उनकी कहानियों के साथ प्रसारित हुए। महत्त्वपूर्ण उर्दू साहित्यकारों के साक्षात्कार लिए जो चर्चित हुए। आबिद सुहैल को यह श्रेय जाता है कि लखनऊ दूरदर्शन में पहला रिकार्ड किया गया प्रोग्राम आपका था।

आपके कहानी संग्रह *सबसे छोटा ग़म, जीने वाले, ग़ुलाम गर्दिश, दर्द का शजर* (प्रेम कहानियाँ) आदि हैं। आपके उपन्यास *सुर्ख़ उँगलियाँ,* और *सब्ज़ भूत* ('एडगर वालेस' के अंग्रेज़ी उपन्यास से अनुवाद), *उनकी जीवनी, जो याद रहा* के नाम से प्रकाशित हैं। कुछ और महत्त्वपूर्ण विषयों पर लिखी आपकी लगभग बीस किताबें हैं।

आप मौलाना आज़ाद नेशनल अवार्ड, उत्तरप्रदेश (2011-12), लाइफ टाइम

अचीवमेंट अवार्ड उर्दू अकादमी (1991), 'ग़ालिब अवार्ड', 'पत्रकार शिरोमणि, नवाए मीर अवार्ड, मीर अकादमी आदि पुरस्कारों से सम्मानित हुए।

आबिद सुहैल साहब आज भी कहानी और पत्रकारिता की दुनिया में सक्रिय हैं! उनका कहना है, "अफ़साना बहुत दिनों तक झूठ बोलता रहा। तरक़्क़ीपसंदों ने उसे सच बोलना सिखाया।"

आबिद सुहैल साहब अब हमारे बीच नहीं रहे। उन्हें अपनी कहानी हिन्दी में छपी देखने का बड़ा इन्तज़ार था।

सबसे छोटा ग़म

आबिद सुहैल

उसने तीनों तरफ़ की जालियों में बँधे हुए हज़ारों नहीं, बल्कि लाखों मन्नत के धागों को देखा और इनमें दस सवा दस साल पहले अपने बाँधे हुए धागे को तलाश करने लगी। बाईं तरफ़ जाली पर जिसके बाहर गेदें के पीले-पीले फूल और हार ढेर सारे और बहुत से दीये जल रहे थे। उसने अपने धागे को पहचानने की कोशिश की। उसे ख़ूब अच्छी तरह याद था कि उस तरफ़ जाली के बिल्कुल कोने में उसने धागे में एक गिरह लगाई थी फिर दूसरी गिरह जावेद ने। उसे यह भी याद था कि उसकी उँगलियाँ पूरी तरह गिरह लगा भी न पाई थीं कि जावेद की उँगलियाँ वहाँ पहुँच गई थीं और उँगलियों के इस स्पर्श के बाद जावेद उसकी आँखों में झाँककर मुस्कुराने लगा था और वह शरमाकर नीचे देखने लगी थी।

लेकिन इनका बाँधा हुआ धागा कौन-सा था। उस लम्हे उसे ख़्याल आया कि उस वक़्त उस जगह शायद बहुत ज़्यादा भीड़ थी और जावेद ने आँखों-ही-आँखों में इशारा किया था और वह सामने वाली जाली पर चली गई थी। यह सोचकर उसने दरमियान वाली जाली का रुख़ किया, लेकिन क़दम आगे बढ़ाने से पहले उसने एक बार फिर उस जाली पर नज़र डाली जैसे वह अपना बाँधा धागा पहचान ही तो लेगी।

दूसरी जाली पर पहुँचते-पहुँचते उसे ऐसा लगा जैसे पहली जाली पर जाकर उसने ग़लती की थी और उसे याददाश्त ने धोखा दिया था। धागा तो उसने यहीं बाँधा था बिल्कुल कोने में, मगर यहाँ भी लाखों धागे बँधे थे। किसी में एक गिरह थी। किसी में दो। इनमें इसका अपना कौन-सा था? उसने कोने के धागों पर हाथ फेरा, आहिस्ता-आहिस्ता जैसे जावेद के हाथों के स्पर्श से वह अपने धागे को पहचान तो लेगी लेकिन कहीं ख़्वाहिशों की ग़र्मी थी। कहीं आरज़ुओं की नर्मी थी तो कहीं निराशा का अंधकार था और मुसीबतों की सख़्ती।

उसने दूसरी बार कोने के धागे पर हाथ फेरने का इरादा किया ही था कि एक दुबली-पतली गोरी चिट्टी लंबी-सी औरत वहाँ आ गई। वह कुछ देर तो ख़ामोश खड़ी रही फिर जाली में लाल धागा बाँधा, मुड़कर निष्ठा से भरपूर निगाहों से मज़ार की तरफ़ देखा और आँसू पोंछती हुई बाहर निकल गई।

वह औरत ज्योंही बाहर निकली उसने उसके बाँधे हुए धागे पर उँगली रख दी।

अक्तूबर के आरंभ की तारीख़ों में, जब धूप-छाँव के मौसम के बावजूद मज़ार के बाहर लंबे-चौड़े आँगन का एक-एक पत्थर तप रहा था। एक ठंडी लहर उसकी मांसपेशियों में लहरा गई। धागा सिमटा, फिर फैला और फिर दो आँखें बन गईं। रहम की भीख माँगती हुई आँखें। दो होंठ बन गए। इच्छाओं को शब्दों का आकार देने वाले होंठ, ''ए शेख़! तूने बादशाहों की झोलियाँ मुरादों से भर दी हैं। मेरी झोली में भी एक गुलाब डाल दे।''

वह उसी जगह खड़े-खड़े काँप गई। जैसे नींद से अचानक कोई किसी को जगा दे या फिर कोई बेहद भयानक ख़्वाब से जाग पड़े। उसने अपने दोनों तरफ़ मसहरी पर सोते हुए दोनों बच्चों को टटोलने के लिए हाथ बढ़ाए, लेकिन उसका बायाँ हाथ मेहराब से और दायाँ बेहद सुंदर कपड़ों में सजी एक औरत से टकरा गया। कमर में सोने की करधनी, कानों में सोने के बुंदे जिनमें हीरे चमक रहे थे, जैसे सपने से जागने के बाद सच्चाई से उसका पहला टकराव था। खिलता हुआ गेहुँआ रंग या कहें गोरा रंग जिसको ख़ुशहाली, ख़ुशियों भरी ज़िंदगी ने और भी हसीन बना दिया था, बल्कि चमका दिया था।

इस औरत को भी भला कोई ग़म हो सकता है? उसके बालाई की रंगत वाले मुलायम गदबदे हाथों को देखा। नज़रें झुकाकर दोनों छोटे-छोटे पैरों को देखा, ऐसे छोटे-छोटे ख़ूबसूरत पैर जैसे उन्हें बचपन में लोहे के जूते पहनाकर रखा गया हो, फिर सर उठाकर कनखियों से उन बड़ी-बड़ी आँखों की तरफ़ देखा जो थोड़ी देर पहले उसे ऐसी लगी थीं जैसे किसी ने गुलाब से कटोरे भर दिए हों।

अब यह गुलाब के कटोरे छलकने ही को थे और आँसुओं की दो बूँदें दोनों कटोरों के कोनों से टपक पड़ने के लिए पर तौल रही थीं!

उस औरत को भला क्या ग़म हो सकता है? उसने सोचा ग़रीबी और बेचारगी तो उसने देखी ही नहीं। औलादें ज़रूर होंगी वरना वह इतना ख़ुश भला कैसे रह सकती थी। माँग में सिंदूर, चूड़ियाँ और बुंदे। छी-छी कैसा बुरा ख़्याल आया था उसके दिल में। ख़ुदा, उसे सदा सुहागिन रखे और उसके पति को लंबी उम्र दे। लेकिन कोई घाव तो ज़रूर था; जिसे न धन, न पति, न आलौद, न सुंदर वस्त्र, न बहुमूल्य ज़ेवर, कोई भी चीज़ न भर पाई थी, और वह यहाँ चली आई थी।

उसने साड़ी जिस तरह बाँध रखी थी उसी तरह साड़ी बाँधना जावेद को भी पसंद था लेकिन वह इस तरह साड़ी बाँध ही नहीं पाती थी। उसे इस बात से एक बात और याद आ गई और उसकी उदास और दुखभरी आँखों में भी हँसी की एक चमक पैदा हो गई।

जावेद ने जब ताजमहल में एक ख़ूबसूरत लड़की को बार-बार पलटकर देखा था, तो वह उदास हो गई थी। शादी को अभी चंद दिन ही तो हुए थे और अकेले में

मुहब्बत लुटाने वाला जावेद बाहर इस तरह, वह भी उसकी मौजूदगी में यूँ हरजाई हुआ जा रहा था। वैसे उसने ख़ुद को समझाया था कि हर ख़ूबसूरत और कशिश भरी चीज़ की तरफ़ नज़रें ख़ुद-ब-ख़ुद उठ ही जाती हैं, मगर बार-बार मुड़कर देखना बिला इरादा तो नहीं हो सकता? उसने कई बार पलट-पलट कर उसकी तरफ़ देखा था और ताजमहल के पीछे यमुना के किनारे जब वह औरत मस्जिद की तरफ़ खड़ी थी तो नदी के उस पार क़िले की तरफ़ देखते हुए भी उसने नज़रें चुराकर उस औरत की तरफ़ देख लिया था।

लेकिन जावेद के बात करने के अंदाज़, बर्ताव, मुस्कुराहट, हँसी और थोड़ी-थोड़ी देर बाद ताज के हुस्न के किसी पहलू की तरफ़ उसका ध्यान ले जाते हुए उसके हाथ को धीरे से छू देने की उसकी आदत में भी कोई फ़र्क़ नहीं पड़ा था। फिर यह बात तो उसे एक दिन ख़ुद-ब-ख़ुद समझ में आ गई थी कि उस दिन जावेद उस औरत को नहीं, बल्कि उस साड़ी को देख रहा था जो वह औरत एक ख़ास तरीक़े से बाँधे हुए थी।

कहीं इस औरत को ऐसा कोई वहम, कोई बेनाम ग़म तो नहीं? बेनाम ग़मों को तो हम औरतों के पास ख़ज़ाने होते हैं, जिन्हें हम लुटाते नहीं बटोर-बटोरकर रखती हैं। ख़ुशियों के पलों को बोझिल बनाने के लिए, अकस्मात् आई हँसी में शालीनता लाने के लिए, इन्तेहा को जीवन के तौर-तरीक़े सिख़ाने के लिए, लेकिन ऐसे बेनाम ग़मों के लिए कोई इतनी दूर तो नहीं चला आता।

वह औरत जाली पर धागा बाँधने लगी तो उसने कनखियों से उसके चेहरे को एक बार फिर भरपूर नज़रों से देखा। उदासी का एक पर्दा तो ज़रूर था। आँखें अभी भी भीगी हुई थीं, लेकिन चेहरे का मेकअप ऐसा था जैसे अभी-अभी ब्यूटी पॉर्लर से निकलकर सीधे यहीं आ गई। धूल का कोई अंश न था। साड़ी पर एक भी शिकन न थी। उस औरत ने धागे में गिरह लगाई, तो उसकी नज़रें क़ुदरती रंग में रंगे हुए उसके लंबे-लंबे नाख़ूनों पर पड़ीं। जिनका यह हुस्न यह चमक देख-रेख और घरदारी के कामों से बेनियाज़ी के बिना मुमकिन न था।

धागे में गिरह लगाने के बाद उसने ज़रा झुककर दोनों हाथ बाँधकर जैसे जाली को ही प्रणाम किया है। फिर मुड़ी और मज़ार के क़रीब जाकर खड़े-ही-खड़े लगभग दोहरी हो गई और ऐसे फूट-फूटकर रोई कि सारे बाँध टूट गए। बल्कि बह गए। लेकिन इन आँसुओं ने उसे और भी ख़ूबसूरत और भी मासूम बना दिया था। जब वह बाहर निकली तो वह भी जिज्ञासा के मारे मज़ार के सिरहाने तक आ गई। उसने पर्स खोला और दो बड़े-बड़े नोट निकाले, फिर और नोट निकाले और फिर दरगाह के चंदे के बक्स में डाल दिए और इलायची दानों के लिए दोनों हाथ फैलाए। हाथ ऊपर उठाए और अपना सर हाथों पर टिका दिया, फिर धीरे-धीरे सर उठाया।

इलायची दाने साड़ी के पल्लू में डालकर पर्स में सावधानी से रख लिए और चली गई। चंद क़दम बाद उसने पलटकर मज़ार की तरफ़ एक बार फिर देखा और सर झुकाए बुलंद दरवाज़े की सीढ़ियों से नीचे उतर गई।

अब वह उसी जाली के पास आ गई जहाँ थोड़ी देर पहले उस औरत ने धागा बाँधा था। लेकिन रंग-बिरंगे धागों के जंगल में वह उसके धागे को पहचान न सकी। उसके ग़म के भेद तक पहुँच न सकी।

इसी बीच में पर्यटकों का एक रेला दरगाह में दाख़िल हुआ तो गाइड ने रटे-रटाए जुमले दोहराए, "शेख़ सलीम चिश्ती की दुआ से अकबर को जहाँगीर नसीब हुआ। यहाँ लोग आते हैं और मुरादों का दामन भर ले जाते हैं।"

मज़ार के बाहर वाली जाली पर एक पर्यटक ने हाथ रखा तो गाइड ने बेहद आहिस्तगी से वह हाथ हटा दिया और कहा, "इस मज़ार की जाली दुनिया के सारे मज़ारों की जालियों से ख़ूबसूरत है। कछुवे की हड्डी पर सीप के काम की यह दुनिया में अपनी मिसाल।" यह कहकर उसने दियासलाई की तीली जलाई तो मज़ार की बाहरी दीवार का वह हिस्सा जिस पर रौशनी पड़ रही थी चमक उठा, झिलमिल करने लगा।

पर्यटकों की भीड़ चली गई। वह फिर अकेली-सी रह गई। एक बार फिर उसने मज़ार के क़दमों के सामने की जाली पर बँधे हुए धागों पर हाथ फेरा तो जावेद दरवाज़ा खोलकर कमरे में दाख़िल हो गया। नशे में धुत, टाई की गिरह ढीली, बाल बिखरे हुए, सूट शिकन से भरा, आँखें लाल और दहाड़ता हुआ, "मैं कहता हूँ यह मेरा घर है, या किसी और का, दो-दो घंटे चिल्लाओ तब कहीं जाकर दरवाज़ा खुलता है। न आया करूँ, कहीं और सो रहा करूँ?"

"उहूँ! जाग रही थीं, थोड़ी देर पहले तो फिर मर क्यों गई थीं मेरे आने पर।" लेकिन उसने कोई जवाब नहीं दिया और कोट नर्म-नर्म हाथों से उतार दिया और हाथ का सहारा देकर उसे बिस्तर पर लिटा दिया। फिर जूतों की डोरी खोल, जूते उतारे, मोज़े उतारे और बिस्तर पर उसकी टाँगें फैला दीं।

अब यह बात हर रात की बात बन गई थी। वैसे उसे दिन में सब कुछ हासिल होता। इज़्ज़त, दौलत, कार, मुलाज़िम, आलौदें लेकिन यह सब कुछ एक बारीक़ धागे से लटका हुआ मालूम होता था। अगर उसके संदेह सच साबित हुए तो वह क्या करेगी। शिक्षित होने के बावजूद दस बारह बरस तक, इस तरह की ज़िंदगी गुज़ारने के बाद क्या वह नए सिरे से बिल्कुल दूसरी तरह की ज़िंदगी शुरू कर सकेगी? सवालिया निशान फैला और फैलता ही चला गया कि एक बूढ़ी-सी औरत ने दूसरी औरत की गोद से एक बिल्कुल छोटा-सा बच्चा लेकर मज़ार के क़दमों में डाल दिया। दोनों औरतों ने जिनके चेहरे ख़ुशी से तमतमा रहे थे उसी जगह बैठकर सर को इतना झुकाया, इतना झुकाया कि सिजदे का गुमान होने लगा। बूढ़ी औरत उठी और

जाली के पास जाकर एक धागे की गिरह खोल दी। बच्चे को गोद में उठा लिया। दोनों ने एक बार पूरी निष्ठा से मज़ार की तरफ़ गर्दनें झुकाईं और मज़ार से बाहर निकल गईं।

उसी पल उसकी नज़र माँ की गोद में मुस्कुराते बच्चे पर पड़ी और वह ख़ुद भी मुस्कुरा दी लेकिन उसकी यह मुस्कुराहट वक़्ती थी। सारी जालियों पर महरूमियों, तमन्नाओं, नाकामियों के आँसुओं में डूबे हुए लाखों लाख धागों के बीच कब तक अपनी तरोताज़गी सँजोए रख सकता था। उसने दाहिने हाथ की मुट्ठी खोली तो लाल धागा पसीने में डूब चुका था। अब वह जाली के किसी एक ऐसे कोने की तलाश करने लगी जहाँ पहले किसी ने धागा न बाँधा हो लेकिन ऐसी कोई जगह न थी। हर जगह एक दो नहीं दर्जनों धागे बँधे हुए। अपनी इच्छाओं की पूर्ति के लिए आँसू बहा रहे थे। आँसुओं की इस बाढ़ में उसकी एक बूँद का भला क्या महत्त्व। गहरे ज़ख़्म, व्यथा के पहाड़ और मुसीबतों के तूफ़ान भरे धागे, जिनके यह धागे अलामत थे उसे अपने ग़म के आगे बहुत बड़े और अहम लगे।

उसने एक बड़ा धागा लिया और जाली के चारों कोनों पर बाँध दिया; पूरी जाली को घेरकर, सारे ग़मों, दुखों और तमन्नाओं को बाँधे हुए था। अब वह रो पड़ी। उसकी आँखें समंदर बन गईं। उसने आँसू पोंछने की कोशिश की और रुँधे गले से बोली—

"शेख़, इन सबकी मुरादें बर आएँ तो मेरा ग़म भी हल्का हो जाएगा। इतने सारे दुखों के बीच मैं कैसे ख़ुश रहूँगी।"

बाहर सहन के पत्थर अब भी गर्म इतने गर्म थे, सूरज अब भी आग बरसा रहा था। लेकिन उसका अहसास किए बग़ैर, ख़ामोश, गर्दन झुकाए वह इस तरह बाहर निकल आई जैसे उसके दिल का सारा बोझ हल्का हो गया हो।

अतीत के खँडहरों पर भाषायी चाँदनी की फैली जादूगरी

क़ाज़ी अब्दुल सत्तार 1933 में मछरौटा, ज़िला सीतापुर में पैदा हुए। लखनऊ में शिक्षा पाई। अलीगढ़ के उर्दू विभाग में अध्यापन के साथ आप की क़लम कहानी और उपन्यास में भी नए-नए प्रयोग करता रही है।

उर्दू आलोचकों ने उन्हें महान शिल्पकार माना है जिसकी अपनी शैली है। उनके गद्य का सौंदर्य उन्हें मीर अम्मन, रज्जब अली बेग सुरूर, अबुल कलाम आज़ाद जैसे क़लमकारों के समकक्ष लाकर खड़ा करता है।

क़ाज़ी अब्दुल सत्तार में लेखकीय गरिमा और अपने क़लम के प्रति बेहद निष्ठा है। उन्होंने बँटवारे के बाद का वह समाज लिया है जिसके घर आँगन बँटे और फिर ज़मींदारी उन्मूलन ने उनकी विरासत और पहचान छीन ली। ऐसे लोगों की दयनीय स्थिति को बड़े बेदर्द तरीक़े से खोला है। इसे पढ़कर पाठक की सारी हमदर्दी उस वर्ग से हो जाती है जिस पर अपनी तरह का ज़ुल्म टूटा और दोहरा ज़ुल्म टूटा।

क़ाज़ी साहब के उपन्यास अधिकतर ऐतिहासिक पृष्ठभूमि पर लिखे गए हैं। *शब-गुज़ीदा, दाराशिकोह, सलाहउद्दीन अय्यूबी, खालिद इब्ने वलीद, ग़ालिब* आदि। उर्दू में ऐसे विषयों पर वही क़लम उठा सकते थे जिसके पास ज्ञान के साथ भाषा का संस्कार भी हो। आपके चर्चित कहानी संग्रह *शिकस्त की आवाज़, मज्जू भैया, बादल, ग़ुबारे शब, हज़रत जान, तज़्म सुल्तान, आइने अय्याम, पीतल का घंटा,* दूदे *चिराग़, महफ़िल* आदि हैं, जिनका उर्दू कहानी में विशेष स्थान है।

आलोचना में, शायरी में कुनूतियात, जमालियात और हिंदुस्तानी जमालियात विशेष रूप से चर्चित रही हैं।

वे 1991 में अलीगढ़ विश्वविद्यालय के उर्दू विभाग से रिटायर हुए।

क़ाज़ी साहब को ग़ालिब अवार्ड (1973), पदमश्री सम्मान (1974), मीर अवार्ड (1977), यू.पी. उर्दू अवार्ड (1977), आलमी अवार्ड (1987), उत्तरप्रदेश का राष्ट्रीय अवार्ड (1987), निशाने सर सैयद अवार्ड (1996), गजेंद्र अवार्ड (1998), बहादुर शाह ज़फर अवॉर्ड (2002), दोहा क़तर का इंटरनेशनल अवार्ड

(2005), राष्ट्रीय इक़बाल अवार्ड (2006), पहला उर्दू टीचर अवार्ड (2008) तथा उत्तरप्रदेश संस्थान द्वारा पहला उर्दू टीचर सम्मान (2010) से सम्मानित किया गया।

1986 में पहली डाक्यूमेंट्री, फिर 2003 में दो और डाक्यूमेंट्री फ़िल्में आपकी रचनाओं और व्यक्तित्व पर बनाई गईं।

क़ाज़ी अब्दुल सत्तार की कहानी *पीतल का घंटा* और *मालकिन* ऐसी कहानियाँ हैं जिनको पढ़ने नहीं बल्कि महसूस करने के बाद पाठक उससे बरसों मुक्त नहीं हो पाता है। इन कहानियों में दर्द नहीं बल्कि सिर्फ़ भाषा अपना चमत्कार दिखाती है। जिनमें उपमाओं का ऐसा करिश्मा है जो क़ाज़ी साहब की उस्तादी का ज़ामिन बन जाता है।

क़ाज़ी अब्दुल सत्तार के यहाँ तारीख़ी ज्ञान के साथ तहज़ीबी समझ, वर्गों की असमानता के साथ निचले और पिछड़े लोगों के जीवन की धड़कन, जीने के अंदाज़ और उनकी बोली को वह उसी तरह समझते हैं, जिस तरह ऊँच वर्ग के लोगों की तरज़े ज़िंदगी को। क़ाज़ी साहब के पास जो नज़र है वह गहरी और पैनी है। उन्होंने वक़्त के सूरज को ढलते और डूबते देखा है। वह उसका मातम नहीं करते उसकी वजह तलाशकर आलोचनात्मक अंदाज़ भी अपनाते हैं।

क़ाज़ी साहब की तहरीरें जिसमें दर्द, समय, बनती बिगड़ती तहज़ीब और ज़बान का कमाल है। उसके लिए भविष्य में एक ख़तरा ज़रूर है कि उस पाठ की संवेदनशीलता को समझने वाले पाठक कितनी तादाद में बचेंगे ? जैसा कि आज हमें अपने अतीत से कटते हुए लोग बिल्कुल नई तरह की इबारतें लिखने लगे हैं।

मालकिन

क़ाज़ी अब्दुल सत्तार

1950 में जो सैलाब आया था, उसने सीतापुर से लेकर लखीमपुर खीरी तक सारे 'गाँज़र' के इलाक़े को तहस-नहस कर दिया था। मगर घाघरा ने तो कमाल ही कर दिया। सदियों का बना बनाया रास्ता छोड़कर सात मील पैदल चलकर आई और सड़क को काटने वाले इंजन की तरह छोटे-मोटे देहातों को ज़मीन के बराबर करती हुई रौनक़पुर में दाख़िल हो गई। रौनकपुर पहले ही ख़ाली ढाबली की तरह नंगा पड़ा था। सारे गाँव में बस हवेली खड़ी थी। हवेली की खिड़कियों से इक्का-दुक्का बदहवास आदमियों के चेहरे नज़र आ जाते थे जैसे शहद की मक्खियों के बड़े-बड़े छत्ते लटक रहे हों। हवेली कच्ची थी, लेकिन कोई सौ बरस से बरसातों के ख़िलाफ़ सीना ताने खड़ी थी। उसकी दीवारों की चौड़ान पर जहाज़ी पलंग बिछाए जा सकते थे।

मशहूर था कि एक नौसिखिया चोर रौनक़पुर के नजीबुल तरफ़ैन का मेहमान हुआ। राल टपकती नज़रों से हवेली को देख हथेलियाँ खुजलाने लगा और कनखियों से हाथ की सफाई दिखाने की इजाज़त माँगने लगा। मेज़बान को दिल्लगी सूझी। उसने कुछ अता-पता बताकर आधी रात को विदा कर दिया। मेहमान एक दीवार पर सायर लेकर जुट गया। खोदता रहा। यहाँ तक की फ़ज्र की अज़ान हो गई। दीवार उसी तरह खड़ी थी! उसी ठाठ-बाट से खड़ी थी। वह बेचारा नामुराद वापिस हुआ। लेकिन बनवाने वालों ने हवेली बनवाई थी 'जल भवन' नहीं बनवाया था। ऊपर से हथिया निकहत बरसता था और नीचे पर छाई हुई मस्त हथिनी की तरह घाघरा चोटें कर रही थीं। पहले फाटक गिरा, फिर दीवानखाना। जब ड्योढ़ी गिर गई और अंदर के कई दरीचे बैठ गए तब चौधरी गुलाब की नमकहलाली को ग़ैरत आई। इलाक़े भर के नामी कहारों और पिछपड़ों की छोटी-सी फौज बनाई और उनके बाजुओं के बजरे पर चढ़कर थान गाँव से निकले और रौनकपुर की हवेली में उतर गए। ओट में खड़ी हुई मालकिन को काँपती हुई आवाज़ में ख़िताब किया—

''हुज़ूर अब भी कुछ नहीं बिगड़ा है। हुक्म दीजिए तो जान पर खेलकर पालकी चढ़ा लाऊँ। अगर सरकार की जूतियाँ तक भीग जाएँ तो जो चोर की सज़ा वह मेरी सज़ा!''

थोड़ी देर तक सन्नाटा रहा। घाघरा की पागल मौजों की दिल हिला देने वाली भयानक आवाज़ के सिवा कोई आवाज़ न थी। चौधरी गुलाब ने आहिस्ता से फिर कहा तो फिर आवाज़ आई—

''तुम कैसी बातें करने लगे हो चौधरी गुलाब। ख़ुदा न करे मैं अपनी ज़िंदगी में हवेली के बाहर क़दम निकालूँ और मरने वाले के नाम पर सियाही लगाऊँ। कोई सौ बरस पहले यहाँ, जहाँ अब हवेली खड़ी है यहाँ पर रौनक़पुर का क़िला था। इसी तरह घाघरा की मौजों की तरह अंग्रेज़ों की तोपें आईं थीं। उनसे आग बरसी थी और क़िला जलकर ख़ाक हो गया था। तो क्या हम भाग गए थे?...हम मिट गए थे, जो हम आज फिर मिट जाएँगे।'' चौधरी गुलाब खड़े रहे। मालकिन के पेचवान की गुड़गुड़ाहट सुनते रहे।

हिंदुस्तान तक़सीम हो चुका था। मीर मोहम्मद अली बेग मर चुके थे। मीर मुहम्मद अली बेग की बेवा रौनक़पुर की 'मालकिन' पर कस्टोडियन की मुसीबत नाज़िल हो गई थी। मीर मोहम्मद अली ने नक़दी छोड़ी ही क्या थी? और उन्हें कुछ छोड़ने की पड़ी ही क्या थी! न आल न औलाद। एक मियाँ-बीवी और इतनी बड़ी जायदाद। मालकिन ने गहने पत्ते बेचकर हुकूमत को यकीन दिलाने की कोशिश की थी कि मोहम्मद अली पाकिस्तान नहीं क़ब्रिस्तान गए हैं। बरसों की मुसलसल और लिखलट यक़ीनदिहानी के बाद एक रात चौधरी गुलाब इलाहाबाद से यह पैग़ाम लाए कि हुकूमत ने मान लिया है कि मीर मोहम्मद अली बेग पाकिस्तान नहीं बल्कि क़ब्रिस्तान गए हैं। वह रात अजीब रात थी। मालकिन सारी रात जानमाज़ पर बैठी रहीं। सारी रात शुक्राने की नमाज़ें पढ़ती रहीं। औरत सारी रात हुक्के की चिलमें भरती रही और चिलमें सुलग-सुलगकर जलती रहीं और सुबह होते ही हवेली के सामने पनवाड़ी ने डुग्गी पीटकर ज़मींदारी के ख़ात्मे का एलान कर दिया। फिर तो जैसे लुट्टस मच गई। दूर-दूर तक फैली हुई ज़मीनें और बाग़ दरख़्त घटिया बताशे की तरह बँट गए जैसे बंदूक का फायर होते ही परिंदों के ग़ोल उड़ जाएँ। मगर मालकिन ने हिम्मत न हारी। चौधरी गुलाब को हिदायतें दे देकर अनगिनत मुक़दमे लड़ती रहीं जैसे हज़रतमहल ने ग़दर में फौज़ें लड़ाई थीं। हार तो हज़रतमहल की तरह रौनक़पुर की मालकिन की भी हुई। लेकिन हज़रतमहल की तरह रौनक़पुर की मालकिन ने हार नहीं मानीं, मगर कब तक? एक-एक करके आदमी बिखरने लगे। औरतें निकलने लगीं। आख़िर चौधरी गुलाब ने भी आना-जाना बंद कर दिया और पेट का दोज़ख भरने के लिए तेरे-मेरे मुक़दमे लड़ाने लगे। होली दिवाली पर आते। पाव सेर मिठाई का दौना नज़र में भेजते और इसी तरह वज़ेदारी को निभाए जाते।

मुक़दमे जोंक की तरह लग गए और मालकिन का एक-एक क़तरा चूस लिया। और अंदर से बाहर तक सब उजड़ गया। बैल, शामियाने, झोलदारियाँ, जाज़िमें और क़ालीन, पतीले, कुर्सी, मेज़ें, पलंग पीढ़ी सब बावर्चीख़ाने को ज़िंदा रखने के लिए मर गए।

फिर एक दिन वह नमाज़ पढ़कर उठीं। मूँज की पिटारी के पानदान से खजूर की गुठलियों के दो डले और पत्ते की तम्बाकू का फाँका लगाया और खँडहर के उस हिस्से की तरफ़ चलीं, जो किसी ज़माने में बावर्चीख़ाना कहलाता था। बिना दरवाज़ों के लंबे चौड़े कमरे के कोने में लुढ़की हुई मिट्‌टी की हाँड़ियों के मुँह देखे जो उनकी पेट की तरह ख़ाली थे। घुटनों पर हथेलियाँ जमाकर आहिस्ता-आहिस्ता झुकती हुई वहीं ज़मीन पर बैठ गईं, जैसे जुआरी सब कुछ हारकर बैठ रहे। उनकी लँगड़ाती हुई निगाहें उस सुनसान वीरान लंबे-चौड़े खँडहर में रेंगती रहीं, जिसकी छतें गिर चुकी थीं, धन्नियाँ जल चुकी थीं। दरवाज़े बिक चुके थे और जिसके दर व दीवार ख़िदमतगार इंसानों की अदब से भरी परछाइयों और रतजगों को तरसते थे और शायद तरसना भूल चुके थे। उनकी भूखी आँखों से दो मैले-मैले आँसू गिरे और पैबंद लगे हुए मोटी तनज़ेब के कसमीले दुपट्‌टे में खो गए। फिर उन्होंने एक अनजानी आहट महसूस की और किसी ने उनके कंधे पर हाथ रख दिया। वह काँपने लगीं लेकिन कानों से टकराती हुई उस मुक़द्‌दस आवाज़ को सुनती रहीं जिससे ममता का रस टकप रहा था—

"ज़ेबुन्निसाँ बेगम...तुम उन शरीफ़ज़ादों की औलाद हो जिनकी तलवार ने सल्तनतों की तक़दीरें लिखी हैं और तख़्त व ताज के फ़ैसले किए हैं। तुम उन दरवीशों की बेटी हो जिनके क़लम ने क़ुरआनशरीफ़ नक़ल किए हैं और पेट भरा है। तुम तलवार नहीं हिला सकतीं...तुम क़लम नहीं उठा सकतीं...लेकिन तुम सूई तो चला सकती हो। तुम्हारे हाथ के अँगरखे पहनकर मैंने छत्तर मंज़िल के क्लब की मेमों के साथ डिनर उड़ाए हैं और लंच खाये हैं...क्या कहा तुमने? अब अँगरखे कौन पहनता है?...अब अगर अँगरखे नहीं पहनता तो कोई-न-कोई कुरते तो ज़रूर पहनता होगा...तुमको याद है? मैंने लखनऊ से कटाव के जो कुरते सिलवाए थे, उनकी सिलाई सस्ते के ज़माने में क्या थी?...पाँच रुपये फ़ी कुरता...तुम वैसा कुरता दो दिन में सिल सकती हो।"

जब वह उठीं तो उनकी बेपनाह बेक़रारी को क़रार आ चुका था। जैसे एक भयानक ख़्वाब देखकर जाग उठी हों। जैसे सारे दिन की मेहनत के बाद ठंडे-ठंडे पानी से देर तक नहाने के बाद बाहर निकली हों। जहाँ कभी ड्योढ़ी हुआ करती थी। उन्होंने दुपट्‌टे को इस तरह बनाकर ओढ़ा कि तमाम पैबंद इधर-उधर हो गए और चट्टियाँ कच्चे आँगन में आहिस्ता-आहिस्ता रखती हुई उस वीरान पख्खे के पास आकर खड़ी हो गईं जो कभी ड्योढ़ी के ग्राडिल मुनुक़्क़श दरवाज़े का सहारा था।

"मैं हूँ मालकिन...गुलाब लाल।"

"अच्छे हो...गुलाब लाल?"

"मालकिन की कृपा है..."

"कैसे आ गए?"

"एक संदेसा आया है।"

“क्या!”

“पाकिस्तान से ख़ाँ साहब आए हैं...वह जो बड़ी मस्जिद के पिछवाड़े रहते थे।”

“जी, हाँ मुन्ने ख़ाँ...जिनका भतीजा हमारे यहाँ सिपाहियों में था।”

“जी हाँ, जी हाँ वही। उनके तो बड़े रुतबे हैं, पाकिस्तान में। सब लड़के उनके बड़ी-बड़ी जगहों पर हो गए हैं।”

“अच्छा।”

“जी हाँ...मोटर पर आए हैं वह लखनऊ से। कहते हैं कि आपके भाई अफ़ज़ल मिर्ज़ा साहब जो आजकल कराची में बड़े कमिश्नर हैं उन्होंने कहा है कि आप चली आवें।'

“फ़ज़ल मिर्ज़ा मेरा भाई थोड़ी है मुआ...मेरे एक रिश्ते के चचा का बेटा है।

“तो उन्होंने आपको बुलाया है...बल्कि ख़ाँ साहब तो कहते थे कि उनका पासपोर्ट भी उन्होंने इसलिए बड़ी दौड़-धूप करके दिलाया है कि वह आपको अपने साथ ले आवें।”

“मुझ कमबख़्ती की मारी पर अब ऐसे पैम्बरी वक़्त पड़ गए हैं कि मुए ऐरे-ग़ैरों के साथ दूसरे मुल्क सिधार जाऊँगी। उससे कहना कि अपने होते-सोतों को समेट ले जाए अपने साथ पाकिस्तान को...मुझे तो अब एक ही जगह जाना लिखा है। जब तक हुक्म नहीं आता तब तक बैठी हूँ।”

“वह कह रहे थे।”

“गोली मारो चौधरी गुलाब...कहना सुनना काहे का...”

“जी...बेहतर है।”

“हाँ, मैं तुमसे एक बात कहने वाली थी।

“हुक्म।”

“यहाँ रौनक़पुर में या...या किसी और गाँव में कोई...”

“जी।”

“मैंने कहा सरकार मैं कुछ समझा नहीं।”

“कोई कुरते पहनता है।”

मालकिन ने ऐसी भर्राई हुई...चीख़ मारती हुई आवाज़ में कहा जैसे कोई माँ अपने इकलौते बेटे की मौत की ख़बर सुनकर फट पड़ी हो। बूढ़ा चौधरी गुलाब उस अजीब व ग़रीब सवाल की तह तक पहुँच चुका था!”

“कुरते!”

“तुमसे क्या छुपाना चौधरी गुलाब...तुम तो इस हवेली के तिनके-तिनके से वाकिफ़ हो। तुम तो हवेली की रायगीरी कर चुके हो और दायी से पेट क्या छुपाना! आदमी हक़ सब चले गए...औरतें इधर-उधर हो गईं। इतने बड़े घर में अकेली बैठी कव्वे हकाया करती हूँ। रात तो रोते-रोते गुज़र जाती है। मगर यह पहाड़ जैसे दिन

छाती पर सवार रहते हैं टाले नहीं टलते हैं। कोई कुरता–वुरता होता तो सीने में दिल अटक जाता।''

हवेली के बूढ़े राज़दार की ख़्याली आँखें भूखी मालकिन को बिलखता देख रही थीं और उसके कानों में बेआवाज़ सिसकियाँ ज़हर की बूँदें टपका रही थीं।

''तुम खड़े-खड़े थक गए होगे चौधरी गुलाब...।''

''नहीं मालकिन...मैं शाम तक आ जाऊँगा।''

''मगर देखो, किसी ऐसे वैसे का कुरता न ले आना मेरे पास।''

''नहीं मालकिन।''

''मेरा नाम न लेना किसी से।''

''यह भी कोई कहने की बात है मालकिन? मैं कोई आज हवेली में नौकर हुआ हूँ?''

सड़क के किनारे इमली के पेड़ की जड़ से चौधरी गुलाब ने अपना टट्टू खोला और सवार होकर बग़ैर ख़ाँ साहब से मिले हुए थान गाँव चले गए। घर पहुँचकर देर तक तख़्त पर बैठ सुलफा गुड़गुड़ाते रहे। जब सूरज सर पर आ गया तब चौधराइन ने दरवाज़े से झाँककर 'चौके' के तैयार होने की खबर दी। वह ऊँघते हुए उठे। आँगन में नीम के पेड़ के नीचे बने हुए पक्के कुएँ की चबूतरी पर खड़े होकर झूठ–मूठ नहाए और सर झुकाए चौके पर बैठ गए। चौधराइन रोटी सेंक-सेंक कर रखती जा रही थी। मगर वहाँ पहला निवाला ही हाथों में झूल रहा था।

''का तुमरा कुछ जी मानदा है?''

''हाँ।''

''तो थोड़ा बहुत तो खाए लियो।''

''तुमरे पास कितने रुपये हैं।''

''रुपये? मोरे पास अपनी एक छिदाम नाईं है। बड़े भैया के कुछ दाम धरे हैं।''

''कितने हैं भला।''

''हैं कोई दस घट पचास।''

''ले आओ।''

''अभय।''

''हाँ।''

''पहले रोटी तो खाए लियो।''

''पहले ले आओ...''

चौधरी गुलाब ने मारकीन की थैली से चालीस रुपये काग़ज़ निकालकर और थाली चूमकर खड़े हो गए। चौधराइन पहले आँखें फाड़ देखा कीं फिर बकने–झकने

लगीं। लेकिन चौधरी गुलाब ने उनकी बकवास पर कान न धरे। अलगनी से अपना कुरता उतार पहना। धोती बाँधी, टोपी सर पर और अँगोछा कंधे पर रखकर चले आए। घास खाते हुए टट्टू के मुँह में लगाम चढ़ा दी। घसीटते हुए थान के बाहर लाए और सवार हो गए। भूखा टट्टू अपनी चाल फिर चल रहा था लेकिन चौधरी गुलाब के ज़ेहन में आटा पीसने वाले कई इंजन धड़धड़ा रहे थे। चौधरी गुलाब मीर मुहम्मद अली बेग के ज़माने में मुंशी थे। लेकिन उनके मरते ही जब हवेली उजड़ने लगी और बड़े छोटे मुख़्तार शहद की मक्खियों की तरह दूसरे बाग़ों की तलाश में हवेली से उड़ गए, तब मालकिन ने अपने एक-एक तिनके की बाक़ायदा देखभाल चौधरी गुलाब के सुपुर्द कर दी थी। चौधरी उन लोगों में से थे जो हाल की जेब से आने वाले बुरे दिनों का मुँह भरने के लिए कुछ-न-कुछ काटकर रख लेते थे। मगर लड़कों की पढ़ाई-लिखाई और शादी-ब्याह के झमेलों में सब जमा जत्था पर लगाकर उड़ गया। उनका बड़ा लड़का तहसील में और दूसरा नहर में चपरासी था। दोनों ख़ुद तंगी तुरशी से बसर करते थे। दोनों मिडिल पास थे लेकिन चौधरी के लाख दौड़-धूप के बावजूद न कोई पटवारी हो सका और न पतरौल, मजबूरन इन्होंने चपरासियों में भरती करा दिया। अब वह आए दिन मुँह खोले, हाथ पसारे उनके सामने खड़े रहते, लेकिन चौधरी तो ख़ुद खुस बैठ थे। उनका भरता कहाँ से भरते। इस वक़्त घरवाली की बात से वह चक्कर में पड़ गए। बराकू इतना गृहस्थ और सुघड़ कब से हो गया, यह उनकी समझ में न आता था। वह यही सब अलाबला सोचते हुए रौनक़पुर के गंज में आ गए।

बजाजे की दुकान पर उन्होंने अपना टट्टू रोका और उतरकर बहुत बढ़िया वाली तनज़ेब के थान परखने लगे। कुर्तों का कपड़ा बगल में मारकर वह सीधे हवेली पहुँचे। दिल-ही-दिल में अपने बाप मुंशी छम्मन लाल की पढ़ाई हुई सारी फ़ारसी का आमोख़्ता पढ़कर मालकिन से मुख़ातिब हुए और उनको यक़ीन दिलाया कि पूरी राज़दारी के साथ वह चैतपुर ठाकुर घनश्याम सिंह से कुरतों का कपड़ा ले आए हैं। यह कहते-कहते उनका हलक़ सूख गया। काँटे से पड़ने लगे। सारी जान पसीने से नहा गई। उनकी मुट्ठी में दबे हुए पच्चीस रुपयों की पुड़िया भीग गई। लेकिन उनकी समझ में नहीं आया कि वह क्या कहकर, क्या बहाना बनाकर यह पच्चीस रुपये मालकिन के हाथ में पकड़ा दें। आख़िर वह हारकर अपने लकड़ी के पैरों पर अपने वजूद का मनों बोझ घसीटते हुए रौनक़पुर के बनिए की दुकान पर गए। रामप्रसाद गद्दी पर बैठा ग्राहकों को पुड़िय बाँट रहा था। सलाम दुआ के बाद उन्होंने मालकिन का हिसाब माँगा तो पता चला कि वह सौ से ऊपर है, इसलिए तो रामप्रसाद ने उनका सौदा बंद कर दिया था। इसलिए मालकिन का बावर्चीख़ाना ठंडा हो गया था। वह रामप्रसाद की दुकान के तख़्ते पर बैठे हुए अपने रुपयों की पुड़िया को निहारते रहे। बैठे रहे फिर उठकर अपने टट्टू पर सवार हो गए, जैसे लड़ाई में हार मान ली हो।

मालकिन देर तक कपड़ा लिए झंगा खटोले पर पड़ी रहीं। इन्हें पहली बार इल्म हुआ था कि कुर्ता सीने के लिए सिर्फ़ हाथ के फ़न और आँखों की रौशनी ही की नहीं सूई और तागे की भी ज़रूरत होती है। जितने में सूई तागा आता है इतने में एक वक़्त के आलू और दो वक़्त के चने भी आते हैं। थोड़ी देर बाद ख़ुदा ने उनकी सुन ली और उनकी नाइन नाख़ून काटने आ गई। वह हड़बड़ाकर अपने ख़्यालों की कच्ची नींद से चौंक पड़ीं और नाइन से ऐसे लहजे में मुख़ातिब हुई जैसे लहजे में अगर वह अपने सुनहरे दिनों में मुख़ातिब होतीं तो वह सारे रौनक़पुर में अपनी ख़ुशनसीबी का ढिंढोरा पीट आती।

''अरे ए क़ादिर की धी।''

''जी, बीबी।''

''मेरा एक काम करोगी इतने वक़्त।''

''बताइए।''

''ज़रा लपकी हुई रामप्रसाद की दुकान चली जाओ और एक महीन सूई और छोटे पेचक ले आओ। लेकिन उस हरामज़ादे से मेरा नाम न लेना, नहीं तो टका-सा जवाब दे देगा। कल मैंने दो पैसे का नमक, ख़ैर छोड़...तुम ज़रा चली जाओ।''

वह अपनी दाहिनी कनपटी पर लीख टटोलती हुई आँगन पार करने लगी। मालकिन बैठी सोचती रहीं। मालूम नहीं क्या सोचती रहीं। जब नाइन सूई-तागा ले आई तो उसी की कैंची मँगवाई और कुर्ते ब्योतने बैठ गईं। कैंची चलाते-चलाते उन्हें ख़्याल आया कि चौधरी चैतपुर के ठाकुर की नाप तो लाए ही नहीं, कुर्ता कैसे काटा जाए। वह बुझकर रह गईं। थान गाँव अच्छा ख़ासा तीन-चार मील दूर था। अब ऐसा आदमी इस वक़्त कहाँ जुड़ता जो इसी वक़्त चौधरी को बुलाकर कहता। फिर उन्होंने दीवार पर चढ़ी हुई धूप देखी और याद किया कि आज मंगल को रौनक़पुर की बाज़ार होती है। मुमकिन है ठाकुर आ जाए बाज़ार करने। अपने इस वहम पर ईमान लाकर वह एक बार फिर बड़े हौसले से उठीं। वज़ू के बधने में घड़े से पानी उँड़ेला, वज़ू किया और नमाज़ के लिए वह चटाई बिछाई जिस पर कपड़े के पैबंद लगे थे, जैसे-तैसे नमाज़ का फ़र्ज़ अदा किया। छोटा-सा वज़ीफा पढ़ लंबी-सी दुआ माँगी। ऐ परवरदिगारे आलम! अपनी रहमत के सदक़े में चैतपुर के ठाकुर घनश्याम सिंह के दिल में यह नेकी डाल दे कि वह आकर अपने कुर्ते की नाप दे जाएँ और मेरी ख़ुशामद करें कि कल तक मैं उनका कुर्ता सी दूँ और मुझे इतनी ताक़त दे कि मैं सारी रात लालटेन की रोशनी में बैठकर कुर्ता-सी सकूँ। वह गिड़गिड़ाते-गिड़गिड़ाते निढाल हो गईं। उसी जानमाज़ पर निढाल होकर पड़ रहीं। थोड़ी देर बाद क़दमों की चाप हुई। मेहतरानी हमेशा की तरह दो वक़्ती कमाने आई थी। वह नई उम्मीद से ताज़ादम होकर उठ बैठीं।

''बाँके की बहू।''

"बीबी!"

"बाँके है घर पर?"

"ज़रा जल्दी से जाके बुला ला...कोई काम नहीं है...बस एक बात पूछना है।"

वह उल्टे पाँव चली गई, फिर दरवाज़े पर सदा बुलंद हुई।

"सरकार की बढ़ती हो...राजपाट बना रहे।"

"बाँके।"

"सरकार!"

"चैतपुर तुम्हारी जजमानी में है।"

"हाँ हुज़ूर।"

"ठाकुर घनश्याम को पहचानते हो?"

"उनका सरकार कौन नाईं पहचानत है...दूर-दूर तक उनका नाम बाजत है।"

"बाज़ार तो आते होंगे।"

"बराबर मालिक...बराबर।"

"तो तुम ज़रा ख़्याल करके उनको मेरे पास बुला लाना मुझे एक काम है उनसे।"

"बहुत नेक मालिक...अभिइन लियो आप...का कुछ दूर थोड़े है।"

बाँके तो अपना चेहरा, चमरौधा जूता बजाता और रटी हुई दुआएँ देता हुआ चला गया। लेकिन अपनी ज़बान की दर्राकी पर मालकिन पछताती रहीं, शरमाती रहीं और बैठी दुआएँ माँगती रहीं कि ख़ुदा करे ठाकुर दरवाज़े पर न आएँ।

बल्कि किसी नौकर के हाथ अपना कुर्ता भिजवा दें। वरना मैं उनसे किस तरह बात करूँगी। मैं क्या कहूँगी। वह क्या कहेंगे। या अल्लाह कुछ ऐसा कीजो कि मरने वाले सामने आँखें न नीची हों।

बाँके ने अपनी बकरी के सूप पीठ पर बाँधे और बाज़ार के एक नुक्कड़ पर बैठ रहा जहाँ अद्धे खोले जाते थे। थोड़ी देर बाद बैलों के घुँघुरु बजाता और धूल उड़ाता ठाकुर का अद्धा आ गया। वह अपने सूप सँभालकर उठा ही था कि एक ग्राहक फाँद पड़ा। उसने पीछा न छोड़ा। आख़िर पैसे गिनता हुआ वह ठाकुर के पीछे भागा। ठाकुर आदमियों को चीरते हुए रामप्रसाद की दुकान पर पहुँचे। रामप्रसाद ने जल्दी से खड़े होकर सलाम किया और दो एक ग्राहकों को हटाकर दुकान के बाहरी पड़े दरी डाल दी। ठाकुर ने बैठकर तौलिए से अपना मुँह पोंछा, फिर उससे पैरों की धूल झाड़ी। निगाह उठाई तो सामने बाँका झुका हुआ दंडवत् कर रहा था।

"का है रे।"

"एक उजुर है।"

"हाँ।"

"मालकिन आपका बुलाइन हैं।"

"मालकिन!"

"हाँ...यहाँ के सरकार की मालकिन।"

"अच्छा...काहे बुलाइन हैं...कुछ अता-पता है भला!"

"यूँ सरकार आप जान सकता हो...हमका नयें मालूम!"

ठाकुर चैतपुर के नंबरी ज़मींदार थे और मीर मुहम्मद अली बेग मरहूम के प्रशंसकों में थे। मरहूम के एक-एक फतिहा में शरीक हुए थे। इनके बाद उधर भूल कर भी न गुज़रे थे। अब आज इस अचानक संदेसा से घबरा गए थे। फिर कुछ सोचकर फ़ौरन ही उठ खड़े हुए थे। थोड़ी दूर गए थे कि चौधरी गुलाब से मुठमेड़ हुई। चौधरी गुलाब ने कतराकर निकल जाना चाहा लेकिन ठाकुर ने दबोच लिया।

"अरे चौधरी। इ मालकिन काहे बुलाइन हैं हमको!"

चौधरी का ख़ून ख़ुश्क हो गया, लेकिन नंगे बाजुओं पर अँगोछा फैलाकर बोले—

"वह...वह...दरअसल ठाकुर साहब मालकिन ने आपको इसलिए तकलीफ़ दी थी कि एक काम के सिलसिले में इन्हें मेरी ज़रूरत थी और आपकी सवारी तो थान गाँव से निकलती ही है। इसलिए आपको।"

"अच्छा...मैं कहूँ कि ऐसी क्या बात आ पड़ी। फिर ठीक है...तो मतलब यह कि अब वहाँ की चिंता तो है नहीं।"

"अब आप क्यों तकलीफ़ करेंगे...मैं तो आ ही गया।"

ठाकुर के ज़हन से बोझ हट गया।

मालकिन चौधरी गुलाब का दिया कुर्ता देखती रहीं। जो सनलाइट साबुन से फींचा गया था और सनलाइट साबुन की ख़ुशबू में बसा हुआ था। शिकनें तक बराबर नहीं हुई थीं। फिर यह सोचकर चुप रहीं कि जब रौनक़पुर पर यह बीती है तो चैतपुर पर भी कुछ-न-कुछ गुज़री होगी। फिर वह उसी वक़्त कुर्ता काटने बैठ गईं। जब तक अँधेरा न हो गया और उनको सूई दिखती रही, वह उसी तरह पानी भरी आँखें झुकाए अपनी तक़दीर का लिखा पूरा करती रहीं और रोटी-दाल के ख़्वाब देखती रहीं। मग़रिब की नमाज़ के बाद उन्होंने पीतल की वह लालटेन जलाई जिसकी चिमनी जगह-जगह से टूटी थी और थोड़ी-थोड़ी देर बाद भभक उठती थी, जैसे मालकिन के दुख पर रोते-रोते उसकी हिचकियाँ बँध गई हों। दुखते हुए सर पर चिथड़े की पट्टी बाँधे रंज से चूर आँखों से कपड़ा भिड़ाए वह सिलती रहीं। अपने दस्तरख़्वान के चाक को भरती रहीं, अपनी तार-तार जेब को रफू करती रहीं। झाग जैसे सफ़ेद तनज़ेब के वीराने में लकड़ियाँ गिनती रहीं। अरहर की दाल चुनती रहीं, और मोती जैसे साफ़-साफ़ गेहूँ के उजले-उजले आटे को गूँथने का इंतज़ाम करती रहीं, फिर

सर चकराने लगा। आँखों के नीचे अँधेरा छा गया और वह बेसुध होकर बाँस के जंगले पर दोहरी हो गईं।

जैसे-जैसे चौधरी गुलाब के टीन के बक्से में महीन सिलाई के फूल ऐसे हल्के सिजल कुर्तों की गिनती बढ़ती गई वैसे-वैसे उनके चेहरे पर झुर्रियों का जाल और गहरा होता गया। खिचड़ी बाल एकदम से पक गए। जैसे पुलाव के चावल दूध में उबाल कर थाल में डाल दिए गए हों। घर पर सोग छा गया। घरवाली ने पहले ख़ुद चौधरी को समझाया, फिर लड़कों को उनके हल्क़ों से बुलाकर इस मोर्चे पर लगा दिया। फिर तीनों ने मिलकर एक दोपहर को घर के आँगन में महाभारत छेड़ दी। जैसे-जैसे बात बढ़ती गई ख़ून गर्म होता गया। छोटे ने जो ताड़ी की एक ही खिज्जी में बौलाया था कड़ककर कहा—

"अरे अम्मा तुम का जानो...यू बुड्ढा उस बुढ़िया मलकन से फँसा है।"

बूढ़े चौधरी गुलाब नारायण जिनकी जवानी उनके अपने सर की तरह बेदाग़ थी, इस आरोप को सुनकर दीवाने से हो गए। वह जहाँ खड़े हुए चौमुखी लड़ रहे थे, वहीं ज़मीन पर धम से बैठ गए, या इस तरह गिरे कि बिखर न सके। छोटा लड़का सबूत दे रहा था।

"जब बहिया (बाढ़) आई है, उई साल तो यह जान पर खेल ओका, बदमास का बचावे गए वहीं,"..."गए रहें कि नाई गए रहें? तुम अपने मुँह से बताओ अम्मा।"

चौधरी गुलाब नारायण की बेनूर आँखों ने घरवाली के चेहरे पर यक़ीन की परछाईं देख ली। गोया शिकारी ने ज़ख़्मी जानवर पर दूसरा फायर कर दिया हो। वह अपनी काँपती टाँगों पर अपने वजूद की लाश उठाकर उठे और कुढ़ते हुए दरवाज़े से निकले। अपनी चौखट अपने हाथों से चूमा और बग़ैर मुँह से एक शब्द निकाले, बग़ैर आँखों से एक आँसू बहाए उस पुख़्ता कुएँ पर चढ़ गए जिसकी जगत आदमी भर ऊँची थी और इस तरह टूटकर गिरे जैसे गरारी तक आकर जहाज़ी घड़े की रस्सी टूट जाए। इतनी ज़ोर का धमाका हुआ कि सारा थान गाँव उलट पड़ा। आदमी कुएँ के अंदर उतर गए। चौधरी गुलाब नारायण निकाल भी लिए गए, लेकिन वह तो उसी वक़्त मर गए थे जब अपने बेटे के मुँह से अपनी मालकिन के साथ अपने ताल्लुक़ की बात सुनी थी।

कहानियों से...चटपटी कहानियों से इंसानों को...गाँव के उन इंसानों को जिनके हवास हर तरह की भूख से बिलबिलाते रहते हैं...जो पैदाइशी मोहब्बत होती है...क़ातिल मुहब्बत होती है। उस मुहब्बत ने चौधरी गुलाब नारायण की आत्महत्या के खाके में रंग भर लिया और मशहूर हो गया कि मालकिन...तो चौधरी गुलाब नारायण पर मीर मुहम्मद बेग की ज़िंदगी ही में मरती थीं। उनके मरने के बाद तो और खेल-खेलें। मुन्ने ख़ाँ ने कितना-कितना कहा, लेकिन वह चौधरी को छोड़कर पाकिस्तान जाने

पर राज़ी न हुईं। पाकिस्तान जाने पर जहाँ लोग अपनी आल औलाद अपने महले दी महले, अपने गाँव ग्राम तक छोड़कर चले गए।

फिर मालकिन को इलाक़े की वह आवारा औरतें नाक पर उँगली रख घूरने लगीं जिनकी जवानी की काली रातें आशिक़ों के बोसों के चिराग़ों से जगमगा चुकी थीं। वह मालकिन को घूर रही थीं। अधेड़ मालकिन की कमर सीधी थी। एक सफ़ेद लट चाँदी के झूमर की ज़ंजीर की तरह उनकी पेशानी पर झूलती रहती है। नाज़ुक नैन-नक़्श के सफ़ेद चेहरे पर भूख ने साए डाल दिए थे, लेकिन बरसों की हुकूमत और इमारत की बख़्शी हुई ताब अभी भर नहीं पाई थी। अनगिनत जागती रातों ने उनकी आँखों का नशा सुखा दिया था लेकिन अब भी जब वह पलकें उठाकर आँखें पूरी खोल देतीं तो मुखातिब की नज़रें चोरों की तरह रास्ता ढूँढने लगती थीं। नौकरानियों के से फटे-पुराने कपड़ों में भी वह बेगमों की तरह जगमगाया करतीं। उनको देखकर तो ऐसी झूठी कहानी भी सच्ची लगती। दूर-दूर तक फैली हुई, बिखरी हुई, टूटी हुई इमारत की यादगार में भी वह मोहर्रम की एक 'रौशन चौकी' की तरह झिलमिलातीं। दिल हिला देने वाली यादों के शालीन काफ़िले उनकी कम नूर आँखों के सामने से दबे पाँव गुज़रते रहते। चैत, बैसाख के जलते तपते दिन, सावन-भादों की रोती हुई कलमुँही रातें...सब खोटे सिक्कों की तरह उनके वजूद के 'गुल्लक' में खनखनाया करतीं और वह उनकी बेफ़ैज़ 'छनाछन' से लापरवाह छोटी-छोटी ज़रूरतों के नाक़ाबिल बयान बोझ में दबी कराहती रहतीं।

एक दिन जब वह चौधरी गुलाब नारायण का इंतज़ार करते-करते सूख चुकी थीं और उन भयानक दिनों का इंतज़ार करने लगी थीं जो उनके लिए फ़ाक़ों की सौग़ात लेकर आने वाले थे कि चौधरी गुलाब नारायण की ख़ुदकुशी की कहानी टूटी दीवारों को फलाँगकर उनके कच्चे आँगन में चुड़ैल की तरह नाचने लगी। क़हक़हे लगाने लगी। उनके मुँह पर थूकने लगी। रौनक़पुर की मालकिन के उस मुँह पर थूकने लगी, जिस मुँह के सामने रौनक़पुर का सारा इलाक़ा आँखें उठाने की हिम्मत न रखता था, वह उठकर बग़ैर दरवाज़ों की कोठरी में गिर पड़ीं। नंगी ज़मीन के ठंडे फ़र्श पर दो ज़ानू होकर उस ख़ुदाए बुज़ुर्ग के सामने गिड़गिड़ाती रहीं—

"तू अपने प्यारे बंदों पर इसलिए मुसीबतें नाज़िल करता है ताकि उनका नफ़्स पाकसाफ़ रह सके। इनके ईमान पर लगाम लग सके।" फिर इसी रौनक़पुर की बत्तीस साल की ज़िंदगी में पहली बार उन्होंने चौधरी गुलाब नारायण को मर्द के रूप में देखा। हवेली के अंदर के हिस्से के दूसरे दर्जे के काले खंभों वाले दालान के पीछे लंबे कमरे में जूट की मोटी-मोटी चटाइयों पर फर्शी क़ालीन पड़े हैं। एक तरफ़ चौके के मसनद पर गाँव से लगे हुए मीर मुहम्मद अली बेग मरहूम बैठे हुए हैं। दूर कोनों ने सुलगती हुई, महकती हुई सटक की कामदार 'ने' इनके ज़ानू पर पड़ी है, जिसकी गंगा-जमुनी मिनहाल से उनकी उँगलियाँ खेल रहीं, निगाहें दीवारगीर पर

जड़ी हुई हैं। इसके सामने हाथी दाँत की नाज़ुक काम की भारी सी मेज़ नाश्ते की प्लेटों का बोझ उठाए ख़ूबसूरत कनीज़ों की तरह दो ज़ानू हैं। वह अपनी मसहरी से उठीं, एक हाथ में फर्शी पायजामे के भारी पाँयचे लिए दूसरे हाथ से इस्तम्बोली बेल से झूलते हुए दुपट्टे का पल्लू सँभाला। मोटे-मोटे ज़ेवरों से हल्की-हल्की ज़री झंकार पैदा करती हुई इनके पास आकर बैठ गई और इन के मलमल के कुर्ते की मलीगली आस्तीन पर अंगुश्तानों और अँगूठियों से सजे हाथ रखकर बोलीं—

"तुम इतने उदास क्यों हो..."

"उदास...नहीं, तो।"

"न तो तुमने ग़ुस्ल किया...न नाश्ता किया...कितनी देर से इसी तरह से बैठे हो।"

"हूँ।"

"एक बात कहूँ।"

"हूँ।"

"गुस्सा तो नहीं करोगे।"

"ओ...हूँ।"

"हकीम डॉक्टर दवाएँ करते हैं। नसीब बनाने...मुझे कोखजली के मुक़द्दर ही में औलाद नहीं है, तो हकीम डॉक्टर क्या कर लेंगे...मेरी मानो...दूसरी शादी..."

"चुप रहो।"

वह इतनी ज़ोर से गरजे कि बावर्चीख़ाने में काम करती हुई औरतों के हाथ सूख गए, कितनी ही देर तक वैसे ही भयानक ख़ामोशी तारी रही। फिर एक औरत साए की तरह चलती हुई आकर तख़्त के सामने खड़ी हो गई। मालकिन ने इशारे से पूछा, "क्या है?"

"थान गाँव वाला गुलाब नारायण ड्योढ़ी पर खड़ा है।"

"बुलाओ।"

दालान के पर्दे बंद थे। कमरे के दरवाज़े पर चिलमनें पड़ी थीं। थोड़ी देर बाद एक औसत क़द का एक सूखा-साखा-सा आदमी आकर खड़ा हो गया। इसके कुर्ते के एक कंधे पर पैबंद लगा था। कुछ उजली धोती पर घुटने के पास फाँक सिली हुई थी। धोती से निकली हुई सूखी मारी पिंडलियाँ गर्द में अटी हुई थीं। पंजे जूते में बँधे होने की वजह से साफ़ थे। उसका सर घुटा हुआ था। टोपी में मैल की गोट थी। वह सहमा हुआ खड़ा था और दोनों हाथों से एक झोल सँभाले हुआ था।

"दवा ले आए?"

"हाँ सरकार!"

इस आदमी ने गिड़गिड़ाकर कहा।

"दे दो।"

उसने दरवाज़े पर खड़ी औरत को इस तरह झोला पकड़ा दिया जैसे वह झोला नहीं शीशे का प्याला है और इसमें लबालब इत्र भरा हुआ है...फिर आवाज़ आई—

"इसको, गुलाब को दो आने पैसे और ख़ुराक दिलवा दो।"

अब इनके आँसू ख़ुश्क हो गए थे और वह यादों के मेले में खो गईं थीं। जब वह अपने आपको मिलीं तो धूप आँगन में उतरने लगी थी। और ज़ेहन में आए हुए जान देने के सारे मंसूबे दिवाली के चिराग़ों की तरह बुझ चुके थे। वह बाहर निकली ही थीं कि कमर पर टोकरा रखे और आधभर का घूँघट निकाल बाँके की बहू कमाने आ गई।

"अरे तुम चैतपुर जाओगी।"

"हाँ, बीबी।"

"तो ज़रा ठाकुर से कह देना कि शाम को अगर बाज़ार आए तो मुझसे मिल ले।"

"बहुत अच्छा।"

मालकिन इतना कहकर बावर्चीख़ाने की तरफ़ मुड़ी ही थीं कि दरवाज़े पर कुछ ऊँची तेज़ आवाज़ें शरीर लड़कों की तरह उछलने-फाँदने लगीं। मालकिन की निगाहों का इशारा पाकर मेहतरानी गई। और थोड़ी देर बाद एक लंबी दुबली औरत के साथ वापस आई, जो लाल किनारे की सफ़ेद धोती पहने थी। मेहतरानी ने इस औरत की तरफ़ हाथ से इशारा करके कहा—

"ए थान गाँव वाले चौधरी गुलाब के री छोटी बहू हैं...लीलाधर की दुल्हन।"

मालकिन चौंक पड़ीं। फिर अपने को सँभालकर यह सोचने लगीं कि इसे किस तरह मुख़ातिब करें और क्या बात करें कि उसने अपने बगल से मुड़े हुए कुर्ते निकाले और मालकिन के हाथ में पकड़ाकर हर जज़्बे से ख़ाली आवाज़ में मिनमिनाई—

"ए कुर्ते आपए धर लियो।"

जुमला पूरा करते हुए वह तीर की तरह आँगन ख़त्म करके टेढ़ी-मेढ़ी ऊँची-नीची दीवारों के पेच व ख़म में ग़ायब हो गईं। ज़रा देर तक मेहतरानी उनको देखती रही फिर दूसरा घर कमाने चली गई। मालकिन फूल से कुर्ते दाहिने हाथ में उठाए आँगन में खड़ी रहीं। जैसे ज़िंदगी की लड़ाई में हार मान ली हो और मुसीबतों के विजयी लश्कर के सामने सफ़ेद झंडा खोल दिया हो।

शाम को ड्योढ़ी पर खड़े हुए चैतपुर के ठाकुर घनश्याम सिंह से मालकिन कह रही थीं—

"अपने कुर्तों की तनज़ेब तो आप भेजते रहिएगा लेकिन पहले मेरे यह चारों कुर्ते बिकवा दीजिए!"

गिद्धों की बस्ती में चिथड़ा हुई इंसानियत की रफ़ूगरी

इक़बाल मजीद मुरादाबाद में 1934 में पैदा हुए। मध्यवर्ग का यह परिवार पुरानी मान्यताओं का था परंतु नई शिक्षा पद्धति के प्रति विशेष सम्मान रखता था। इसलिए इक़बाल मजीद की प्रारंभिक शिक्षा लखनऊ में हुई। यह वह दौर था जब लखनऊ साहित्य का केंद्र था और लेखकों की पूरी आकाशगंगा अपनी चमक से लोगों की आँखों को चकाचौंध किए हुए थी। उनके शब्दों में, ''सबसे पहले कमाल अहमद सिद्दीक़ी ने मुझे वहाँ की अदबी सोसाइटी में पहुँचाया और डॉक्टर मुहम्मद हसन ने मेरी फ़नकाराना सलाहियतों के साथ मेरा स्वागत भी किया और हिम्मत भी बढ़ाई। हमारे इस गिरोह में क़मर रईस, क़ाज़ी अब्दुल सत्तार, रतन सिंह, अहमद जमाल पाशा वग़ैरह विद्यार्थी जीवन के साथी और दोस्त थे। मेरा पहला अफ़साना ज़ोए अंसारी ने तारीफ़ों के साथ 'शाहराह' में 1955 में छापा था। उस कहानी का नाम *अद्दू चाचा* था। कुछ वर्षों तक मैंने अध्यापन किया फिर 1975 में ऑल इंडिया रेडियो भोपाल में उर्दू प्रोग्राम का प्रोड्यूसर बना और 1990 में असिस्टेंट डायरेक्टर के ओहदे से रिटायर हुआ और भोपाल में बेटे के साथ बुढ़ापा काट रहा हूँ।'' इक़बाल मजीद के कहानी संग्रह *दो भीगे हुए लोग, एक हलफ़िया बयान, शहरे बदनसीब, तमाशाघर, आग के पास बैठी औरत,* उपन्यास *किसी दिन* और *नमक*। उनकी कहानियाँ देशी-विदेशी भाषाओं में अनूदित हुई हैं। *नमक* नामक उपन्यास पर टी.वी. सीरियल 'ज़ोहरा महल' नाम से बना था।

उनको अनेक सम्मानों से सम्मानित किया गया है। उर्दू अकादमी मध्य प्रदेश द्वारा 'मीर तक़ी मीर सम्मान', मध्यप्रदेश सांस्कृतिक विभाग द्वारा शिखर सम्मान, ग़ालिब इंस्टीट्यूट द्वारा 'उर्दू रंगमंच' की सेवा के लिए ग़ालिब सम्मान एवं मध्य प्रदेश के 'इक़बाल सम्मान' से अलंकृत।

कहानी, उपन्यास के अलावा भारतीय रंगमंच के लिए अनेक नाटकों का लेखन एवं मंचन। टी.वी. सीरियल लेखन।

इक़बाल मजीद उर्दू कहानी का एक महत्त्वपूर्ण नाम है, जिनके यहाँ सिर्फ़ कहानियाँ सुनाई नहीं जाती हैं बल्कि कहानियाँ सोचने पर मजबूर करती हैं। और मौजूदा स्थितियों के उलझाव में इंसानी मजबूरियों को कहानियों के रूप में लिखकर सोए और बेहिस दिल व दिमाग़वालों को झिंझोड़ने का काम करती हैं।

तमाशाघर

इक़बाल मजीद

जो कुछ हुआ, वह आख़िर हुआ कैसे?

मैं अपने बाहरी कमरे के दरवाज़े पर कुर्सी डाले बैठा था। सामने खुला मैदान था। वह पूरब की तरफ़ से आई थी। बस एक परछाईं-सी। कोई चीज़ कब कैसी नज़र आती है यह बात क्या देखने वाले की ख़ुद अपनी हालत पर निर्भर नहीं होती? यह सब तो मैं अब बता सकता हूँ कि वह कोई तीस साल के आसपास की रही होगी। मैले बाल, घेरदार घाघरा उसमें कुछ पैबंद। कुछ नाज़ुक से नैन नक़्श, रंग साँवला जिसका नमक शायद ज़िंदगी की सख़्ती ने उड़ा दिया था।

मैं उस वक़्त अपनी ज़िंदगी के ऐसे मरहले में था जब सच पूछा जाए तो मुझे कुछ दिखाई ही नहीं दे रहा था, क्योंकि वही तो वह मनहूस पल था जब मैंने अपनी जान दे देने का फ़ैसला कर लिया था। मुझे यक़ीन हो गया था कि मैं अपनी मान ली गई सच्चाइयों और अपने उसूलों के साथ उस दैत्याकार डैम की तामीर में मसरुफ़ सैकड़ों अमले के बीच अपनी नौकरी को नहीं निभा सकूँगा। मैं एक इंजीनियर था और एक व्यवस्था के चलते मुझे दूसरों के साथ, जिनमें मेरे अफ़सारान भी थे और मातहत भी, अपनी ज़िम्मेदारियाँ पूरी करनी थीं। हैरत की बात यह थी कि मेरे सारे साथी यह जानते थे कि जो कुछ वह कर रहे हैं वह किसी एतबार से भी उचित नहीं। मगर वह उस काम को इस तरह करते थे जैसे वह उनकी पेशेवाराना ज़रूरत का एक जायज़ हिस्सा हो। अब मुझे नहीं मालूम कि इस मामले में क़ुसूर मेरा था या दूसरों का। बहरहाल इतना तो तय है कि अच्छे और बुरे की पहचान करने के लिए मेरा अपना भी एक पैमाना था और मैं ऐसी ईमानदारी को ईमानदारी और बेईमानी को बेईमानी जानता था जो मुझे सिखाई गई थी। छोटे क़द का एक सीनियर इंजीनियर जो पहाड़ी था और मेरी दलीलों पर तरस खाकर मुझ पर मेहरबान रहा करता था, कई बार मुझे समझा चुका था कि ईमानदार रहना दरअसल एक मजबूरी है और लोग आमतौर पर ईमानदार इसलिए रहा करते हैं कि इन्हें बेईमानी का अवसर नहीं मिलता। बहरहाल बात बहुत बढ़ चुकी थी। बुरे दिन क़रीब आते हैं तो बच निकलने के सारे रास्ते पहले ही बंद हो जाया करते हैं।

यह बात लगभग पक्की-सी हो गई थी कि मैं रास्ते का रोड़ा बनता जा रहा हूँ। फिर इस रोड़े को हटाये जाने की साज़िशों के जाल कुछ इस तरह तंग होते गए कि मुझे लगा कि या तो मुझे ख़ुद ही मर जाना चाहिए या फिर यह इंतज़ार करना चाहिए कि किसी दिन मेरे दरवाज़े की कालबेल बजे, मैं दस्तरख़्वान पर से कौर छोड़कर दरवाज़े पर आऊँ जहाँ दो-चार अजनबी लोग मेरी प्रतीक्षा में हों, वह मुझे किसी ठीक-ठाक बहाने से किसी वीराने में ले जाएँ और वहाँ मुझे ज़िबह करके इस तरह डाल दें कि मेरी पहचान में ही काफ़ी समय लग जाए। क्योंकि अब मामलात की रफ़्तार काफ़ी तेज़ भी हो चुकी थी। हर दिन कोई नया अपमान, कोई नया बखेड़ा, किसी नई चेतावनी से सामना हो रहा था मेरा।

यह दुरुस्त है कि मेरा बाप हर बार मुझे ख़त में किसी-न-किसी बहाने से उस बड़ी रक़म की मुझे याद दिलाता रहा था जो उसने क़र्ज़ के रूप में मेरी शिक्षा के लिए समय-समय पर बड़े जोड़-तोड़ के साथ हासिल की थी। उसे यक़ीन था कि सारे आर्थिक मामले अब चुटकी बजाने में हल हो जाएँगे। लेकिन ऐसा था बिल्कुल नहीं। असल में मेरे साथी बड़े चालाक थे। पैसा तो सभी को अच्छा लगता है लेकिन उसकी वसूली ख़ुद न लेकर मुझे आगे करना चाहते थे! मैं इतना मँझा हुआ तो था नहीं फिर गोपाल एन.जी.ओज़. का हश्र अपनी आँखों से देख चुका था। उसको एंटीकरप्शन वालों ने कैसा रंगे हाथों पकड़ा था। थाने में दरोगा ने कुल्हड़ में अपना पेशाब गोपाल को पीने के लिए दिया था। वह तो कुल्हड़ गोपाल के मुँह में लगा भी देता जब दस हज़ार नक़द गँवा लिए तब कुल्हड़ फेंका। हराम का पैसा किस तरह लिया जाए और उस लेन-देन में ख़ुद को सुरक्षित रखकर दूसरे को किस तरह से और किन तरकीबों से ज़रिया बनाया जाए, दरअसल इसी अय्यारी पर वहाँ के सारे खेल का दारोमदार था।

और मैं वहाँ अपने हमपेशा लोगों के बीच नर्म चारा समझकर ताक लिया गया था। मुझे तो वहाँ ज़मीन पर चलते हुए भी डर लगता था।

मेरी पहली औलाद लड़की थी, मुश्किल से पाँच बरस की होगी, इन्हीं दिनों तार आया कि डॉक्टरों की राय है विल्लूर में दिखाया जाए, क्योंकि रिपोर्ट बड़ी चिंताजनक थी। मैं तो सपनों में देखने भी लगा था कि वह अंधी हो चुकी है, इसके बाद भी मैंने तय कर लिया था मैं सब छोड़छाड़ कर भाग जाऊँगा। लेकिन अब मुझे लगता है कि मेरी यह बात मेरे साथियों ने शायद पहले ही ताड़ ली थी क्योंकि मुझे थोड़ा बाद में पता चला कि वहाँ के बड़े से बड़े इंजीनियर, बाबू, ठेकेदार और ठेकेदारों के पीठ पर हाथ रखने वाले आदमी सब एक लड़ी में पिरोए हुए हैं, क्योंकि खेल करोड़ों का था। दस बीस जनों की बात न थी और वह सब कुछ मुझे अच्छी तरह से ताके हुए थे। मुझ तक बड़ी होशियारी से यह ख़बर कई बार पहुँचाई भी जा चुकी थी कि अगर ख़ैर चाहता हूँ तो कभी सपने में भी भागने की न सोचूँ। मुझे लगता था कि

अगर पुलिस ने ज़बर्दस्ती मुझे अपने बाथरूम की गंदी हाँडी खिलाने की धमकी देकर दस हज़ार भी माँग लिए तो मैं क्या करूँगा। मैं तो डर के मारे अपनी तनख़्वाह का लिफाफा भी कैशियर से लेते हुए एक बार काँप जाया करता था कि ख़ुदा जाने इसमें क्या हो और बाहर निकलते ही मुझ पर क्या गुज़रे।

बाहरी कमरे के दरवाज़े पर अकेला कुर्सी डाले बैठा मैं इन्हीं ख़्यालों में डूबा था कि वह सामने आकर खड़ी हो गई और फिर जो कुछ गुज़रा उसे याद करते हुए तो मेरे रोंगटे खड़े हो जाते हैं और हैरत होती है कि मैं खुली फ़िज़ा में साँस कैसे ले रहा हूँ। मुझे तो जेल में होना चाहिए था। कैसी लज्जाजनक स्थिति थी। ऐसे हलचल भरे दिनों में जबकि मैं अपने ही हाथों अपनी मर्ज़ी से अपनी जान दे देने के लिए तुला था। इन्हीं दिनों मुझे ख़ुद की जान बचाने के लिए कैसी-कैसी जी जान कोशिश करनी पड़ रही थी।

ऊपरी तौर से एक मामूली-सा काग़ज़ जो उसकी गंदी-सी ओढ़नी के एक पल्लू में बँधा हुआ था, उसकी मदद से यह पता तो चला कि वह किस इलाक़े की है और पहले किस ज़मीन पर आबाद थी। जब हलचल बढ़ी तो ज़ाहिर है कि मीडियावालों को सुनगुन लग ही गई, बस उन्होंने धीरे-धीरे बाल की खाल तक उधेड़कर फेंक दी। नाम रामदई था और पति का नाम मंसाराम था। यह तो उस काग़ज़ से भी पता लग चुका था, काग़ज़ ने यह भी खोलकर रख दिया था कि निर्माण हो रहे डैम के सिलसिले में सरकार की तरफ़ से ख़ाली कराए जाने वाले इलाक़े में से एक छोटी आबादी वाले गाँव में उसकी भी झोपड़ी थी। मीडिया वालों ने सुराग़ पाकर देखते-ही-देखते उस छोटे से गाँव के मुखिया तक को ढूँढ निकाला। अख़बारों में हेडलाइंस चल पड़ीं। ज़ाहिर है मुखिया ने सच बोलने में ज़रा भी चूँ चरा नहीं की, साफ़-साफ़ बयान दिया कि रामदई का शौहर जंगल से लड़कियाँ बटोरता था कि एक दिन किसी आदमखोर शेर का कौर बन गया। केवल एक तरफ़ का आधा हाथ जिसमें छह उँगलियाँ थीं, मिला था जिससे गाँववालों में मंसाराम की पहचान कर ली थी। उसी समय ज़ोर जबर्दस्ती से गाँववालों की इस इलाक़े से बेदख़ली का ज़ोर शोर से काम भी चल पड़ा था। जब अख़बारवालों ने यह कड़ियाँ मिलाईं तो दूसरे ही दिन बड़े-बड़े अंग्रेज़ी समाचार-पत्रों मे वह शक्तियाँ फुर्ती में आ गईं जिनका विचार था कि अरबों की लागत से बनाए जाने वाले डैम वास्तव में दरिद्रों के शत्रु निर्माण हैं और इस तरह के विकास में उठाए क़दमों से बड़े और धनवान किसानों और मोटे कारीगरों की भरी हुई थैलियों को और ज़्यादा भरने के अलावा सरकार का दूसरा कोई लक्ष्य नहीं है। और दुख की बात यह है कि यह काम ग़रीबों को बेघर और बेसहारा करके किया जा रहा है।

महिलाओं की सुरक्षा और उनकी देख-रेख से संबंधित संस्थाओं ने मेरा जीना दूभर कर क्या था। ज़ाहिर है कि हर बात की पूछताछ ख़ुद पुलिस को भी मुझसे

दरकार थी इसलिए मेरा उनकी हिरासत में पहुँच ठीक ही था। ऐसी ही किसी एन.जी.ओ. की दो महिलाएँ दूरदराज़ की कष्टदायक यात्रा करके इस इलाके में जब मुझ तक एक दिन पहुँच गईं और उन्होंने मुझे इस तरह देखा जैसा कि मैं कटठरे में बंद कोई भेड़िया हूँ, तो उस वक़्त की बेबसी याद आ जाने पर आज भी मैं तिलमिला कर रहा जाता हूँ। मुझे अब यह तो याद नहीं कि उन महिलाओं ने मुझसे कितनी बार मुलाक़ात की लेकिन उनके सवालात मुझे ग़ुस्से और शर्म से पसीने-पीसने कर देते। देखा जाए तो उनका यह व्यवहार ज़्यादा बुरा भी न था। लेकिन मुझे हैरत यह थी कि आख़िर वह मेरे किसी भी जवाब पर विश्वास क्यों नहीं कर रही थीं। उसमें से एक औरत जिसके बाल कटे हुए थे और जो नीली जींस पहने थी और शायद काफ़ी महँगा गागल आँखों पर लगाए हुए थी, कुछ ज़्यादा ही बेबाक थी। पता लगा कि वह महिलाएँ किसी अंग्रेज़ी पत्रिका से थी। उसने कुछ छोड़ा ही नहीं, मेरा नाम, मेरी जाति, मेरे बाप का पेशा, मकान, जायदाद सब पूछ डाला। फिर इस तरह के सवाल भी कि मेरी शादी हो गई है या मैं कुँवारा हूँ, बच्चे कितने हैं और वहाँ मैं अकेला क्यों रहता हूँ! मेरी बीवी-बच्चे साथ क्यों नहीं रह रहे हैं और मुझे अपनी ज़िम्मेदारियों के कारण बीवी से कितने समय तक दूर रहना पड़ता है। बाद में मुझे पता चला कि उसने दूसरों से यह भी मालूम किया था कि मैं शराब पीता हूँ या नहीं और क्या मैं औरतों का पुराना शिकारी हूँ।

अजीब वक़्त था। अख़बारों में रामदई की पूरी तस्वीर जिसमें पूरी घटना विस्तार से दी गई थी और बराबर में मेरी तस्वीर भी मौजूद थी। यह ख़बर सुनकर मेरी सीधी-सादी बीवी की निढाल कैफ़ियत और उसी हालत में मेरे डेढ़ बरस के बच्चे को भूख-प्यास की कमज़ोरी में सँभालते का हाल जिन लोगों ने बाद में मुझे बताया था, उससे मैं अंदाज़ा कर सकता हूँ कि उस पर क्या गुज़री होगी!

एक बड़ी उलझन यह भी थी कि पुलिस को पूरा यक़ीन था कि मेरे बयानात निरर्थक हैं। उन लोगों ने मुझे तकलीफ़ देने के लिए अपना ज़ेहन तैयार भी कर लिया था क्योंकि एक बड़े कड़वे और तीखे तेवरों के साथ मुझसे कहा गया था कि सच स्वीकार करने का मुझे आख़िर अवसर दिया जा रहा है। मगर मेरी बेबसी भी अजीब थी क्योंकि सरकार वहाँ के इलाक़े के वोटरों का शुमार करके मामलों में एक ख़ास रुख़ के साथ दिलचस्पी ले रही थी! फिर एक परेशानी यह भी पैदा हो गई थी कि वह समाजी संस्थाएँ जो आम ख़ुशहाल और तरक़्क़ी के नाम पर मजबूरों और नादारों के घर बार उजाड़े जाने की सख़्त ख़िलाफ़ थीं, उनकी दलीलों की मदद लेकर सरकार विरोधी पार्टियाँ भी तूफ़ान उठाने में लग गई थीं! उनका कहना था कि एक इलाक़े से ग़रीबों को उठाकर दूसरे अनजान और अजनबी इलाक़े में बेसरो सामानी की हालत में फेंक दिए जाने से उन ग़रीबों के घर बार ही नहीं छीनते बल्कि एक विशेष इलाक़े से जुड़ा उनका पुश्तैनी पेशा भी छीन लिया जाता है। विभिन्न

गुटों के लीडर भला मौक़ा क्यों गँवाते, हरकत में आते ही इन्होंने पता लगा लिया कि रामदई के साथ क्या जुल्म हुआ था। बेदख़ल लोगों को मुआवज़ा दिए जाने या नए इलाक़े में बसाए जाने के मामले में दलालों की खुली लूट की इन्होंने क़लई खोलकर रख दी। रामदेई के अपने अंधे-बूढ़े, ग़रीब चचा को उन्होंने टी.वी. पर पेश कर दिया, जिसने लोगों को बताया कि वही बेदख़ल किए गए लोग सरकार से मुआवज़ा या ज़मीन का पट्टा हासिल कर पा रहे हैं जो दलालों की कमीशन की पेशगी रक़म अदा करने की हालत में हैं। रामदेई जिस दलदल के किनारे लाकर डाली गई थी वहाँ की झाड़ियाँ साफ़ करने में उसके आठ बरस के बच्चे को कड़ियाले साँप ने ऐसा डसा कि बग़ैर डॉक्टर वाले अस्पताल से मरकर ही निकला। लेकिन वह तब भी हिम्मत न हारी। मगर जब दफ़्तरों के चक्कर लगाती तो दलाल उसे घेर लेते और अफसरों को खिलाने-पिलाने के लिए कम से कम दो हज़ार माँगते। उसी अंधे का यह भी कहना था कि रामदई को यह उम्मीद थी कि वह अपने हाथों बटी हुई मूँज की रस्सी बेचकर शायद कुछ महीनों में माँगी गई रक़म जमा भी कर लेगी।

मेरी बदक़िस्मती यह थी कि पूछताछ के प्रारंभिक दौर में ही बात इतनी उलझ गई कि पुलिस का मुझ पर से शक हटा ही नहीं। अब मैं पुलिस को कैसे समझाता कि रामदई मेरे पास उस वक़्त रस्सी बेचने आई थी जब मुझे अपनी दुनिया में हर तरफ़ अँधेरा ही नज़र आ रहा था। मेरे लिए इन्हें यह समझाना मुश्किल था कि जो नौकरी मैं कर रहा हूँ कैसी-कैसी परेशानियों के बाद डिग्री हासिल की थी। जिसके अलावा मैं कोई दूसरा काम या पेशा करने के लायक़ ही नहीं रह गया था, वही पेशा मेरी जान का दुश्मन बन गया था। मुझे नहीं मालूम कि यह कथन कहाँ तक सही है कि आदमी बस किसी ख़ास लम्हे और विशेष दिमाग़ी दबाव की स्थिति में ही आत्महत्या कर सकता है हमेशा नहीं। बहरहाल उस वक़्त मुझे कुछ दिखाई नहीं दे रहा था, वहाँ इतना ज़रूर था कि रामदई के हाथ में रस्सी देखकर मुझे एक बार ज़रूर लगा था कि क़ुदरत शायद ख़ुद मेरी मदद कर रही है। लेकिन मैंने उसके हाथ में जो रस्सी देखी थी वह ज़्यादा मोटी न थी तो मैंने उससे कहा कि मुझे ज़रा मज़बूत रस्सी चाहिए। यह सुनकर उसने तेज़ी से रस्सी को एक स्टूल के सहारे कमरे की छत के कुंडे में डाल दिया और नीचे से उसके दोनों सिरों को बाँध कर हाथों से झटका देकर मुझे रस्सी की मज़बूती का भरोसा भी दिलाना चाहा। मगर मैंने रामदई से साफ़ कह दिया कि रस्सी इतनी मज़बूत नहीं जैसी मुझे ज़रूरत है। लेकिन रामदई कुछ निराश-सी हर तरह से मुझे रस्सी की मज़बूती का यक़ीन भरे हुए गले और रुँधी हुई आवाज़ में दिलाती रही। मगर आख़िरी बार उसे ख़रीदने से मना करके और उससे पीछा छुड़ाने के लिए मैं बाहरी कमरे से उठकर अंदर बाथरूम में चला गया। थोड़ी देर बाद यह सोचकर कि वह चली गई होगी वापिस आया तो ग़ुस्सा भी

आया कि वह गई नहीं थी। मैं यह सोचकर बददिल भी हुआ कि वह अपनी ग़रीबी और बेसरोसामानी का वास्ता देकर और बच्चों वग़ैरह की भुखमरी का दास्तान सुनाकर मुझे देर तक परेशानी करती रहेगी।

कैसी बेबसी है। पता नहीं रामदई के पास कौन-सी ऐसी ताक़त थी, अब सोचता हूँ तो शर्म आती है कि शायद मैं खेल के मैदान का ज़्यादा शातिर खिलाड़ी था। क्योंकि रामदई तो मुझे बस इतना बताने के लिए इस कमरे में मेरा इंतज़ार कर रही थी कि जिस रस्सी को मैं अपने लिए कमज़ोर समझ रहा था वह उसके लिए कितनी मज़बूत थी कि उसके पूरे बदन को हवा में सँभाले थी!

तंग सीली गलियों में लड़खड़ाती ज़िंदगियों की जलती-बुझती लालटेनें

रफ़िया मंज़ूर अल अमीन की पैदाइश 1934 में हैदराबाद में हुई। उसी हैदराबाद में जहाँ चारमीनार के ऊपर खुला आसमान और उस पर फैली आकाश गंगा की तरह लेखिकाओं के अनेक रौशन नाम और आसमान के नीचे फैली पथरीली ज़मीन जिस पर क़ुदरत का करिश्मा देखने को मिलता है कि मीलों तक बिना दरख़्तों की ज़मीन पर एक नन्हे से चिकने पत्थर पर एक भीमकाय शिला टिकी हुई है, जैसे छोटा बच्चा बड़े से गुब्बारे की डोर थामे हुए हो तेज़ हवाओं का इसी तरह के जानबूझकर सजाए पत्थरों के बीच घूमना और कहीं-कहीं तो चिबभी फोड़ खेल में जिस तरह बच्चे सिटकियाँ एक-दूसरे पर रखते हैं, ठीक उसी तरह बिना तरतीब के एक-दूसरे पर रखी मँझोली, छोटी, बड़ी चट्टानों का जमे रहना उनकी दृढ़ता दर्शाता है। शायद इतने अद्भुत लैंडस्केप से रफ़िया मंज़ूर अल अमीन ने धैर्य, संतुलन और विश्वास सीखा है; तभी वह अपनी ज़िंदगी में किसी भी तरह के हालात के थपेड़ों के आगे न झुकीं न उन्होंने 'हार' शब्द को कभी स्वीकार किया।

वह अपनी कहानियों के बारे में लिखती हैं, ''वास्तव में परिवेश, चरित्र और थीम में नयापन लेखक की सूक्ष्म दृष्टि एवं अनुभव का परिचायक होता है, साथ ही किस समाज और उसके वासियों के किरदार में रंगारंग पहुलओं के अलग-अलग शेड पकड़ने का गुण अगर लेखक में नहीं है तो उसका साहित्य कला की गहराई और दिलों को अपनी तरफ़ खींचने से वंचित रहेगा। इसके साथ ही उद्देश्य कहानी की जान है। अदब में सौंदर्य एवं गंभीरता ज़रूरी है। मैं अपनी कहानियों के ज़रिए पाठकों के दिमाग़ पर ऐसा असर छोड़ना चाहती हूँ कि वह दिल व दिमाग़ एक होकर सोचने पर मजबूर हो जाएँ।'' रफ़िया ने गहरे अध्ययन और दूर तक देखने वाली नज़रों की वजह से अपनी कहानियों में नयापन लाने की कोशिश की है। हिंदुस्तान की सांस्कृतिक, सामाजिक, सियासी पृष्ठभूमि पर लिखी इनकी कहानियाँ बेहद पसंद की गई हैं। मनोवैज्ञानिक पक्ष उनका बहुत महत्त्वपूर्ण है जो उनके चरित्रों को प्रामाणिकता देता है। वह मोपॉसा, ओ हेनरी, बालज़ाक के लेखन से बहुत मुतासिर रही हैं।

दस्तक सी दरे दिल पर उनकी कहानियों का सबसे मशहूर और प्रतिनिधि संग्रह है। उनका उपन्यास *आलमपनाह* इतना लोकप्रिय हुआ कि 1993 में उस पर 'फ़रमान' नाम से टी.वी. सीरियल बना था। 1965 में आया उनका संग्रह *कहानी* भी चर्चित रहा! *जोंक* कहानी यूँ तो सीधी सादी-सी लगती है मगर उन किरदारों का जो यथार्थ है अगर उसके बारे में गंभीरता से चिंतन किया जाए तो व्यथा और अवसाद के गहरे ताल में पाठक डुबकियाँ लगाते हुए ख़ुद को अपराधी समझने लगता है कि हमारे वतन के लोग इस तरह भी जी रहे हैं?

रफ़िया मंज़ूर अल अमीन साहिबा तीन साल पहले हमसे विदा हुईं। उनका वजूद उनकी कहानियों में ज़िंदगी बन धड़कता है।

जोंक

रफ़िया मंज़ूर अल अमीन

अहसास की क़ंदीलें उन्होंने पहले ही बुझा दी थीं, तभी तो अँधेरे में आगे बढ़ना उनके लिए आसान हो गया था। आँखें जब अँधेरे की आदी हो जाती हैं तो ज़िंदगी का रहस्य ख़त्म हो जाता है। फूँक-फूँककर ठोकरों से बच-बचकर चलना नहीं पड़ता है। यही हाल अब उनका था। ज़मीन की दुश्वारियाँ अब ख़त्म हो चुकी थीं। अब वह दुनिया की ऊपरी सतह पर अपना कारोबार धड़ल्ले से चला रहे थे। वह मियाँ-बीवी दोनों का सौदा करते थे। ख़ून बेचते थे। बशीर और अक़ीला। अक़ीला पहले यह काम नहीं करती थी। बशीर भी नहीं करता था। वह जेबकतरा था। हशीश का व्यापारी था। विधवाओं का दलाल था लेकिन एकाएक उसका दिल इन सारे धंधों से उकता गया। यह क्या कि हर वक़्त कोई साला नीली टोपी वाला, डंडा घुमाता, मूँछों पर ताव देता पीछे हो लेता...भत्ता भी लेता, फिर भी धौंस जमाता।

एक रोज़ वह जेब काटकर चम्पत हो रहा था। गलियों से होता हुआ व बच निकाला लेकिन पीछे दौड़ते हुए क़दमों की चाप अब भी उसके कानों में पहुँच रही थी। अचानक उसे सामने एक क्यू नज़र आया और वह लपककर उसमें शामिल हो गया। आगे बढ़ते-बढ़ते जब उसका नंबर आया तो उसे पकड़कर एक साफ़-सुथरे बिस्तर पर लिटा दिया गया और एक सुई उसके हाथ में घोंप दी गई। तब उसे हालात का अंदाज़ा हुआ।

टेबिल से उठने पर उसे गर्म-गर्म काफ़ी का प्याला दिया गया और उसे इससे ज़्यादा हैरत तब हुई जब उसका बताया झूठा नाम, पता और पेशा लिखकर उसके हाथों में नोटों का एक पुलंदा पकड़ा दिया गया। तब उस पर यह राज़ खुला कि उसने अपना ख़ूब ब्लडबैंक में देकर इंसानियत की बड़ी सेवा की है। वह काफ़ी तगड़ा था। उसे पता भी नहीं चला कि उसकी नसों ने कितना ख़ून उगल दिया है।

उस रात उसने तय कर लिया कि यह नया पेशा अपना लेगा। अब वह साइकिल रिपेयर करता और साल में कई बार ख़ून देता था। उसका गुज़ारा होने लगा। उसे बड़ा मज़ा आया जब उसने सोचा कि उसका मुसलमान ख़ून किसी हिंदू की धमनियों में जाएगा। लेकिन उसकी अक़्ल ने बताया कि यह शीशे की नलकियों में जो ख़ून

जमा होता था उन पर ज़रूर हिंदू ख़ून, मुसलमान ख़ून के लेबिल लगाए जाते होंगे ताकि ग़लती का कोई सवाल ही न हो। क्योंकि उसे मौलवी साहब की आफत याद आई कि किस तरह उनकी बीवी के नवाँ बच्चा होने पर उसे ख़ून पहुँचाना ज़रूरी हो गया था। तब मौलाना ने बड़ा टंटा खड़ा किया था। उनका तर्क था कि उनकी बीवी पर्दा करने वाली, एक शरीफ़ औरत थी और यह अधर्मी डॉक्टर उसे किसी अनजान, अजनबी का ख़ून दे रहे थे। दूसरे हो सकता है वह किसी काफिर का हो। किसी मुसलमान का भी हो तो वह हो सकता है बलात्कारी, अपराधी, नरक भोगी हो, वह सिर्फ़ दुआ के ज़ोर पर बीवी के जिस्म में ख़ून दौड़ाना चाहते थे। उन्हें अपना ख़ून देने में भी तकलीफ़ थी। उनके दसवें बच्चे की पैदाइश पेचीदा होने का ख़तरा था। आख़िरकार इस झंझट से उकताकर डॉक्टर ने कह दिया कि अगर उनकी बीवी ख़ून की कमी की वजह से मर गई तो अपनी रिपोर्ट में वह उन्हीं को ज़िम्मेदार ठहराएगी। तब कहीं जाकर वह चुप हुए वरना बेगम उनकी सोच का शिकार हो गई होतीं।

कुछ दिन बाद उसे सूझी कि अब शादी कर लेनी चाहिए। उसने अक़ीला से शादी कर ली। अक़ीला और जमीला दोनों लड़कियों का बोझ बूढ़े बाप के सर बहुत भारी पड़ रहा था। अक़ीला जमीला से दस साल बड़ी थी। अब्बाजान ने जब दूसरी शादी की तो जमीला पैदा हुई। मगर वह अभी छोटी-सी थी कि माँ चल बसी। तब तो अक़ीला और उसकी माँ ने जमीला के बचपन से वह कस-कस के बदले निकाले हैं कि बस! और जब अक़ीला की माँ मरी तो यह नफ़रत उसने बेटी को सौंप दी। अक़ीला की नफ़रत की दो वजहें थीं। जमीला शक्ल में उससे प्यारी थी। दूसरी मासूमियत की वजह से बाप की दुलारी थी। जब बशीर ने अक़ीला का हाथ माँगा तो उसकी जान छूटी, लेकिन वह अक़ीला बशीर के लिए वरदान बन गई। उसने बशीर के झोंपड़े में आकर उसका हर बोझ बाँट लिया। यहाँ तक कि तौबा, तौबा...उस बुरी बीमार का जो वक़्त बेवक़्त बशीर को नाको चने चबवाती थी। लेकिन सवाल तो पेट का था जो अब एक से दो हो गए थे। बशीर जो कुछ ख़ून बेचकर ले आता उसमें उसका तो गुज़ारा हो जाता था। अब अक़ीला के रहते उसकी कमाई कम पड़ने लगी। तब बशीर ने एक तरकीब समझाई। क्यों न अक़ीला उसके साथ ख़ून बेचा करे। पड़ोसी रामआसरे और उसकी बीवी भी तो यही काम करते थे। और अब वह बचाए पैसे से पान का खोखा बनाने की फ़िक्र में थे।

बशीर ज़िंदगी की कश्मकश और भटकाव की उन मंज़िलों से गुज़र चुका था जहाँ वह ख़ून देने के महत्त्व को समझ सके। यही हाल अक़ीला का था। उन दोनों के लिए यह भी एक पेशा था। और ख़ून देने वालों की पंक्ति में ज़्यादातर इन्हीं के क़बीले के लोग होते। अगर कोई ठीक-ठाक आदमी उस लाइन में खड़ा उन्हें नज़र आ जाता तो उन्हें अचंभा होता कि इसे क्या आफ़त आ पड़ी होगी कि ख़ून बेचने आ गया।

काफ़ी दिनों तक यह सिलसिला चलता रहा लेकिन एक रोज़ जैसे-तैसे अपना ख़ून देकर अपनी झुग्गी पहुँचे तो अक़ीला त्योरा कर गिर पड़ी। बशीर उसी वक़्त दौड़कर उसके लिए दूध और फल ले आया। कुछ देर बाद अक़ीला ठीक तो हो गई लेकिन धीरे-धीरे उसकी कमज़ोरी बढ़ती गई। ख़ुद बशीर को भी एक तनाव-सा ख़ुद में महसूस हो रहा था। थोड़ी दूर चलता तो हाँफने लगता और कमज़ोरी में सिफलिस ने और भी दोनों को दबोचना शुरू कर दिया।

एक दिन बड़ा ग़ज़ब हो गया। जब दोनों ख़ून देने के लिए पहुँचे तो उन्हें एक वैन में ठूँस दिया गया जो पहले ही खचाखच भरी हुई थी। कमज़ोर, मरखने चेहरे, काँपते हाथ पैर अंदर को धँसी आँखों वाले, दाग़दार बदनों को खुजलाने वाले, सभी उस वैन में भरे थे। ऐसा तो कभी नहीं हुआ था। सुना किसी नामुराद अख़बार वाले ने यह सवाल उठाया था कि ख़ून लेने से पहले उस आदमी की डॉक्टरी जाँच ज़रूरी है, लेकिन होती नहीं है। इंसानियत के रिश्ते ज़ख़्मों का बोझ लिए यह वैन जब मेडिकल इंस्टीट्यूट पहुँची तो उन सबकी ठोंक-बजाकर जाँच की गई और नतीजा यह निकला कि इन सबको ख़ून न देने के क़ाबिल बताया गया। बशीर को बड़ा ग़ुस्सा आया कि ख़ून तो हमारा और यह तालूचट डॉक्टर अपनी हुकूमत चला रहा है। मगर उसने मौक़े की नज़ाकत देख डॉक्टर से ख़ुशामदी स्वर में कहा—

"भूखे मर जाएँगे हुज़ूर हम। अपना ख़ून बेचकर ही तो पलते हैं।"

"तुम ख़ून नहीं, शारीरिक रोग बेचते हो।" तालूचट ने कहा, "तुम और तुम्हारी बीवी दोनों सिफलिस में मुब्तिला हो समझे। इलाज करवाओ।"

उन्हें फिर उसी तरह वैन में ठूँसकर वापस उसी जगह लाकर छोड़ दिया गया, जहाँ से वह ले जाए गए थे।

फिर तो हालात ने ढलाव का रास्ता ही ले लिया। कभी-कभी अन्नपूर्णा उनका दरवाज़ा ही खटखटाना भूल जाती थी। लेकिन एक दिन दरवाज़ा बड़ी ज़ोर से खटखटाया गया। फिर अपने आप खोलकर कोई अंदर आ गया। छत के खिसके टीन से आती रौशनी के नीचे जमीला खड़ी थी। चमकता चेहरा, सुडौल हाथ पैर, फटे कपड़ों से फूटती जवानी। उसने बग़ल में कपड़ों की गठरी दाबी हुई थी। बशीर उसे देखता रह गया। जब उसने अक़ीला से शादी की थी, तब वह भी ऐसी ही थी, सेहत और जवानी का मिश्रण!

"तू कैसे आ गई?" अक़ीला ने कुछ खौफ़ज़दा-सी होकर पूछा।

"अब्बू चल बसे।" जमीला की आवाज़ भर्रा गई। "उन्होंने तुम्हारे पास-जाने के लिए कहा था।"

अक़ीला के लिए तो अब्बू बहुत पहले ही मर चुके थे और इस वक़्त तो वह अपनी जान को रो रही थी।

''तू, तू भी चली जाती उनके साथ।'' उसने आग बबूला होकर कहा, ''तू समझती है यहाँ बारिश हो रही है रुपये पैसे की...जहाँ से आई है, वहीं लौट जा।''

बशीर जमीला को टकटकी बाँधे देख रहा था। जमीला इस वक़्त एक लड़की नहीं रौशनी की किरण नज़र आ रही थी। उसने अक़ीला को हाथ के इशारे से रोक दिया, और रोती हुई जमीला के सर पर हाथ फेरते हुए अंदर ले आया!

उस रात थकी हुई जमीला सिरहाने हाथ लिए खटिया पर सहन में ही सो गई। बशीर अक़ीला को देर तक ऊँच-नीच समझाता रहा...दूसरे दिन सवेरे वह और अक़ीला जमीला को लिए हुए ख़ून के अस्पताल पहुँचे, जहाँ जमीला की सेहतमंद फड़कती धमनियों से गर्म सुर्ख़ ख़ून पहली बार निकाल लिया गया। उसे पता भी न चला। ठाँठे मारते समंदर से चुल्लू भर पानी निकाल लो तो क्या फ़र्क़ पड़ता है। पैसे लिए तीनों ख़ुश-ख़ुश घर पहुँचे।

जमीला निहाल थी कि बहन बहनोई उसका बहुत ख़्याल रखते थे। ख़ुद भले को रुख़ी-सूखी खा लें लेकिन उसे तर निवाला खिलाते। कभी-कभी उसका दिल भर आता।

''आपा! तुम लोग मेरा इतना ख़्याल करते हो।''

''तू ही तो अब्बू की निशानी है। अब तेरे लिए नहीं तो और किसके लिए जिएँगे।'' अक़ीला ने उसके सर में कंघी करते हुए कहा।

''लेकिन मैं बदले में तुम्हें कुछ भी तो नहीं दे सकती।'' इस मूर्ख को सचमुच पता नहीं था कि वह सचमुच बशीर और अक़ीला की जीवन-धमनी बन चुकी है। वह इस झुग्गी की बीमार फ़िज़ा में ताज़ा हवा का ऐसा झोंका थी, शबनम का ऐसा क़तरा थी जो बशीर और अक़ीला की ज़िंदगी के सूखते पेड़ को हरियाली दे रही थी और उनके लिए इस समय इतना काफ़ी थी कि बशीर के इलाज के लिए कुछ-न-कुछ पैसे बच जाते थे। वह नहर के सूखने से पहले अपने खेत लहलहा लेना चाहते थे। इसीलिए बशीर उसकी सेहत को उक़ाब जैसी नज़रों से निगेहबानी करता था। चूँकि जमीला अब कहानियों वाली ऐसी मैना थी जिसमें उनकी ज़िंदगी के ख़ौफ़नाक देव की जान छुपी थी, इसलिए उन्हें नया पड़ोसी एक आँख नहीं भाता था जो उनकी टूटी दीवार की इस तरफ़ आ बसा था। उसका नाम शुजाअत था। जवान-सा लौंडा। लंबे-लंबे बाल। कड़े हाथ पाँव निकाले थे उसने। मोटा चश्मा पहना था। अक़ीला और बशीर ने कई बार उसकी झुग्गी में झाँकने की कोशिश की तो वहाँ उन्हें खटिया पर एक साफ़ सुथरे बिस्तर और इधर-उधर बिखरी किताबों के अलावा कुछ नज़र नहीं आया। वह किसी से बोलता-चालता भी न था। आते जाते वह जमीला को गहरी नज़रों से ताकता या फिर कुछ लिखता-पढ़ता रहता था। दस-पाँच की इस बस्ती के सारे ही लोग उससे ख़ौफ़ज़दा रहते। औरतें उसके दरवाज़े के सामने कूड़ा नहीं फेंकतीं और मर्द उससे ऊँचा नहीं बोलते थे। क्योंकि वह उसकी ख़ामोश नज़रों को झेल नहीं पाते और बौखला जाते थे।

एक रोज़ अक़ीला ने ऊँची आवाज़ से सलवातें सुनाईं कि दीवार की दूसरी तरफ़ जो मुस्टुंडा आ बसा है उससे आँखें न लड़ाया करे। जमीला रो पड़ी और लकड़ी के पार्टीशन की दूसरी तरफ़ शुजाअत ने किताब बंद कर दी। अक़ीला और बशीर की शिकायत बजा थी। शुजाअत ज़मीला से बेनियाज़ नहीं था। वह जमीला में आती हर तब्दीली को देख रहा था। जमीला का गदराया हुआ जिस्म अब वह नहीं रहा था। बशीर को उसके तन की हर वक़्त फ़िक्र थी मगर तन ढाँकना उसके बस के बाहर की बात थी। और जमीला के तन पर जो कुछ नहीं था वहीं शुजाअत की नज़र पहले ठिठकती थी। वह तन अब भी लत्ते को तरसता था। एक जोंक सी उसके जिस्म से ख़ून चूसती जा रही थी। उसने अंदाज़ा लगा लिया था कि घास-फूस की इस दीवार की दूसरी तरफ़ ड्रामे का ड्रॉप सीन बहुत जल्द आने को है। बंजारों का रंगारंग क़ाफ़िला, रात को आख़िरी पहर तनाबे उखाड़कर आगे बढ़ने को है। क्योंकि एक जमीला का ख़ून तीन ज़िंदगियों की सिंचाई मुश्किल से कर पा रहा था। सोते सूख रहे थे। जमीला के गालों की हड्डियाँ, आँखों के हल्क़े अब साफ़ दिखने लगे थे। वह आँगन की खटिया पर चुपचाप पड़ी रहती। अब उसने शुजा की तरफ़ देखना भी छोड़ दिया था।

"उसकी हालत तो गिरती जा रही है।" बशीर को जमीला से ज़्यादा अपने अंत की चिंता थी।

"मुझे ख़ुद फ़िक्र है।" अक़ीला बोली, "कल ही जब वह ख़ून देने गई तो डॉक्टर कह रहा था, "तू ख़ून दे रही है। ऐसा लगता है कि तुझे ख़ुद ख़ून देने की ज़रूरत है।"

"लगता है, अब वह ज़्यादा दिन गाड़ी नहीं खींच पाएगी...तब हमारा क्या होगा?"

"तुम ख़ुदगर्ज़ हो न...मेरे तो बाप की एक ही निशानी है।" अक़ीला की आवाज़ भर्रा गई। जमीला की ख़ामोशी ने उसके दिमाग़ को झिंझोड़ना शुरू कर दिया था।

"बकती है तू...जहाँ पेट का मामला आता है, वहाँ सब रिश्ते धरे रह जाते हैं।"

"कल मर जाएगी तो क्या होगा?"

"अब ज़्यादा बक-बक मत कर।" बशीर अब काफ़ी तुनकमिज़ाज हो गया था।

"मैंने सोच लिया है यह भी।"

"हम तीनों में से जो भी जल्दी मर जाएगा," बशीर ने अँधेरे में घूरते हुए कहा, "उसकी लाश को डॉक्टरी कॉलेज में बेच दिया जाए। वहाँ लावारिस लाशों को पिछत्तर रुपयों में ख़रीद लिया जाता है।" बशीर ने बिल्कुल-इस तरह कहा जिस तरह वह पुरानी साइकिल पिछत्तर रुपये में बेच दिया करता था!

"नहीं, नहीं...तुम ख़ुदा के लिए ऐसी बातें मत करो।"

लेकिन जल्द ही पुरानी साइकिल के बिकने का दिन आ गया। जमीला अपनी आख़िरी साँसें गिन रही थी...अस्पताल में डॉक्टर उस पर झुके हुए थे...और थियेटर रूम के बाहर बशीर और अक़ीला बैठे थे। अक़ीला का सर झुका हुआ था और बशीर ऊँघ रहा था। जमीला की लाश के इंतज़ार में।

"तुम लोग अब जा सकते हो।" वह दोनों चौंक पड़े। उसे वहाँ शुजाअत को खड़ा देखकर और भी ताव आ गया।...जब जमीला ही नहीं रही तो शुजाअत से झगड़ा लेना अर्थहीन लगा।

"अफ़सोस है बशीर।" शुजाअत बोला..."तुम उसकी लाश नहीं ले जा सकते हो।"

"क्या बकता है?" बशीर हाथ से जमीला की लाश निकलते देख बिफर गया, "मैं उसकी लाश का वारिस हूँ।"

"और मैं उसकी ज़िंदगी का वारिस।" शुजाअत बोला, "तुम जमीला की लाश नहीं ले जा सकते क्योंकि वह मरी नहीं है। मैंने उसे अपना ख़ून देकर बचाया है। मारने वाले से जिलाने वाले का हक़ ज़्यादा होता है।"

अहसास की झील में ज़नाना किरदारों के खिले कँवल

वाजिदा तबस्सुम 1935 में हैदराबाद में पैदा हुईं। उनकी शुरू की कहानियाँ पढ़कर लोगों का ख़्याल था कि उर्दू अदब की दुनिया में वाजिदा ने हैदराबाद का नाम रौशन कर दिया। उनका कहानी संग्रह *कैसे काटूँ रात अँधेरी* और इसमें उस वक़्त की कहानियाँ जो हैदराबाद के सामंती परिवेश की जड़ें हिला देने वाली दास्तानें रखती थीं। वाजिदा के पास बड़ी डिग्रियाँ तो नहीं मगर उनकी ज़बान की रवाँबयानी का कोई जवाब नहीं।

उतरन कहानी लिखने के बाद वाजिदा का क़लम इंसानी अहसास के विस्तार से सिमटकर स्त्री–पुरुष विषय तक सीमित रह गया और अदब से उनकी राहें किसी और तरफ़ मुड़ीं। *नथ की क़ीमत, नथ की उतरवायी* जैसे नाम उनकी कहानियों के होने लगे और उनको चाहने वाले उनकी इस तब्दील को क़ुबूल नहीं कर पाए। आज हिंदी में जिस बेबाक बयानी की शुरुआत हुई है मैं उसका श्रेय वाजिदा को दूँगी और अफ़सोस कि वाजिदा अपने इसी तरह के लेखन के कारण मक़बूल शोहरतयाफ़्ता लेखिका से एक नापसंदीदा अदीबा में ढल गईं। इस सबके बावजूद उनकी बेहतरीन कहानियाँ उर्दू अदब में अपनी जगह बना चुकी थीं जो हैदराबाद की सामाजिक स्थिति पर शोध करनेवालों के लिए बेहद अहम सनदें हैं।

अपने ऊपर हुए एतराज़ को सुनकर उन्होंने कहा था कि मैं कैसे लिख सकती हूँ वह सब, जब मैंने खुला आसमान देखा ही नहीं है। मैं सीढ़ियों के नीचे के हिस्से में बैठकर लिखती हूँ जिसकी दीवारें और कोने मेरे क़लम के छिड़कती सियाही से काले हो उठे हैं।

वाजिदा की बेहतरीन कहानियों में से *तख़्ते–ताऊस* (मयूर सिंहासन) एक है जो विषय के देखते हुए महत्त्वपूर्ण रचना है। वाजिदा की लगभग सभी कहानियाँ हिंदी में आ चुकी हैं। कहा जाता है कि शमा (उर्दू), सुषमा (हिंदी) के जिस अंक में इनकी कहानी छपती थी वह अंक हर माह के अंक की संख्या से कहीं ज़्यादा छपता था और उस समय वाजिदा की कहानी का मुआवज़ा उर्दू के बड़े नामदार लेखकों से कई गुना ज़्यादा था।

वाजिदा के कहानी संग्रह *तौबा-तौबा, शहरे मननूँ, उतरन, आया बसंत सखी, नथ उतरवाई, मुहब्बत आईने के सामने, रोज़ी का सवाल, कैसे समझाऊँ, जैसे दरिया, कंगन महल, मेरे बेहतरीन अफ़साने, पूजा का मान, फूल खिलने दो* और *ज़ख़्मे दिल* इत्यादि।

तख़्ते-ताऊस

वाजिदा तबस्सुम

अम्माँ ने ख़त लिखवाना शुरू किया।

"लिखो बेटी।"

"पता नहीं इन बूढ़ी आँखों को क्या पता सेहरा और चाँद जैसी दुल्हन देखना नसीब हो...यहाँ तो हर दिन मौत से क़रीबतर हो रही हूँ। तू एक बार चंद रोज़ के लिए ही सही आ जा...।"

अम्माँ बोलती रहीं...उनके गले में रह-रहकर फंदे से पड़ते रहे। आँसू पी-पीकर...बहाकर जब वह ख़त पूरा करवा चुकीं, आस भरे लहजे में बोलीं...

"बेटी इसका जवाब कब तक आ जाएगा?"

"जवाब?"

मैंने हलक़ में फड़फड़ाते हुए दिल को बड़ी मुश्किल से क़ाबू में करके कहा, "यही कोई बारह-पंद्रह दिन में अम्माँ।"

अम्माँ, मैंने चीख़-चीख़कर कहना चाहा। यह सारा खेल, अब मुझसे नहीं खेला जाता...तुम जो हर पंद्रह दिन को एक ख़त लिखवाती हो वह मेरी तरफ़ से होता है और जो जवाब तुम लिखवाती हो वह तुम्हारे बेटे तक नहीं पहुँच सकता क्योंकि अम्माँ आज तक कोई हरकारा ऐसा पैदा नहीं हुआ जो मरनेवालों तक ख़तों को पहुँचा सके...मेरा सब्र मत लूटो अम्माँ...तुम्हारा बेटा तुम्हारा शहज़ादा...बहू तुम्हारी ज़िंदगी का इकलौता और आख़िरी सहारा जंग में काम आ चुका है...तुम उसे ख़त लिखवाती रहोगी, उसकी दुल्हन के लिए कपड़े सी-सी कर रखती रहोगी, लेकिन वह उस जगह जा चुका है, अम्माँ, जहाँ तुम्हारे आँसू और आहें भी नहीं पहुँच सकती हैं।

लेकिन मैंने अम्माँ के कमज़ोर, नातवाँ और दुःखों से बोझल झुके हुए वजूद को देखा और अपने पहलू में टूटते दिल को मसोसकर, चहककर कहा, "अम्माँ ख़तों में देर सवेर तो हो ही जाती है, तुम इतनी बेकल क्यों हो जाती हो...इस दुनिया में सिवाय तुम्हारे कोई है, फिर वह तुम्हें याद न करता होगा तो किसे याद करता

होगा ?" "अरे नहीं बेटा..." वह झल्लाए हुए, प्यार से लबरेज़ लहजे में बोलीं, "इन आजकल के छोकरों का कोई ठीक नहीं है। चार दोस्त मिल बैठे और यह भी भूल गए कि कोई माँ भी है।" "अरे नहीं अम्माँ! तुम ग़लत सोचती हो।...यूसुफ़ ऐसा नहीं हो सकता है।"

"अब बेटा, तू उनकी तरफ़ से नहीं बोलेगी तो कौन बोलेगा। वैसे तो हमेशा तू ख़ुद उससे झगड़ती रही लेकिन जहाँ मैंने कुछ कहा तुम्हें अदबदाकर उस पर प्यार आया। हाँ, बेटा, यह भी याद से लिख देना कि मुँहदिखाई में तो अपनी दुल्हन को अँगूठी पहनाएगा या कलाई पर घड़ी बाँधेगा...मुझे तो एक-एक चीज़ जोड़नी है...वक़्त पर एकदम से सूझता भी तो नहीं...याद से पुछवा लेना बेटी...।"

"हाँ अम्माँ!" मैंने सिर झुका लिया, "और कुछ कहना है अम्माँ ?" मैंने टूटते दिल से पूछा।

"न बेटा...अब क्या लिखना है। और जो पूछे तो इतना लिखवाना है कि आसमान जितना बड़ा काग़ज़ भी काफ़ी न हो...यह माँ का दिल है न बेटा...उसके प्यार और ममता का कोई ओर-छोर नहीं है...।" मैं उठने लगी तो अचानक कैसे उन्हें फिर कुछ याद आ गया।

"बेटा यह भी पूछ लेना कि आजकल तो न्याज़ बाँधे, नए-नए फ़ैशन निकले हैं। हमारे ज़माने में तो सुहाग का सुर्ख़ जोड़ा चढ़ता था, अब तो गुलाबी, नारंगी और सफ़ेद तक चढ़ने लगे हैं, अपनी पसंद का रंग बतला दे।"

अनदेखी दुल्हन..वह फूलों भरी सुहागन जो वक़्त से पहले ही बेवा हो गई, अम्माँ उसे कौन-सा रंग सजेगा...न दुल्हा है न दुल्हन...

अम्माँ यह बोझ उठाते-उठाते इस राज़ को पालते-पालते मुझे तपेदिक हो जाएगा...मगर मैंने ख़ुद को सँभालकर कहा—

"इत्मीनान रखो अम्माँ मैं सब लिख दूँगी।" वह अपने कमरे में आकर सिसक पड़ी।

अम्माँ बेचारी के नसीब भी क्या नसीब थे।

बचपन में ग़रीबी में गुज़र-बसर हुई। जवानी आने पर माँ-बाप ने अपनी ही हैसियत देखकर शादी कर दी...शादी के एक ही साल बाद यूसुफ़, बाप की मौत के दो माह बाद दुनिया में आया। जवान बेवा का इकलौता सहारा। ग़रीबी के हाथों नौकरी ढूँढती-ढूँढती जब वह हमारे दर पर पहुँची, उस वक़्त हमारे यहाँ ग़म का पहाड़ टूटा था।

कई नन्ही-नन्ही जानों को छोड़कर मेरी अम्मी मौत को अपना चुकी थीं। बड़े बच्चे तो कैसे ही पल जाते हैं, मगर ऐसा बच्चा जिसने माँ के गर्म-नर्म ज़िंदगीबख़्श स्पर्श को महसूस तक न किया हो, जिसने अभी तक दुनिया को आँख खोलकर देखा

तक न हो, एकदम भरी पूरी दुनिया में तन्हा रह जाए तो...यह कोई उस दिल से पूछे जिसके सर इतने सारे बच्चों की ज़िम्मेदारी आ पड़ी हो।

ज़ीनत बीबी को फ़ौरन ही मुलाज़मत पर ले लिया गया क्योंकि उनकी अपनी गोद में ख़ुद एक छोटा-सा दूध पीता बच्चा मौजूद था। छोटे भले दूसरों के हों, उनको एक ऐसी औरत ही पाल सकती है, जिसके दिल को ममता की किल्प लगी हो।

मगर ज़ीनत बी ने तो कुछ ज़्यादा ही कर दिखाया, अपने बड़े बेटे को उन्होंने ऊपर के दूध पर लगा दिया और अपने नए मालिकों की बच्ची यानी मुझे अपने सीने लगा लिया।

रातों की नींदें और दिल का चैन हराम करके अपने जिस्म का ख़ून पिला-पिलाकर उन्होंने घरवालों से विनती की—

"ग़लतियाँ इंसान से होती हैं। मैं भी इंसान हूँ ख़ताओं की पोट। मगर मेरे किसी क़ुसूर पर मुझे घर से न निकाला जाए। इस बच्ची से जुदा न किया जाए, इसके बिना मैं भी जी नहीं पाऊँगी। मैंने इसके लिए नौ महीना वह दर्द नहीं झेला जिसे झेलकर एक माँ जन्नत की ख़ालिक़ बनती है, मगर मैंने अपने जवानी नज़र की है जो एक औरत की सबसे ख़ूबसूरत जमा-पूँजी होती है।"

और यह हक़ीक़त थी कि मेरी ख़ातिर रातों को जाग-जागकर वक़्त-बेवक़्त की मेरी रूँ-रूँ पर अपना चैन लुटाकर उन्होंने अपने ख़ूबसूरत काले बालों को ग़मनाक उजाले अता किए थे और वह जो सारे घर की महज़ ज़ीनत ही थी, उन दो नन्हे-मुन्ने होंठों की जिन्होंने पहली बार बोलना सीखा तो अम्माँ से ही सीखा। शुरू से आख़िर तक सिर्फ़ अम्माँ-ही-अम्माँ थीं।

और वही एक है अम्माँ जो ख़ूबसूरत ख़िताब की हक़दार हो सकती हैं! जो किसी मासूम की तकलीफ़ पर आँखें नम करें और यहाँ तो सारी ज़िंदगी के लिए, मेरी ख़ातिर आँसुओं का ठेका ले लिया था।

मैं जब ज़रा बड़ी हुई और ऐसी चाहने वाली माँ का, असली रूप देखा और जाना तो मेरा दिल दर्द और टीसन से भर गया। उनकी वह छोटी अँधेरी कोठरी, झलँगी-सी पलंग, सनलाइट साबुन से धुली चादर, ग़रीबाना मगर साफ़-सुथरे बिस्तर पर मैंने अपने हिसाबों उनसे बड़ा भारी वायदा किया था—

"अम्माँ जब मैं बड़ी हो जाऊँगी तो तुम्हें चाँदी के तख़्त पर बिठाऊँगी। ख़ूब नर्म-नर्म रेशमी रुई भरा गद्दा, उस पर रेशमी चादर! सारी दुनिया आएगी और देखेगी और हैरत से पूछेगी 'भई चाँदी के शानदार तख़्त पर कौन बैठा है?' और मैं बड़े फ़ख्र से सबको बताऊँगी...यह मेरी अम्माँ हैं।"

अम्माँ बड़े प्यार से हँस पड़ी थीं और मुस्कुराकर बोली थीं—

"और यह यूसुफ़ मेरे लिए कुछ नहीं करेगा?"

"करेगा कैसे नहीं वह बड़ा होकर हमारे लिए एक चाँद-जैसी बहू लाएगा। फिर अपने घर में ख़ूब सारे नन्हे-नन्हे बच्चे होंगे और मारे शोर के तुम इनके पीछे बौखला कर भागोगी।"

वह ख़्वाब एक साथ मैंने और अम्माँ ने देखा था। मगर ख़्वाब की ताबीर यह थी कि अम्माँ का इकलौता लड़का जंग में मारा जा चुका था। और वह आस भरी नामुराद हर पंद्रह दिन में एक मरतबा अपने जिगर के टुकड़े को ख़त लिखवाती थीं कि मेरा जिस्म थक गया है। सर पर सूरज का साया है। दुःखों और ग़मों ने वक़्त से पहले ही अलविदा कह दिया है, ऐसे में आँखों की बस एक तमन्ना है कि तुझे दूल्हा बना देखें।

अम्माँ मुझे यूसुफ़ से किसी भी तरह कम न चाहतीं, वरना यूसुफ़ की जुदाई शायद उन्हें मार ही डालती। उन्हें ख़ुद भी इस बात का अहसास था कि मुझे बेपनाह चाहती हैं और मैं तो ख़ुदा के बाद इन्हीं के सहारे ज़िंदा रही थी।

ऐसे में मेरे लिए यह बड़ी तकलीफ़ की बात थी कि मैं कई बरसों से इस ग़म को पाले जा रही थी।

लगता था दिल फोड़ा हो जाएगा और यह बोझ किसी वक़्त यूँ बढ़ेगा कि मेरा दिल फट जाएगा।

मैं उस दिन के बारे में सोचती जब एक उदास दिन एक ख़त आया था जिसने हमें यह इत्तला दी थी कि यूसुफ़ मैदाने-जंग में काम आ गया। अगर मैं ज़ब्त और हौसले से काम लेकर उसी दिन अम्माँ को बता देती कि अम्माँ तुमने जो एक पौधा लगाया था वह भरी जवानी और भरी बहार में मुँह मोड़ गया और अब ज़िंदगी भर के लिए तुम्हारी आँखों में आँसू हैं, तो शायद वह जो दुःख सहते-सहते पत्थर बन चुकी थीं, यह वार भी सह जातीं।

लेकिन मैं ख़ुद ही यह क़दम न उठा सकी और अपने में एक बड़े जोखिम का फ़ैसला कर लिया।

"मैं ज़िंदगी भर...अम्माँ की ज़िंदगी भर इस राज़ को पालती रहूँगी कि यूसुफ़ मर चुका है।"

यूसुफ़ हर माह अपनी तनख़्वाह से अम्माँ को पच्चीस रुपया भिजवाता था।

यह मामला मेरे लिए सबसे कठिन था। मैं पच्चीस रुपये महीना आख़िर कहाँ से लाऊँगी...बहरहाल यह मंज़िल भी तय करनी ही थी?

मैं अम्माँ की तरफ़ से ख़त लिखती...उन बेचारी को पढ़ना-लिखना तो आता न था। वह मुझसे कहतीं, मैं लिखती जाती और यूसुफ़ की तरफ़ से भी मैं ख़ुद जवाब लिखक पोस्ट कर देती थी।

यूसुफ़ की ज़िंदगी में विशेष फौजी नंबरों वाले ख़त आते थे, मुमकिन है, अम्माँ ताड़ जाएँ कि अब ख़त वैसे नहीं होते, तो अब मैं ख़त कॉपी में रखकर उन्हें सुनाया

करती थी...हर महीने बड़े जतन से मनीऑर्डर करती और अम्माँ का अँगूठा लगाकर वह रुपये वसूल कर लेती और ख़ुश हो-होकर ख़र्च किया करती।

"ऐ बेटी...अबकी बार चाँदी के पाज़ेब ख़रीद लेंगे। दुल्हन सारे घर में छम-छम करती घूमेगी तो घर में बड़ी रौनक़ लगेगी।" "बेटा...अब के नाक की नथ बनवा लेंगे, नथ न हो तो दुल्हन को नूर नहीं निकलता...नूर नहीं उतरता।"

"बेटी इस बार कंगन ख़रीद ले...कंगन न खनके...मैं सोचती...मेरी शादी हो जाएगी तो कौन इस राज़ को पालेगा?" शादी तो बहरहाल होने ही वाली थी। फिर सोचती अम्माँ को अपने साथ ही अपनी ससुराल लेकर क्यों न चली जाऊँ।

लेकिन हम कुछ और सोचते हैं वक़्त कुछ और करता है। मेरी शादी की बात अभी पक्की हुई ही थी कि अम्माँ को निमोनिया हो गया और आख़िरी बुलावा आ गया।

शायद मरनेवालों को अहसास हो जाता है कि हमारी आख़िरी घड़ी है। उन्होंने मुझे अपने पास बुलाया औ रुक-रुककर बड़ी मुश्किल से बोलीं, "बेटी तू जानती है...तुझ जैसे बेटियाँ सदियों में पैदा होती हैं...तूने मेरे लिए वह किया जो पेट की बेटी भी न करती।"

अम्माँ मैं तुम्हारे पेट ही की बेटी हूँ...तुमने मुझे ज़िंदगी दी थी अम्माँ, अपना ख़ून पिलाया था और औलाद किसे कहते हैं अम्माँ?"

"नहीं बेटा...पेट की औलाद भी इतना नहीं कर सकती जो तूने किया...बेटा।" वह कराहकर बड़े आँसू भरे लहाजे में बहुत रुक-रुककर बोल रही थीं।

"बेटा जिस दिन यूसुफ़ की मौत का ख़त आया, मैं साथ वाले कमरे में सफ़ाई कर रही थी और तू समझी कि मैं बावर्चीख़ाने में हूँ...बड़े मामू को तूने ख़त पढ़कर सुनाया और कहा—

"मामू मियाँ, अम्माँ को यह बात मालूम नहीं होनी चाहिए वरना वह रो-रोकर जान से चली जाएगीं।"

"अम्माँ..."

मैं चीख़ी मगर उन्होंने हाथ के इशारे से मुझे रोक दिया।

"मैंने सोचा, जब मेरी बेटी, मेरी जान, मुझे दुखी नहीं देखना चाहती है तो मुझे भी उस राज़ को पालना होगा। और मैंने भी अपनी वही पुरानी राह क़ायम रखी।...मरने वाला तो जान से गया। तेरे लिए मेरा दिल कैसे-कैसे टूटता था मेरी बेटी...लेकिन अगर मैं कह देती कि मुझे सब मालूम है। मुझे पता है कि यूसुफ मर गया, तो तुम मुझे ग़मगीन न देख पाती और मैं तेरे आँसू न देख पाती..."

मैं पत्थर की मूरत बनी सुन रही थी और वह रुक-रुककर कहे जा रही थीं—

"मैंने वह सारे ज़ेवर तेरे लिए ख़रीद रखे हैं बेटी...पैसा तो उठ ही जाता है बेटी...इससे ज़्यादा तेज़ रफ़्तार रौ मैंने आज तक नहीं देखी, धीमे क़दमों से आने वाला, तेज़ी से जाने वाला। इसी के कारण मेरा बेटा मुझसे छूटा।

"सोचती थी कि मेरी बेटी जो अपना पेट काट-काटकर रुपये मुझे भिजवा रही है, उसे फ़ुज़ूल ख़र्च न करूँ...अब मेरा आख़िरी वक़्त है बेटी...तेरे सामने तेरी ज़िंदगी है, ख़ुदा कैसे मेरी दुआ पूरी नहीं करेगा। वह मुझे हर ख़ुशी से नवाज़ेगा! बेटी तेरी एक आरज़ू थी कि मुझे चाँदी के तख़्त पर बिठाए। तूने मुझे उस तख़्ते-ताऊस पर बिठाया है बेटी, जिसे दिल कहते हैं...मैं दिल की उस अज़मत के आगे अपना सिर झुकाती हूँ...बेटा...।" अम्माँ सिर रखने की कोशिश में जो आगे होने लगीं तो लड़खड़ाकर पीछे को जा पड़ीं...फिर वह कभी न उठ सकीं।

मैं रोना चाहती हूँ तो मुझे अम्माँ की वह बात याद आती है कि, "मैं तेरी आँखों में आँसू नहीं देखा सकती थी इसलिए उस राज़ को पाले रही..."

मैं आँसू ज़ब्त करना चाहती हूँ। कर भी लेती हूँ। लेकिन रोते हुए दिल को कैसे मना करूँ? कैसे समझाऊँ?

इतिहास के पिंजड़े में क़ैद ज़िंदगी का राग

जीलानी बानो की पैदाइश 14 जुलाई, 1936 में बदायूँ में हुई। उनके वालिद अल्लामा हैरत बदायूँनी मशहूर शायर थे। उम्र का बड़ा हिस्सा बदायूँ में गुज़रा। जीलानी बानो ने जामिया मिल्लिया इस्लामिया, दिल्ली से उर्दू में एम.ए. की डिग्री ली। उनके ख़ानदान में पत्रकार, चित्रकार, फ़ोटोग्राफ़र, संगीतकार मौजूद थे। सात बहन-भाइयों के घर में आग़ा हशर के नाटक जी भर कर खेल जाते थे।

1959 में बी.ए. किया और अनवर मोअज़्ज़म से शादी हुई जो ख़ुद भी फ़नकार थे। चूँकि जीलानी के पिता और दादा दोनों शायर थे जिनका असर होना था। शुरू में सबा बदायूँनी के नाम से शेर कहे। साथ ही कहानियाँ भी लिखीं और हुआ कुछ यूँ कि पहला अफ़साना 'अदबे लतीफ़' नामक पत्रिका में भेजा, दूसरी कहानी 'सवेरा' में तीसरी कहानी 'अफ़कार' और चौथी कहानी 'शाहराह' को भेजी। कहानियाँ छपीं और चारों की तारीफ़ ने उनको पलक झपकते अफ़साना-निगार बना दिया।

उनको कई इनाम मिले जिनमें दोशीजा अवार्ड 1981, ग़ालिब अवार्ड 1979 में और साहित्य अकादमी अवार्ड मिला।

जीलानी बानो का ख़्वाब था कि वह एक बड़ी अदीबा बनें। वह ख़्वाब हक़ीक़त में बदला और पहली रचना *औरत* के नाम से आई, पहला कहानी संग्रह *रौशनी का मीनार* (1958), *निरवान* (1964), *पराया घर* (1979), *रात के मुसाफ़िर* (1979), *रोज़ का क़िस्सा* (1987), *बात फूलों की* (2001), *नग़मे का सफ़र, जुगनू और सितारे, सच के सिवा* बहुत पसंद किये गए। उनके उपन्यास *एवान-ए-ग़ज़ल* ने जीलानी बानो के अदबी रुतबे में चार चाँद लगा दिया।

जीलानी बानो ने अपने बारे में लिखा है "अफ़साने के जादुई भेद को मैंने बाद में जाना। मैंने लिखने के बाद ज़िंदगी और फ़न के रिश्ते के बारे में पढ़ा। सबसे पहले तेलुगु कहानियों ने प्रभावित किया। देवी-देवताओं की अविश्वसनीय कहानियों के जादू ने समझाया कि कहानी दिल में कैसे उतरती है। उन कहानियों के लिए मैंने तेलुगु सीखी।" अपनी कहानियों के बारे में लिखती हैं—"कहानी की पहली पंक्ति मुझे बड़ी मुश्किल से मिलती है क्योंकि कहानी का आरंभ और अंत परिचय और

विस्तार सब-कुछ मुझे इस लाइन में लिखना होता है।'' आगे कहती हैं, ''और अगर अदब ज़हनी तौर पर ज़िंदगी को समझने का नाम है तो मैंने भी अपने आस-पास से मुतास्सिर होकर लिखा है। इसलिए मैं औरत के अहसासात और उसके मसाएल से ज़्यादा क़रीबतर हूँ।''

उनकी कहानी *सूखी रेत* एक उत्कृष्ट कथा है जिसमें ज़िंदगी हक़ीक़त बनकर उतरती है और ऐसे ख़्वाब की बात करती है जिसकी कोई ताबीर नहीं। जीलानी की ज़बान सादा और पुरअसर है। तराश के लिहाज़ से उनकी कहानी मुख़्तसर और अर्थपूर्ण शब्दों व अभिव्यक्तियों से सजी होती है।

सूखी रेत

जीलानी बानो

डिफेंस कॉलोनी का वह एक सरबुलंद मकान था। ख़ूबसूरत विदेशी सामानों से सजा हुआ। अपने रहनेवालों की दौलत और सौंदर्य का ख़ूबसूरत इज़हार।

मेज़बानों के खुले दिल और ऊँचे क़हक़हों से अंदाज़ा हो रहा था कि ये वे लोग हैं जिनका सिक्का वक़्त पर चलता है। ख़ुशियाँ उनके पीछे दौड़ती हैं।

"आप ठंडा लेंगी या कॉफ़ी ?"

"बादाम लीजिए।"

"चिलग़ोज़े खाइए।"

"माल्टे पसंद हैं या सेब ?"

"आपके लिए मैंने सालिम बकरे रोस्ट कर दिए हैं। काबुल से एक कुक आ गया है। वैसे पेशावरी चपली कबाब और लाहौर का चिराअ, कराची का कटाकट, आप अपनी पसंद बताइए न...चाइनीज़ ख़ाने पसंद हैं या कांटीनेंटल डिशें... ?" पेरिस के परफ़्यूम से महकती अमेरिकन मेकअप से चमकती, पाकिस्तानी ख़ुलूस से दमकती हुई हमारी मेज़बान और दोस्त ने पूछा।

"बस अब और कुछ नहीं...मेरा ख़्याल है इतने खानों से एक भूखे हिंदुस्तानी का पेट भर जाएगा।"

सब हँसने लगे।

"यहाँ से क्लिफ़टन बहुत क़रीब है। ख़ाने के बाद आपको आइस्क्रीम खिलाने वहाँ ले जाएँगे।" एक मेहमान ख़ातून ने बड़े खुलूस से मेरे पास आकर कहा इस महफ़िल में हर मेहमान हमारा मेज़बान बना हुआ था।

"आप आइस्क्रीम का प्रोग्राम किसी और दिन पर रखें।" मैंने घबराकर कहा, "लेकिन ख़ाने के बाद पान ख़ाने के लिए तो आपको वहाँ जाना ही पड़ेगा।" एक मशहूर समीक्षक ने अपने पाइप में तम्बाकू को भरते हुए कहा।

यह पाकिस्तान के बड़े अहम अदीबों, शायरों और आलोचकों की महफ़िल थी। हर बात में बेहद नफ़ासत और सलीक़ा, ख़ुलूस भरा अंदाज़, पुरलुत्फ़। तमाम मेहमानों ने हमारी दावतों के दिन बाँट लिए। हमारी तफ़रीह का प्रोग्राम बना लिया गया।

इतना ख़ुलूस...कस्टम वाले तौलने बैठें, तो हरगिज़ साथ न ले जाने दें। शॉल में लिपटे, ऊनी टोप ओढ़े, एक धान पान से बुज़ुर्ग मेरे क़रीब आन बैठे!

"आप 'क्लिफ़टन' ज़रूर जाइए।" उन्होंने बिना परिचय के मुझसे कहा।

"वहाँ से दूर तक समंदर नज़र आता है। एक जगह तो ऐसी है कि नाक की सीध में इंडिया का साहिल है। रेत पर पाँव रखकर खड़े हो जाएँ तो उधर की मौजें पाँव छूने आ जाती हैं।"

अब मैं उनकी तरफ़ मुड़ गई।

"आप इंडिया से यहाँ कब आए थे?"

इस उम्र के बूढ़े लोग अपने ख़ूबसूरत दिन उधर छोड़ आए थे और अब बहती मौजों में उन्हें ढूँढ़ने साहिल के क़िनारे आ जाते हैं।

"अरे बीबी...जुग बीत गए। अब तो कुछ याद न रहा। वक़्त ने सारे फ़ासले धुँधला दिए हैं।"

वह आहिस्ता-आहिस्ता बोल रहे थे। बार-बार ख़ाँस रहे थे। नीचे की तरफ़ झुक जाते।

"हार्ट पेशेंट हैं हमारे फादर इन लॉ।" हमारी मेज़बान हुमा ने हमारे कान में सरगोशी की।

"जब सुना हैदराबाद से एक राइटर आई हैं तो बिस्तर से उठकर आ गए हैं। आपसे बातें करने के लिए।"

"आप हैदराबाद में रहते थे?"

"जी हाँ।"

"आपका मकान जाने कहाँ होगा?"

"नामपुली स्टेशन के आगे। आमबाग़े के सीधे हाथ पर नहारी कुलचे की दुकान के पास, हकीम चंद्र भान का दवाखाना था। अल्लाह ने उस हकीम के हाथों बड़ी शिफ़ा दी थी।"

"हाँ, हाँ, अभी वह दुकान है। मैं अक्सर हकीम साहब को देखती हूँ।"

"अच्छा...? आपने उन्हें देखा है। वह ज़िंदा हैं?"

वह मेरे और क़रीब सरक आए, "अगर आपको चंद्रभान मिले तो उसे मेरा हाल बताना। दिल के दौरे पड़ते हैं मेरे को, डॉक्टर की दवाओं से ठीक नहीं होते। हकीम साहब को बोलो मेरे लिए ख़मीरा गावज़बाँ जवाहर वाला भेज दे।

"आप जाइए न हैदराबाद, अपना इलाज भी करवा लेना।"

"नहीं, नहीं, या ऐसी बाताँ न करो बीबी।" उन्होंने अपने बेटे की तरफ़ देख आहिस्ता से कहा।

"आप लोग कभी इंडिया नहीं आते..." ख़ाने के दौरान मैंने रफ़ीक़ साहब से पूछा—

''हैदराबाद देखने का दिल चाहता है। अब्बाजान का वतन था मगर मैं फ़ौज में हूँ इसलिए इंडिया का वीज़ा हमें नहीं मिलता।''

''हम अब्बाजान से कहते हैं भूल जाइए हैदराबाद को।''

''पागल है मेरा बेटा।'' उन्होंने अपनी छड़ी पर ज़ोर देकर ग़ुस्से में कहा, ''मियाँ साहबज़ादे! मेरे पास अब अपने को भुला देने के सिवा याद करने के लिए कुछ नहीं रहा।''

सब चुप हो गए।

रफ़ीक़ साहब ने मुझे इशारा किया कि उनके अब्बा कुछ एबनॉर्मल से हैं।

''बड़ी लंबी-चौड़ी इनक्वायरी होती है हमारी।'' रफ़ीक़ ने अपने ख़ूबसूरत लहरियादार बाल झटककर कहा।

''एक बार पेरिस से आते हुए शॉपिंग के लिए मैं एक दिन देहली में ठहर गई तो रफ़ीक़ को बड़ी परेशानी हुई।''

''यहाँ आपके दोस्त रिश्तेदार होंगे?'' मैं फिर उनके पास जा बैठी, वह हँसने लगे।

''दोस्त बनाने, इश्क़ करने, दिल जलाने की उम्र मैं पीछे छोड़ आया हूँ। अब रफ़ीक़ का एक शहर से दूसरे शहर ट्रांसफ़र होता है तो हम एक नए कमरे में जाकर लेट जाते हैं। एयरकंडीशंस की वजह से बदलते मौसम का भी पता नहीं चलता हमें।''

''अब्बाजान! दस बज गए हैं अब आप सो जाइए।'' उनकी बहू ने मशविरा दिया। एक नौकर उन्हें उठाने आया तो उन्होंने उसका हाथ झटककर मुझसे पूछा,

''आप फिर कब आएँगी यहाँ? मेरे को आपसे कुछ बातें करना है।''

''दो तीन दिन बाद इस कालोनी में अपनी एक दोस्त से मिलने आऊँगी तो यहाँ भी आजाऊँगी।''

''आप अकेली कहीं मत जाइए। हम ख़ुद आपको ले जाएँगे।'' कराची के एक मशहूर आलोचक ने बड़े ख़ुलूस के साथ कहा।

''सुना है आज किसी ने लालूखेत की मार्केट में आग लगा दी है। अभी तक बाज़ार जल रहा है।''

''लोग चुटकी बजाते में आग लगा देते हैं।'' वह फिर ग़ुस्से में बिफर गए।

''यह आग कब लगती है। कैसे बुझती है कोई नहीं जानता।''

सब चुप हो गए!

''आपके अब्बाजान यक़ीकन बहुत अच्छे शेर कहते होंगे। अब आऊँगी तो आपसे शेर भी सुनूँगी।''

''नहीं-नहीं मैं शेर-वेर नहीं कहता। बकवास करता हूँ।'' वह बुरा मान गए।

एक हफ़्ते बाद हुमा रफ़ीक़ का फ़ोन आया।

''बहुत मसरूफ़ होगी आप, हमारे फ़ादर इन लॉ की तबीयत ख़राब है। मगर बार-बार इसरार कर रहे हैं कि आप उनसे मिलने कब आएँगी। फ़ोन करके पूछो...''

''आज...अभी आ रही हूँ'' मैंने बड़ी शर्मिंदगी के साथ कहा।

पोर्टिको में हुमा खड़ी थीं।

''माफ़ कीजिए। बेवक़्त आपको ज़हमत दी है। डॉक्टर ने उन्हें मुकम्मल आराम करने को कहा है, मगर आपको बुलाने की ज़िद कर रहे थे।''

कमरे में वह कंबल ओढ़े लेटे थे। तख़्त पर जानमाज़, तस्बीह, रहल पर क़ुरआन शरीफ़ रखा था। शेल्फ में उर्दू-फ़ारसी शायरों के दीवान थे। सिरहाने कुली क़ुतुबशाह का दीवान रखा था। दीवार पर चारमीनार के फोटो वाला एक पुराना कैलेंडर लगा था और सिरहाने की टेबिल पर बेशुमार दवाएँ रखी हुई थीं।

मैं जानती थी कि वह मुझसे सिर्फ़ हकीम चंद्रभान और नामपुली बाज़ार की बातें करना चाहते हैं। मुझे देखते ही वह ख़ुशी के मारे उठकर बैठ गए।

''मैं हकीम साहब से आप का हाल बताकर ख़मीरा गावज़बाँ ज़रूर भेज दूँगी।'' उनके सामने कुर्सी पर बैठते हुए मैंने कहा।

''नहीं बीबी, एक बार दवा आ गई तो क्या होगा?'' उन्होंने हाथ उठाकर मना किया।

''कुली क़ुतुबशाह बहुत अच्छा शायर था।''अब मैंने बात करने के लिए दूसरा विषय ढूँढा। वह सुनकर ख़ुश हुए।

''अच्छा! आपको पता है पुराना पुल क्यों बना था?''

''जी नहीं!''

''कुली क़ुतुबशाह जब शहज़ादा था तो सबसे छुपकर भागमति से मिलने रात को जाया करता था। एक बार बारिश हो रही थी। नदी पर चढ़ाव था। घोड़े से नदी में गिर गया। दूसरे दिन बादशाह ने हुक्म दिया कि नदी पर जल्दी से एक पुल बना दे।''

''वाह, दिलचस्प कहानी है।'' मैंने हँसकर कहा।

''यह पुराने लोगों की बाताँ हैं बीबी।'' उन्होंने किताब बंद करके कहा।

''जब बीच में नदी आ जाए तो पुल बनाकर जोड़ देते थे। अब ऐसे पुलों को तोड़ देते हैं।''

''मैं यहाँ आने से पहले हकीम चंद्रभान की दुकान पर गई थी।'' मैंने फिर उनकी दिलचस्पी का कोई मौज़ू ढूँढा।

''अभी दुकान पर आता है वह? बहुत बूढ़ा हो गया होगा।'' फिर कुछ सोचते हुए बोले, ''बहुत से लोगाँ थे वह...बहुत से बाताँ थे। याद करो तो उलझे धागों की

तरह पैरों पर लिपट जाती हैं...नवाब नफ़ासत जंग की ड्योढ़ी कहाँ है ?'' ताँगेवालों से बोलो, ड्योढ़ी जाना है तो वह यह नहीं पूछता था ड्योढ़ी कहाँ है ?''

''आपके दादा की ड्योढ़ी थी ?'' मैंने आहिस्ता से पूछा।

''हमारे दादा ? नहीं बीबी, हमारे दादा हज़रत तो मामूली पैरोकार थे। नफ़ासत जंग की जो नवासी थी चाँद पाशा...वह हमारी फुफ्फो की ननद की बेटी थी।''

अब मैं बड़ी दिलचस्पी के साथ उस बूढ़े के चेहरे पर मचलती हुई परछाइयाँ देखने लगी।

''बहुत ख़ूबसूरत थी वह बच्ची मगर बहुत शरीफ़ थी। हमारे घर आती तो कच्चे-पक्के सब अनार तोड़के फेंक देती थी। मेरे को बोलती नारियल के झाड़ पर चढ़कर नारियल तोड़कर लाओ।''

वह हँसना चाहते थे। मगर ख़ाँसी रोक देती थी...मैं गुमसुम बैठी रही।

''नवाबज़ादियों के नख़रे...जिस चीज़ को दिल चाहे वह ज़रूर मिल जाए। मैंने जब बी.ए. पास किया तो पुलिस एक्शन की मारा-मारी शुरू हो गई। हमारा पूरा ख़ानदान पाकिस्तान चला गया। बाबाजान बोले, ''चलो बेटा! बोरिया बिस्तरा सँभालो यहाँ से!'' मगर चाँद पाशा मेरे से बोले, ''तुम यहाँ से नहीं जाना...अब क्या सुनाऊँ आपको वह क़िस्सा ? हमारे बाबा नफ़ासत जंग के पास पैग़ाम लेकर गए। बोले घर दामाद बना लो आप मेरे बेटे को...''

मैं दम साधे बैठी थी।

''मगर काँ महबूब अली, काँ प्याज़ की डली...'' वह नहीं रो रहे थे मगर ऐसा लगा जैसे रो रहे हैं। मैं घबरा गई मगर यह नहीं पूछा...फिर क्या हुआ ?

''पूरा घर ख़ाली हो गया हमारा। सब पाकिस्तान चले गए। मैं घर में आया, कोई आवाज़ कोई याद...सारे घर में कुछ नहीं था। अपने क़दमों की आवाज़ भूत बनकर डरा रही थी। बस मैं तेज़ी से स्टेशन की तरफ़ भागा। रेल छूट रही थी। चलती रेल में चढ़ते वक़्त मेरा पाँव फिसल गया। मैं नीचे गिर रहा था। किसी ने ऊपर खींच लिया। बस...उस दिन से वहम हो गया है मेरे को। जैसे मैं नीचे फिसल रहा हूँ फिर कोई ऊपर खींच लेता है। आदमी किसी एक तरफ़ हो तो चैन पड़े न... ?''

सिसकी की आवाज़ सुनकर मैंने सर उठायां। उनका दुबला पतला बंगाली नौकर अपने आँसू पोंछ रहा था। पाकिस्तान में सफ़ाई करने वाली मासी और खाना बनाने वाले लड़के ज़्यादातर बंगाली होते हैं।

''साहब जी कहें तो हम दूसरे नाम से पासपोर्ट बनवाकर वीज़ा लगवा दें ?

हमारा साला यही काम करता है। दो हज़ार रुपये लगेंगे।'' बंगाली बाबू ने झुककर कान में कहा,

''वाह...यह तो बेहतरीन आइडिया है।'' मैंने ख़ुश होकर ताली बजाई।'' इस वीज़ा पर आप हैदराबाद आइए। ख़ूब तफ़रीह कीजिए, पुराने पुल से नफ़ासत जंग

की ड्योढ़ी जाइए। अब तो हैदराबाद की हर चीज़ बदल गई है। हर स्टेट्स के लोग आ गए हैं। आपको वहाँ कोई नहीं पहचानेगा।''

''मेरे को अब वहाँ कोई नहीं पहचानेगा?'' उन्होंने गर्दन झुका ली। हमारे दरमियान जाने कितने लम्हे धक-धक करके गुज़रते गए। अब मेरे पास उनसे कहने के लिए शायद कुछ नहीं रहा था। बड़ी देर के बाद शायद उन्हें मेरी मौजूदगी का अहसास हुआ।

''आप 'क्लिफ़टन' के बीच पर गए थे।''

''जी,'' मैं साफ़ झूठ बोल गई।

''अच्छा... ? तो ऊँची मौजों ने आपको शराबोर कर दिया होगा?'' वह अचानक ख़ुश हो गए।

''जी...जी...नहीं...वह बात यह हुई कि...कि...''

''मैं भी कई बार गया...मौजें आगे नहीं बढ़ीं...सूखी रेत पर खड़ा रहा मैं।''

दिल का दर्द कम करने वाली गोली उन्होंने ज़बान के नीचे दबा ली।

अतीत की नदी में कहानी खेने वाला

नय्यर मसऊद 'उर्दू फिक्शन' में अहम पसंदीदा नामों में से एक हैं जिन्हें 'सरस्वती सम्मान' से नवाज़ा गया है। मसऊद साहब के पास कहानी लिखने की एक पूरी रिवायत और विरासत है, जिसका जलवा उनकी कहानी *ताऊस चमन की मैना* में देखा जा सकता है। जिस पर उन्हें 2002 में उर्दू अकादमी का पुरस्कार मिला था। उनकी कुल 21 किताबें हैं जिनमें चार कहानी संग्रह हैं—*इत्र काफ़ूर* (1993), *ग़ंजीफ़ा* (2008), *ताऊस चमन की मैना* (1997) और *सिमिया* (1984)।

उनकी कहानियाँ हिंदी के अलावा फ्रेंच और फिनिश में भी अनुवाद हुई हैं।

इसके अलावा *मुनतख़िब मज़ामीन, मर्सियाख़्वानी का फ़न, काफ़्का के अफ़साने* (अनुवाद), *फ़ारसी की कहानियाँ* (अनुवाद) के नाम से छपे हैं।

लखनऊ के एक आला ख़ानदान में नय्यर मसऊद 1936 में पैदा हुए। नय्यर मसऊद ने फ़ारसी से एम.ए. इलाहाबाद यूनिवर्सिटी से किया है। उनकी कहानियों का विषय लखनऊ की गिरती तबाह होती समाजी हालत और उसमें पनपती ग़रीबों की ज़िंदगी का बयान, नय्यर मसऊद की कहानियों की जान है जो उनकी मौलिकता और प्रामाणिकता को एक चश्मदीद गवाह की तरह पेश करते हैं।

मसऊद साहब की कहानी *धूल बन* एक ऐसी कहानी है जो ज़ेहन के दरवाज़े खोलती है और जिज्ञासा जगाती हुई अंत तक अपने को पढ़वा ले जाती है। आपकी अनेक कहानियाँ हिंदी में आ चुकी हैं। यह कहानी चंद साल पहले पाकिस्तानी रिसाले में पहली बार छपी और हिन्दुस्तान में 'नई सदी' 2012 में दोबारा छपी। जहाँ से उसको हिंदी लिपि में लेखिका द्वारा किया गया। यह कहानी उनकी बेहद ख़ूबसूरत और बेजोड़ कहानियों में से एक है जिसमें आपको भटकना अच्छा लगता है और साथ ही ज़हनी तौर से इस कहानी को किसी पहेली की तरह हल करना भी लुत्फ़ देता है।

धूल बन

नय्यर मसऊद

सामने की झाड़ी में सरसराहट हुई और मेरे क़दम रुक गए। सरसराहट फिर हुई और मुझे यक़ीन हो गया कि झाड़ी में साँप है। साँप से पहले मैं बहुत डरता था और अब मुझे एक बार साँप काट चुका था। कोई ज़हरीला साँप था और मैं मरते-मरते बचा था। साँप का डसा हुआ आदमी किसी कीड़े से कितना डरने लगता है, इसका अंदाज़ा वही कर सकता है, जिसको एक बार ज़हरीला साँप काट लेता है। उसे हर जगह साँप-साँप नज़र आने लगते हैं। उस ख़ुश्क झाड़ी में मुझे भी साँप नज़र आने लगा। यह वीरान इलाक़ा एक दोराहा था। मैं जिस रास्ते पर चल रहा था वह हमवार और खुला-खुला सा था। और उस पर दोनों तरफ़ झाड़ियाँ थीं। मेरी संदेह भरी आँखों में हर झाड़ी में साँप नज़र आ रहे थे। मैंने दूसरे रास्ते को देखा। वह बिल्कुल उजाड़ और ऊबड़-खाबड़ था लेकिन उस पर झाड़ियाँ बहुत कम और छितरी-छितरी थीं। मैं उस रास्ते पर मुड़ गया और आगे बढ़ने लगा।

कुछ दूर फिर एक दोराहा पड़ा। एक रास्ते पर झाडियाँ और हरियाली थी। दूसरा उजाड़ था। इस तरह कई बार हुआ और हर बार मैं उजाड़ वाले रास्तों पर मुड़ता रहा। साफ़ मालूम हो रहा था कि हरियाली वाले रास्ते ही असल रास्ते हैं। जो किसी-न-किसी बस्ती या बस्तियों की तरफ़ जा रहे हैं। उजाड़ रास्ते भी तो किसी तरफ़ होंगे। साँप के काटने के बाद से कभी-कभी मैं अजीब तरह के वहम में मुब्तला हो जाता था। मुझे बताया गया था कि साँप डसों के ज़हन पर ऐसा असर हो जाता। इस मौक़े पर मुझे यह वहम हो गया कि यह वीरान रास्ते ही मुझे मेरी मंज़िल पर पहुँचाएँगे जो मालूम नहीं कहाँ हैं। इसीलिए मैं हरे भरे रास्तों से कतराता रहा। इन रास्तों पर अभी तक मुझे कोई आदमी नहीं मिला था। लेकिन अब एक रास्ते पर मुड़ने के बाद मुझे एक आदमी उसी उजाड़ रास्ते पर नज़र आया। धीरे-धीरे चल रहा था और साफ़ मालूम होता था कि बहुत थक गया है। आख़िर वह एक जगह ज़मीन पर बैठ गया। उसके क़रीब पहुँचकर मुझे भी थकान का अहसास हुआ और मैं उसी के पास बैठ गया। कंधे पर से अपना थैला उतारकर ज़मीन पर रखा और उसकी तरफ़ मुखातिब हुआ—

"कहाँ से आ रहे हो?"

उसने एक क़स्बे का नाम लिया।

मैंने पूछा, "वहाँ क्या करते हो?"

"भीख माँगता हूँ" उसने वही जवाब दिया जिसकी मैं उसका हुलिया देखकर उम्मीद कर रहा था।

"और रहते कहाँ हो?"

उसने अपने सामने एक उजाड़ रास्ते की तरफ़ इशारा किया। और थकी हुई आवाज़ में बोला, 'धूल बन में।'

'धूल बन में भीख नहीं मिलती?"

"मिलती है मगर आँधियों की फ़सल आ गई है न। आँधी आती है तो सारे में धूल जम जाती है।" उसने कहा और क्षितिज पर नज़रें जमा दीं।

"आँधी?" मैंने कहा।

"दिन भर चलती रहती है। सब घरों के अंदर बंद रहते हैं। शाम को आँधी थमती है तो सब लोग बाहर निकलकर सफाई-सुथराई करते हैं। फिर अपने कामों में लग जाते हैं। मैं सवेरे-सवेरे घर से निकल जाता हूँ। आँधी थमने के बाद रात को धूल बन वापस आता हूँ, लेकिन आज यहाँ भिखारियों की हड़ताल है इसलिए वापस धूल बन जा रहा हूँ।"

"मुझे उसके मसलों में दिलचस्पी नहीं थी कि धूल बन में रात में कौन भीख माँगता है और कौन भीख देता है।

उसने अपनी गुदड़ी सँभालना शुरू कर दी थी। मैंने पूछा—

"आँधी का रंग कैसा होता है?"

"मटियाली होती है" उसने एक बार फिर क्षितिज की तरफ़ देखा।

"आ रही है।"

वह उठकर खड़ा हुआ। मैंने चलते-चलते पूछा। "धूल बन में परदेसियों के रहने का भी कोई ठिकाना है?"

"बड़ा घर" उसने कहा, "गर धूल बन जा रहे हो तो बस चल दो।"

"तुम चलो, मैं आ रहा हूँ।"

"ज़ाहिर है उसे नहीं मालूम था कि आँधी मुझे अपनी तरफ़ खींचती है। बचपन से ही मैं आँधी में घर के अंदर नहीं टिक पाता था। बाहर निकलकर पूरी आँधी को अपने ऊपर से गुज़रने देता था। मेरे शहर में रंगीन आँधियाँ भी आती थीं। काली आँधी, जिससे सब लोग डरते थे, मुझे सबसे ज़्यादा पसंद थी। हर तरफ़ अँधेरा फैल जाता। मेरा ख़्याल है शुरू-शुरू में सियाह आसमान पर सितारे भी चमकते दिखाई देते थे। घर वाले मुझे बाहर जाने से रोकते थे, लेकिन मैं घर के अंदर नहीं टिक पाता था। मैं लाल और ज़र्द आँधी में भी बाहर निकल जाता और फ़िज़ा को सुर्ख़ और

ज़र्द होते देखता था। इस वक़्त ऐसा मालूम होता था कि सारी दुनिया में तेज़ रौशनियाँ फैल गई हैं। सिर्फ़ ज़र्द आँधी में मुझे कुछ डर लगता था। इसलिए कि एक दफ़ा मैंने उस आँधी के साथ कुछ इंसानी आवाज़ें भी सुनी थीं। शायद मेरा वहम हो।

अब मेरे इलाक़े में न काली आँधी आती है न लाल न ज़र्द। मामूली आँधियाँ कभी-कभी आती थीं और मैं उनमें भी बाहर निकल जाता था।

मेरे साथ वाला भिखारी मुझे दूर जाता दिखाई दिया। उसी वक़्त मुझे उसी रौशनी में आगे बढ़ते हुए दूर मिट्टी का रंग फैलता नज़र आया।

''मटियाली आँधी'' मैंने सोचा। आज तक मैंने मटियाली आँधी नहीं देखी थी। मैंने उसे अपने ऊपर आने दिया। ज़रा ही देर में मेरा पूरा बदन गर्द से अट गया। मालूम होता था कोई टोकरों में भर-भर मिट्टी मेरे ऊपर फेंक रहा है। अब हर तरफ़ मिट्टी उड़ती दिखाई दे रही थी। और रौशनी धुँधला गई थी। उसी रौशनी में आगे बढ़ते हुए मुझे कुछ ही दूर पर वह बस्ती मिल गई। मगर उससे पहले कई बार मेरा पैर किसी छोटे गड्ढे में आ गया और मैं गिरते-गिरते बचा। यह क़ुदरती गड्ढे नहीं, छोटी-छोटी क़ब्रें-सी खोदी गई थीं।

''क्या धूल नगर में बच्चों की कोई बीमारी फैली हुई है।'' मैंने अपने-आपसे सवाल किया।

उस वक़्त वहाँ सड़क पर कोई नहीं था और मैं उस बस्ती में अकेला घूम रहा था।

आँधी का सिलसिला पाँच दिन तक रहा और यह पाँचों दिन मैंने बस्ती में तन्हा टहलते हुए गुज़ारे।

रोज़ सवेरे गर्द उड़ाती आँधी शुरू हो जाती और पूरी बस्ती गर्द में डूबी रह जाती। कुछ देर बाद घरों के दरवाज़े खुलना शुरू होते। लोग बाँसों में बँधी बड़ी-बड़ी झाड़ुएँ लिए बाहर निकलते और गर्द का ढेर किनारे लगा देते। फिर गाड़ियाँ आतीं और गर्द के अंबार लादकर बस्ती के बाहर कहीं जातीं। और हवा उन्हें जाने कहाँ उड़ा ले जाती। रात होने से पहले पूरी बस्ती साफ़ हो जाती और सड़कों पर लोग चलना-फिरना शुरू कर देते। मैं उस वक़्त तक बस्ती से बाहर जा चुका था जहाँ एक बड़े से दरख़्त के नीचे मैंने अपना वक़्ती ठिकाना बना लिया था। वहाँ अपने लिबास को झटक-झटककर गर्द से साफ़ करता, अपने बदन और बालों से भी गर्द को दूर करता। फिर आदमी बनकर बस्ती में दाख़िल होता और ख़वाँचेवालों से कुछ ख़ाने-पीने की चीज़ें ख़रीदकर उसी दरख़्त के नीचे आ जाता। दूसरे दिन सवेरे से आँधी की सनसनाहट शुरू हो जाती। घरों के दरवाज़े बंद होने लगते और पूरी बस्ती मेरे इख़्तियार में हो जाती।

फ़िज़ा में फैली हुई धुंध के बावजूद उन सैरों में क़रीब-क़रीब पूरी बस्ती नज़र से ग़ुज़र गई। उसके ज़्यादातर मकान बहुत पुराने बने हुए नहीं मालूम होते

थे। बस्ती का रक़बा भी ज़्यादा नहीं था। उसके रहनेवालों के बारे में कुछ मालूम नहीं हो सका, इसलिए अभी तक मेरी मुलाक़ात उससे पहले दिन वाले भिखारी और दो-तीन दुकानदारों से हुई थे। बाक़ी बस्ती मेरे लिए अजनबी थी, जिस तरह मैं उसके लिए अजनबी था। मुझे मालूम नहीं था कि लोग धूल के दिनों में अपने-अपने मकान की खिड़कियों से महज़ वक़्त गुज़ारी के तौर पर सड़क को देखते रहते थे। वह मुझे इस हद तक जानते थे कि किसी दूसरी जगह का आदमी आँधी में बाहर चलता-फिरता है और रात बस्ती से बाहर वाले दरख़्त के नीचे गुज़ारता है।

रफ़्ता-रफ़्ता वहाँ वालों से मेरी जान-पहचान शुरू हुई। मेरा पहला जानकार वही बस्ती का भिखारी था! उससे अक्सर मेरी बातचीत होती थी और उसी से मैंने बस्ती के बाहर वाले दरख़्त का ज़िक्र सुना। उनसे मुझे बस्ती के बाहर विशेष रूप से इस दरख़्त के नीचे ठहरने से मना किया और बताया कि वह दरख़्त मनहूस है। उसने बग़ैर नाम लिए एक शख़्स का ज़िक्र किया जो इस दरख़्त से गिरकर...

मैंने उस शख़्स का नाम पूछा तो वह आह भरकर बोला, ''तुम्हें मालूम हो जाएगा।''

और एक बार फिर मुझसे बस्ती के बड़े मकान में रहने को कहा और यह भी बताया कि वहाँ ग़रीब लोग मुफ़्त रहते हैं। मैं ग़रीब नहीं था, इसलिए मैंने उस दरख़्त के नीचे अपना ठिकाना बना रखा था। लेकिन एक रात मुझे उस दरख़्त से डर लगने लगा, उसकी बलखाई शाख़ों पर साँपों का गुमान हो गया। उस रात मैंने ख़्वाब में देखा कि उस पर से दो साँप गिरे और मेरे क़रीब से रेंगते हुए कहीं ग़ायब हो गए। ख़्वाबों का मुझ पर कोई असर नहीं होता, लेकिन साँप मैंने पहली मरतबा ख़्वाब में देखे थे। मैंने डरते-डरते अपने आस-पास तलाश भी किया। ज़ाहिर है मुझे साँप नज़र नही आया। मगर हर साँप डसे की तरह यह ख़्याल मेरे संदेह भरे दिमाग़ में बैठ गया कि इस पेड़ पर ज़रूर साँप रहते हैं और मैं उनके चंगुल में हूँ।

दूसरे दिन मैंने अपना बस्ता पेड़ के नीचे से हटा लिया और किसी दूसरी बस्ती के बारे में वहाँ के लोगों से पूछना शुरू कर दिया। सबसे पहले पुराने मुलाक़ाती भिखारी को तलाश किया। वह जहाँ पर भीख माँगता था वहाँ नहीं मिला तो कुछ लोगों ने बताया कि बीमार है और दो-तीन दिन से बड़े मकान में पड़ा है। बड़े रक़बे की अच्छी पुख़्ता इमारत थी। छोटे-छोटे कमरे बहुत थे। एक कमरे में वह गूदड़ लपेटे पड़ा हुआ था। बड़े मकान के साफ़-सुथरे कमरे में वह बेजोड़ मालूम हो रहा था। मुझे देखकर उसने अपना गूदड़ सँभालकर उठने की कोशिश की लेकिन कामयाब नहीं हुआ। मैंने भी उसे लेटे रहने का इशारा किया और वह अपने गूदड़ पर क़रीब-क़रीब गिर गया। मैंने उससे दवा इलाज को पूछा तो बोला, ''डॉक्टर साहब तीसरे दिन आते हैं। कल आएँगे।''

उसके बाद उसने अपनी बीमारी की ग़ैर दिलचस्प बातें विस्तार से सुनानी शुरू कर दीं। मामूली बुखार था। दो-तीन दिन में ख़ुद ही उतर जाता। लेकिन वह उसे कोई बड़ी बीमारी समझ रहा था। तब उसे मेरा हालचाल पूछने का ख़्याल आया।

मैंने बताया कि अब दरख़्त के नीचे नहीं रहूँगा। ख़ैराती मकान में भी नहीं रहूँगा। फिर बताया, जिस बस्ती में तुम आँधी के ज़माने में जाते रहते हो, वहाँ रहने का ठिकाना मिल सकता है।

''वहाँ भीख मुश्किल से मिलती है। बेमुरव्वत लोग हैं। मैं तो पेट की ख़ातिर वहाँ जाता हूँ।'' उसने इतना कहा और बोला, ''आख़िर इस बड़े मकान में क्या बुराई है?''

''कोई बुराई नहीं है मगर मैं यहाँ रहना नहीं चाहता हूँ।'' कोई मुनासिब जवाब सोच रहा था कि कमरे के बाहर क़दमों की आहट सुनाई दी। फ़क़ीर ने फिर उठने की कोशिश करते हुए कहा, ''डॉक्टर साहब आज ही आ गए।''

इतने में एक डॉक्टर और उसके साथ एक और आदमी कमरे में दाख़िल हुए। साथ वाले ने कहा, ''कहो सरदार, इतने दिनों से बीमार पड़े हो और हमको ख़बर नहीं की।''

फ़क़ीर ने जवाब दिया, ''हुज़ूर, कल डॉक्टर साहब के आने का दिन...''

''तुम्हें मालूम नहीं कि जब यहाँ कोई बीमार पड़ता है तो डॉक्टर साहब अपनी बारी छोड़कर भी आ जाते हैं'' उसने डॉक्टर को इशारा किया। डॉक्टर ने मरीज़ का मुआयना करके अपने बैग से दो-तीन गोलियाँ निकालीं और उनके इस्तेमाल की तरकीब बताकर उठने को हुआ। लेकिन साथ वाला बैठ गया और इधर-उधर की बातें करने लगा। उसने डॉक्टर को कुछ इशारा किया। डॉक्टर उसे सलाम करके वापस चला गया। आदमी ने फ़क़ीर से कहा, ''भई सरदार, सुना है बस्ती में कोई बाहर का आदमी आया हुआ है।''

''बाहर के आदमी तो मुख़्तार साहब, बस्ती में आते ही रहते हैं।''

''नहीं, जो आँधी के वक़्त बस्ती में घूमता है।''

तब मैंने उस आदमी को ग़ौर से देखा। जिसको फ़क़ीर मुख़्तार साहब कह रहा था। अपने रख-रखाव और लिबास से कोई ख़ास आदमी मालूम होता था। फ़क़ीर ने मेरी तरफ़ इशारा किया और बोला, ''यही हैं।''

अब मुख़्तार साहब को पहली बार मेरी मौज़ूदगी का अहसास हुआ। मैंने सलाम किया। उसने बहुत क़ायदे से जवाब दिया, और फ़क़ीर ने मुझे बताया—

''मुख़्तार साहब यहाँ की जायदाद देखते हैं।''

''आप बड़े मकान में रहते हैं?'' उसने मुझसे पूछा।

''जी नहीं, बस्ती के बाहर रहता हूँ, और अब किसी और बस्ती की तरफ़ जाने की सोच रहा हूँ।''

"क्यों? बड़ा मकान पसंद नहीं आया?" यह आप ही लोगों के लिए बनाया गया है?"

"यह ग़रीबों और मोहताजों के लिए है, मेरा इस पर हक़ नहीं है।"

"क्यों? आप यहाँ की आँधी से घबरा गए?"

"आँधी से मैं नहीं घबराता। जब तक मेरे शहर में आँधियाँ आती थीं। मैं हर आँधी को बाहर निकल सीने पर लेता था। मुझे यह अच्छा मालूम होता था।"

"अजीब!" उसने मुझे दिलचस्पी से देखा।" आपके यहाँ आँधी के साथ गर्द नहीं आती थी?"

"शायद नहीं आती थी, मैंने ग़ौर नहीं किया। कम-से-कम यहाँ की मटियाली आँधी के मुक़ाबले में।"

"आपने आँधी को तमाशे की तरह देखा है।" उसने लंबी साँस ली, "हमको उससे लड़ना पड़ता है।"

"फिर आप लोगों ने इस बस्ती को रहने के लिए क्यों पसंद किया?"

"लंबा क़िस्सा है। कम-से-कम गर्द हटाने के बहाने पूरी बस्ती की सफ़ाई होती रहती है।"

मैंने ग़ौर किया। वाक़ई इस बस्ती से ज़्यादा साफ़-सुथरी बस्ती मैंने नहीं देखी थी!

वह उठ खड़ा हुआ। कुछ देर तक सरदार को देखता रहा। फिर बुरा-सा मुँह बनाकर बोला, "भई सरदार, तुम्हारे पास क़ायदे के कपड़े नहीं हैं? यह क्या गूदड़ लपेटे पड़े हो?"

"अच्छे कपड़े हैं मुख़्तार साहब! त्योहार, शादी-ब्याह में पहनता हूँ। गूदड़ न लपेटूँ तो कोई भीख भी नहीं देगा।"

"सच कहते हो" उसने जेब में हाथ डाला और कुछ रक़म निकाल सरदार के सिरहाने रख दी। फिर मुझसे बोला, "अच्छा, आज हमारी ख़ातिर बड़े मकान में रह लीजिए। फिर कल से कोई और इंतज़ाम कर लीजिएगा। दूसरी बस्ती में पहुँचते-पहुँचते आपको रात हो जाएगी। यहाँ रात को सफ़र करना ठीक नहीं, रास्ते में गड्ढे बहुत पड़ते हैं। उसने मुस्कुराकर सरदार को देखा, "बराबर वाला कमरा ख़ाली है उसमें आराम कीजिए। सरदार आपका दिल बहलाएगा। दिलचस्प आदमी है। मगर बातें बहुत करता है।"

सरदार हँसने लगा, "आप भी मुख़्तार साहब..."

लेकिन वह मुझे ख़ुदाहाफ़िज़ कहकर जा चुका था।

सरदार वाक़ई दिलचस्प आदमी था और वाक़ई बातें बहुत करता था। उस रात हम बहुत देर तक बातें करते रहे और उससे मुझको धूल बन के बारे में इतना मालूम हो गया, जितना शायद कई महीने में मालूम नहीं हो सकता था।

धूल बन उसने बताया कोई बस्ती न थी। बस ऊँची-नीची ज़मीन के बंजर के छोटे-बड़े टुकड़े थे जिन पर लंबी घनी झाड़ियाँ और कुछ दरख़्त थे, जिनको पानी की ज़रूरत नहीं होती थी। बड़े मालिक ने वह सारी ज़मीन ख़रीद ली और उस पर मकान वग़ैरह बनवाए। किनारे पर की ज़मीन को गहरा खुदवाकर वहाँ एक बड़ा तालाब बनवाया। पानी ज़मीन पर बहुत नीचे था, जिसके लिए कई गहरे कुएँ खुदवाए। बीच में आँधियाँ आती रहीं लेकिन बड़े मालिक ने उनकी परवाह नहीं की और आँधी की लाई हुई धूल को हटवाते रहे।

"लेकिन उन्होंने इस बस्ती...इस धूल बन को क्यों पसंद किया?"

"बस अपनी बस्ती बसाने का शौक़। मैंने बताया नहीं कि यह कोई बस्ती न थी। कोई इस ज़मीन का मालिक न था। सिर्फ़ कुछ बंजारे साल में यहाँ डेरे लगाते थे। बड़े मालिक ने सरकार से सारी ज़मीन ख़रीद ली। बंजारों के लिए पश्चिम की तरफ़ कुछ ज़मीन अलग कर दी, और यहाँ मकान दुकान बनाने में लग गए। लेकिन बड़े मालिक का बुलावा आ गया।"

उसने लंबी साँस ली और मौत के बारे में एक फ़लसफ़याना-सी तक़रीर शुरू कर दी। उसकी आवाज़ सुनते-सुनते मैं सो गया।

दरख़्त के नीचे की बेआराम ज़िंदगी के बाद मकान के उस कमरे में ऐसी अच्छी नींद आई कि सवेरे बहुत देर में आँख खुली। आँधी शुरू हो गई थी और बस्ती के दरवाज़े बंद हो गए थे। दरख़्त के नीचे देर में जागता तो भी आँधी में बाहर निकल सकता था। यहाँ मैं बड़े मकान में बंद होकर रह गया था। मुझे घुटन महसूस हो रही थी। मगर बिस्तर पर पड़ा सोता-जागता रहा। अपने ठिकाने पर जाने का ख़्याल नहीं आया। शाम को बाज़ार का एक चक्कर लगाया। दुकानदार मुझे पहचानने लगे थे। हम दोनों कुछ देर तक बातें करते रहे। वह भी मुझसे पूछ रहा था कि मैं आँधी में बाहर नहीं निकल सकता था। यहाँ मैं बड़े मकान में बंद होकर रह गया था। मुझे घुटन महसूस हो रही थी। मगर बिस्तर पर पड़ा सोता-जागता रहा। अपने ठिकाने पर जाने का ख़्याल नहीं आया। शाम को बाज़ार का एक चक्कर लगाया। दुकानदार मुझे पहचानने लगा था। हम दोनों कुछ देर तक बातें करते रहे। वह भी मुझसे पूछा रहा था कि मैं आँधी में बाहर क्यों घूमता हूँ?"

मैंने भी उसे वही जवाब दिया कि आँधी में बाहर निकलना मुझे अच्छा लगता है।

वह बोला, "मुख़्तार साहब भी पूछ रहे थे। उनसे छोटी मालकिन ने पूछा होगा।"

धूल बन की छोटी मालकिन का ज़िक्र उस दिन मैंने पहली बार सुना। सोचा, उससे कुछ और मालूम करूँ। फिर चुप रहना बेहतर मालूम हुआ और मैं उठकर खड़ा हुआ। अब सरदार की तबीयत ज़्यादा ख़राब हो गई थी और वह अपने गूदड़ में लिपटा हुआ पड़ा था। मैंने उसका हाल पूछा। वह ठीक से जवाब भी नहीं दे सका। उसे सर्दी बहुत लग रही थी। फिर भी मैं कुछ देर उसके पास बैठा रहा।

तबीयत आप-ही-आप उलझ रही थी। अपने ठिकाने पर जाने की तैयारी करते-करते जाने कब सो गया। दूसरे दिन फिर देर में उठा और फिर दिनभर बड़े मकान में बंद पड़ा रहा।

शाम को डॉक्टर फिर सरदार को देखने आया। मुख़्तार साहब उसके साथ थे। डॉक्टर के जाने के बाद भी वह बैठे रहे। दो-तीन बार उन्होंने भी सरदार की नब्ज़ देखी। फिर मुझसे पूछा, "कहिए, आपने क्या तय किया?" मैंने कुछ तय नहीं किया था लेकिन अब मुझे बड़े मकान में नहीं रहना था इसलिए मैंने यूँ ही कह दिया, "कल चला जाऊँगा। आज शायद अपने पुराने ठिकाने पर सो जाऊँ। कल दिन में कोई और बस्ती देखूँगा।"

"दिन में" उन्होंने पूछा, "और आँधी?"

"आँधी में बाहर निकलने का आदी हूँ। मैंने कहा और यह सोचकर शर्मिंदा हुआ कि आज का दिन भी फ़ुज़ूल गया। दरख़्त के नीचे रहता तो कोई और बस्ती ढूँढ लेता। मुख़्तार साहब को शायद मेरे ख़्याल का अंदाज़ा हो गया उन्होंने कहा, "आँधी में दिन में कोई काम नहीं हो सकता है" उन्होंने पहले दिन की कही बात दोहराई, "आपने आँधियों को तमाशे की तरह देखा है। "मेरा बचपन का ज़माना था। उस वक़्त तमाशा भी ज़रूरी काम मालूम होता था।" मैं बिना कारण बहस में उलझ रहा था। मैं सोच रहा था कि अचानक मुख़्तार साहब ने कहा, "हमें रंगीन आँधियों के बारे में कुछ बताएँ?"

मैंने सरसरी तौर पर बता दिया। मुख़्तार साहब सुनते रहे फिर बोले, "वाक़ई तमाशा मालूम पड़ता होगा, ख़ासकर बच्चों के लिए।"

"बच्चे कभी-कभी डर भी जाते थे। डर नहीं लगता था इसलिए घर से बाहर निकल जाता था।"

"अजीब!" मुख़्तार साहब ने वही कहा जो पहले कहा था फिर कहा, 'अजीब' थोड़ी देर बैठकर मुख़्तार साहब चले गए। मैं उनके जाने के बाद कुछ देर सरदार के पास बैठा रहा। उसको नींद आ रही थी। मैंने उससे बात नहीं की और अपने कमरे में आया। अपना सामान समेटा और बाहर निकला तो कुछ दूर पर मुख़्तार साहब नज़र आए। उनके साथ कोई ख़ुश लिबास औरत और कुछ मज़दूर क़िस्म के आदमी थे। मैं उन सबकी नज़र बचाकर आगे बढ़ा। थोड़ी दूर जाकर रुक गया और अपने ठिकाने वाले दरख़्त के नीचे जाने की हिम्मत बाँधने लगा। उसमें कुछ देर लगी। फिर आगे बढ़ने लगा। मगर अपनी पुश्त पर मुख़्तार साहब की आवाज़ सुनकर रुक गया। वह क़रीब ही खड़े कह रहे थे—

"साहब कहाँ चले?"

"आपको शायद बता चुका हूँ।"

"लेकिन रात को सफ़र करना..."

उस वक़्त एक मज़दूर ने पास आकर कहा, "मुख़्तार साहब! छोटी मालकिन ने आपको बुलाया है, कहा है, उनको भी लेते आइएगा।"

"उनको किनको?"

"वही जो आँधी में बाहर घूमते हैं।" मज़दूर ने कहा, फिर उसकी नज़र मुझ पर पड़ी "यही तो हैं।"

"अच्छा, तो चलो" मुख़्तार साहब ने कहा। फिर मुझसे बोले, "चलिए साहब, मलिका याद कर रही हैं...।"

"मलिका कौन?"

"धूल बन की मालकिन वही हैं। कभी-कभी बाहर से आनेवालों को अपने यहाँ बुलाती हैं।"

"लेकिन मुझे क्यों?"

"शायद आँधी के दिनों के बाहर निकलने की वजह से।"

"लेकिन आँधी के बीच बाहर निकलना कोई निराली बात नहीं है...

"नहीं है। लेकिन जब मैंने उन्हें बताया कि आप आँधी के वक़्त मकान के अंदर नहीं रह सकते...उनका ख़्याल है वह आपको जानती हैं कम-से-कम उनकी वालिदा जानती थीं। और शायद उनके मियाँ भी।"

"उनके मियाँ क्या अब नहीं हैं?"

"हैं लेकिन बेहोश रहते हैं?"

"क्यों?"

"आप वाले दरख़्त से गिर गए थे। सर के बल गिर थे। उसके बा़द से..."

"तो सरदार उन्हीं का ज़िक्र कर रहा था।" मैंने सोचा "लेकिन वह उस दरख़्त पर चढ़े ही क्यों थे?" इस अरसे में मैं भूल गया कि मैंने उनसे कुछ पूछा था। शायद वह इलाज के बारे में कोई रस्मी सवाल था। मुख़्तार साहब कह रहे थे।

"शहर के अस्पतालों में दिखाया गया। दो जगह भर्ती भी रहे। आमिलों झाड़-फूँकवालों, बंजारों से भी मदद ली गई, सब बेकार। अब हर वक़्त बेहोश रहते हैं। एक डॉक्टर रख लिया गया है। कभी-कभी कुछ देर को होश आता भी है तो होश की बातें नहीं करते हैं। एक तो उनके मुँह से बात निकलती ही नहीं, फिर आवाज़...अचानक रुक गई बोले, "लीजिए उनका मकान आ गया।"

मैंने अपने बाएँ हाथ पर बनी कोठी को देखा और देखता रह गया।

ऐसा मालूम हुआ कि मैं अपने लड़कपन के मकान को देख रहा हूँ जो कभी का ख़त्म हो चुका था। मैं उसे भुलाने में बड़ी मुद्दत के बाद कामयाब हुआ था। उस मकान की रोकार, बरामदे के दर और अंदर ड्योढ़ी बिल्कुल उसी मकान की-सी थी।

मुख़्तार साहब अंदर चले गए थे और मैं अपने इस मकान की एक-एक चीज़ को याद कर रहा था। उसके रहने वाले मेरे बुज़ुर्ग, उनकी सूरतें बल्कि आवाज़ें तक

मुझे याद आने लगीं। अपने यहाँ के मुलाज़िम, मेहमान और आए दिन के हंगामे, वह लोग जिनमें से अब कोई मौजूद न था। मैंने उन सबको भुला दिया था। लेकिन यह मेरी भूल थी। बचपन की दूसरी यादों की तरह यह यादें भी मेरे दिमाग़ में कहीं मौजूद थीं और वह एक-एक करके या एक साथ ताज़ा हो रही थीं।

यह सब-कुछ शायद चंद लम्हों के अंदर हो गया। मुख़्तार साहब को गए देर नहीं हुई थी और अब वह आपस आकर मुझे ग़ौर से देख रहे थे। मेरा ध्यान उनकी तरफ़ गया—

"आइए, वह बुला रही हैं" उन्होंने कहा और मैं उनके पीछे-पीछे मकान में दाख़िल हो गया।

मकान का यह मर्दाना हिस्सा था और वह मेरे मर्दाने से ख़ासा मुख़्तलिफ़ था। ज़नाने हिस्से को एक दरवाज़ा बाक़ी मकान से अलग करता था। उधर से औरतों की आवाज़ें आ रही थीं और एक बच्चा तेज़ आवाज़ में रो रहा था। मुख़्तार साहब ने उस दरवाज़े पर दस्तक दी और बुलंद आवाज़ से कहा, "बता दें, वह आ गए हैं।"

मैंने इतनी देर में मर्दाने हिस्से को देख लिया था। एक बड़ा कमरा था और उससे मिले दो छोटे कमरे। बड़े कमरे का दरवाज़ा बंद था। छोटे कमरों में दफ़्तरी सामान ढेर की शक्ल में बिखरा पड़ा था। किताबें भी बहुत-सी थीं, ज़्यादातर दरख़्तों के बारे में थीं। दरवाज़े खुले हुए थे। मुख़्तार साहब ने मुझे इन्हीं में से एक कमरे में बिठा दिया।

कुछ देर बाद मलिका कमरे में दाख़िल हुईं। मैं उसे कोई पुख़्ता उम्र की औरत समझ रहा था। वह जवान थी और उम्र में मुझसे बहुत छोटी थी। मैं समझ रहा था कि उससे बात करने में मुझे कुछ संकोच होगा। लेकिन उम्रों के फ़र्क़ ने उस झिझक को बाक़ी नहीं रहने दिया। फिर भी कुछ देर तक मैं उससे बहुत सँभलकर बातचीत करता रहा। उसने मुझसे कुछ रस्मी सवाल पूछे। आपको यहाँ कोई तकलीफ़ तो नहीं है, यहाँ का रास्ता आपको किस तरह मालूम हुआ, वग़ैरह। मैंने सरसरी तौर पर सरदार से मुलाक़ात का हाल बताया, फिर ख़ामोश हो गया। मलिका ने मुख़्तार साहब से पूछा, "आपने इन्हें सब बता दिया है?"

"सब नहीं, यह बात करने का मौक़ा ही नहीं दे रहे हैं!"

"आप बात कर लीजिए" मलिका ने कहा फिर उठते हुए मुझसे पूछा, "आप ख़ाने में क्या पसंद करते हैं?"

"मैं जिस तरह की ज़िंदगी गुज़ार रहा हूँ।" मैंने जवाब दिया। "उसमें पसंद-न-पसंद का सवाल नहीं होता, जो भी जहाँ भी मिल जाए।" मैंने उसे बैठने का इशारा करते हुए कहा। "और इस वक़्त खाना खा चुका हूँ आप मेरे लिए तकलीफ़ न कीजिए।" मलिका बैठ गई। कुछ देर ख़ामोशी रही। फिर मैंने सवाल किया जो मुझे परेशान कर रहा था। "आपका मकान बहुत अच्छा बना है। किसने बनाया है?"

"यह हमारी अम्मी ने बनवाया है। शादी से पहले वह जिस मकान में आया करती थीं वह उन्हें बहुत अच्छा लगता था। यहाँ धूल बन में जब अब्बू उनके लिए मकान बनवा रहे थे तो अम्मी ने उनसे वैसा ही मकान बनवाने की फ़रमाइश की, उसका नक़्शा जैसा उन्हें याद था, बनाकर दिखाया..."

अचानक वह मुझे याद आ गई और मैंने मलिका की बात पूरी होने से पहले ही पूछ लिया, "माफ़ कीजिए आपकी वालिदा का नाम ज़ीनत बेगम तो नहीं था?"

"आपको क्यों कर मालूम हुआ?"

"वह अक्सर हमारे यहाँ आकर मेहमान रहा करती थीं।"

मलिका ने मुख़्तार साहब की तरफ़ देखा और वह बोले, 'अजीब!'

मलिका ने मुझसे पूछा, "यह कब की बात है?"

"ज़माने का ठीक ख़्याल नहीं, लेकिन उस वक़्त मैं लड़का-सा था।"

"तो वह आपको याद क्यों कर रह गई?"

"वह मेरा आँधी में घूमना बड़े शौक़ से देखती थीं। बाक़ी घर के लोग तो मुझे रोकते थे, डराते भी थे। लेकिन मैं आँधी के आसार नज़र आते ही दौड़कर उन्हें बता देता था और वह किसी खिड़की में आकर खड़ी हो जाती थीं। उस वक़्त हमारे शहर में रंगीन आँधियाँ आया करती थीं। इन्हें भी शायद यह आँधियाँ अच्छी लगती थीं।" ज़ीनत बेगम शांत स्वभाव और अपनी बेटी की तरह ही छरहरे बदन की थीं। वह मेरी वालिदा को किसी सफ़र में ट्रेन में मिली थीं। मेरी वालिदा में कुछ ऐसी बात थी कि ख़ानदान भर के लोग और बाहर वाले अपने दुःख-दर्द उनके सामने खुलकर बयान करते थे। और उनके दिलासा देने से तसल्ली पा जाते थे। ज़ीनत बेगम की ज़िंदगी में भी कुछ परेशानियाँ थीं। वह जब हमारे यहाँ आतीं तो देर तक हमारी अम्माँ से अकेले में बातें करतीं और कभी-कभी रोती थीं। अम्माँ उन्हें समझाती-बुझाती थीं। वह मुतमईन होकर वापस जाती थीं कि कुछ दिन तक उनके ख़त आते रहते थे, जिनमें वह मुझको ज़रूर पूछती थीं और रंगीन आँधियों से मेरी दिलचस्पी का भी ज़िक्र करती थीं।

मुझे वह दिन एक-एक करके याद आ रहे थे और मैं उनमें गुम होकर भूल चला था कि इस वक़्त कहाँ बैठा हूँ। इतने में मलिका ने मुझसे पूछा, "वह आपके यहाँ कब तक आती रहीं?"

"मेरा लड़कपन ही था।"

"यह सब मेरे पैदा होने से पहले की बातें हैं।" मलिका ने अपने-आपसे कहा फिर उठते-उठते मुख़्तार साहब से बोलीं, "यह अपने ही आदमी हैं। आप इन्हें सब बता दीजिए।" और वह उठकर अंदर चली गईं। मुख़्तार साहब कुछ देर तक चुप बैठे रहे, फिर कहने लगे, "समझ में नहीं आता कहाँ से शुरू करूँ और क्या-क्या बताऊँ?"

"आपको जो कुछ याद आ जाए, बेतकल्लुफ़ बताइए।" मैंने कहा, "ज़रूरत होगी तो बीच में कुछ पूछ लूँगा।" और मुख़्तार साहब ने बताना शुरू किया—

"ज़ीनत बेगम मेरी बड़ी बहन थीं। उनकी शादी कम उम्र में हो गई थी। मियाँ रईसज़ादा जो तवायफ़ों का शौक़ीन था। बीवी से ज़्यादा मतलब नहीं रखता था। दो साल तक ज़ीनत बेगम उसको लेकर बेहद परेशान थीं। उसको सुधारने की कोशिश की मगर वह नहीं सुधरा और आख़िर एक तवायफ़ के कोठे पर ही मर गया। फिर उसके पास काफ़ी दौलत बच गई थी इसलिए ज़ीनत बेगम को पैसे की तंगी नहीं हुई। बस तन्हाई से घबराती थीं और कभी-कभी किसी दूसरे शहर में निकल जाती थीं। उसी ज़माने में रेल के एक सफ़र में आपकी वालिदा से उनकी मुलाक़ात हो गई। वह ज़ीनत बेगम को बहुत पसंद करती थीं। और अक्सर उन्हें अपने यहाँ बुला लेती थीं। मैं उस ज़माने में बेरोज़गार था। उम्र भी कम थी। ज़ीनत बेगम मुझे अपने साथ रखती थीं। आपकी वालिदा उनसे दूसरी शादी के लिए इसरार किया करती थीं। आख़िर वह राज़ी हो गईं। आपकी वालिदा ने उनके लिए बहुत सोच-समझकर बड़े साहब को पसंद किया था। उनकी भी एक शादी हो चुकी थी। उम्र भी कुछ ज़्यादा थी। मगर आपकी वालिदा को यक़ीन था कि वह ज़ीनत बेगम की बड़ी क़द्र करेंगे और वाक़ई..."

"आगे बताइए।"

"वह बहुत क़ाबिल आदमी थे। उनको मालूम नहीं क्या-क्या आता था। दौलतमंद भी थे। शहर में उनकी कई बड़ी कोठियाँ और दूसरी जायदाद थी लेकिन आपकी अम्मा उनकी शादी में शामिल न हो सकीं। इससे कुछ दिन पहले आपके मकान की घटना..."

"मुझे मालूम है" मैंने उनकी बात काट दी, "आप आगे सुनाइए।"

"मैंने कहा कि बड़े साहब को मालूम नहीं क्या-क्या आता था, लेकिन उनकी असली दिलचस्पी तामीरी कामों और दरख़्तों में थी। इसलिए उन्होंने धूल बन की यह उजाड़ ज़मीन ख़रीदी और इसके लिए मालूम नहीं कहाँ-कहाँ से दरख़्तों के गमले लाकर रखे और यहाँ कई मकान बनवाए जिनमें ग़रीबों के लिए बड़ा मकान सबसे शानदार था। इसके अलावा..." वह फिर रुके, फिर बोले, "उनके छोटे भाई, बाप की ज़िंदगी ही में मर गए थे और फिर माँ भी ख़त्म हो गई और उन्होंने अपने यतीम भतीजे को पाला था, मेरा मतलब है छोटे साहब को और ज़ीनत बेगम से शादी के वक़्त उन्होंने इनसे इजाज़त ले ली थी कि छोटे साहब को भी अपने साथ रखेंगे। उस वक़्त छोटे साहब कोई बारह बरस के थे और शहर के किसी स्कूल में पढ़ते थे। ज़ीनत बेगम के यहाँ भी शादी के दूसरे साल मलिका पैदा हुईं, और छह साल की हो गईं। वह भी बाहर के स्कूल में दाख़िल कर दी गईं। लेकिन ज़ीनत बेगम उसकी जुदाई सहन नहीं कर पाईं। इसलिए बड़े साहब ने दूसरे साल ही उसे स्कूल से उठा

लिया और यहीं धूल बन में उसे अपनी निगरानी में तीन मास्टरों से पढ़वाते रहे। वह छोटे साहब से बहुत अंतरंग हो गई थी, इसलिए बड़े साहब ने उसकी पढ़ाई का इंतज़ाम भी धूल बन में ही किया।

"आगे सुनाइए।" मैंने उन्हें फिर टोक दिया। किसी की बात सुनने का यह सभ्य तरीक़ा था। लेकिन उस वक़्त मुझको यह सारी तफ़सील ग़ैर दिलचस्प मालूम हो रही थी। मुख़्तार साहब को भी मेरी उकताहट का अंदाज़ा हो गया और वह रुककर कुछ सोचने लगे। मुझे उन पर तरस आने लगा, मैंने कहा, "अपना हाल बताइए।"

"ज़ीनत बेगम ने उनके साथ शादी की एक शर्त रखी कि वह अपने भाई को भी अपने साथ रखेगी।" बड़े साहब को उनकी हर शर्त मंजूर थी। इस तरह से मैं भी यहाँ आ गया और बड़े साहब मुझे भी उसी तरह चाहने लगे जैसे अपने भतीजे को, एक दिन बोले, "भई मुख़्तार, तुम्हारा तो नाम ही मुख़्तार है, हम तुम्हें धूल बन की जायदाद का मुख़्तार बनाते हैं।"

"दिलचस्प आदमी थे बड़े साहब" मैंने कहा।

"लाजवाब आदमी थे। धूल बन को बसाने के लिए उन्होंने शहर से आदमी छाँट-छाँटकर उनको मकान दिए, जिनकी इतनी हैसियत भी न थी उनके लिए बड़ा मकान था। पहले ही खेप में वह सरदार को भी पकड़ लाए। कहते थे हर बस्ती में एक-आध फ़क़ीर होना ज़रूरी है।"

"मुझे तो ज़्यादातर लोग बहुत ग़रीब नज़र आए।"

"इसलिए कि वह वाक़ई ग़रीब हैं। अक्सर उनमें से कारीगर और मिस्त्री क़िस्म के लोग हैं, जिनका काम शहर में नहीं चलता था। सरदार भी एक दरगाह के सामने बैठा मक्खियाँ मारा करता था। यहाँ उसका काम भी चल निकला। वह धूल बन का सबसे पुराना बाशिंदा है और धूल बन के बारे में बहुत-बहुत जानता है।"

"बड़े साहब उससे बेतकल्लुफ़ थे?"

"वह हर एक से बेतुकल्लफ़ हो जाया करते थे और हँसी की बात पर इतना ज़बर्दस्त क़हक़हा लगाते थे कि दरख़्तों पर से चिड़ियाँ उड़ जाती थीं।" दरख़्तों के ज़िक्र पर मुझे याद आया।

"मुख़्तार साहब धूल बन के आस-पास कोई दरख़्त..."

"बहुत थे। सब कटवा दिए बड़े साहब ने। बस, वह आप वाला दरख़्त नाप के लिए छुड़वा दिया।" वह कुछ और बताने जा रहे थे, लेकिन रुक गए और मुझे सलाम करके चले गए।

उस रात मैंने अपने दरख़्त को ग़ौर से देखा। उसमें कोई ख़ास बात थी जो मेरी समझ में नहीं आ रही थी और मैं दरख़्त को देखते हुए सो गया। सवेरे उठकर मैंने फिर उसको ग़ौर से देखा। उसकी शाख़ाएँ बहुत घनी और बेतरतीब-सी थीं लेकिन उसकी हर शाख़ चार में से किसी एक तरफ़ इशारा करती थी। बेसिम्त शाख़ उस

दरख़्त में कोई न थी। अब मुझको वह दरख़्त बहुत मनोरम और हज़ारों दरख़्तों में सबसे अलग मालूम होने लगा। कम-से-कम मुझे यह यक़ीन था कि मैं उसे हज़ारों दरख़्तों के बीच पहचान लूँगा।

दूसरे दिन आँधी ख़त्म हो गई, धूल बन का कारोबार शुरू हो गया। एक दिन सरदार भी मिला और मैंने क़रीब-क़रीब सारा दिन उससे बातें करने में गुज़ार दिया। उसने मुझे बताया कि बंजारों की टोली वापस अपने पड़ाव पर आ गई है। उसने बंजारों के चौधरी का नाम भी लिया, "चौधरी बल्लम बूढ़ा हो गया है मगर अभी भी टाँठा है।"

"बल्लम! क्या अतीत के सारे भूत यही धूल बन में जमा हो रहे हैं? मैंने बदमज़गी के साथ सोचा। जब मैं शुरू में घर से निकला था तो कुछ दिन बल्लम की टोली भी रहा था। अच्छे लोग थे। सरदार के पास से उठकर मैं बंजारों के पड़ाव पर पहुँचा। चौधरी बल्लम ने मुझे फ़ौरन पहचान लिया!

रात हम बहुत देर तक बातें करते रहे। मैं ज़्यादातर उसके गर्दिशों के बारे में पूछता रहा। उसने बताया कि बड़े साहब के लिए बहुत से दरख़्त उसी की टोली ने ढूँढ निकाले थे।

"चौधरी यह बताओ।" मैंने पूछा, "वह दरख़्त छोड़ दिया गया है..."

"हमें इसका नाम नहीं मालूम। बड़े साहब कहीं से लाए थे या शायद पहले से लगा हुआ था। बड़े साहब उसकी टहनी भी किसी को तोड़ने नहीं देते थे।"

रात ज़्यादा हो गई थी। मैं पड़ाव पर सो गया। सुबह मुख़्तार साहब की आवाज़ से मेरी आँखें खुलीं तो वह बल्लम से पूछ रहे थे कि उससे मेरी जान-पहचान किस तरह हुई। मुझे जागते देखकर वह मेरी तरफ़ मुड़े।

"हम आपको दरख़्त के नीचे ढूँढ रहे थे। आज आपको मलिका से मिलना है।"

"किस वक़्त?"

"थोड़ी देर में ही मिल लीजिए तो अच्छा है। मलिका आपको अपनी कहानी सुनाएगी। जिस तरह ज़ीनत बेगम आपकी वालिदा को सुनाती थीं। कह रही थीं कि आपसे बातें करके उनका दिल हलका हो जाएगा।"

थोड़ी देर बाद मलिका से मिला। आज वह बहुत अच्छा लिबास पहने थी। और उदासी का अंदाज़ जो उस पर छाया रहता था, आज नहीं था। मामूली गुफ़्तगू के बाद उसने बताना शुरू किया।

"अब्बू अम्मी के दीवाने थे। अम्मी ने आँधियों की शिकायत की तो वह आँधियों को रोकने की तदबीरों में लग गए। मालूम नहीं कौन-कौन से दरख़्त जमा करके गमलों में लगा लिए और उनकी बड़ी देखभाल करते थे। गमलों के पौधे कई बरस पुराने थे। अब्बू ने बताया कि जब ये गमले ज़मीन पर लगाए जाएँगे तो एक-दो बरस में छतनार दरख़्त हो जाएँगे। एक दिन वह और छोटे साहब बहुत ख़ुश-ख़ुश

अम्मी के पास आए। कुछ दरख़्त जो इन्हें नहीं मिल रहे थे, अब बंजारों की मदद से मिल गए थे! दरख़्तों का सिलसिला बहुत दूर से शुरू होता और हर दरख़्त आँधी की गर्द के लिए छलनी का काम करता, और आख़िरी दरख़्त तक आते-आते गर्द ग़ायब हो जाती, सिर्फ़ हवा रह जाती, वह भी बहुत तेज़ नहीं। ऐसा उनका कहना था।

उस दिन आँधी दो दिन पहले शुरू हो गई थी। अब्बू उसी आँधी में छोटे साहब के साथ बाहर निकल गए और आप वाले दरख़्त से नाप-नापकर दूसरे दरख़्तों की जगह पर निशान बना रहे थे। अचानक उनके गुर्दे में, शायद गुर्दे ही में, ऐसा शदीद दर्द उठा कि वह वहीं-के-वहीं ख़त्म हो गए।

इसके बाद वह कुछ देर चुप रही। मैं भी चुप रहा। फिर उसने कहा, ''अम्मी इसके बाद ख़ामोश रहने लगीं। बातें बहुत कम करती थीं। लेकिन एक रात छोटे साहब ने ख़्वाब में ज़र्द आँधी देखी। सवेरे उठे तो दशहतज़दा थे। उस दिन मालूम हुआ कि वह ज़र्द आँधी, बल्कि रंगीन आँधी में घूमने के कई क़िस्से सुनाए और छोटे साहब का ख़ौफ़ जाता रहा। बल्कि वह आपका ज़िक्र इस तरह करने लगे जैसे उनसे आपकी पुरानी मुलाक़ात हो।''

''छोटे साहब का ख़ौफ़ दूर करने में अम्मी ने आपके यहाँ अपनी दावतों को इस तरह और इतनी देर तक याद किया कि बीमार हो गईं और कुछ दिनों बाद सोते-सोते में ख़ामोशी के साथ गुज़र गई। अगर मुख़्तार मामू न होते तो मालूम नहीं क्या होता।''

''कैसी बातें करती हो?'' मुझे मुख़्तार साहब की आवाज़ सुनाई दी। वह जाने किस वक़्त आकर बैठ गए थे। ''क्यों यह सब सोचती हो?''

''छोटे साहब के लिए अब्बू के बाद अम्मी का सदमा बहुत बड़ा था लेकिन उन्होंने ख़ुद को सँभाल लिया और दरख़्तों के काम में लग गए। मलिका ने कहा, ''लेकिन...'' उसकी आवाज़ रुक गई। ''मुख़्तार मामू आप बता दीजिए।''

''बार-बार पूछकर कुढ़ने से क्या फ़ायदा बेटी!'' मुख़्तार साहब ने ख़ानदान के बुज़ुर्ग की तरह कहा, ''कितनी बार तो सुन चुकी हो। इन्हें मालूम है कि छोटे साहब दरख़्त से गिरकर...''

''एक बार फिर बताइए। आपकी ज़बान से सुनने को जी चाहता है।''

''बताता हूँ लेकिन रोने न लगना, तुम्हारी सेहत को नुक़सान पहुँचाएगा।''

''अब कहाँ रोती हूँ।''

''ज़ब्त करती हो, वह और भी नुक़सान करता है।'' मुख़्तार साहब ने बताना शुरू किया, ''ख़ैर, तो छोटे साहब ने फिर बड़े साहब का छोड़ा काम शुरू कर दिया। सबसे पहले गड्ढे ठीक कराये जो बड़े साहब के बाद भर चले थे। फिर आपके दरख़्त की शाख़ों...''

''यह आप लोग उसे मेरा दरख़्त क्यों कहने लगे हैं?'' मैंने ज़रा उलझकर उनकी बात काटी।

"आप उसके नीचे रहते हैं न" मलिका ने कहा, "उसके नीचे कोई और नहीं रहता। फिर उसका नाम भी किसी को नहीं मालूम।" मुख़्तार साहब बोले, "छोटे साहब ने फिर उसकी शाख़ों की सीध ले-लेकर सब दरख़्तों की जगहें तय कीं। उस वक़्त वह बहुत ख़ुश थे और एक बार फिर पूरे मंज़र का जायज़ा लेने के लिए दरख़्त के ऊपर चढ़ गए। सबने उन्हें गिरते देख लिया लेकिन मुझे पता नहीं चला कि वह सर के बल गिरे हैं, फिर वह बहुत ऊँचाई से नीचे नहीं गिरे थे। उनके मुँह से निकला 'मलिका' और वह हँसते हुए उठकर खड़े हो गए। मैं एहतियातन उन्हें पकड़कर ला रहा था कि अचानक वह गिर गए। कानों से ख़ून भी बहने लगा और वे बिल्कुल बेहोश से हो गए। फ़ौरन शहर के अस्पताल में पहुँचा दिए गए। उसके बाद से जो इलाज हुए आपको पता है!"

कुछ देर बाद बल्लम मलिका को सलाम करने आया। बातों-बातों में मलिका ने उससे पूछा, "छोटे साहब को नहीं देखोगे?"

"इसलिए तो हम आए हैं।"

मलिका ने मुझसे कहा, "आप भी उन्हें देख लीजिए। हमने रात उन्हें ख़्वाब में देखा था। ख़्याल हुआ कि आज शायद उन्हें होश आए।

"ख़्वाबों का भरोसा नहीं" मैंने सोचा और बल्लम, मुख़्तार साहब और मलिका के साथ बड़े कमरे में दाख़िल हुआ। और वहाँ मैंने उस शख़्स को देखा जो मुझको अपना दोस्त कहता था और उसे जैसे मैं आज पहली बार देख रहा था।

वह गहरी नींद में सो रहा था। कोई नहीं कह सकता था कि उसके दिमाग़ में क्या है और कुछ है भी या नहीं। मैंने उसको सीने पर हाथ रखकर धीरे से पुकारा "छोटे साहब"! फिर उसके नथुनों पर हाथ रखा, उसके पपोटों को आहिस्ता से खोला और बंद किया, उसके कान की लवों को देखा। मैं किसी माहिर डॉक्टर की तरह मरीज़ का निरीक्षण कर रहा था, लेकिन उससे मेरा मक़सद कुछ मालूम करना नहीं था। मुझे मालूम हो भी नहीं सकता था, लेकिन सब लोग मुझे इतनी उम्मीद भरी नज़रों से देख रहे थे कि मुझे अपना अनाड़ीपन ज़ाहिर करना बेरहमी की बात मालूम हो रही थी। मुआयने के दरमियान मैंने उसे बार-बार पुकारा। हर पुकार पर बस थोड़ा आगे झुककर, कभी छोटे साहब को कभी मुझे देखने लगते थे। लेकिन छोटे साहब जैसे थे वैसे ही रहे। मुझे वहाँ एक अजनबी शख़्स भी नज़र आया। वह दरवाज़े से लगा खड़ा था। मैंने उसे दोबारा ग़ौर से देखा। सरदार था। इस वक़्त सलीक़े से साफ़-सुथरे कपड़े पहने छोटे साहब को देखने आया था। उसने किसी से बात नहीं की और ख़ामोशी के साथ गर्दन झुकाए पलट गया। मैंने मुआयना ख़त्म किया और मुख़्तार साहब से पूछा, "कभी कुछ बोले भी हैं?"

"वही एक पुकार 'मलिका' जो उनके होंठों पर दरख़्त से गिरते वक़्त थी।"

"मैं उस पुकार का मतलब समझती हूँ" मलिका बोलीं, "कहते हैं इस दरख़्त को रहने देना।" फिर मुझसे पूछा, "आपने इनको देख लिया ? यह ठीक हो जाएँगे ?"

"मुझसे पूछ रही हो मलिका ?" मैंने दिल-ही-दिल में कहा। मुझे अपनी वह अज़ीज़ा याद आ गई थीं जो झूले पर से गिरकर बेहोश हो गई थीं, फिर बीस-पच्चीस साल तक होश में नहीं आई थीं। उनके दाढ़ी-मूँछें निकर्ल आईं थीं और चेहरा भयानक हो गया था। मैंने उनका सिर्फ़ ज़िक्र सुना था। इसमें बहुत कुछ अतिशयोक्ति हो। मैंने उनका ख़्याल ज़हन से निकाल दिया और मलिका को जवाब दिया—

"ठीक भी हो सकते हैं, बज़ाहिर इन्हें कोई मर्ज़ नहीं है।"

फिर अचानक मेरा दिल धूल बन से उचाट हो गया। सोचने लगा यहाँ क्यों पड़ा रहूँ। दुनिया मुझे वैसी ही मालूम होने लगी, जैसी अपना घर छोड़ते वक़्त मालूम हुई थी। अभी ख़ासा दिन बाक़ी था, मैंने दरख़्त के नीचे जाकर अपना सामान इकट्ठा किया। आख़िरी बार उस दरख़्त को देखा। मलिका, मुख़्तार साहब, सरदार, चौधरी किसी से भी विदा न ली। बस्ती के बाहर छोटे-छोटे गड्ढों से बचता हुआ दूर निकल आया और किसी नई शहरी आबादी की तलाश में चल पड़ा।

इंसानी ख़ुशबुओं को कहानियों की पिटारी में क़ैद करने वाली

सुग़रा मैहदी का जन्म 18 अगस्त, 1938 में भोपाल के पास कस्बा बाड़ी में हुआ। उनके वालिद सैयद अली मैहदी पुलिस विभाग में थे। उनकी वालिदा सैयदा सियादत फ़ातिमा का ताल्लुक़ उत्तरप्रदेश से था। सुग़रा मैहदी की मुमानी सालेहा आबिद हुसैन न सिर्फ़ अलताफ़ हुसैन हाली जैसे मशहूर उर्दू कवि की नवासी की बेटी थीं बल्कि ख़ुद भी एक महत्त्वपूर्ण उपन्यासकार थीं। ख़्वाजा अहमद अब्बास भी इसी अदबी ख़ानदान के रौशन-चिराग़ थे।

सुग़रा मैहदी अलीगढ़ से तालीम हासिल करने के बाद दिल्ली में मुमानी के पास आईं और आला तालीम के बाद जामिया मिल्लिया इस्लामिया में उर्दू विभाग में अध्यापन शुरू किया और साथ ही शोधकार्य, कहानी उपन्यास और समाज व अदब में अपना हुनर दिखाने लगीं। उन्होंने अनुवाद के साथ बच्चों के लिए लिखा और रेडियो टी.वी. पर भी महत्त्वपूर्ण योगदान दिया। आलोचना में उनका योगदान महत्त्वपूर्ण है। कवि अकबर इलाहाबादी पर अपने पी-एच.डी. की डिग्री ली।

उनका पहला कहानी संग्रह *पत्थर का शहज़ादा* (1975), *जो मेरे वह राजा के नहीं* (1987), *पहचान* (1955), *गुलाबों वाला बाग़* हिंदी में (1999), *पेशगोई* (2005); उनके उपन्यास, *पा बे जौलाँ* (1973), *धुंध* (1976), *पुरवाई* (1978), *राग भोपाली* (1985), *जो बचे हैं संग समेट लो* (1990); यात्रा संस्मरण *सैर करो दुनिया की ग़ाफ़िल* (1983), *मयख़ानों का पता* (2005); आलोचना और शोध में *अकबर की शायरी का आलोचनात्मक अध्ययन*' (1989), *उर्दू नॉवेल में औरत की समाजी हैसियत* (1947-02); अनुवाद में *रसीली कहानियाँ, माहौल के ज़रिए तालीम* इत्यादि।

कहा जाता है किसी मुग़ल शहज़ादी ने शादी से इंकार करते हुए कहा था कि शादी पर आया ख़र्च उन्हें बख़्श दिया जाए ताकि वह अपना शौक़ इमारत बनावाकर पूरा कर सके। अरसे बाद तारीख़ अपने को दोहरा बैठी। सुग़रा मैहदी की जब शादी

की बात चली तो उन्होंने अपने मामू आबिद हुसैन साहब से अपनी ख़्वाहिश का इज़हार करते हुए कहा, ''मैं शादी नहीं करना चाहती सिर्फ़ लिखना चाहती हूँ।'' उनकी इस इच्छा का सम्मान किया गया और इल्म व अदब के गहवारे में सुग़रा मैहदी एक संवेदनशील क़लमकार के रूप में खिलीं। इन्होंने आख़िरी साँस 17 मार्च, 2014 को अपने निवास दिल्ली में ली।

जो मेरे वह राजा के नहीं

सुग़रा मैह्दी

"ए, देखो तो कैसी हठीली लौंडिया है। जिस चीज़ की धुन लग जाए, लो भला बताओ मैं कहाँ तक वही एक कहानी रटे जाऊँ?"

इमामन बुआ चिढ़कर कहतीं, मगर उस पर कोई असर नहीं होता और वही रट लगाए रहती कि बुआ मैं तो वही कहानी सुनूँगी। उस चिड़िया की कहानी जो राजा के महल पर बैठकर कहती थी।

"जो मेरे वह राजा के नहीं।"

"अच्छा सुन आज मैं तुझे लाल बाग़ वाली शहजादी की कहानी सुनाऊँगी।"

"नहीं मैं नहीं सुनूँगी।"

"अच्छा तो बीबी नन्ही फ़ितनी की कहानी सुन ले।"

"नहीं, नहीं।"

"तो फिर शहज़ादा गुलफ़ाम का क़िस्सा।"

"नहीं मैं नहीं सुनूँगी और फिर वह अपने कान बंद कर लेती।"

और फिर हार कर इमामन बुआ उसे वही कहानी सुनाने लगतीं।

"एक चिड़िया थी जो बस हमेशा मस्त और मगन रहती थी जो अपने चिड़े के हिस्से की खिचड़ी खाकर आँखों पर पट्टी बाँधकर पड़ जाती। जो ख़ाला बिल्ली को भी चकमा देकर निकल जाती फिर राजा के महल पर बैठकर कहती जो मेरे वह राजा के नहीं।"

एक दिन राजा की आँखें खुलीं और उसने उस चिड़िया की चहक जो सुनी तो उसे बहुत अच्छा लगा। वह रोज़ सुबह उठ जाता और चिड़िया को चहकते सुनता...एक दिन उसने ग़ौर से सुना तो चिड़िया कह रही थी, "जो मेरे वह राजा के नहीं।"

राजा को बहुत ग़ुस्सा आया। उसने हुक्म दिया कि उस चिड़िया को पकड़ लो मगर चिड़िया कहाँ हाथ आने वाली थी...तो राजा ने कहा, "उसे गोली मार दो और चिड़िया को गोली मार दी गई, मगर राजा यह सुनकर हैरान रह गया कि मरने के बाद ख़ून में लथपथ चिड़िया कह रही थी कि मैंने लाल-लाल कपड़े पहने। राजा ने कहा इसे पकाकर मेरे सामने लाओ, जब चिड़िया को काटकर धोया गया तो बोली—

"मैंने सफ़ेद-सफ़ेद कपड़े पहने हैं। फिर उसे मसाले में डाला गया तो बोली मैंने पीले कपड़े पहने हैं और जब उसको घी में डाला गया तो बोली मैं छुनमुन हुई।"

और फिर वह यह कहानी सुनते-सुनते सो जाती। रात को सोने से पहले वह यही कहानी सुनने की फ़रमाइश करती और फिर यह कहानी सुनते-सुनते वह चिड़िया उसकी आदर्श बन गई। वह चिड़िया जिसने राजा को चुनौती दी और आख़िर तक हार नहीं मानी...बड़े होकर उसने कई बार यह भी सोचा था कि यह तो राजा का वहम था कि चिड़िया यह कह रही है कि जो मेरे वह राजा के नहीं...उम्र और अनुभव ने इस सोच को विश्वास में बदल दिया कि चिड़िया तो बेचारी सिर्फ़ चहक रही थी। उसकी चहक से जिस सुकून, जिस ख़ुशी, जिस जोश व वलवले, जिस स्वतंत्रता और संतोष का इज़हार हो रहा था बेचारा राजा उससे वंचित था। इसीलिए उसने चिड़िया की चहक का यह अर्थ निकाला। तभी तो अपने ख़ानदान में उसका मामूली अस्तित्व भी परिवार के सारे राजाओ को चुनौती देता रहा है। उसको बचपन में वही कहानी पसंद आ गई थी जिसकी हीरोइन एक निरीह चिड़िया थी।

चार तंदुरुस्त ख़ूबसूरत, तेजस्वी बच्चों के बाद अम्माँ अब्बा को अब किसी बच्चे की ज़रूरत थी न इच्छा थी। इसलिए उन्हें यह मालूम हुआ कि वह दुनिया में आ रही है तो उन्होंने हर वह प्रयत्न किया कि उसे संसार में आने से रोक दें। उस वर्ष अम्माँ को महिला सम्मेलन में बाहर जाना था और फिर उस उम्र में जबकि सबसे बड़ी बेटी बीस साल की थी...नहीं-नहीं, इधर अम्माँ को यह ज़िद थी कि वह न आए लेकिन वह आने पर तैयार थी...और वह आ गई। मगर सारी कोशिशें जो उसको इस दुनिया में न आने के लिए की गई थीं, उन्होंने उसके बाहरी रूप को प्रभावित किया था। इसलिए जन्म के तुरंत बाद अम्माँ की नज़र उस सुर्ख़ गोश्त के लोथड़े पर पड़ी तो उनके मुँह से चीख़ निकल गई और उसी पल इमामन बुआ ने उसे उठाकर अपने सीने से लगा लिया और उन्होंने अपनी सारी चाहत और वक़्त उसको दे दिया—और अम्माँ बाहर कॉन्फ्रेंस में चली गई और अब्बा को उसी साल एक बड़ा ओहदा मिल गया। अम्माँ अपने कामों और बाहरी व्यस्तता में और अब्बा अपनी पदवी के रख-रखाव में और उसकी ज़िम्मेदारियों में इस तरह खो गए कि वह दोनों उसके वजूद को भूल गए। उन्हें तो अपनी व्यस्तता और समाज सेवा के कामों से इतनी फ़ुरसत भी नहीं थी कि अपने ख़ूबसूरत, सेहतमंद और बुद्धिमान बच्चों को समय देते, फिर उसका क्या सवाल था। भाई-बहन स्कूल कॉलेजों और दूसरी रुचियों में व्यस्त रहते। इसमें उनमें फ़र्क़ भी बहुत था। वह तो मुन्ने भाई से भी बारह साल छोटी थी और फिर वह इमामन बुआ के साथ उनके कमरे में रहती थी जिसका दरवाज़ा नौकरों के क्वार्टरों की तरफ़ खुलता था। इसलिए वह ख़ानसामाँ, चौकीदार, अरदली, और ड्राइवर के बच्चों के साथ खेलती। उनके साथ अम्माँ को 'बेगम साहिब' और अब्बा को 'साहब' कहने लगी थी। इमामन बुआ उसे बार-बार याद

दिलाती कि वह उसके अम्माँ–अब्बा हैं मगर वह भूल जाती। कभी भूले से उधर निकल जाती तो उसे कोठी, अम्माँ–अब्बा, भाई–बहन और उसमें आने जाने वाले सभी अजनबी लगते। इसलिए वह जल्दी से वहाँ से भाग आती थी। वह इसी तरह पलती बढ़ती रही। इमामन बुआ उसके पैरों पर मालिश करतीं, उसके बाल बेरी और माश के पत्तों से धोतीं, चेहरे पर ज़ैतून का तेल लगातीं, रात को रोज़ ज़ैतून का तेल डालतीं, गुलाब जल डालतीं और सुबह असली घी का काजल लगातीं।

लगता कि उनकी ज़िंदगी का अकेला लक्ष्य केवल एक है कि वह उसे पाल पोस कर बड़ा कर दें और अपनी मुहब्बत, चाहत और ध्यान से उन सारे अन्याय से आज़ाद कर दे जो अनजाने में उसके माँ–बाप उसके साथ कर रहे थे। उन्होंने ही बचपन से उसके दिमाग़ में यह बात बिठा दी थी कि वह चिड़िया है जो राजा को भी चुनौती दे सकती है।

अब्बा का ध्यान पहली बार उसकी तरफ़ तब गया जब वह छठी कक्षा में प्रथम आई थी। वह भी ख़ासे अच्छे नंबरों के साथ। जाने कैसे उसका रिज़ल्ट कार्ड अब्बा के काग़ज़ात में चला गया था। कहीं इमामन बुआ तो नहीं रख आई थीं! अब्बा उसे देखकर हैरान रह गए थे।

इतने नंबर तो कभी उनका सबसे ज़हीन बेटा भी नहीं लाया था। उन्होंने उसे बुलाया, गले लगाया और प्यार किया। उस दिन से अब्बा उसमें और उसकी शिक्षा में विशेष रूप से रुचि लेने लगे, वह अक्सर रात को सोने से पहले आकर प्यार करते। अम्माँ को भी वह अच्छी लगने लगी थी।

वह कहा भी करती सलीमा तो बस इमामन का कारनामा है। उसकी रिपोर्ट बड़े गर्व से सबको दिखाती और उसकी ड्राइंग देखकर बेहद ख़ुश होतीं। मेरी यह बेटी ज़रूर बड़ी होकर अच्छी पेंटर बनेगी और यह सब बड़े भाई–बहनों को ज़रा भी अच्छा न लगा। बाजी की शादी हो गई। नन्हे भाई विलायत चले गए। इमामन अल्लाह को प्यारी हुईं। अब्बा की सारी व्यस्तता उनके ओहदों के साथ ख़त्म हो गई। और अम्माँ ने भी औरतों के उत्थान और सुधार के काम छोड़ दिए और ढेर सारे परिवर्तनों के बाद एक इंक़िलाब यह आया कि देखते–देखते सलीमा सारे घर के आकर्षण का केंद्र बिंदु बन गई। आप ही आप वह अब घर के सब लोगों के लिए नागवारी का कारण हो गई थी। वह अब्बा की सेक्रेटरी, अम्मा की सलाहकार भी, छोटी आपा और मुन्ने भाई के बीच होने वाले झगड़ों की वकील भी! दोनों ऊपर तले के थे इसलिए ज़रा न बनती। सलीमा इन दोनों की लड़ाई में कभी छोटी आपा के ख़िलाफ़ खड़ी होती तो कभी उनकी वकालत मुन्ने भाई से करती। छोटी आपा अक्सर इस पर रो लेतीं कि उनकी घर में किसी को परवाह नहीं है। अम्माँ बाबा तो बस सलीमा को चाहते हैं। छोटे भाई को इस बात पर ग़ुस्सा रहता कि लड़का होकर भी उनकी वह अहमियत नहीं जो सलीमा की है। और दोनों अक्सर, जब उनमें दोस्ती होती उन

नाइंसाफ़ियों का ज़िक्र करते जो अब्बा अम्माँ ने उनके साथ की थीं और अब भी कर रहे हैं। मसलन वह छोटी आपा को अपनी पसंद की शादी नहीं करने देते और मुन्ने भाई के बाहर जाने में रोड़े अटका रहे हैं, और हैरत तो लोगों की इस बात पर होती कि घर के बाहर भी सलीमा के चर्चे होने लगे और आज़र तो यह सुनकर हैरान रह गया कि मामूजान की वह काली कलूटी लौंडिया इतनी बड़ी आर्टिस्ट हो गई है कि उसके चर्चे अख़बारों में आते हैं। उसके साक्षात्कार लिए जाते हैं। उसकी बनाई तस्वीरों की प्रदर्शनी होती है। मगर यह तो सलीमा ही जानती थी कि घर से बाहर भी अपने काम के सिलसिले से उसका पाला कैसे-कैसे राजाओं से था जो उसके नाम और काम की तरफ़ उसके तरीक़े, शोहरत और प्रचार से उसकी लापरवाही को अपने लिए एक चुनौती समझते थे। कभी-कभी सलीमा थकने लगती, हिम्मत हारने लगती तो वह चिड़िया उसके कान में आकर कह देती, जो मेरे वह राजा के नहीं।

छोटी आपा ने अपनी पसंद की शादी कर ली थी और मुन्ने भाई अमेरिका जा बसे थे। अब अम्माँ अब्बा के साथ सिर्फ़ सलीमा थी। अम्माँ कभी कहतीं, "अच्छा ही हुआ कि बुढ़ापे में हमने एक लड़की पैदा कर ली थी वरना...वरना।" और फिर अम्माँ घबराकर अब्बा को देखती और अब्बा सलीमा को और सलीमा कोई और बात छेड़ देती।

बहन भाई कभी-कभार आते-जाते रहते। सलीमा से ईर्ष्या करते थे कि कैसी अपनी पसंद की ज़िंदगी गुज़ार रही है। अपनी मनमानी करती है। हमें तो अब्बा ने कभी इतना महत्त्व नहीं दिया। घर के बाहर सलीमा ही सलीमा है। अक्सर वह दोनों इसके सिलसिले में अम्माँ अब्बा से उलझ भी जाते, "अम्माँ आपने सलीमा को बहुत सर चढ़ा लिया है।"

बाजी कहतीं, "अब्बा तक से बेहद गुस्ताख़ी करती है और अब्बा चुप रहते हैं।"

"सलीमा हमारे लिए करती ही इतना है।" अम्माँ कहतीं, "अभी बाहर जाने की स्कॉलरशिप का अवसर था, नहीं गई, तुम सब तो..."

मुन्ने भाई बिगड़ जाते। "सलीमा बेगम को किसी क़ुर्बानी की ज़रूरत नहीं है। वह जाएँ तो फिर देखिए हम लोग आपके लिए कुछ करते हैं या नहीं," मगर अम्माँ कुछ नहीं बोलतीं बस मुस्कुराकर चुप हो जातीं!

आज़र सलीमा से मिला तो हैरान रह गया। क्या चोला बदला है इस लड़की ने! जवान होकर लड़कियाँ सुंदर हो जाती है, मगर इतना फ़र्क़! वह बारी-बारी सलीमा की दोनों बहनों से रोमांस कर चुका था मगर सलीमा के तेवर देखकर वह घबरा गया था। उसका भव्य व्यक्तित्व, चेहरे पर गहरा विश्वास, आँखों में एक ख़ास चमक! वह आज़र से अच्छी तरह मिली, आवभगत की...इस क़दर अपने को सँभाले रही कि आज़र मौक़ा ढूँढता ही रहा कि कोई जुमला ही कह दे! मगर उसका वह रौब था

कि वह बस एक बार हकलाकर रह गया। वह सलीमा के सरकल में गया तो यही मालूम हुआ कि यह पाला जीतना बहुत मुश्किल है।

बड़ी सिरफिरी लड़की है, मगर आज़र इस मैदान का पुराना खिलाड़ी था और कामयाब भी। उसने वह गुर जान लिए जिससे सलीमा को क़ाबू में किया जा सकता था और सलीमा सख़्त बचाव के बाद आज़र की दिलकश शख़्सियत की क़ैद में आ गई। उसकी ज़िंदगी में आज़र से पहले भी दो एक व्यक्ति आए थे मगर क़रीब आने पर उसे यह महसूस हुआ कि वह वही राजा हैं जो उसकी चहक को अपने लिए एक चुनौती समझते हैं!

आज़र को पाकर सलीमा को ऐसा लगा कि अब तक वह जिस दुनिया में रहती आई थी वह बहुत सुनसान बहुत उजाड़ थी और बेरंग थी। उसे अपने अंदर से ख़ुशी और संतोष सोता फूटता महसूस होता। अब उसे दुनिया की चीज़ों में ख़ूबसूरती तलाश करने की कोशिश नहीं करनी पड़ती थी। बल्कि वह उसे लगती ही हसीन थी। यह सब कितना मनभावन कितना होश उड़ाने वाला लगता था! मगर जल्द ही क़रीब आने पर उसे अंदाज़ा हो गया कि आज़र भी उन्हीं राजाओं में से एक है। पहली दफ़ा वह टूटने और बिखरने लगी। ख़ुशदिली, हौसले, विश्वास और संतोष के साथ जीने का हौसला टूटने लगा। सब हैरान रह गए! भाई-बहनों को हमदर्दी करने का अवसर हाथ लगा, अब्बा परेशान थे। अम्माँ की जान पर बन गई। उनकी ख़ुशमिज़ाज हँसने-हँसाने वाली बेटी को क्या हो गया। वह अक्सर उसे गले लगाकर पूछती, ''मेरी जान! तुझे क्या हो गया?'' वह ख़ामोश रहती। अम्माँ पूछे जातीं फिर वह उसकी ख़ुश्क आँखें टटोलतीं।

वह लेटी थी कि उसे लगा जैसे इमामन बुआ भी उसके पास लेटी उसको वही कहानी सुना रही हैं। चिड़िया की कहानी, वह चिड़िया जो राजा की गोली खाकर, ख़ून में नहाकर ख़ुश होकर कहती है, ''मैंने लाल-लाल कपड़े पहने हैं...'' और फिर सलीमा को अपनी खोई हुई दुनिया का रास्ता मिल गया जो इतना सुनसान और उजाड़ नहीं था। उसमें तरह-तरह के रंग बिखरे हुए थे।

सलीमा का विश्वास, हौसला, संतोष और खोई हुई मुस्कुराहट वापस आ गई। उसे लगा जैसे वह रास्ता भूलकर वीराने में भटक गई थी...और आज़र ने जब सलीमा को देखा तो वह हैरान रह गया, वह तो समझा था कि उसने उस चिड़िया का शिकार कर लिया है।

ठहरी बस्ती के ज़िंदा लोगों की तक़दीरें

सय्यद शफ़ीउज़्ज़मा मशहदी का जन्म गया (बिहार) में 1939 में हुआ। आप प्रशासकीय सेवा (सदस्य, बिहार लोक सेवा आयोग) में रहे। आपके लेखन के बारे में उर्दू के प्रसिद्ध आलोचक शम्सुर्रहमान फ़ारुक़ी का कहना है कि शफ़ी मशहदी ने जदीद अफ़साने के तमाम रंग आज़माए और हर रंग में कामयाब रहे। मशहदी ने जीवन के यथार्थ के बयान को अपना 'वज़ीफ़ा-ए-हयात' बनाया। तमसील और तजरीद से लेकर अपने गिर्द व पेश की दुनिया को मशहदी ने अपने अफ़सानों में इस तरह ढाल दिया कि कल्पना की दुनिया और अपने से गुज़रती दुनिया, दोनों एक समय में इनकी गिरफ़्त में हैं।

उनके कहानी संग्रह *सब्ज़ परिंदों का सफ़र, शाख़े लहू, सिलसिला ए-रोज़ व शब* बहुत चर्चित रहे। नाटक संग्रह *दोपहर के बाद* लोकप्रिय हुआ। कविताओं का संग्रह शीघ्र प्रकाशित।

दीवान-ए-जमीला (ख़ुदाबख़्श लाइब्रेरी में रखी हस्तलिखित पांडुलिपियों का) का आठ जिल्दों में संपादन। *मसनवी अहसन-उल-मतालिब* (ख़ुदाबख़्श की एक और पांडुलिपि का) का संपादन जैसे महत्त्वपूर्ण काम आपने अंजाम दिए।

उनका कहना है कि मैं क्यों लिखता हूँ-यह सवाल दिलचस्प भी है और अजीब भी है। जैसे कोई पूछे कि पानी क्यों पीते हो। इसका सीधा जवाब होगा कि प्यास लगती है इसलिए। लेकिन आगे यह सवाल हो सकता है कि प्यास क्यों लगती है? अब जवाब देना ज़रा मुश्किल हो जाएगा और अगर जवाब दिया भी जाए तो फिर कई सवाल उठेंगे। कुछ ऐसा ही मामला साहित्य सृजन के साथ भी है। एक प्यास है, तश्नगी है, तड़प है जिसकी आसूदगी के लिए मैं लिखता हूँ। ऐसा क्यों है यह मैं नहीं जानता। हम अपनी ज़ात के इज़हार के लिए भी लिखते हैं, अपने अहसासात व मुशाहदात की तहरीरी तजसीम भी तख़लीक़ की मुहर्रिक होती है। हम इस तश्नगी को दूसरों के साथ बाँटना भी चाहते हैं। जहाँ तक कहानी लिखने

की बात है, मेरा तजुर्बा तो यह है कि मैं कहानी नहीं लिखता। बल्कि कहानी मुझसे ख़ुद को लिखवाती है। मैं हक़ीक़त को कहानी का रूप देता हूँ, कहानी को हक़ीक़त नहीं बनाता।

अगर एक जुमले में कहूँ तो कहूँगा कि मेरे अंदर बैठा हुआ 'मैं' और उसकी 'तृष्णा' साहित्य सृजन का सबब है।

क़िस्सा बिन्त-ए-ज़ुलैख़ा

सय्यद शफ़ीउज़्ज़मा मशह्दी

"समसू की माँ को मालूम हो के हम ख़ैरियत से हैं और तुम लोगों का ख़ैरियत नेक चाहता हूँ। अब्बा की तरफ़ से समसू को बहुत दुआ, और ज़रूरी बात यह है कि सुभान मियाँ का बेटा इस्लाम के हाथ चालीस रुपया भेज दिया है जो मिला होगा। बाड़ी वाला का किराया दे दो और मुन्नी को डागदर को देखा के दवा खिलाओ। उसका बीमारी का हाल सुनकर हम परेशान है। कम लिखने को जासती समझो। हम कोशिश कर रहे हैं कि इंतज़ाम करके भी रुपया भेज दें।

हमरा बुखार उतर गया है मगर ख़ाँसी परेशान किए है। अब्बा के तरफ़ से छोटी और मुन्नी को बहुत-बहुत दुआ। बाड़ी वाला को सलाम। मुहल्ला वालन को भी सलाम कह दो।

जल्दी से जवाब दो। सलाम दुआ के साथ।

मुहम्मद कलीम उर्फ कलूट मियाँ

कलकत्ता से

लिखने वाले की तरफ़ से पढ़ने वाले को सलाम..."

मैंने हँसते हुए 'वालैकुम अस्सलाम' कहा और ख़त पढ़कर पोस्ट कार्ड ज़ुलैख़ा की ओर बढ़ा दिया जो बड़े ध्यान से ख़त का एक-एक शब्द सुन रही थी। अचानक ख़त समाप्त होने पर जैसे उसे विश्वास नहीं हुआ। उसकी आँखों में जैसे निराशा तैरने लगी।

"और का लिखा है बाबू? आने के बारे में का लिखा है?" उसकी निराशा ज़बान पर आ गई। ज़ुलैख़ा ने इस तरह पूछा था जैसे मैंने ख़त का कुछ हिस्सा जान-बूझकर नहीं पढ़ा था। मैं झुँझला-सा गया।

"और कुछ नहीं लिखा है। जो लिखा था पढ़ दिया। अब जाओ।" मैंने कड़वे स्वर में कहा।

रोज़-रोज़ मुहल्लेवालों के ख़त पढ़ने और जवाब लिखने से मैं उकता-सा गया था मगर अम्मा के हुक्म से मजबूर था। जहाँ मैंने इनकार किया, वहीं उनका प्रवचन शुरू हुआ।

"बेटे ऐसे इनकार नहीं करते। ग़रीब लोग हैं, जाहिल है, आख़िर कहाँ जाएँगे। अल्लाह ने तुम्हें इल्म दिया है तभी तो लोग तुम्हारे पास आते हैं।"

अब उन्हें कौन जवाब देता कि अल्लाह मियाँ ने मुझे इसलिए थोड़ी ही इल्म दिया है कि मैं इन बकवास ख़तों में, जिनका मज़मून एक-सा रहता है और जवाब भी एक ही सा होता है, सर खपाता फिरूँ। मगर अम्मा के हुक्म को टाला भी तो नहीं जा सकता था। और यह ज़ुलैख़ा-यह तो हर दस दिन के बाद हाथ में ख़त लिए आ धमकती है और फिर एक सादा पोस्टकोर्ड आगे बढ़ाते हुए बड़े दीन हीन स्वर में कहती है, "ज़रा जवाब लिख दीजिए बाबू।"

दरअसल इस मुहल्ले में ज़्यादातर ग़रीब और जाहिल लोग ही रहते थे। हवेली के पीछे एक पतली-सी गली थी जिसके दोनों किनारों पर खपरैल, कच्चे मकानों का एक सिलसिला था। गली इतनी पतली थी कि इसके दोनों ओर बने मकानों की ओल्तियाँ आपस में गले मिलती थीं। गली में धूप तक नहीं आती थी। गली के बीचोंबीच एक नाली बनी हुई थी जो गहरी भी होगी मगर गंदगी से भरकर उसका पानी उससे ऊपर गली में बहता था। मुर्गियाँ उसमें फुदक-फुदककर नक़्श बनाती थीं। यह नाली बच्चों के लिए टायलेट और बड़ों के लिए पेशाबख़ाने का काम भी करती थी। हवेली के ठीक पीछे गली के सिरे पर साहबजान मियाँ के मकान के सामने म्युनिसिपैलिटी का नल था। जिसमें सवेरे और शाम को कुछ देर के लिए पानी आता था। यह नल मुहल्लेवालों को पानी कितना देता था यह कहना तो मुश्किल था लेकिन गली की रौनक़ इसी नल के दम से थी। यह संभव थाँ कि किसी दिन नल में पानी न आए लेकिन यह संभव नहीं था कि औरतों में लड़ाई-झगड़ा न हो। यह न होता तो वास्तव में सन्नाटा इन जीर्ण-शीर्ण मकानों को पी जाता। अक्सर गली में ऐसी महाभारत होती और गालियों के ऐसे फ़व्वारे छूटते, ऐसे-ऐसे अलंकृत श्राप दिए जाते कि नौबत हाथापाई तक आ जाती। औरतों की यह आपसी प्रतियोगिता देखने सुनने लायक होती। मगर यह लड़ाइयाँ बड़ी ही अस्थायी होती थीं। सवेरे घमसान युद्ध छिड़ता और शाम को वही औरतें एक साथ बैठी गप्प लड़ा रही होतीं। लड़ाइयाँ प्रायः औरतों में ही होती थीं, इसलिए कि अधिकांश मर्द कलकत्ता, झरिया और दूसरे शहरों में काम करते थे। जो यहाँ थे भी वह आमतौर पर लड़ाई के समय घर से बाहर होते थे। काम से लौटने पर वह अक्सर अपनी पत्नियों की लड़ाई की गाथाएँ ही सुनते थे जो संयुक्त राष्ट्र संघ की रपट की तरह प्रायः पक्षपातपूर्ण हुआ करती थीं। मर्द इनके इतने आदी हो चुके थे कि आमतौर पर एक कान से सुनकर दूसरे से उड़ा देते। अगर कोई कुछ ज़्यादा देर तक अपने मर्द के कान खाती या उसे ग़ुस्सा दिलाने की कोशिश करती तो, "चुप रह ससुरी, हरामज़ादी, दिमाग ख़राब कर रही है। हम थक थकाए आए हैं। यही सब सुनने को।"

दर्ज़ी, राज मिस्त्री और बीड़ी बनानेवालों का यह मुहल्ला अपने आपमें एक भरापूरा परिवार था जिसके अधिकांश मर्द कलकत्ते में काम करते थे और औरतें व बच्चे यहाँ मिट्टी की कोठरियों में रहते थे। ईद और मुहर्रम के अवसर पर जब यह लोग 'घर' आते तो गली में जैसे बहार आ जाती। नए-नए कपड़े, प्लास्टिक की चप्पलें पहने, बालों में तेल पोते, रंग-बिरंगे रिबन लगाए लड़कियाँ और चारख़ाने की लुँगियाँ पहने मर्द हर दरवाज़े पर दिखाई पड़ते। इन मर्दों को लोग कलकतिया कहा करते थे। इनकी भाषा भी आम लोगों से अलग हो गई थी। बंगाली, मगही और खड़ी बोली के मिश्रण ने एक नई शहरी भाषा को जन्म दिया था, जिसका कोई नाम नहीं था मगर थी बड़ी रोचक। कभी हवेली के बरामदे में हम खड़े होते तो सामने से जाता हुआ कोई कलकत्तिया रुक जाता।

"सलाम बाबू-सब ख़ैरियत है ना?"

"हाँ सब ख़ैरियत है। कब आए कलकत्ते से?"

"मैं कल आए बाबू। बचवा बीमार है। डगदर के यहाँ जाता हूँ। यहाँ सब बेकार माफ़िक है। ख़ाली पैसा लेता है। दवाई एकदम ख़राब देता है। कलकत्ता में तो बहुत बड़ा-बड़ा डगदर लोग है बाबू। अपना मुल्क बहुत ख़राब हो गया है।"

कलकत्ता में काम करने वाले लोग आपने शहर को 'मुलूक' अर्थात् मुल्क बोलते थे। लेकिन बात-बात पर कलकत्ते की बड़ाई करने से बाज़ नहीं आते थे। बल्कि उन पड़ोसियों को हीन समझते थे जो कलकत्ता का दर्शन नहीं कर सके थे। यह और बात थी कि छुट्टी समाप्त होने पर जब वापस जाने का किराया न बचा होता तो यह अपने पड़ोसियों को कलकत्ता से लाई चीज़ें आधे दामों पर बेचकर जाते थे। बल्कि कुछ मुहल्ले वाले तो इस इंतज़ार में रहते थे कि कोई कलकतिया आए तो आधे दामों पर छाता, लुंगी और जूते ख़रीदे जाएँ।

मुझे इन कलकतिया लोगों से बेहद दिलचस्पी थी मगर उनकी चिट्ठियाँ पढ़ने और फिर उनके जवाब लिखने से उबकाई-सी आने लगी थी। ऐसे लगता था सारे ख़त कलकत्ते का एक ही मुंशी लिखा करता था। इसलिए कि सबका मूल विषय एक सा होता, केवल नाम बदल जाते थे। विशेषकर 'लिखने वाले की तरफ़ से पढ़ने वाले को सलाम' पढ़कर पहले तो मुझे हँसी आती थी लेकिन अब ग़ुस्सा आने लगा था। लिखने वाला मुंशी ख़ूब जानता था कि जिसे ख़त लिखा जा रहा है उसे भी पढ़ना नहीं आता इसलिए वह मुझे भी अपना 'हमपेशा' समझकर हमेशा सलाम लिख दिया करता था। इस तरह उस मुंशी से जिसे मैंने कभी देखा भी नहीं था एक अजीब सा संबंध बन गया था—यह संबंध भी कितने अजीब होते हैं।

मुझे फुटबाल खेलने को जाने की जल्दी थी और इस जुलैख़ा को ख़त पढ़वाने और फिर जवाब लिखवाने की पड़ी थी। मैं साफ़ इनकार करके जा ही रहा था कि फिर उसने गिड़गिड़ाकर कहा, "बहुत दुआ देंगे बाबू। जीते रहिए, बड़ा अफसर

बनिए। ज़रा-सा जवाब लिख दीजिए बाबू।" "छोटे, क्या बात है? जुलैख़ा इतना गिड़गिड़ा रही है, क्यों नहीं लिख देते ख़त? क्या बात है? आख़िर कहाँ जाएगी वह जवाब लिखवाने।" अम्मा का स्वर गूँजा। 'अम्मा मुझे देर हो रही है।' मैंने आत्म रक्षा की आख़िरी कार्रवाई की।

"कोई देर नहीं हो रही। पाँच मिनट का काम है। ख़त लिख के जाओ।" अम्मा ने फ़ैसला सुना दिया।

"लाओ, कहाँ है ख़त, बताओ क्या लिखना है? मगर एक शर्त, मैं फिर पढ़ के सुनाऊँगा नहीं।"

जुलैख़ा ने मेरी शर्त को अनसुना करते हुए पोंस्टकार्ड आगे बढ़ा दिया।

"अब बोलो भी क्या लिखना है।" मैंने झुँझलाए हुए लहजे में कहा और जुलैख़ा बड़ी ही संजीदा होकर बोलने लगी जैसे ख़त न लिखवा रही हो बल्कि कलूट मियाँ से बातें कर रही है।

"समसू के अब्बा को मालूम हो कि ख़त मिल गया। तुम अपना ख़ाँसी डागदर को दिखाकर दवा खाओ। इ बात ठीक नहीं है। खाँसी बुखार पुराना हो जाता है तो हरज करता है। तुम को मालूम हो कि चालीस रुपया मिला है। मुनिया और घुटकी दोनों बीमार है। हमारा भी जी ठीक नहीं है। सिर में दर्द रहता है। तलुवा जलता है। ख़ाने को जी नहीं चाहता..."

धैर्य मेरा साथ छोड़ने लगा। मैं उस पर बरस पड़ा। "तुम ख़त लिखवा रही हो या डॉक्टर को हालत बता रही हो।" जल्दी से रुपया भेजो नहीं तो हम भूखे मर जाएँगे। ख़त को तार समझो। छोटी की तरफ़ से अब्बा को सलाम। रशीद की तरफ़ से अब्बा को सलाम। मुनिया की तरफ़ से अब्बा को सलाम।"

"और अब कुछ नहीं। जगह नहीं है।" पूरी वंशावली लिखवाने की कोई ज़रूरत नहीं है, कहते हुए मैंने, वस्सलाम, समसू की माँ जुलैख़ा लिखकर ख़त पूरा कर दिया और पोस्टकार्ड उसकी तरफ़ फेंककर इससे पहले कि वह ख़त सुनाने की फ़रमाइश करे भाग खड़ा हुआ।

ख़त लिखना और ख़त पढ़ना दिनचर्या का एक हिस्सा-सा बन गया था। जुलैख़ा, जुबैदा, जनवा बुआ और न जाने कितनी बुआएँ हर दूसरे तीसरे दिन मेरे पीछे पड़ी रहतीं। भैया और घर के दूसरे लड़के बड़े हो गए थे, वह उन्हें घास नहीं डालते थे। मैं सबसे छोटा होने की सज़ा भुगत रहा था। हालाँकि ख़त लिखवाने से पहले और बाद में वह इतनी दुआएँ देती थीं कि अल्लाह मियाँ इनका दो प्रतिशत भी स्वीकार कर लेते तो मेरे कई जन्म सफल हो जाते।

कई साल बीत चुक थे और स्कूल की पढ़ाई पूरी करके मैं दूसरे शहर के कॉलेज में चला गया था और होस्टल में रहता था। होस्टल में अक्सर घर की याद आती तो अम्मा के साथ-साथ ख़त लिखवाने वालियों, नल पर होने वाली लड़ाइयों

और कलकतिया लोगों की तस्वीरें आँखों में घूम जातीं। गर्मी की छुट्टियों में घर आया तो अंदर घुसते ही मैंने देखा कि आँगन में बैठी ज़ुलैख़ा सिल पर मसाला पीस रही थी। वह काफ़ी बूढ़ी नज़र आ रही थी और चुप भी। अम्मा को सलाम करके मैंने ज़ुलैख़ा को भी 'सलाम बुआ' कहा और हँसकर पूछ बैठा, बुआ चिट्ठी नहीं लिखवानी है?' मेरे इतना कहने पर उसका चेहरा धुआँ-धुआँ हो गया और उसकी आँखों में अथाह पीड़ा उमड़ आई। उसकी आवाज़ जैसे अंधे कुएँ से आ रही थी—

"अब किसको ख़त लिखवाएँगे बाबू?"

मैंने आश्चर्य से अम्मा की ओर देखा। वह बोलीं, "कलूट बेचारा मर गया। बीड़ी गोदाम में काम करता था। टी.वी. हो गई थी। कलकत्ते में ही मर गया। बस एक पोस्टकार्ड आया था गोदाम के मालिक का। बेचारी ज़ुलैख़ा। पाँच बच्चे हैं। सब छोटे हैं। बस एक लड़का है। बारह साल का जो बीड़ी बनाता है। दो तीन रुपया रोज़ कमा लेता है इसीलिए ज़ुलैख़ा को हमने रख लिया है। यहाँ काम करती है।"

अम्मा ने एक ही साँस में सब कुछ कह दिया और मुझे कलूट के वह ख़त याद आ गए जिनमें हमेशा की ख़ाँसी बुखार की बात होती थी। बेचारा कलूट नहीं बल्कि बेचारी ज़ुलैख़ा। मरने वाले तो अपने सारे कष्टों से मुक्ति पा लेते हैं। दुःख तो भोगते हैं ज़िंदा रह जाने वाले।

समय गुज़रता गया और कॉलेज की पढ़ाई पूरी करके मुझे नौकरी मिल गई। नौकरी के कारण ही मुझे घर से काफ़ी दूर जाना पड़ गया था। कभी घर आता भी तो बस दो चार दिनों के लिए। धीरे-धीरे मुहल्ले और उसके लोगों की यादें मद्धम हो गई थीं। काफ़ी लंबे अंतराल के बाद जब अम्मा की बीमारी की खबर पाकर अचानक घर पहुँचा तो अम्मा बिस्तर पर पड़ी थीं। सिरहाने बैठी एक औरत उनके सिर में तेल लगा रही थी। मैंने अम्मा को सलाम किया तो वह घबरा-सी गईं और उसने जल्दी से अपना आँचल दुरुस्त किया। अम्मा की पायँते बैठकर मैंने उनकी तरफ़ प्रश्नसूचक नज़रों से देखा। वह बोल पड़ीं, "अरे इसे तुम नहीं पहचानते? यह ज़ुलैख़ा की बहू है जुब्बी, रशीद की बीवी।"

ज़ुलैख़ा का चेहरा मेरी निगाहों में घूम गया। ज़ुलैख़ा बुआ कहाँ हैं? मैंने पूछा। वह बेचारी तो कब की मर गई। टी.वी. हो गई थी दुखिया को। रशीद का ब्याह किया ही था कि चल बसी। यह रशीद की बीवी है जुब्बी। रशीद कलकत्ता में है। बीड़ी गोदाम में काम करता है। अम्मा ने पूरा क़िस्सा सुनाया। दरअसल, मुहल्ले के तमाम लोगों के दुःख-सुख के हालात उन्हें मालूम थे। मैंने फिर जुब्बी की तरफ़ देखा।

उसकी उम्र अठारह उन्नीस साल से ज़्यादा नहीं थी। मगर वह भरपूर औरत बन चुकी थी। उसकी जवानी जैसे ढल चुकी थी, आँखों के चारों ओर काले घेरे बन गए

थे और चेहरा बीमार-सा मालूम होता था। अम्मा ने मुझे यूँ जुब्बी की ओर देखते देखा तो बोली, "तुम इसे नहीं पहचानते? अरे यह कलूट की बहन बुलकनी की बेटी है। बचपन में यहाँ काम भी करती थी।"

अचानक मुझे फटी फ्रॉक, ऊँचा पायजामा पहने वह गंदी सी लड़की याद आ गई जो घर में झाड़ू देती या मुर्ग़ियों का दड़बा साफ़ करती दिखाई देती थी। अरे यह वही जुब्बी है? इतनी बड़ी हो गई? और इसकी शादी भी हो गई? मैंने आश्चर्य से पूछा और जुब्बी ने हँसते हुए शरमाकर आँचल में मुँह छिपा लिया।

'लो सुनो, इसके दो बच्चे हैं माशा अल्लाह' अम्मा ने हँसते हुए कहा और फिर तनिक दुःख के साथ बोली, "इन कमबख़्तों के यहाँ यही होता है। बारह साल में ब्याह कर देते हैं। अठारह साल होते-होते चार पाँच बच्चे हो जाते हैं। यह मिट्ठी की तरह ढह जाती हैं। कमबख़्ती की मारी..."

अम्मा के लहजे में झुँझलाहट थी मगर अथाह अपनापन और पीड़ा भी थी। ऐसा लगता था कि उनका बस चलता तो वह जुब्बी को उसका बचपन वापस लौटा देतीं। कुछ नहीं तो उसकी जवानी तो उसे दे ही देतीं। "कमबख़्ती की मारी, अम्मा का एक ख़ास कथन था जिसे वह ज़ुलैख़ाओं और जुब्बियों के लिए बराबर इस्तेमाल करती रहती थीं। यह जुमला कितना सटीक था इसका अनुमान वही लगा सकता है जिसने इन कमबख़्ती की मारियों को देखा है। अम्मा का सारा सौहार्द, सारा अपनापन इन दो शब्दों में छिपा हुआ था। वह कुछ इस अंदाज़ से कमबख़्ती की मारी कहती थीं जैसे प्यार से दुआएँ दे रही हों।

दो तीन दिनों के अंदर ही जुब्बी की झिझक टूट गई और मुझे मालूम हो गया कि उसका पति रशीद जो ज़ुलैख़ा बुआ का बेटा था, कलकत्ते में बीड़ी गोदाम में काम करता है और यह कि गोदाम के मालिक ने कलूट मियाँ की जगह रशीद को नौकर रख लिया था।

अम्मा के साथ बैठा मैं इधर-उधर की बातों में व्यस्त था कि सामने से जुब्बी आती नज़र आई। उसके हाथ में पोस्टकार्ड देखकर समझ गया कि रशीद का ख़त आया है, जिसे वह पढ़वाना चाहती है, मगर साहस नहीं जुटा पा रही थी कि मुझसे कुछ कहे। मुझे उस पर बड़ी दया आई।

'रशीद का ख़त आया है? लाओ पढ़ दें।' मैंने हँसते हुए कहा और उसने शर्माते हुए कार्ड मेरी ओर बढ़ा दिया।

मैंने ख़त को ध्यान से देखा वही पोस्टकार्ड था और वही लिखावट जो कलूट मियाँ का मुंशी लिखता था। चिट्ठी का विषय भी लगभग वही...

मैंने ज़ोर से पढ़ना शुरू किया :

"...हसीना की माँ को मालूम हो कि हम ख़ैरियत से हैं और तुम सबका ख़ैरियत चाहता हूँ। हसीना और मुबीना को अब्बा की तरफ़ से दुआ। हसीना की

माँ को मालूम हो कि इस्लाम के बेटा अहमद के हाथ साठ रुपया भेजा दिए हैं। बाड़ी वाला को किराया दे दो। हसीना को डागदर को दिखाओ। बीमारी का हाल सुनकर परेशानी है। इंतज़ाम करके और रुपया भेज देंगे। हमरा बुखार उतर गया है। मगर ख़ाँसी जास्ती है। मुबीना बेटी को अब्बा की तरफ़ से प्यार और बाड़ी वाला को सलाम कह दो। कम लिखने को जादा समझो और ख़त का जवाब तुरंत दो।

सलाम-दुआ के साथ। मुहम्मद रशीद मियाँ कलकत्ते वाले। लिखने वाले की तरफ़ से पढ़ने वाले को सलाम।''

चिट्ठी पढ़कर मुझे हँसी नहीं आई। लिखने वाले का नाम बदल गया था, मज़मून वही था। अंतर केवल इतना था कि कलूट मियाँ के चालीस रुपयों की जगह रशीद मियाँ के साठ रुपयों ने ले ली थी। दो पीढ़ियों के बीच अंतर बस इतना ही था। सिर्फ़ बीस रुपयों का...शेष दुःख, ख़ाँसी बुखार समेत सब वैसे ही थे।

मैंने जुब्बी की ओर देखा। उदासी उसके अस्तित्व का हिस्सा बन चुकी थी। ऐसा लगता था जैसे कली खिलने से पहले झुलस गई हो। मैंने अनायास ही हाथ बढ़ा दिया।

'लाओ जवाब लिख दूँ' जुब्बी को शायद इस हमदर्दी की उम्मीद नहीं थी। उसका चेहरा खिल उठा। जल्दी से उसने आँचल में छिपाया हुआ कार्ड आगे बढ़ा दिया।

''बोलो क्या लिखना है... ?'' मैंने पूछा। लजाकर उसने आँचल में मुँह छिपा लिया। अम्मा हँसने लगीं। ''अरे पगली बोल ना। शर्माने की क्या बात है। यह कोई ग़ैर थोड़े ही हैं।'' अम्मा का प्रोत्साहन पाकर जुब्बी किसी मशीन की तरह बोलने लगी :

''हसीना के अब्बा को बाद सलाम मालूम हो कि ख़त मिला। तुम अपनी खाँसी डागदर को दिखाओ। खाँसी-बुख़ार पुराना हो जाता है तब दिक़्क़त होगा। मालूम हो कि जो रुपया भेजे थे सब ख़र्च हो गया। बाड़ी वाला को किराया देना है। हसीना और मुबीना को डागदर को दिखाना है। जल्दी ख़र्च भेज दो। हमरा भी जी ठीक नहीं रहता है। ख़ाँसी है। तलुवा जलता है। सिर में, कमर में दर्द रहता है...''

मुझे ऐसा महसूस हुआ कि जुब्बी की जगह जुलैख़ा सामने बैठी कलूट मियाँ को ख़त लिखवा रही थी। मैंने जुब्बी की ओर देखा तो उसका चेहरा भी जुलैख़ा से मिल रहा था और वह कुछ ज़्यादा बूढ़ी भी हो चुकी थी। उसको घबराते देखकर मैंने पूछा, 'बताओ और क्या लिखना है... ?''

''हसीना के अब्बा को मालूम कि तार समझो और जल्दी रुपया भेज दो नहीं तो हम सब भूखे मर जाएँगे...हसीना की तरफ़ से अब्बा को सलाम, मुबीना की तरफ़ से अब्बा को सलाम...''

मैंने ख़त पूरा कर दिया और अनायास ही मैंने 'लिखने वाले की तरफ़ से पढ़ने वाले को सलाम एवं जुलैख़ा' लिखकर पोस्टकार्ड जुब्बी की ओर बढ़ा दिया। पोस्टकार्ड देखते ही अचानक मुझे अपनी ग़लती को एहसास हुआ। मैंने ख़त के अंत में जुब्बी के स्थान पर 'जुलैख़ा' लिख दिया था। पोस्टकार्ड वापस लेते हुए मैंने उसे दुरुस्त कर देना चाहा मगर मैं जुलैख़ा का नाम नहीं काट सका। मैंने जुलैख़ा के पहले जुब्बी का नाम लिखकर उसे जुब्बी बिन्त-ए-जुलैख़ा लिख दिया था...मैंने जिसके हाथों में पोस्टकार्ड दिया वह तो जुलैख़ा बुआ ही थी।

अहसास के चरख़े पर कहानी कातने वाली कथाकार

आमना अबुल हसन हैदराबाद में 10 मई, 1941 में पैदा हुईं। उनके वालिद का नाम अबुल हसन सैयद अली था, जो मुल्क की सियासत में काफ़ी दख़ल रखते थे और क़ानूनसाज़ एसेम्बली के सदस्य थे। घर का माहौल जैसा भी था मगर आमना का रुझान बचपन से कला और साहित्य की तरफ़ था। संगीत में उन्हें विशेष रुचि थी। मुहब्बत और ख़ूबसूरती को बेहद महत्त्व देती थीं। जीवन की कठिनाइयों और कड़वाहट को इन दो चीज़ों के चलते अपने लिए आसान बना लिया था। उनकी ज़िंदगी का दर्शन उनके शब्दों में कुछ यूँ था—

"दिलों के चारों तरफ़ चक्कर लगाओ यही काबा तवाफ़ है। जो भी इंसान से मुहब्बत नहीं करता वह कभी भी खुदा से मुहब्बत नहीं कर सकता है। क्योंकि तड़पना एक अनुभव से गुज़रना जैसा है। जो आदमी तड़पना नहीं जानता वह ज़रूर अपने पैदा होने का तर्क पूरा करे और बेचारा बनकर अपनी पूरी ज़िंदगी गुज़ार दे। लेकिन जो धूप बनकर दुनिया पर न फैले और अगरबत्ती की सुगंध की तरह अपने अंदर न सुलगे वह वास्तव में जीवन का क्या अर्थ समझेगा।"

लेखन के साथ वह समाज सेवा में सुख पातीं और कम्यूनल हॉरमोनी की पक्षधर ही नहीं, बल्कि उसकी कार्यकर्त्ता भी रही हैं।

1977-80 तक 'एवाने आम' पत्रिका का संपादन किया।

उनके चर्चित कहानी संग्रह *आठ कहानी* (1965), *तुम कौन* (1970), *बाइफोकल* (1990) प्रमुख हैं। उपन्यास *सियाह, सुर्ख़, सफ़ेद* (1974), *वापसी* (1981), *यादशबख़ैर* (1994) काफ़ी चर्चित रहे हैं। उनको तीन बार उर्दू अकादमी दिल्ली और एक बार उर्दू अकादमी बिहार ने सम्मानित किया। ऑल इंडिया रेडियो प्लेराइट अवार्ड 1970 में आपको मिला।

वह हैदराबाद के अलावा दिल्ली में लंबे अरसे तक रहीं। उनका क़लम वर्तमान समय की पेचीदगियों, मनोवैज्ञानिक उलझनों, मानसिक संताप, इंसानी तारीख़ की दर्दनाक घटनाओं को बड़ी सूक्ष्मता से वह अपनी कहानी में पैवस्त करती रही थीं।

छोटे-छोटे अनुभव से वह गहरी संवेदना के तार जोड़ती थीं, जिससे कहानी में क़िस्सागोई के साथ पाठक का अपना जुड़ाव हो जाता है, जैसे वह कहानी नहीं पढ़ रहा हो बल्कि ख़ुद अपने आपको दोहरा रहा हो।

आमना अबुल हसन लगभग दस साल पहले हमसे जुदा हुईं, मगर उनकी कमी उनकी ख़ूबसूरत कहानियाँ भरती हैं!

लिहाफ़

आमना अबुल हसन

काम करते-करते मेहर की निगाह अचानक धूप में फैले हुए लिहाफ़ पर पड़ी तो उसे बड़ी शर्मिंदगी-सी महसूस हुई। लिहाफ़ बहुत मैला हो चुका था और जहाँ-तहाँ से उधड़ गया था। जब लिहाफ़ नया था तो इसका कलर कॉमबीनेशन और डिज़ाइन देख-देखकर मेहर ख़ुश हुआ करती थी। कैसे-कैसे रौशन रंग और कितने नाज़ुक बेलबूटे। हर सुबह जब वह बिस्तर साफ़ किया करती तो बहुत हल्के से लिहाफ़ को झटकती, उसकी शिकनें निकालती। तब ऐसी सावधानी और सलीक़े से उसको तह लगाती जैसे उसके हाथों में लिहाफ़ नहीं कोई ज़िंदा चीज़ हो।

महीनों वह इस नाज़ुक ज़हनी से उसकी सुरक्षा करती रही मगर शकील लिहाफ़ को कोई जानदार चीज़ नहीं समझता था, बल्कि सिर्फ़ इस्तेमाल की चीज़। जब तक लिहाफ़ बहुत नया था वह थोड़ा सावधान रहा मगर फिर जैसे-जैसे दिन गुज़रने लगे उसकी एहतियात ख़त्म होनी लगी। उसकी शुरू से आदत थी कि लिहाफ़ को अपने चारों तरफ़ ग़िलाफ़ की तरह लपेटकर सोया करता और इतना कस लेता कि लिहाफ़ ख़ुद उसकी जान का एक हिस्सा बन जाता।

कुछ अरसे तक लिहाफ़ ने शकील का कसाव बड़े सब्र से सहन किया फिर विरोध के तौर पर उसके टाँके जगह-जगह से टूटने लगे और रुई की जमी हुई पर्तें उखड़-उखड़कर छोटी-छोटी गेंदों की शक्ल लेने लगीं। जब मेहर शकील को ऐसी बदएहतियाती के लिए टोकती तो वह सुनकर कहता। "अरे लिहाफ़ ही तो है जान। कितना भी नया हो कभी-न-कभी पुराना हो ही जाएगा और फिर इस्तेमाल की चीज़ को नुमाइशी तौर पर बरतना मुनासिब भी तो नहीं। मुझे तो बस एक ही चीज़ की हिफ़ाज़त अच्छी लगती है वह सिर्फ़ तुम हो! बक़िया बस तो...

वह अपनी बात यहीं ख़त्म कर जब मेहर को अपनी मज़बूत बाँहों में कस लेता तो मेहर लिहाफ़ से बेदर्दी का ग़म भूलकर मुहब्बत भरे स्पर्श के बेपनाह और ख़्वाबनाक द्वीप में उतर जाती और फिर उस जज़ीरे के सिवा कुछ और याद न रह जाता।

दो जाड़े इसी लिहाफ़ में शकील और मेहर ने बख़ैर बख़ूबी गुज़ार दिए। मगर तीसरे जाड़े में चूँकि अफ़शाँ भी इनकी ज़िंदगी में शामिल हो गई, लिहाज़ा मेहर ने शकील के लिए नया लिहाफ़ ख़रीद लिया और अपने पुराने लिहाफ़ के टूटे हुए टाँके ठीक करके उसे अपने और अफ़शाँ के इस्तेमाल में ले लिया। अफ़शाँ काफ़ी सेहतमंद थी। उसकी सभी आदतें सही थीं, मगर एक कमज़ोरी यह थी कि रात में कई बार बिस्तर गीला कर देती थी। अगरचे मेहर ने लिहाफ़ को अंदर से गीला होने से बचाने की ख़ातिर एक हल्की सी दुलाई भी लिहाफ के अंदर इस्तेमाल करना शुरू कर दी। मगर मगर इस सावधानी के बावजूद सोते में करवटें बदलने से हल्की दुलाई इधर-उधर से सरक जाती और लिहाफ़ गीला हुए बग़ैर न रहता।

शुरू-शुरू में मेहर को बहुत झल्लाहट और कोफ़्त हुई, फिर अफ़शाँ की मुहब्बत के आगे उसे इस बात की ज़्यादा परवाह न रही। फिर तो यह मामूल हो गया कि हर सुबह मेहर इस लिहाफ़ को धूप में फैला देती कि हर रोज़ उसका धुलना मुमकिन न था। दिन-भर की धूप खाकर एक तो लिहाफ़ सूख जाता दूसरे पेशाब की बदबू मर जाती या कम-से-कम मेहर को महसूस न होती। मगर जब शकील अफ़शाँ के पास लेटता तो नाक को सिकोड़कर लिहाफ़ को परे सरका देता, मेहर से कहता—

''उफ फो! इतना बदबूदार लिहाफ़ किस तरह ओढ़ लेती हो और ग़ज़ब कि अफ़शाँ को भी ओढ़ाती हो। इस तरह से सेहत पर बुरा असर पड़ सकता है। क्यों नहीं एक नया लिहाफ़ ख़रीद लेती?''

मेहर मुस्कुराई।

''नया लिहाफ़? ख़्याल तो अच्छा है। अफ़शाँ फ़ौरन ही उसका भी यही हाल कर देगी। जब तक वह बड़ी नहीं हो जाती या बिस्तर गीला करना छोड़ नहीं देती, नया लिहाफ़ ख़रीदना बेकार है।''

शकील होंठ सिकोड़कर रह जाता। ''तुम जानो।''

और पेशाब की बदबू दबाने के लिए हर रात सोने से पहले लिहाफ़ पर हल्का-हल्का इत्र मल देती, मगर इत्त की ख़ुशबू जल्द ही पेशाब की बदबू से मात खा जाती। कुछ अरसे के बाद मेहर ने इत्र मलना भी छोड़ दिया। वह बदबू की आदी हो गई और अफ़शाँ के साथ उसी लिहाफ़ में मस्त नींद सोने लगी।

एक सर्दी और गुज़र गई! अफ़शाँ ने बिस्तर गीला करना भी छोड़ दिया। फिर भी लिहाफ़ को धूप दिखलाना मेहर की आदत बन गई थी। हालाँकि उसके बेलबूटे और रंग धूप खा खाकर मद्धिम हो चुके थे। गीलापन और इस्तेमाल की अधिकता से किनारों पर से कहीं-कहीं ग़ायब भी हो चुके थे। फिर भी मेहर की पसंदीदगी और वाबस्तगी की नज़रों में अब तक ज्यों के त्यों महफ़ूज़ थे।

व्यस्तता की अधिकता के कारण उसने अरसे से लिहाफ़ को नज़र जमाकर नहीं देखा था, मगर जब अफ़शाँ स्कूल जाने लगी तो उसको इतनी फुर्सत मिल गई कि

बिखरी, ख़राब चीज़ों को ध्यान से देखकर इन्हें ज़रूरत के अनुसार छाँट ले। ऐसे में उसकी निगाह देर तक लिहाफ़ पर पड़ी तो काफ़ी शर्मिंदगी हुई।

अब उनकी आर्थिक स्थिति ऐसी गई गुज़री तो नहीं कि इतना गंदा, मैला, पुराना लिहाफ़ ज़रूर इस्तेमाल किया जाए। यह तो शकील की सामाजिक प्रतिष्ठा के अनुसार न था। चुनांचे वह फ़ौरन ही उसी रोज़ जाकर एक नया लिहाफ़ ख़रीद लाई।

शकील ने जब नया लिहाफ़ देखा तो ख़ुश होकर बोला।

''वेलडन! यह हुई न बात कुछ...। चीज़ों के इस्तेमाल की भी एक हद हुआ करती है जानेमन! इसके बाद इन्हें विदा कर देना आवश्यक हो जाता है। देर से ही सही मगर तुमने रुख़सत तो किया। शुक्रिया!''

इस रात भी अपना लिहाफ़ छोड़कर नए लिहाफ़ में मेहर अफ़शाँ के साथ ख़ूब मज़े से सोयी, लेकिन अगली रात मेहर को बिल्कुल नींद नहीं आई। रातभर वह बेचैनी से करवटें बदलती रही और बार-बार उस ढेर को देखती रही जहाँ बेकार ग़ैर ज़रूरी बिस्तरों के साथ पुराना लिहाफ़ भी पड़ा हुआ था। उसे अजीब बेक़रारी महसूस हुई। उसने बहुत कोशिश की कि नए लिहाफ़ की मुलायम रुई जमी हुई दबीज़ परतों की ख़ुशगवारी स्वीकार करे। इसके मनमोहक रंग रूप और नयेपन की दमक से सुख ले। मगर ख़बूसूरत यादों की ख़ुशी और गुज़र उन ज़िंदगी के मीठेतरीन पल की जो बेहद पुराने लिहाफ़ से जुड़ी थी। वह हज़ार चाहने पर भी नए लिहाफ़ का सुख न बन सका।

वह उसके ब्याह का लिहाफ़ था, जिसमें उसकी सुहागरात सुरक्षित थी। शकील की जीती-जीती मर्दाना ख़ुशबू कहीं दबी साँसें ले रही थीं। ख़ुद इसकी अपनी भरपूर ज़नाना ग़ुरूर, शकील से अफ़शाँ का हासिल करना और अफ़शाँ के छुटपन की मासूम भीनी महक और मिठास।

बड़े ग़ुरूर से मुस्कुराकर एकाएक वह उठी। नया लिहाफ़ उसने अफ़शाँ को उढ़ाया और ख़ुद को पुराने लिहाफ़ से ढक लिया। रूठी हुई नींद उसकी आँखों में आ गई।

सुबह शकील ने जागकर देखा तो बुरा-सा मुँह बनाकर बोला।

''यह क्या, फिर यह मैला लिहाफ़? इसे फिकवा क्यों नहीं देती अब।''

मगर बग़ैर कहे बेहद ख़ामोशी और सुकून से उठकर मेहर ने उसे हमेशा की तरह धूप में फैला दिया। इस शर्मिंदगी से बिल्कुल लापरवाह कि आनेजाने वाले या पास पड़ोसी इस लिहाफ़ को देखकर इनके सामाजिक स्थिति के बारे में क्या राय बनाएँगे।

कहानियों में महिलाओं का मुक़दमा पेश करने वाली क़िस्सागो

ज़किया मशहदी का जन्म 1944 में अमरोहा, ज़िला मुरादाबाद में हुआ। लखनऊ विश्वविद्यालय से मनोविज्ञान विषय पर एम.ए. की डिग्री ली। वहीं 'लोरैटो' कॉन्वेंट में मनोविज्ञान की व्याख्यता पद पर छह वर्षों तक कार्य किया।

कहानी सुनने और सुनाने का बचपन से शौक़ रहा। अँधेरे भंडारघर में बड़ियों को मीठा ख़ुरमा समझकर मुँह में रखना और फिर थू-थू करने पर बाक़ी बच्चों के छेड़ने पर रुआँसा हो जाना और उस घटना को कहानी की तरह लिख बच्चों के रिसाले 'खिलौने' में भेजना और फिर लगातार लिखना। कहानी संग्रह *पराए चेहरे, तारीक राहों के मुसाफ़िर, सदाए बाज़गश्त, नक़्श-ए-नातमाम, यह जहाने रंग व बू* बहुत चर्चित हुए। लगभग दो दर्जन पुस्तकें नवसाक्षरों के लिए अधिकांश हिंदी में, 'फरोग़े-उर्दू काउंसिल', 'बुक ट्रस्ट', 'साहित्य अकादमी' की महत्त्वपूर्ण पुस्तकों का उर्दू से हिंदी और हिंदी से उर्दू में अनेक अनुवाद। जीलानी बानो के उर्दू उपन्यास *एवान-ए-ग़ज़ल* का अंग्रेज़ी अनुवाद 'नेशनल बुक ट्रस्ट' से प्रकाशित।

''मैं लिखती इसलिए हूँ कि दिल चाहता है अपने फ़र्ज़ को पूरा करने और दिल की भड़ास निकाल लेने का! जो आंतरिक सुख मिलता है वही मुझसे लिखवाता है।'' उनकी लिखी कहानियों को पाठक बड़े चाव से पढ़ते हैं। तीसरे कहानी संग्रह *सदा-ए-बाज़गश्त* पर विख्यात उर्दू आलोचक अली अहमद फात्मी के लेख 'ज़किया मशहदी की सदाए बाज़गश्त' से उद्धृत—''इनके अफ़सानों की एक बड़ी ख़ूबी यह भी है कि यह एक महिला के क़लम से निकले हैं फिर भी इनमें रिवायती और संकीर्ण ज़नानापन कम कम है।...महज़ औरत को बेचारी व मजबूर देखना इन्हें पसंद नहीं, जबकि पूरी ज़िंदगी पूरी इंसानियत बेचारी और बीमार हो चुकी है। बड़ा ज़हन, बड़ा विज़न छोटे-मोटे पक्षपात से ऊपर उठ जाता है और अच्छे व बड़े अफ़साने सिर्फ़ एक घटना या सिर्फ़ एक वर्ग के नहीं होते बल्कि एक भाव और

एक दर्शन के होते हैं और यह फ़लसफ़ा अपने विभिन्न रूपों में ज़किया मशहदी के अफ़सानों में बड़ी दक्षता के साथ जा बजा बिखरा पड़ा है।...सच यह है कि इनकी कहानियों की केंद्रीय सोच और दर्शन इन्हें तमाम खानाबंदियों से उठा कर इन्हें इस्मत चुग़ताई, क़ुर्रतुल ऐन हैदर और जीलानी बानो जैसी बड़ी अफ़सानानिगारों की सफ़ में ला खड़ा करता है।''

भेड़िए

ज़किया मशह्दी

गोदाम से भैंसों की सानी के लिए सरसों की खली निकालते वक़्त अंजू रानी ने खिड़की के दोनों पट खोल दिए थे और अमराई में खड़े बौर से लदे आम के पेड़ किसी तस्वीर की तरह फ्रेम में जड़ उठे थे। दूर कहीं खेत मज़दूरों के चैती गाने की आवाज़ आ रही थी। ऐसी साफ़, दिलकश और वाज़ेह जैसे वह सुर्ख़ फूल जिन्हें अंजू रानी ने अपने शौहर की चचेरी बहन के जहेज़ में दी जाने वाली सफ़ेद चादर पर काढ़कर कल ही मुकम्मल किया था। बोरी भरकर अंजू ने खिड़की के पट बंद करने को हाथ बढ़ाया ही था कि एकाएक अमराई के दरमियान से गुज़रती पगडंडी पर लंबे-लंबे डग भरती करमल्ली नमूदार हुई। इसकी रफ़्तार ग़ैरमामूली तौर पर तेज़ थी और चेहरा राख जैसा हो रहा था।

घर की दीवारों से एक बार फिर ख़ून की बू आने लगी थी। चारों-तरफ़ सरगोशियों (कानाफूसी) के नाग सरसराते फिरते थे। कोई भी आदमी अपनी फ़ितरी आवाज़ में बात नहीं कर रहा था। कोई भी किसी की आँखों में आँखें डालकर नहीं देखता था। चाचा के आगे पीछे चलने वाले लठैत और बंदूक बरदार फिर घर में दर आए थे। अंजू पर एक शदीद घबराहट तारी रहने लगी थी।

करमल्ली घर के क़रीब आ गई थी। चौकन्नी आँखों से उसने इधर-उधर देखा। ''मियाँ टोले में बम फूटा है। पाँच ठो मियाँ लोग मारे गए।'' उसने फूलती साँसें सँभालते हुए मजीद को बताया, ''जब्बार की माँ ने सर पटक-पटक के माथा फोड़ लिया।''

''जब्बार की माँ ने क्यों माथा फोड़ा? अरे राम, राम, राम! जब्बार मारा गया क्या? वह विधवा का अकेला बेटा?''

''हाँ, भाग की बात। जहाँ बम फूटा वहाँ वह भी खड़ा हुआ था। चिट्ठी देनी है क्या?'' उसने एक ही साँस में पूछा, ''नहीं, अभी नहीं, परसों आना। लिखकर रखूँगी।'' अंजू ने इधर-उधर देखते हुए फुसफुसाकर कहा।

''ब्रज किशोर बाबू नहीं आए। यह महीना भी ख़ाली गया।'' करमल्ली का जुमला पूरा होने से पहले चाची की कर्कश आवाज़ खुले आँगन में यूँ फैलती चली

आई जैसे तालाब में फेंके गए पत्थर से उठते फैलते पानी के दायरे।'' बहू...ऊ...ऊ'' करमल्ली तीर की तरह वहाँ से भागी और अंजू किसी रोबोट की तरह।

अंजू रानी को छोड़कर बाक़ी चौधरी ख़ानदान के हर फ़र्द की सूरत देखकर, बल्कि आवाज़ सुनकर ही करमल्ली की जान निकलती थी। वह एक आठवाँ दर्जा पास, ख़ानमाँ बर्बाद आदिवासी औरत थी। जिसे प्रौढ़ शिक्षा वाले अपना सेंटर खोलकर इस सुदूर अँधेरे गाँव में छोड़ गए थे। इसकी फूस की झोंपड़ी में एक पोटली में उसके दो जोड़े कपड़े थे और मिट्टी के चंद बर्तनों में आटा दाल-चावल यही उसकी कुल पूँजी थी। सिटिर-पिटिर सारे गाँव में घूमती लोगों को सेंटर आने के लिए उत्साहित करती फिरती थी। महीने, दो महीने में एक मर्तबा ब्लॉक ऑफ़िस जाकर प्रोजेक्ट अफ़सर को सेंटर की रिपोर्ट दे आती। तभी अंजू रानी का, चुपके से पकड़ाया हुआ ख़त, जो उसके शौहर के नाम हुआ करता था, पोस्ट कर आती। हर ख़त में एक ही बात होती थी, ''हमें शहर कब बुलाओगे? यहाँ हमें डर लगता है।'' ब्रजकिशोर कभी ख़त का जवाब नहीं देता था। महीने दो महीने में ख़ुद ही चला आता। दो-चार रोज़ रहता और मुहब्बत के बेपनाह इज़हार के साथ तसल्ली दे जाता कि अगली मर्तबा, बस अगली मर्तबा वह चाचा से यह करने की हिम्मत ज़रूर करेगा कि वह अंजू को उसके साथ जाने की इजाज़त दे दें। लेकिन इस बार तो छह माह की तवील मुद्दत गुज़र गई और वह गाँव आया ही नहीं। अंजू को ऐसा महसूस हो रहा था जैसे वह बिफरी हुई नदी की अँधेरी गहराइयों में हाथ पाँव मार रही है और पानी है कि चट्टान की सूरत में उसकी छाती पर चढ़ा चला आता है।

चाची की आवाज़ की प्रतिध्वनियाँ के वातावरण में घुलने से पहले अंजू रानी ने आँगन पार कर लिया था। मर्द आ गए थे। मर्द यानी चाचा, उनका बड़ा बेटा नंद किशोर और चार घनी, चढ़ी हुई मूँछों वाले लठैत जिनके पास राइफ़लें भी थीं। अंजू ने आटे की परात सरकाई, अरहर के राठे जोड़कर आग तेज़ की और मशीन की सी तेज़ी से रोटियाँ डालनी शुरू कीं। घर के खेतों में उगे सुनहरे गेहूँ की गरम-गरम रोटियाँ। गदबदी, फूली स्वाद भरी और ताक़त से भरपूर रोटियाँ। नंद किशोर सोच रहा था कि उन्हें पकाने वाली भी कुछ वैसी ही थी। उसकी अपनी धान पान, चिमरख़ सी बीवी पुराने दस्तूर के अनुसार ज़चगी के लिए मायके भागी हुई थी, पर नुची मरियल मुर्ग़ी। छुओ तो हड्डियाँ गड़ती थीं।

गठिया के मारे घुटने और थुलथुला जिस्म सँभालती, काँखती-कराहती चाची वहीं आकर बैठ गई थीं।

''सुना कि जब्बार मारा गया, नंद किशोर के बाबू!'' उन्होंने फूलती साँसों के बीच दरयाफ़्त किया।

''हम जब्बार का बुरा नहीं चाहते थे। सुसरा न जाने कहाँ से वहाँ पहुँच गया था।'' चाचा ने बेपरवाई से निवाला तोड़ते हुए कहा। ''बुरा तो हम मियाँ टोले में

किसी का भी नहीं चाह रहे थे लेकिन सत्यार्थी जी के बल पर वह लोग कुछ ज़्यादा ही कूदने लगे थे। ख़ाने को है नहीं, चले राजनीति करने।''

''राजपाड़ा से सत्यार्थी जी जीतेंगे हमारे जीते जी? मियाँ तो मियाँ, आदिवासी, हरिजन सबको बरग़ला रखा है। वह भी इनके साथ हो गया है। कहता है मंदिर बनना ज़रूरी नहीं है। हमको रोटी चाहिए। पूछो साले रोटी क्या मर के खाओगे? खाओगे तो तभी जब ज़िंदा रहोगे।'' नंद किशोर की आवाज़ ग़ुस्से की शिद्दत से काले नाग की फुंकार जैसी हो गई थी। आवाज़ तो आवाज़ उसका चेहरा भी काले नाग के फन जैसा लगने लगा था।

अरसा हुआ कि चाची ने जवान बेटे के मुँह लगना छोड़ दिया था। इसलिए वह शौहर से बोली, ''हरिजन का तो पूरा बूथ पिछले चुनावों में तुम्हीं ने छापा था। नंद किशोर के बाबू! बेकार ख़ून-ख़राबे में काहे को पड़ते हो। बहुत हुआ पिछली बार भी।''

''पाँच-सात आदमियों की कोई औक़ात है। यह तो नमूना था नूमना। पोलिंग के दिन घर से एक आदमी भी बाहर निकला तो टोले का टोला साफ़ करा देंगे।'' नंद किशोर की गुर्राहट इस बार किसी भेड़िए जैसी लगी थी।

''मौत का सन्नाटा छाया हुआ है। कल तक तो नादिर मियाँ की जोरू भी भाड़ में भुनते चुनों की तरह फुटुर-फुटुर कर रही थी। चमककर बोली थी, कैसे नहीं जाएँगे पर्ची गिराने! देखें कौन रोकता है! आज मिज़ाज ठंडा गया होगा।'' एक लठैत ने कहा।

''उठा लाएँ क्या?'' दूसरा शख़्स हँसकर भरे मुँह से बोला।

नंद किशोर की थाली में गरम रोटी डालते हुए अंजु ने झुरझुरी ली। अब क्या औरतें भी उठाई जाएँगी? उसका ज़हन अभी जब्बार की मौत के धक्के से ऊपर नहीं उठ पाया था। जब्बार फ़सल पर यहाँ के खेतों में ही काम किया करता था। बड़ा हँसमुख कड़ियल जवान था। धान के खेतों में रोपनी के वक़्त फटा बनियान पहने दिन-दिन भर पानी में खड़ा रहता। सबसे ज़्यादा काम करता और दूसरे मज़दूरों पर नज़र भी रखता था। वह रहता था तो अंजू को अपनी ज़िम्मेदारी हल्की होती महसूस होती थी। पाँच और लोग जो मारे गए वह भी तो अपने-अपने घरवालों के प्यारे होंगे। मरना कौन चाहता है। लँगड़ा, लूला, बीमार भी नहीं चाहता कि उसके सर पर बम फूटे और वह मार जाए। अंजू को महसूस हुआ आज वह खाना नहीं खा सकेगी। उसका कलेजा मुँह को आ रहा था।

''पुलिस तो अभी न आई होगी?'' एक शख़्स ने पूछा।

''पुलिस सुसरी कल दोपहर तक भी आ जाए तो जल्द जानो।''

''आने दो सालों को हमारा क्या ले जाएँगे।'' चाचा ने खाना ख़त्म करते हुए कहा।

चाचा कभी किसी से नहीं डरा था। उसके पास ताक़त थी। रुपये की और लठैतों की और ऊँची ज़ात की और बहुत तेज़ चलने वाले, जोड़-तोड़ लगाने वाले

दिमाग़ की जो उसके बेटे के क़ब्ज़े में था। इनकी यह जमाअत किसी भी दिल को दहशत से भर सकती थी। किसी भी जिस्म को पारा-पारा कर सकती थी।

ज़िंदगी की एक लंबी जद्दोजहद से गुज़रती करमल्ली अब ऐसे मकाम पर पहुँची हुई थी जहाँ इसे कोई डर नहीं होना चाहिए था। औरत को ख़ौफ़ होता है अपने जिस्म का। वह राख हो चुका था। फिर डर होता है शौहर और बच्चों का। वह सब उसे छोड़कर तितर-बितर हो चुके थे। फिर डर होता है माल-असबाब का। यह चीज़ें इसके पास थी ही नहीं। लेकिन इसके बावजूद डर दुबारा इसकी ज़िंदगी में पैर परसाने लगा था। राह चलते कभी चाचा का सामना हो जाता, कभी नंद किशोर का, कभी उनके हवारी-मवारियाँ में से किसी का। यह सब उसे खौफ़नाक नज़रों से घूरते। उसकी लाख कोशिशों के बावजूद मियाँ टोले और मुसहर टोले के लड़के वाले और ख़ासतौर पर औरतें सेंटर आने को तैयार न होते। जो आते वे जल्दी भाग निकलते। प्रोजेक्ट अफ़सर को करमल्ली जो रिपोर्ट देकर आती उसमें नई भरती के मुकाबले 'ड्रॉप आउट' का कॉलम कहीं ज़्यादा भरा हुआ होता था।

चाचा और नंद किशोर के अंदर कितनी बारूद भरी हुई है यह करमल्ली को नहीं मालूम था। शुरू-शुरू में गाँव आई तो गाँव के बड़े लोगों की मदद की ग़रज़ से इसी ड्योढ़ी पर आई थी। अंजू रानी की मीठी, मिलनसार तबीयत ने उसे अपना गिरवीदा बना लिया था। उसी ने अंजू से कहा कि अगर वह चलकर लोगों को समझाए तो लोग सेंटर पर आने लगेंगे। अंजू ने दबी ज़बान से घूँघट की ओर से चाचा से इजाज़त चाही थी।

"अक़्ल घास चरने चली गई है?" चाचा ग़ुर्राया था।

"हमारे यहाँ की बहू-बेटियाँ चप्पल सटकाती, मर्दों से दीदे लड़ाती करमल्ली की तरह जहाँ-तहाँ घूमती नहीं फिरतीं।"

"करमल्ली तो बड़ी सीधी-सादी औरत है चाचा। फिर यह कि बुज़ुर्ग है। वह तो सरकार की ओर से खोले गए..."

बहू का लिहाज़ किए बग़ैर चाचा ने सरकार को एक मोटी गाली दी। फिर उसने आँगन में घूम-घूमकर प्रौढ़ शिक्षा अभियान ख़ासतौर पर औरतों के अधिकारों, करमल्ली और सारे सरकारी ओहदेदारों को खुलेआम सुनानी शुरू की। लंबे घूँघट के बावजूद अंजू शरम से पानी-पानी हो गई। करमल्ली घर की बहू को वरग़ला रही है, यह कहकर उन लोगों ने गाँव में उसका रहना दूभर करने की मुहिम तेज़ कर दी।

नंद किशोर ने एक दिन करमल्ली को मुखिया के खेतों की मुँडेर पर पकड़ा। "क्यों रे बुड्ढी, गाँव छोड़कर जाती है या ज़िंदा जलवा दूँ तुझे?"

एक लंबे तगड़े लैठत ने लाठी उसकी कमर में चुभोई। "कहो तो नंद किशोर बाबू गर्दन दाब के खेतों में तोप दिया जाए। पूरे गाँव में कोई माई का लाल पूछने की हिम्मत नहीं करेगा कि बुड्ढी कहाँ गई।"

"हा, हा, हा! इसके जिस्म की खाद बनी तो फ़सल लहलहा उठेगी।"

करमल्ली थरथर काँपने लगी। "बाबू लोग हमारा दोष तो बताएँ। दो अच्छर पढ़ा देना तो पुन्न का काम है।"

"अरे बुड्ढी, पुन्न कमाना है तो राम का नाम ले। मुसहर-चमारों को, स्त्रियों को पढ़ा के ही पुन कमाएगी क्या?"

करमल्ली घिघियाने लगी। "हम सेवा भाव से पढ़ाने आए हैं, और कुछ नहीं जानते। महिलाओं को पढ़ाना तो ज़रूरी है, सरकार..."

"अरी ओ पंडितानी। हमारे खेत मजूर तोड़ रही है। मूसहर-चमार पढ़ेंगे तो खेत मजूरी कौन करेगा? तेरा बाप? वैसे भी अब सब आँखों में आँख डालकर बात करने लगे हैं। ऊपर से इन्हें पढ़ाया भी जाएगा?"

"और ज़नानियों को भी? यह तो हद हो गई।"

"ब्रज की बहू की चिट्ठी ले जा-ले जा के डालती है। जिसके नाम की चिट्ठियाँ होती हैं यह तो बहू जाने या यह बुड्ढी। अब गाँव की कुमारियों को भी लिखना सिखाएगी फिर स्वयं ले जा के उनके यारों की चिट्ठियाँ पहुँचाएगी।"

करमल्ली की टाँगें जवाब दे गईं। वह वहीं धप से गीली मिट्टी पर बैठ गई। "राम का नाम लो बाबू। अपनी ही बहू पर दोष लगा रहे हो। पति को चिट्ठी भेजती है बेचारी। वह भी कभी कदा।"

"बहस किए जाएगी। चुप नहीं होगी!" एक ने उसके रुखे, खिचड़ी बालों की पतली-सी चुटिया को पकड़कर झटका दिया।

तब से करमल्ली इन लोगों के साए से भी बच कर चलती थी। जो दो-चार लोग सेंटर पर आ जाएँ उन्हें पढ़ाकर अपनी ड्यूटी पूरी कर लिया करती थी। हाँ, मगर सारे ख़ौफ़ के बावजूद चोरी छिपे पिछवाड़े वाले दरवाज़े से हफ़्ता दस दिन में अंजू रानी से ज़रूर मिल लिया करती थी। अंजू नौजवान थी, ख़ूबसूरत थी, ऊँची जात वाली थी और खाते-पीते, ज़मीन-जायदाद वाले घराने की बहू। बज़ाहिर उसके और करमल्ली के बीच कुछ भी तो साझा नहीं था, लेकिन करमल्ली को मालूम था कि अंजू उसकी जैसी ही थी। अकेली और ख़ौफ़ज़दा। दिलगिरफ़्ता और ग़रीब।

अंजू ब्रज किशोर की बीवी थी जो चाचा के मरहूम भाई का इकलौता लड़का था, गूँगा और बहरा। उसकी दो बहनें थीं। चाचा ने दोनों का ब्याह करा दिया था। इलाक़े के एम.एल.ए. की सिफ़ारिश से उसे सरकारी नौकरी में लगवा दिया था। रहने को छोटा-मोटा क्वार्टर भी मिला हुआ था। ब्रज किशोर की माँ का रुआँ-रुआँ जेठ के एहसानों तले दबा हुआ था। उनकी मजाल नहीं थी कि जायदाद के बँटवारे की बात करें। वह अपनी हर बात की शुरुआत इस जुमले से करती थीं 'भाईजी न होते तो...' ब्रज किशोर को नौकरी मिलने के बाद वैसे भी वह गाँव घर से अलग-

थलग, शहर जाकर उसके साथ रहने लगी थीं। जेठजी और उनके बेटे के सियासत में क़दम रखने के बाद घर में जो फ़िज़ा बनी थी वह उन्हें सख्त नापसंद थी। फिर ब्रज उनका इकलौता बेटा था जो अपंगता का शिकार भी था। शहर में उन्होंने उसके लिए एक लड़की भी पसंद कर ली थी जो उसी की तरह गूँगी-बहरी थी। वह भाई जी से इजाज़त लेने और घर के बुजुर्ग की हैसियत से चलकर बात पक्की कर देने को कहने के लिए आईं तो भाई जी बाँस-बाँस भर उछलने लगे।

''गूँगी बहरी? ब्रज किशोर के लिए!''

''ब्रज के लिए नहीं तो क्या किसी दुरुस्त आदमी के लिए? कौन देगा ब्रज को लड़की। कोई पैग़ाम नहीं लाता उसके लिए।'' उन्होंने सोचा फिर हिम्मत करके बोली, ''ब्रज की देखीभाली है, उसे पसंद है। लड़की वाले राज़ी हैं। अपनी जात की ही है।''

''हुआ करे।'' चाचा ने बड़े इत्मीनान से कहा। हम अपने भतीजे के लिए बोलती-सुनती लड़की लाएँगे। ब्रज को पसंद है, हूँह।'' वह मुँह टेढ़ा करके चिढ़ाने वाले अंदाज़ में बोला था।

बोलती सुनती होगी तो लँगड़ी-लूली होगी। गोरा चिट्टा, लंबे क़द का ख़ूबसूरत जवान बेटा। ब्रज किशोर की माँ ऐसी बहू की कल्पना से उदास हो गईं।

''ज़नानी की बुद्धि पाँव में होती है।'' चाचा ज़ोर से बोलता हुआ उठ गया।'' अरे हम लाएँगे डंके की चोट पर। गाँव की स्वस्थ, सुघड़, कर्मठ लड़की। दो-चार जमात पढ़ी भी है। बी.ए., एम.ए. का हमें क्या काम? वह भी शहर की लड़की। क्या पता कहाँ-कहाँ मुँह मारती आएगी। हमारा लड़का गूँगा-बहरा है, तो हम लड़की भी वैसी लाएँ, कौन से शास्त्र में लिखा है?''

चाचा देर तक बड़बड़ाता रहा। उसने अंजू रानी का घर काफ़ी दिन से ताक रखा था। उनकी बिरादरी में इतने ग़रीब लोग मुश्किल से मिलते थे। सब खाते-पीते खेतिहर हुआ करते थे। ऊपर से लड़की मामा के घर रहकर पली थी। माँ मर चुकी थी और बाप दूसरी शादी करके नये बाल-बच्चों में मगन था। चाचा ने तिलक दहेज कुछ नहीं माँगा। ग़रीब लोग निहाल हो गए। लड़की घर-बार की हो गई। वह भी ऐसे खाते-पीते अच्छी पहुँच वाले परिवार की बहू बनी। ग़रीब मामा के घर रहकर पली, बिन माँ की बच्ची। मामा-मामी पर दो वक़्त का अनाज भारी था। बड़ी ख़िदमत गुज़ार और नेक। वह ऐसा पुर्ज़ा साबित हुई जिसकी कमी लंबी-चौड़ी गृहस्थी की गाड़ी में बहुत दिन से खटक रही थी। चौबीस घंटे जलने वाले सियासी चूल्हे से लेकर चाची की सारी बीमारियाँ, भैंसाल की भैंसों से लेकर हाली और हल-बैल, मज़दूरों से लेकर लठैत, सब उसने सँभाल लिए। उसका दिन अट्ठारह से बीस घंटे तक का होता था। वह कब सोने गई और कब सोकर उठ बैठी, किसी को पता नहीं चलता था। हमेशा जागती और कुछ-न-कुछ करती हुई मिलती। ब्रजकिशोर

की माँ उसकी वजह से ज़्यादा आने लगी थी। जब भी आती, बड़ी दुआएँ देती और फिर हसरत भरी नज़रें बहू पर डालकर चल देती। यह पायल छनकाती, मेहनती, सुघड़ बहू इनके बेटे का घर कब आबाद करेगी। लेकिन किस मुँह से माँगें? ब्रजकिशोर की तालीम, नौकरी शादी सब चाचा की दया पर थे। बहू पर पहला अधिकार उनका था। कभी-कभार छुट्टी मिलती तो ब्रजकिशोर यहीं चला आता था। वह ठंडी साँस भर कर रह जातीं।

इस तरह चार साल गुज़र गए। घूँघट के अंदर ख़ामोश आग में जलती रही अंजू। उसके यहाँ कोई औलाद भी नहीं हुई। शौहर कहता था पहले अपनी गृहस्थी में आ जाओ। अंजू सोचती थी औलाद हो जाती तो उसके बहाने जाने को कहती। घर की असल मालकिन नंद किशोर की बहू थी। जब चाहती मैके जाती। उसने दो बेटे पैदा किए थे इसलिए बड़ा मान-सम्मान था उसका। अंजू का यहाँ क्या था? कुछ भी तो नहीं। जिस घर पर उसका मुकम्मल हक़ होता वहाँ तो उसके पैर ही नहीं पड़ने दिए गए थे।

वह रात अंजू रानी को बहुत भारी लग रही थी। रोज़ सारे दिन बैल की तरह काम करने के बाद उसे मुर्दों को मात देने वाली नींद आया करती थी। लेकिन आज नींद आ-आकर वापस लौट रही थी। आती भी तो उचटती हुई। अगले दिन पोलिंग थी और गाँव में मौत का सन्नाटा छाया हुआ था। कल न जाने कितने लोग और मरेंगे। शायद इनमें किसी विधवा का बेटा भी होगा, किसी नौजवान सुहागन का मर्द।

फिर नींद की ढूँढती उभरती लहरों में अंजू को ऐसा लगा जैसे वह चर्रख़ चूँ, चर्रख़ चूँ करती बैलगाड़ी में बैठी शहर की तरफ़ रवाना है। गाड़ी चलती चली जा रही है, गीली सूखी नदिया पार करती, खेत-खलियानों से गुज़रती, मैदान और पहाड़ लाँघती। अचानक एक रेगिस्तान आ जाता है जहाँ रेत के बगूले उड़ रहे हैं और इन बगूलों के पीछे से नंदकिशोर का चेहरा बरामद होता है।

हड़बड़ाकर वह उठ बैठी। नंदकिशोर तो सचमुच दरवाज़े में खड़ा हुआ था। उसने जल्दी से घुटनों तक चढ़ आई साड़ी बराबर की, सिर पर आँचल लिया और पलंग से उतर गई। "भाई जी, आप? क्या बात है?"

"हमारे चार आदमी ब्लॉक आफ़िस गए थे। अभी लौटे हैं, रोटी देनी होगी।"

"जी भाईजी, अभी बनाते हैं।" उसने चप्पलों में पैर डाले।

"ब्रज ने दूसरा ब्याह कर लिया है।" नंदकिशोर ने यूँ कहा जैसे कोई पुरसुकून, अच्छा भला आदमी खड़े-खड़े अचानक किसी पर पत्थर खींच मारे।

"क्या?" अंजू का एक पैर जैसे हवा में लटका रह गया।

"हाँ, उसी गूँगी बहरी लड़की के साथ। उसकी पहली पसंद थी ना।"

अंजू की समझ में कुछ न आया। कौन गूँगी, किसकी पसंद। टुकुर-टुकुर घूँघट के नीचे से जेठ का मुँह ताकती रही।

''फ़िकिर की कोई बात नहीं। हम हैं ना। उस नामरद की परवा क्यों करो तुम? आज तक एक चुहिया का बच्चा भी न पैदा कर सका। एक हमारी वाली है। हर साल नौ महीने के लिए मैके भागी रहती है। असल बहू तो तुम हो; सारा घर तुम्हारे हवाले है। तुम्हारा अधिकार कहीं नहीं जाएगा।'' कहते हुए उसके सेहतमंद जिस्म ने जैसे झुरझुरी सी ली।

''चलो उठो, शाबाश, फटाफट रोटियाँ डाल दो।'' कहता हुआ वह पीठ मोड़कर चला गया।

तो इसीलिए...। जवान जहान शादीशुदा लड़का। औरत का जिस्म ज़ान चुका फिर भी औरत से दूर। सामने ऐसी लड़की मौजूद थी जिसके लिए दिल में नर्म गोशे मौजूद थे। गूँगी बहरी थी इसलिए ब्रज में किसी क़िस्म की कुंठा भी नहीं जगाती थी। ब्याह रचा लिया हो तो तज्जुब क्या? अंजू के ज़हन से उसी वक़्त जब्बार, वह सब जो पहले मरे थे और वह जो कल मरने वाले थे, सब मिट गए। रोटी बनाते छुए उसके हाथ दो मर्तबा जले।

इलेक्शन मंसूबाबंद धाँधलियों के साथ हुआ। सत्यार्थी जी बुरी तरह हारे। चाचा की पार्टी जीत गई। अगली बार चाचा ख़ुद चुनाव में खड़ा होगा। जश्न के इस माहौल में अंजू जैसी बेज़बान गाय ने एक बम फोड़ा। अपनी टूटी-फूटी भाषा में उसने शौहर को लिखा कि वह अब यहाँ एक पल भी और नहीं रहेगी। वह इसकी ब्याहता है, इसलिए सीधे सुभाव वह इसे यहाँ आकर ले जाए वरना वह पंचायत बुलाएगी। उसने यह भी लिखा कि जेठ जी की नीयत में खोट महसूस हो रहा है, इसलिए वह यह दो टूक बात करने पर मजबूर हुई है। दूसरे ब्याह का उसने कोई ज़िक्र न किया। पल्लू में ख़त बाँधे वह करमल्ली के पिछवाड़े से तेज़-तेज़ क़दम उठाती चली जा रही थी कि नंदकिशोर की उक़ाबी नज़रों की गिरफ़्त में आ गई। ख़त पकड़ा गया।

''पंचायत का फ़ैसला तो बाद में होगा। बात हमारे घर की है, इसलिए पहला फ़ैसला हम तो कर लें।'' चाचा आँगन में घूम-घूम कर दहाड़ने लगा।

''बहू को यूँ घर से मत निकालो।'' चाची ने मन्नत की। ''इसने हमारी बड़ी सेवा की है। फिर वैसा कौन मिलेगा जो सारा घर सँभाल ले। नौकरों-चाकरों का बस चले तो हमें लूटकर कंगाल बना दें। खेत-खलियान तक सर पर उठा ले जाएँ। हमसे तो अब कुछ होता नहीं, नंदकिशोर के बाबू। वही सबको सँभाल रही है।''

''ज़नानी की अक्कल पाँव में ही रहेगी। इसे निकाल कौन रहा है। बस ज़रा मज़ा चखाना है। जाएगी कहाँ? इसका भुक्खड़ मामा तो दूसरे ही दिन इसे यहीं जाकर छोड़ जाएगा। आज तक पूछा उसने? रही ब्रज की माँ तो वह भी इतनी हिम्मत नहीं जुटा सकती कि हमारी मर्ज़ी के ख़िलाफ़ बहू को ले जाए। देखती जाओ तमाशा।'' वह अंजू की कोठरी के पास चला गया और उसकी तरफ़ मुँह उठा के

चिंघाड़ा, "इसके ससुर ने तो ब्रजकिशोर को पैदा भर किया था। पाला-पोसा, पढ़ाया-लिखाया हमने। नौकरी दिलाई हमने। इस कुलछनी को ब्याह के लाय हम। एक पैसा तिलक न दहेज। और यह यहाँ रहना नहीं चाहती! देवता सरीखे जेठ पर दोस लगाती है! घर की इज़्ज़त पंचायत में नीलाम करने को कहती है! जा निकल जा यहाँ से। अभी निकल वरना बाल पकड़कर घसीटते हुए निकालेंगे। इस घर में बहू का गुज़ारा है, रंडी-पतुरिया का नहीं।" चाचा के मुँह से झाग निकल रहा था।

कोठरी में खड़ी अंजू रानी थरथर काँपी थी। चाचा इतना नाराज़ तो कभी किसी से नहीं हुआ था। या शायद मियाँ टोले में हुआ हो जहाँ वह इसी तरह चिल्लाया था, "यहाँ तुमको रहने का अधिकार दिया हमने। वोट गिराने का अधिकार दिया हमने। मस्जिद बनाने दी हमने। ज़मीन में हल चलाने दिया हमने। अब तुम पर्ची गिराने चले सत्यार्थी जी के लिए। याद रखो, जब चाहेंगे तुम्हें दराँती से गेहूँ की पकी फ़सल की तरह काटकर ले जाएँगे।" पूरे मियाँ टोले को साँप सूँघ गया था। छाती ठोकते, चाचा के गुर्गे पगडंडियों पर दुंद मचाते गुज़र गए थे।

ताज़ा हवा में ज़रा की ज़रा साँस लेने को अंजू कोठरी से बाहर ओसारे में और ओसारे से भी बाहर खुली ज़मीन में आ गई।

गेहूँ कट चुका था। खेतों की नंगी-भूखी ज़मीन आँखों के आगे सरसर कर रही थी। ऊपर चाँद अपनी पूरी आबोताब के साथ चमक रहा था। अंजू को महसूस हुआ कि वह नंगी खड़ी है। चाँदनी में नहाई हुई। उसके जिस्म पर एक तार नहीं और क़रीब की अमराइयों में भूखे भेड़ियों का झुंड उसकी प्रतीक्षा में है। भेड़िए जो ताकत हैं, ताक़त जो रुपया है, ताक़त जो हथियार है, ताक़त जो रेगिस्तानों के कुओं में तेल बनकर बहती है। ताक़त जो सियासी बाज़ीगरों की फ़ितूरी अक़्ल है। ताक़त जो पंचायत के पंचों को ख़रीद लेने का दम रखती है। ताक़त जो मर्द की शारीरिक श्रेष्ठता है। ताक़त, जो हत्या को आत्महत्या में बदलने की ताक़त रखती है।

अंजू ने नज़रें उठाकर चमकते हुए चाँद को देखा। ख़ामोश ज़बान में उससे पूछा, ऐ ख़ुदा की क़ुदरत के प्रतीक क्या तुमने ख़ुदा को देखा है? क्या ख़ुदा कहीं है? मिले तो पूछना कि तुम जिन्हें ताक़त प्रदान करते हो उनकी अंतरात्मा उनसे क्यों छीन लेते हो? उनके दिल से दर्द क्यों ख़त्म कर देते हो।

अमराई में कोई लकड़बग्घा ज़ोर से हँसा,

अंजू देर तक किसी टुंड-मुंड पत्ते झड़े नंगी शाख़ों वाले दरख़्त की तरह उगी खड़ी रही। फिर सिर झुकाए अपनी कोठरी में वापस आ गई कि कमज़ोरों के लिए कालचक्र से बाहर निकालने वाली सभी राहों पर भेड़िए पहरा देते रहते हैं।

कहानियों में जिस्मानी भँवर के मनोभावों का माहिर खेवट

शमोएल अहमद का जन्म 4 मई, 1945 में भागलपुर (बिहार) में हुआ। सिविल इंजीनियरिंग में स्नातक की डिग्री के बाद बिहार सरकार के लोक स्वास्थ्य अभियंत्रण विभाग में मुख अभियंता के पद से सेवा-निवृत्त और अब स्वतंत्र लेखन। हिंदी उर्दू में सामान अधिकार से लेखन करने वाले शमोएल अहमद का कहानी कहने का अपना अंदाज़ है जिसमें इतिहास, दर्शन, यथार्थ और व्यंग्य का अजीब मिश्रण है। उनकी इसी ख़ूबी को देखते हुए उर्दू के अहम आलोचक गोपीचंद नारंग ने उन्हें 'उर्दू कहानी का महत्त्वपूर्ण हस्ताक्षर' कहा है। उनकी अनेक कहानियाँ उर्दू-हिंदी में एक साथ चर्चित हुईं और उनकी कहानियाँ अन्य भारतीय भाषाओं में अनुवादित भी हुई हैं।

पंजाबी में उपन्यास *रीवर* और कहानी संग्रह *दी ड्रेसिंग टेबुल* 2012 में प्रकाशित। गुजराती उपन्यास *कुआँ* का हिंदी में अनुवाद। शमोएल अहमद पटकथा संवाद भी लिखते हैं। कहानी *आँगन का पेड़, काग़ज़ी पैराहन* और *मृगतृष्णा* पर दूरदर्शन द्वारा टेलीचित्त का निर्माण किया गया।

आलमी फरोग़ उर्दू अदब पुरस्कार 2012 दोहा-कतर के अंतर्राष्ट्रीय पुरस्कार से सम्मानित।

ज्योतिष में विशेष रुचि होने के कारण 2000 पृष्ठों पर आधारित फलित ग्रंथावली के तरतीब में व्यस्त।

अपने लेख 'उर्दू अफ़साने की बेवफ़ा औरतें' में शमोएल एक बहुत अहम बात कहते हैं, "औरत की बेवफ़ाई को हमेशा जिंसी नाआसूदगी से जोड़ना ग़लत है। सच तो यह है कि औरत शारीरिक असंतोष से ज़्यादा ज़ेहनी और रूहानी आराम के लिए बेचैन रहती हैं। जिंस का रूहानी पहलू भी है जिस पर नज़र नहीं जाती है। सच तो यह है कि आदमी ने मज़हब का ज़हर देकर सेक्स को मारने की कोशिश की है। सेक्स मरा तो नहीं ज़हरीला होकर ज़िंदा है!"

बर्फ़ में आग

शमोएल अहमद

सुलेमान को अपनी बीवी किसी बस्ते में लिपटे हुए धार्मिक ग्रंथ की तरह लगती थी जिसे हाथ लगाते वक़्त सावधानी की ज़रूरत पड़ती है। उसकी शादी को दस साल हो गए थे लेकिन अभी तक वह सुलेमान से बहुत खुली नहीं थी। सुलेमान उसको पास बुलाता तो पहले इधर-उधर झाँककर इत्मीनान कर लेती कि कहीं कोई है तो नहीं...ख़ासकर बच्चों की उपस्थिति का उसको बहुत ध्यान रहता था। जब तक उसको यक़ीन नहीं हो जाता कि बच्चे गहरी नींद सो चुके हैं वह सुलेमान को पास फटकने भी नहीं देती थी।

सुलेमान को शुरू-शुरू में सुल्ताना के इस रवैये से बहुत उलझन महसूस हुई। उसको लगा उसके साथ सहवास करके वह किसी अनिवार्य पाप का भागीदार बन रहा है।

लेकिन उसकी ज़िंदगी में जब रज़िया दाख़िल हुई तो उस पर भेद खुला कि पत्नी और महबूबा में फ़र्क़ है और ये कि ज़िंदगी में दोनों की अपनी-अपनी अहमियत है।

रज़िया सुलेमान की महबूबा थी और उसमें वही गुण थे जो महबूबा में होते हैं। वह चुंबन का जवाब बोसे से देती थी।

सुलेमान उसको अपनी बाँहों में कसता तो वह उसी गर्मजोशी का प्रदर्शन करती, बल्कि वह अक्सर आलिंगन में पहल कर बैठती और जब वह आहिस्ता-आहिस्ता उसके कानों में फुसफुसाती कि...जानी...कहाँ रहे इतने दिन... ? तो सुलेमान पर नशा-सा छाने लगता था। आनंद की ये वर्षा उसको कभी सुल्ताना के साथ मयस्सर नहीं हुई थी। सुल्ताना उसको बंद गठरी की तरह लगती थी जिसकी गाठें ढीली तो हो जाती थीं लेकिन पूरी तरह खुलती नहीं थीं। रज़िया इसके विपरीत थी। वह बेडरूम में शेल्फ पर रखी हुई उस किताब की तरह थी जिसके पन्ने वह अपने तौर पर उलट सकता था और जब भी उसने रज़िया की किताब उलटी-पलटी थी, प्रेम-रस का एक नया अध्याय ही उस पर खुला था...रज़िया कहती भी थी...यही फ़र्क़ होता है मेरी जान...पत्नियाँ दाम्पत्य अधिकार निभाती हैं और महबूबा ख़ज़ाने लुटाती है...

रज़िया की धारणा थी कि औरत सिर्फ़ महबूब की बाँहों में ही ख़ुद को पूरी तरह अनावृत करती है। पति अगर महबूब है तो ठीक है वरना वह फ़र्ज़ निभाती है...उसके प्रेम में कर्तव्य की भावना हावी रहती है...

उसकी इस बात पर सुलेमान ने उसको एक बार टोका था—"इसका मतलब ये है कि तुम अपने पति से प्यार नहीं करती हो!"

रज़िया अपनी बाँहें उसके गले में डालती हुई बोली थी—"मेरी जान! मैं पति से प्यार करना अपना फ़र्ज़ समझती हूँ और प्रेम फ़र्ज़ नहीं है।"

इस पर सुलेमान ने उसका एक तवील चुंबन लिया था—"फिर प्यार क्या है?'

"यह है प्यार...पुरुष इस तरह अपनी बीवी को नहीं चूमता...प्यार बंधन नहीं है...प्यार का मतलब है मुक्ति...

"वाह! क्या बात है... ?" सुलेमान हँसने लगा—"देखो हम कितने फ्री हैं...कितने आज़ाद...पति-पत्नी का संबंध स्वामित्व का संबंध है जिसमें स्वामी कोई नहीं है दोनों ही दास हैं, दोनों का एक-दूसरे पर आधिपत्य है...और प्यार आधिपत्य नहीं... !"

सुलेमान लाजवाब हो गया।

"एक बात बताऊँ... ?" एकाएक रज़िया मुस्कराई और फिर लजा गई।

"बताओ... ।"

"नहीं बताती।"

"बताओ न मेरी जान... ।" सुलेमान ने उसके गालों में चुटकी ली।

"जब मैं अपने पति की बाँहों में होती हूँ तो ध्यान तुम्हारा ही होता है। तुम्हारा ध्यान मेरे लिए उत्तेजक है...तब जाकर कहीं मैं... ।"

सुलेमान ने उसको बेइख़्तियार लिपटा लिया—"और मेरी बाँहों में... ?"

"तुम्हारी बाँहों में मैं पूर्ण रूप से अपने को स्वतंत्र महसूस करती हूँ...कोई अवरोध नहीं रहता...मैं होती हूँ...एक बहाव होता है...नदी की तेज़ धार होती है... और फिर...और फिर बहाव भी नहीं होता...नदी भी नहीं होती...मैं भी नहीं होती... ।"

सुलेमान रज़िया की इस बात पर अश-अश कर उठता था।

लेकिन इन तमाम बातों के बावजूद सुल्ताना से उसके संबंध मधुर थे। बल्कि ज्यों-ज्यों रज़िया से उसका लगाव बढ़ता गया सुल्ताना की कद्रो-क़ीमत भी उसके दिल में बढ़ती गई और वह यह महसूस करने लगा कि सुल्ताना लाज की मारी पतिपरायणा स्त्री है, जिसमें वही पवित्रता है जो एक पति अपनी पत्नी में देखना चाहता है...मसलन सुल्ताना का हमेशा नरम लहज़े में बातें करना...उसका हर हुक्म बजा लाना...सबको खिलाकर ख़ुद आख़िर में खाना...ये सब एक नेक पतिव्रता स्त्री के आवश्यक गुण हैं जो सुल्ताना में कूट-कूटकर भरे हुए हैं।

सुलेमान को अक्सर यह सोचकर हैरत हुई थी कि दस वर्षों के दांपत्य जीवन

में सुल्ताना ने आज तक उससे कभी ऊँची आवाज़ में बात नहीं की थी, ना ही अपने लिए कभी ऐसी कोई माँग की थी जो सुलेमान को उलझन में डालती। शादी के बाद शुरू-शुरू के दिनों में उसने एक बार पोशाक के मामले में उसको यह मशवरा ज़रूर दिया था कि वह अपने लिए प्रिंस सूट सिलवाए।

सुलेमान ने अगर महसूस किया था कि सुल्ताना की यह इच्छा थी कि वह उसको प्रिंस सूट में देखे लेकिन बंद गले का कोट उसको पसंद नहीं था। उसने उसकी इस बात पर कोई ख़ास ध्यान नहीं दिया था और सुल्ताना ने भी ज़िद नहीं की थी। उन्हीं दिनों वह अक्सर गुड़ भरकर करेले की सब्ज़ी भी बनाती थी। सुलेमान ने यह भी महसूस किया था कि सुल्ताना यह सब्ज़ी बड़े चाव से बनाती है लेकिन करेले का स्वाद उसको पसंद नहीं था। उसने सब्ज़ी एक-दो बार सिर्फ़ चखकर छोड़ दी थी।

सुलेमान अपने दाम्त्पय जीवन से संतुष्ट था। सुल्ताना ने उसको तीन ख़ूबसूरत बच्चे दिए थे। वह घर-गृहस्थी में कुशल थी। घर के हर छोटे-बड़े काम को ख़ुद ही अंजाम देती थी। सुलेमान गृहस्थी का ख़र्च उसके हाथों में देकर निश्‍िंचत हो जाता था।

रज़िया अक्सर सुल्ताना के बारे में पूछती रहती थी, लेकिन वह ज़्यादा बातें करने से घबराता था। कभी-कभी रज़िया कोई चुभती हुई बात बोल जाती और सुलेमान को लगता वह उसकी इमेज तोड़ने की कोशिश कर रही है।

एक बार जब वह सुल्ताना की बड़ाई कर रहा था कि वह किस तरह घर के काम निपटाती है तो रज़िया तड़ाक से बोल उठी थी कि—"उससे कहो हर समय दाई बनकर नहीं रहे...पत्नी को कभी औरत बनकर भी रहना चाहिए...।"

सुलेमान को यह बात लग गई थी। उसको एहसास हुआ था कि वाक़ई सुल्ताना हर वक़्त काम में ही लगी रहती है। कभी फ़ुर्सत के क्षणों में वह उसको अपने पास बुलाता भी है तो काम का बहाना करके उठ जाती है। लेकिन फिर उसने अपने आपको यह कहकर समझाया था कि सुल्ताना दरअसल एक सुघड़ औरत है और सुघड़ गृहिणियाँ इसी तरह घर के कामों में लगी रहती हैं।

एक दिन कपड़ों की ख़रीददारी के लिए सुलेमान घर से निकला। साथ में सुल्ताना भी थी। एक-दो दुकान झाँकने के बाद वह रेमंड हाउस में घुसना ही चाह रहा था कि सुल्ताना के क़दम रुक गए। वह ठिठक कर खड़ी हो गई। उसका मुँह हैरत से खुल गया।

"क्या हुआ?" सुलेमान ने पूछा।

"यह तो इलिया भाई हैं।" सुल्ताना का चेहरा तमतमा रहा था। सुलेमान ने सामने दुकान की ओर देखा। प्रिंस सूट में एक ख़ूबसूरत आदमी काउंटर के क़रीब खड़ा था।

"यहाँ से चलिए..." सुल्ताना आगे बढ़ती हुई बोली।

चलते-चलते सुलेमान ने मुड़कर एक बार फिर उस आदमी की तरफ़ देखा।

सुल्ताना आगे सेंट्रल वस्त्रालय में घुस गई।

''कौन थे?''

''भाईजान के दोस्त थे।''

''अगर जान-पहचान है तो मिलने में क्या हर्ज है?''

''मुझे शर्म आती है।''

सुल्ताना के चेहरे पर पसीने की बूँदें फूट आई थीं। ख़रीदारी के बाद दुकान से निकलते हुए सुल्ताना ने एक-दो बार गर्दन घुमाकर इधर-उधर देखा। रेमंड हाउस के क़रीब से गुज़रते हुए सुलेमान ने उधर उचटती-सी नज़र डाली।

रास्ते में सुल्ताना सब्ज़ी की दुकान पर रुकी। सब्ज़ियाँ और फल ख़रीदते हुए वे घर लौटे तो शाम हो गई थी। सुलेमान टी.वी. खोलकर बैठ गया और सुल्ताना खाना बनाने में लग गई।

समाचार सुनने के बाद सुलेमान ख़ाने की मेज़ पर बैठा तो करेले की सब्ज़ी देखकर उसको कुछ हैरत हुई। बहुत दिनों बाद सुल्ताना ने फिर गुड़दार करेले बनाए थे। इस बार सुलेमान ने पूरी सब्ज़ी खाई। ख़ाने के बाद वह कुछ देर तक टी.वी. देखता रहा, फिर बिस्तर पर आकर लेटा तो सुल्ताना एक तरफ़ चादर ओढ़कर सोई हुई थी। सुलेमान को अजीब लगा। यह अंदाज़ सुल्ताना का नहीं था। कुछ देर वह बगल में लेटा रहा फिर बत्ती बुझाई और सुल्ताना को धीरे से अपनी तरफ़ खींचा...वह उसके सीने से लग गई। सुलेमान को अपने सीने पर उसकी छातियों का स्पर्श भी रहस्यपूर्ण लगा। उसको हैरत हुई कि उसका बदन पहले इतना गुदाज़ नहीं मालूम हुआ था। तब वह महसूस किए बिना नहीं रह सका कि सुल्ताना की साँसें कुछ तेज़ चल रही हैं। कमरे के अंधकार में उसने एक बार सुल्ताना के चेहरे को पढ़ने की कोशिश की और फिर उसको अपने बाहुपाश में भर लिया...सहसा सुलेमान ने महसूस किया कि सुल्ताना की साँसें और तेज़ होती जा रही हैं...और मानो साँस के हर उतार-चढ़ाव के साथ बंद गठरी की गाँठें अपने आप खुलने लगी हैं...खुलती जा रही हैं...

सुलेमान ने हैरत से उसकी तरफ़ देखा। एक पल के लिए उसको रज़िया की याद आई...और फिर उसका चेहरा पसीने से भीग गया...सुल्ताना के बदन पर उसकी बाँहों का शिकंजा ढीला पड़ गया...

सुलेमान को लगा उसकी बाँहों में सुल्ताना नहीं है...कोई और है...

बहते तेज़ाबी रास्तों पर इंसानियत के पौधे रोपने का आग्रह

असरार गांधी का जन्म जनवरी, 1946 में सुल्तानपुर में हुआ, वहीं उनका बचपन गुज़रा। इंटर के बाद उर्दू एम.ए. इलाहाबाद यूनिवर्सिटी से किया। अपने बचपन और लेखन के बारे में वह ख़ुद बड़े ख़ूबसूरत ढंग से बताते हैं :

"मेरे बचपन का ज़माना था, मैं कोई यही छह-सात बरस का रहा हूँगा। मुझे माँ की गोद में सर रख कर लेटना बहुत अच्छा लगता। ऐसे वक़्तों में वह कई बार अपने बचपन की बातें सुनातीं, कैसे उनके माँ-बाप दोनों ही मात्र दस दिनों के बीच इस दुनिया से गुज़र गए। उन दिनों वह सिर्फ़ डेढ़ दो बरस की थीं। और कैसे उनके रिश्तेदार उन्हें मरने के लिए किसी खँडहर में डाल आए थे। फिर उन्हें उन खँडहरों से कौन उठा कर लाया। कैसे उनकी परवरिश हुई। अम्मा की ज़िंदगी परेशानियों की लंबी दास्तान थी। कई बार दास्तान सुनाते-सुनाते अम्मा की आँखों में आँसू आ जाते और कभी-कभी ये आँसू मेरे चेहरे पर टपक पड़ते। अपने चेहरे पर उन आँसुओं के टपकते ही मुझे महसूस होता कि जैसे किसी ने मेरे रग व रेशे में चिंगारियाँ ही चिंगारियों धर दी हों। मैं सोचता कि अगर वह लोग जिन्होंने माँ के साथ ज़ुल्म किए थे, मुझे मिल जाएँ तो उनकी खाल खींचकर माँ की चप्पल बना दूँ। लेकिन ये ख़्वाब पूरा नहीं हो सकता था।

ये चिंगारियाँ बरसों तक मेरे रगों में दौड़ती रहीं। फिर इन्हीं चिंगारियों ने मेरे हाथ में क़लम पकड़ा दिया।

शुरू-शुरू में अपनी कहानियों के ज़रिये मैंने दिल की ख़ूब भड़ास निकाली। सिर्फ़ सामाजिक अन्याय ही मेरी कहानियों का मौज़ू रहे। लेकिन बाद में जैसे-जैसे मेरे सोचने समझने का दायरा वसीअ होता गया कहानियों के विषय बढ़ते गए। मैंने अपनी कहानियों को ग़लत बातों और ग़लत रवैयों से लड़ने के लिए एक हथियार के तौर पर इस्तेमाल किया।

मैं सोचता हूँ कि सामाजिक अन्याय जहाँ भी हो, जैसे भी हो, उसके ख़िलाफ़ लिखना मेरा पहला फ़र्ज़ है कि वह चिंगारियाँ आज भी मेरी रगों में दौड़ रही हैं।"

उनकी पुस्तकें—1980 के बाद उर्दू की बेहतरीन कहानियाँ (हिंदी में अनुवाद) पाकिस्तान की दस लेखिकाओं की कहानियाँ (हिंदी), *रिहाई* संग्रह पर उर्दू अकादमी बंगाल का पुरस्कार, अखिल भारतीय भाषा साहित्य सम्मेलन द्वारा 'भारत गौरव' सम्मान, समन्वय द्वारा 'चेतन श्री' सम्मान, रेडियो से लगभग 100 कहानियाँ प्रसारित, समीक्षाएँ, वृत्तचित्र, लेख, रिपोर्ताज़, अनुवाद, सेमिनारों के भागीदारी। उर्दू हिंदी भाषा में बराबर से लेखन। संप्रति स्वतंत्र लेखन।

रास्ते बंद हैं सब

असरार गांधी

रात ने अपने ख़ेमे गाड़ लिए थे।

वह बेआवाज़ क़दमों से सीढ़ियाँ चढ़ता हुआ छत की तरफ़ जा रहा था। छत पर पहुँचकर वह चारदिवारी की आड़ में बैठ गया ताकि दूसरी छतों पर से देखा न जा सके। उसने नज़रें आसमान की तरफ़ उठाईं तो देखा कि नीले-नीले आसमान में आग की लपटों की सुर्ख़ी शामिल हो चुकी है। यह सुर्ख़ी कई दिनों से यूँ ही आसमान के नीले रंग का हिस्सा बन रही थी। उसे एहसास हुआ कि यह सुर्ख़ी आज कुछ ज़्यादा ही गहरी है। उसने अपनी गर्दन उठाई और छत की चारदिवारी के उस पार देखा कि वह शोले जो कल तक उसके घर से काफ़ी दूर थे आज क़रीब आ चुके हैं। कल उसे सिर्फ़ सुर्ख़ शोले ही दिखाई दे रहे थे, आज इन शोलों में चीख़-पुकार की बड़ी दर्दनाक आवाज़ें भी शामिल थीं। उसे थरथरी-सी लग गई। वातावरण में एक अजीब-सी सनसनी थी जिसकी संगीनी महसूस की जा सकती थी।

वह बड़ी मुश्किल से नीचे उतरा। उसके चेहरे पर ख़ौफ़ के साये नाच रहे थे। नीचे आकर उसने देखा कि बीवी कुकिंग गैस के दो सिलेंडर लिए कमरे में खड़ी है! उसे बीवी के साथ सिलेंडरों को कमरे में देखकर हैरत हुई। उसने बीवी पर सवालिया नज़रें डालीं।

"मैं इन हालात में दुनिया से अकेले नहीं जाऊँगी। बल्कि गैस सिलेंडरों की मदद से अपने साथ दूसरों को भी लेकर जाऊँगी।" एक लम्हे की ख़ामोशी के बाद वह ठहर-ठहर कर बोली।

वह खोई-खोई आँखों से बस एकटक बीवी को देखे जा रहा था, फिर उसने एक झुरझुरी-सी ली और अपने हवास में पूरी तरह से वापस आ गया। वह आगे बढ़ा और बीवी की पीठ थपथपाता हुआ बोला—

"मैं जानता हूँ कि तुम बेहद निडर हो, लेकिन शायद आज इसकी ज़रूरत न पड़े।"

"डरावनी आवाज़ें तो काफ़ी क़रीब आती जा रही हैं।" वह बोली।

"हाँ शोर और शोले तो काफ़ी क़रीब आ चुके हैं, लेकिन इतने क़रीब भी नहीं कि इस घर तक आज ही पहुँच जाएँ। मुमकिन है कि कल रात वह लोग इस कॉलोनी को अपना निशाना बनाएँ। वैसे भी इस बड़ी कॉलोनी में हमारे जैसे घर ही कितने हैं, बस चार या पाँच उन्हें ख़त्म कर देने में वक़्त ही कितना लगेगा? हमारे नाम तो आसानी से पहचान लिए जाते हैं।" वह आसमान की तरफ़ देखता हुआ बोला। जहाँ सिर्फ़ सुर्ख़ी ही सुर्ख़ी बाक़ी रह गई थी, आसमान का नीला रंग ग़ायब हो चुका था।

चंद लम्हों के लिए ख़ामोशी छा गई। उसने बीवी की तरफ़ देखा जो धीरे-धीरे सिलेंडरों को खींचती हुई किचन की तरफ़ वापस ले जा रही थी।

वह बेडरूम की तरफ़ बढ़ गया, फिर चंद क्षणों के बाद उसकी बीवी भी वहीं आ गई।

"क्या नफ़रत इतनी भी बढ़ सकती है? इंसान और जानवरों के बीच कोई फ़र्क़ ही न रहा, हाँ पर जानवर अपने नाम नहीं रखते और यह दूसरी बात है कि नाम कभी-कभी बड़े हंगामों की वजह बना दिए जाते हैं।" वह धीरे से बोली जैसे अपने आपसे कह रही हो।

"नफ़रत अपने आप कभी नहीं बढ़ती, बढ़ाई जाती है। बेहद सोची-समझी स्कीम के तहत। यह नफ़रत उस तर्ज़े-ज़िंदगी की देन होती है जहाँ लोग अपने सिवा किसी और को देखना नहीं चाहते।"

"मैं कुछ समझी नहीं?"

"हाँ, शायद तुम समझ न सको कि सादा दिली इंसान को बहुत-सी बारीकियों की समझ से दू कर देती है।" वह उसे सोच में डूबी हुई आँखों से देखता हुआ बोला, फिर कुर्सी पर से उठकर बेचैनी के अंदाज़ में टहलने लगा।

वह टहलते-टहलते एक क्षण के लिए रुका और बग़ैर सलाख़ों वाली खिड़की को खोलकर थोड़ी-सी गर्दन बाहर निकाली और चारों तरफ़ देखने लगा।

दूसरी मंज़िल पर होने की वजह से उसे पूरी कॉलोनी साफ़ नज़र आ रही थी। हल्के अँधेरे में उसने पूरी कॉलोनी को ग़ौर से देखने की कोशिश की तो सन्नाटे में आ गया। कॉलोनी के कंपाउंड में कई परछाइयाँ हिल-डुल रही थीं। उसने इन परछाइयों को पहचानने की कोशिश की, लेकिन अँधेरा आड़े आया और वह उन्हें पहचान न सका।

उसने सोचा कि शायद यह लोग कॉलोनी से बाहर के हों, लेकिन यह यहाँ क्या कर रहे हैं? यह किस मक़सद से दरवाज़े-दरवाज़े जा रहे हैं? उसे उलझन होने लगी।

उसने अपनी नज़रें उस तरफ़ से हटा लीं और सामने वाले ख़ाँ साहब के घर की तरफ़ देखने लगा। वहाँ पूरी तरह से सन्नाटा छाया हुआ था। शायद वह लोग शाम से ही कहीं और चले गए थे।

यहाँ से चला तो उसे भी जाना चाहिए था, लेकिन वह अपने पड़ोसी और कुछ दूसरे लोगों के समझाने-बुझाने की वजह से ठहरा रहा, उसने सोचा कि उससे ग़लती हो गई।

ख़ाँ साहब के घर से उसकी नज़रें हटीं तो फिर उन रहस्यमयी परछाइयों पर जा टिकीं जो कॉलोनी के बीचोंबीच बने एक छोटे से पार्क में विराजमान थीं। उसे लगा कि जैसे वहाँ कोई मीटिंग हो रही हों।

वह खिड़की बंद करके मुड़ा तो देखा कि बीवी लेट चुकी है। वह भी उसके पास आकर लेट गया।

अब भी दूर कहीं से चीख़-पुकार की आवाज़ें बुलंद हो रही थीं।

उसने शोर की तरफ़ से अपना ध्यान हटाने के लिए अपने कमरे का जायज़ा लेना शुरू किया। फिर उसकी निगाहें बुक शेल्फ़ पर टिक गईं। इतनी बहुत-सी किताबें—इन किताबों में क्या कुछ नहीं लिखा था, लेकिन क्या सचमुच इन किताबों का कुछ अर्थ भी है! क्या ये किताबें किसी ख़ास क्षण में अपना अर्थ खो देती हैं?

उसने सोचा कि इन किताबों के बीच से उसकी अपनी लिखी हुई किताबें भी तो वजूद में आई हैं। कितनी मेहनत की थी उसने इन किताबों को लिखने में, लेकिन फ़ायदा क्या हुआ? क्या यह आग के शोलों को बुझा सकती हैं? चीख़ते, तड़पते और ज़ख़्मों से चूर लोगों का मरहम बन सकीं?

उसे लगा कि उसने अपनी ज़िंदगी का ख़ासा वक़्त बरबाद कर दिया।

उसने महसूस किया कि जैसे एक गहरी मायूसी उसके इर्द-गिर्द धीरे-धीरे अपना शिकंजा कसती जा रही हो।

उसने सोचा कि कल तक कितने लोग मर चुके थे, कितने आज मर जाएँगे। कितनी क़ीमती चीज़ें कल तक राख हो चुकी थीं कितनी चीज़ें आज जल कर राख हो जाएँगी। मुमकिन है कि कल किताबों की यह शेल्फ़ बाक़ी न रहे और उसकी जगह राख ही राख रह जाए और कौन जानता है कि वह ख़ुद कहाँ हो? हो भी या न हो!

उसे लगा कि जैसे उसके घर में ख़ौफ़, बेबसी और नफ़रत के नाग छिपे बैठे हैं और उसे जकड़ने के लिए अपना घेरा कसते जा रहे हैं।

उसने रात बड़ी उलझनों में काटी। उसने कई बार कोशिश की कि वह बीवी के जिस्म में पनाह ले ले, लेकिन यह कैसी ठंडक है जो उसके पूरे जिस्म में समा गई है। न कहीं कोई हरकत, न किसी तरह की गर्मी, जैसे वह एक लाश हो गया हो।

फिर किसी के दरवाज़ा खटखटाने पर ही वह उठा।

''कौन हो सकता है इतनी सुबह-सुबह?'' वह धीरे से बुदबुदाया।

दरवाज़ा फिर खटखटाया गया। साथ ही किसी की आवाज़ आई।

''सो रहे हो क्या?''

यह आवाज़ उसके पड़ोसी की थी।

उसने आहिस्ता-आहिस्ता चलकर दरवाज़ा खोल दिया।

''कहो कैसे हो?'' पड़ोसी ने उसे देखकर पूछा।

वह कुछ बोला नहीं, बस चुपचाप उसे देखता रहा।

पड़ोसी ने धीरे-से उसकी पीठ थपथपाई और दबे लहजे में बोला।

''तुम आज कहीं और चले जाओ। मैंने तुम्हें सिर्फ़ कल तक के लिए विश्वास दिलाया था।''

वह फिर कुछ नहीं बोला। पड़ोसी रुख़्सत होने वाले अंदाज़ में मुस्कुराया और अपने घर की तरफ़ बढ़ गया।

वह वापस कमरे में आया तो देखा कि बीवी जाग रही है।

''कौन था?''

''पड़ोसी।''

''क्या कह रहे थे?''

''आज कहीं और चले जाओ। अब गारंटी नहीं ली जा सकती।'' वह ठहर-ठहरकर बोला।

''मेरे ख़याल में वह ठीक कह रहे हैं। बेसबब जान देने का कोई मतलब नहीं होता।''

''हाँ सोचेंगे।''

वह बाथरूम की तरफ़ चल पड़ा।

नाश्ता करते वक़्त उसकी नज़रें वाल क्लॉक की तरफ़ उठीं तो देखा कि नौ बज रहे हैं। नाश्ता करने के बाद वह कहीं जाने की तैयारी करने लगा।

''कहाँ?''

''बस ज़रा नीचे मिसेज़ बनर्जी के पास।''

कोई और मौक़ा होता तो वह चिढ़ जाती, मगर इस वक़्त वह कुछ बोली नहीं। बस बेज़ार आँखों से उसे जाता हुआ देखता रही।

ग्राउंड फ़्लोर पर घोर सन्नाटा था। हर तरफ़ खिड़कियाँ और दरवाज़े जो खुले रहकर ढाढस दिया करते थे, आज लोगों ने सख़्ती से बंद कर रखे थे। उसने इधर-उधर देखा तो कहीं दूर तक वर्दी वाला कोई पहरेदार नज़र न आया। वह तेज़ी से मिसेज़ बनर्जी के दरवाज़े पर पहुँचा और दरवाज़े को आहिस्ता से खटखटाया।

दरवाज़ा खुला और वह तेज़ी से अंदर दाख़िल हो गया।

कमरे में बैठी मिसेज़ बनर्जी कैनवस पर कुछ पेंट कर रही थीं। उसे देखते ही उन्होंने ब्रश रखा और उठकर उसके पास आ गईं।

''क्या पेंट कर रही थीं?''

''ऐसे माहौल में क्या पेंट किया जा सकता है?''

उन्होंने उँगलियों से रंग साफ़ करते हुए उल्टा सवाल कर दिया।

वह जवाब देने के बजाय कमरे की दीवारों को देखने लगा जिन पर मिसेज़ बनर्जी की बनाई हुई बहुत-सी पेंटिंग्स लगी हुई थीं। उसने हमेशा महसूस किया कि मिसेज़ बनर्जी की पकड़ रंगों पर बड़ी मज़बूत है और उन्हें मालूम था कि रंगों के लहजे में बात कैसे कही जाती है।

"तुमने मेरी बात का जवाब नहीं दिया।" वह उसे देखते हुए बोलीं।

"क्या जवाब दूँ आपको? आप समझ सकती हैं कि मैं किस ज़ेहनी कैफ़ियत से गुज़र रहा हूँ।"

"मैं समझ सकती हूँ।" वह उसे रहम भरी नज़रों से देखती हुई बोलीं।

चंद लम्हों के लिए ख़ामोशी छा गई, फिर इस ख़ामोशी को मिसेज़ बनर्जी ने ही तोड़ा—

"तुम्हें मालूम है, रात मैंने खिड़की खोली तो देखा कि तुम्हारा पड़ोसी छह-सात लोगों के लिए हुए कॉलोनी के लोगों से मिल रहा है। बाद में उसने सामने वाले पार्क में छोटी-सी मीटिंग भी की।"

"मेरा पड़ोसी?"

"हाँ तुम्हारा पड़ोसी, तुम शायद नहीं जानते कि वह एक्सट्रीमिस्ट है। उसके पास नफ़रत के ढेरों बीज हैं जिन्हें बोने के लिए वह मौक़े तलाश करता रहता है।"

उसे अचानक याद आया कि एक बार उसके पड़ोसी ने किसी बात पर उससे कहा था कि जब देश तरक़्क़ी की राह पर आगे बढ़ता है तो कभी-कभी बहुत से बेगुनाहों की बलि चढ़ जाती है। देश की तरक़्क़ी इनकी मौतों से ज़्यादा महत्त्वपूर्ण है।

"सुबह वह मेरे पास भी आया था।" वह सोचता हुआ बोला।

"क्यों? क्या कह रहा था?"

"आज यहाँ से कहीं और चले जाओ।"

उसकी बात सुनकर मिसेज़ बनर्जी को चुप-सी लग गई, फिर देर तक ख़ामोशी छायी रही। इस ख़ामोशी पर पहला पत्थर मिसेज़ बनर्जी ने ही फेंका—

"तुम्हें वह सुबह याद है ना जब अचानक ज़हरीली गैस पूरी फ़िज़ा में फैल गई थी, लोग अपनी जान बचाने के लिए भाग रहे थे, मौत साँसों की राह उनके जिस्मों में उतर रही थी। लोगों का ज़ेहन इतना बेसुध हो गया था कि माएँ अपनी औलादों को छोड़-छोड़कर भागी जा रही थीं। कोई किसी का हाल पूछने वाला न था। दूसरी तरफ़ बहुत से लोग यह देखे बग़ैर कि कौन क्या है, एक दूसरे की मदद कर रहे थे।"

मिसेज़ बनर्जी ने एक लम्हे ठहरकर गहरी साँस ली और बात का सिलसिला फिर शुरू किया—

"उस वक़्त सिर्फ़ इन्सान ज़िंदा रह गया था, बाक़ी सब कुछ मर गया था। आज सिर्फ़ इंसान मर गया है बाक़ी सब कुछ ज़िंदा है! क्या हो गया है इस शहर को पहले ऐसे हादसात तो कभी न हुए थे, सुनो! मेरी भी यही राय है कि शाम को

जब थोड़ी देर के लिए पहरे हटें तो तुम किसी सुरक्षित जगह पर चले जाओ, मैं तुम्हें खोना नहीं चाहती।''

वह बेबसी से मिसेज़ बनर्जी को देखता रहा।

''तुम्हारा यहाँ रहना हम दोनों के लिए ख़तरनाक हो सकता है।'' वह उसे समझाने वाले अंदाज़ में बोली।

''आप ठीक कह रही हैं, मैं ख़ुद भी हालात को समझ रहा हूँ। मुझे जान बचाने के लिए अपना घर छोड़कर जाना होगा। इससे बढ़कर मुझे और तकलीफ़ क्या हो सकती है ? मिसेज बनर्जी, मुझे महसूस हो रहा है कि जैसे एक भारी-भरकम पेड़ को जड़ से उखाड़कर दूसरी जगह लगाने की कोशिश की जा रही हो, लेकिन लोग यह भूल रहे हैं कि इस पेड़ को उखाड़ने के बाद जो जगह ख़ाली होगी, वह इतनी ज़हरीली हो जाएगी कि वहाँ सिर्फ़ और सिर्फ़ कँटीली झाड़ियाँ ही उग सकेंगी। ज़मीन भी अपना बदला लेती है।''

मिसेज बनर्जी उसकी बात सुनकर चुप रहीं। लेकिन उनके चेहरे से उनकी ज़ेहनी कैफ़ियत का अंदाज़ा होता था।

कुछ देर बाद वह अपने घर वापस लौट आया।

शाम हो चली थी और पहरा एक घंटे के लिए हटा लिया गया था।

वह दोनों घर में ताला लगाकर नीचे उतरे और सीधे मिसेज़ बनर्जी के दरवाज़े पर आ खड़े हो गए।

वह बाहर निकलीं और उन लोगों से अपनी कार में बैठ जाने का इशारा किया जो दूसरी तरफ़ के फुटपाथ पर लगी हुई खड़ी थी।

कार में बैठने से पहले उन लोगों ने अपने घर की तरफ़ देखा, फिर कुछ देर तक उसे देखते रहे। देखते रहे।

मिसेज बनर्जी को उनकी आँखों में दुख के साये तैरते हुए नज़र आए, उन्हें अपना दिल भी डूबता हुआ महसूस हुआ।

फिर वह कार में बैठकर मिसेज बनर्जी को अपनी मंज़िल का पता समझाने लगे।

रास्ते भर गहरी ख़ामोशी ने कुंडली मार रखी थी। कोई बीस पच्चीस मिनट बाद उसने मिसेज बनर्जी से कार रोक लेने को कहा,

''अरे यहाँ कहाँ ? तुम्हें तो और आगे जाना है ना,वह कार रोकते हुए बोलीं,

''हाँ जाना तो है, यहाँ से हम दोनों टहलते हुए चले जाएँगे, यहाँ किसी तरह का कोई डर नहीं है।''

''अरे भई, यहाँ कहाँ उतरोगे ? मैं तुम्हें तुम्हारे संबंधी के घर पहुँचाए देती हूँ।''

''नहीं मिसेज बनर्जी, नहीं, मैं नहीं चाहता कि आप भी उस ख़तरे से दो चार हों, जिस ख़तरे से निकालकर आप मुझे यहाँ लाई हैं, यहाँ से वापस चली जाइए, मैं आपको खोना नहीं चाहता।''

वह तीनों एक दूसरे की आँखों में देखते रहे, अचानक उन पर एक अलविदाई नज़र डालते हुए झटके के साथ मिसेज़ बनर्जी ने अपनी कार आगे बढ़ाई और धीरे-धीरे यू टर्न लेती हुई वापस लौट पड़ीं। वे दोनों उस वक़्त तक कार को देखते रहे जब तक कि वह आँखों से ओझल न हो गई।

वे दोनों बोझिल मगर जमे-जमे क़दमों से आगे बढ़ रहे थे। उनके कंधों पर शोल्डर बैग लटके हुए थे, जिसमें उन्होंने घर से निकलते वक़्त क़ीमती सामान रख लिए थे।

अगले दिन उसने अख़बार में पढ़ा कि रात कुछ लोगों ने प्रसिद्ध पेंटर मिसेज़ बनर्जी की कार में आग लगा दी, उसने सोचा कि शायद उन्हें बचाने के लिए मिसेज़ बनर्जी को यह सज़ा दी गई थी।

कोई पंद्रह दिन बाद उन्हें एक सुबह मालूम हुआ कि शहर को लगाए गए पहरे से पूरी तरह नजात मिल गई है।

फिर एक दिन वह जब घर से निकला तो उसकी दाढ़ी बुरी तरह से बढ़ी हुई थी। आंखों से दहशत झाँक रही थी। वह आसपास इस तरह देखता हुआ चल रहा था जैसे किसी अजनबी शहर में दाख़िल हो गया हो। सैंकड़ों बार देखी हुई चीज़ें उसे दूसरी नज़र आ रही थीं। वह तमाम खबरों से बेपरवाह बस अपनी धुन में बढ़ता चला जा रहा था। उसका रुख़ अपने घर की तरफ़ था।

फिर वह रास्ता भटक गया। उसने महसूस किया कि इस राह पर वह अकेला नहीं हैं, बल्कि न जाने कितने और हैं जो बहककर अजनबी और ख़तरनाक राहों पर निकल खड़े हुए हैं।

इस बहकावे के बीच उसे मिसेज बनर्जी बेहद याद आती रहीं।

अहसास को लहर-लहर पकड़ने वाली मछेरन

क़मर जमाली 2 अप्रैल, 1948 में हैदराबाद में पैदा हुईं। उनका बचपन वहीं बीता—उस्मानिया यूनिवर्सिटी से फ़ारसी भाषा साहित्य में एम.ए. किया और रेवेन्यू डिपार्टमेंट में काम करने के साथ-साथ वह अपने लेखन में भी व्यस्त रहीं। उनके लेखन के बारे में स्वयं उनके विचार पढ़ें।

"मैं क्यों लिखती हूँ, ख़ुद को ज़िंदा रखने के लिए...

क्योंकि अगर न लिखूँ तो मर जाऊंगी

ख़ुदा ख़ालिक है। तख़्लीक़ सिर्फ़ और सिर्फ़ उसी का हक़ है।

मगर अल्लाहताला ने इंसान को अपना नायब बनाकर कर पैदा किया है और अपनी कुछ ज़िम्मेदारियाँ उसे सौंपी हैं। उन्हीं में से एक ज़िम्मेदारी है सृजन, चाहे वह अपनी कोख से हो या क़लम से। और सृजनकर्ता को यह गुण ऊपर वाला देता है जो उसके अपने बस का नहीं है। अगर कोई कहता है मैं इसलिए लिखता हूँ, लिखती हूँ, तो ज़्यादा सही नहीं है, बल्कि लिखने वाला इसलिए लिखता है कि वह लिखने पर मजबूर है। यही वजह है कि कोई भी शख़्स जो दर्दमंद दिल रखता है, वह दर्द का अहसास तो कर सकता है मगर उसे क़लमबंद नहीं कर सकता है। मेरे साथ यही मामला है। जब-जब दिल बेचैन होता है मैं लिखती हूँ और पिछली आधी सदी से लिख रही हूँ। इंशाअल्लाह जब तक हुक्मे ख़ुदा है लिखती रहूँगी। पहली कहानी जब मैं चौदह वर्ष की थी तब लिखी थी जो *रूदादे हयात* नामक सप्ताहिकी में छपी थी। अदबी ज़िंदगी की पहली कहानी *फ़ासले मिट गए* नाम से बीसवीं सदी पत्रिका में 1969 में छपी।"

क़मर जमाली ने लंबे अरसे तक 'तनाज़ुर' नामक पत्रिका का संपादन भी किया और इसके लिए उन्हें कथा जनरल अवार्ड से सम्मानित किया गया। इसके अलावा उर्दू अकादमी अवार्ड, मीर अकादमी (लखनऊ) अवार्ड के साथ आपको अपने कार्यक्षेत्र में भी बेहतर काम करने के लिए कई सम्मानों से सम्मानित किया गया। आपके चर्चित कहानी संग्रह *शबीह* (1990), *सबूहचा* (1992), *सहाब* (2001), *ज़ुहाब* (2007) और रेडियो नाटक *संगरेज़े* (1993), *इनिकास* अलोचनात्मक लेख संग्रह (2012)।

सपने, आँखें और स्वप्नफल

क़मर जमाली

"उफ़... !"

रमिया ने शांति की चोली बराबर कर दी।

"जानवर है। सारी पीठ ज़ख़्मों से पटी पड़ी है। बहुत निष्ठुर है।"

"वह मुझे चाहता भी बहुत है मेमसाहब! मगर..."

घड़ी भर को ठंडी हवा छुअन में आया चेहरा एकाएक पहले से ज़्यादा मुरझा गया और शांति उस मगर का...

रमिया के लिए यह कोई नई बात नहीं थी। एक शांति ही क्या दुनिया की सारी औरतों की बेबसी इन्हीं तीन अक्षरों 'मगर' से जुड़ी है। बड़ा शक्तिशाली शब्द है यह। अपने में सकारात्मक और नकारात्मक गुणों के साथ यह शब्द कभी-कभी वह काम कर जाता है। जो बड़े-बड़े सूरमा भी नहीं कर सकते हैं।

"मगर?"

एक अंधा विश्वास।

स्वयं को छलना।

एक झूठा सच।

जीने का हौसला...और न जाने क्या-क्या... !!

रमिया बड़ी देर तक इस छोटे से शब्द की भूल-भुलैयों में घूमती रही। फिर जो शांति की तरफ़ उसकी नज़र उठी, उसे अपने बोदेपन पर ग़ुस्सा आया।

"शिट...नौस्टेलजिया... !!"

उसने सर को झटक दिया और धीरे से शांति के शाने को छुआ जो सिसकियों की वजह से लगातार हिल रहा था।

"शांति! मैं तेरे इस 'मगर' का फैलाव देख सकती हूँ। बहुत अर्थपूर्ण शब्द है, दरअसल यह शब्द, 'शब्द' नहीं हथियार है। चाहो तो अपनी सुरक्षा के लिए इस्तेमाल करो...चाहो तो इसी से आत्महत्या कर लो। रोओ नहीं शांति! रोने से भाग्य नहीं बदलते। फिर तू बात बेबात उससे उलझती क्यों है... ? मान क्यों नहीं लेती जो वह कहता है?"

"यह आप कह रही हैं मेमसाहब...! आप तो अपनी आरगाशन में औरत को शक्तिशाली बनने का पाठ पढ़ाती हैं। अपने अधिकारों के लिए लड़ना सिखाती हैं।" शांति ने आँसुओं से भीगा चेहरा ऊपर उठाया तो रमिया को लगा जैसे चोरी करते धर ली गई हो। उसे अपना अस्तित्व मिट्टी का एक ढेर-सा लगा। शांति सच कहती थी। वह ख़ुद को स्त्री मुक्ति की अगुवा समझती थी मगर...

"उफ़! फिर वही मगर...!"

उसने अपने आपको सँभाल लिया। वह इन स्थितियों से परिचित थी। "शांति! ज़ुल्म सिर्फ़ सहने की चीज़ है ज़ुल्म सहना औरत का भाग्य है...तू क्या समझती है। इस अत्याचार का शिकार सिर्फ़ तेरी ही बिरादरी की औरतें होती हैं?

नहीं!

औरत सिर्फ़ औरत है। उसके केवल नाम बदल सकते हैं कभी शांति कभी...रमिया। मगर नामों के बदलने से अत्याचार के साथ औरत का रिश्ता बदल नहीं जाता, सिर्फ़ ज़ुल्म सहने के तौर-तरीक़े बदल जाते हैं। मेरी एक बात याद रख, अत्याचार के विरोध में आवाज़ उठाने से गृहस्थी की दीवारें हिलने लगती हैं।

"हाँ...अगर तुझमें इतना दम है तो फिर..."

एक सीधा-सा सवाल दाग़ा। मगर रमिया को लगा...

एक ज़ोरदार समंदरी थपेड़ा रमिया के वजूद से टकरा गया। आँसू अब दोनों की आँखों से बह रहे थे। अब उनमें न कोई मालकिन थी न कोई नौकरानी। सच तो यह है कि वहाँ अब कोई दो अस्तित्व थे ही नहीं।

वहाँ थी तो एक औरत।

ईश्वर की सबसे सुंदर, मगर मजबूर रचना!

रचना का स्रोत...फिर भी हुक्म की दासी!

मर्द के आदेशों की पाबंद! कहा, खड़ी हो जाओ...तो हुक्म मानने के अतिरिक्त कोई विकल्प नहीं। वरना दीन-दुनिया दोनों से महरूम। उसकी अपनी कोई इच्छा नहीं। उस वक़्त भी नहीं जब वह अपनी आँखों में अपनी नींद सोना चाहती है।

जन्म से लेकर विवाह तक सिर्फ़ यही शब्द उसके कानों में उंडेले जाते हैं कि...

पति, आधा भगवान है...उसकी उपासना करो।

कहा, सो जाओ। तो चुपचाप सो जाओ।

कहा, जागती रहो...तो उसका दिल बहलाओ।

कहा, दुल्हन बनकर सामने आओ...तो वैसा ही करो।

शिट! यह भी कोई जीवन है।

"शांति! तू कभी अपने पति के लिए तैयार हुई है?"

"समझी नहीं मेमसाहब...।"

"यानी कि...क्या तू कभी ख़ुद से...ख़ैर छोड़...तू समझेगी नहीं।"

"क्यों नहीं मेमसाहब..." वह एकदम चहक उठी। उसके चेहरे पर बेशुमार चिराग़ जल उठे। बुझी-बुझी आँखों में चमक कौंधी।

"...और आप मेमसाहब... ?"

शांति को रमिया किसी और लोक की मूरत लगी। न आँखों में जोत थी। न चेहरे पर जीवन।

"रमिया मेमसाहब...! रमिया मेमसाहब...!" वह रमिया को झिंझोड़ने लगी। रमिया सभ्य समाज की पैदावार थी। जहाँ शिष्टता ने उसकी सहज संवेदनाओं को शुष्क कर दिया था। वह समय के ऐसे 'स्पेस शिप' में क़ैद थी जिससे निकलना मुमकिन न था। अब वह उस स्पेसशिप की कमांड पर विभिन्न आयामों में यात्रा कर रही थी जिसका न कोई ठौर था न ठिकाना था। जहाँ रोक लगी...बस उसी परिस्थिति को जी लिया।

शांति के इस अकस्मात् किए प्रश्न के लिए रमिया तैयार न थी। इस प्रश्न के 'स्पेसशिप' को इस ज़ोर का झटका लगा कि वह उछलकर किसी और काल में पहुँच गई। जहाँ वह अभी तक एक पाँव चलती बच्ची थी।

खुली आँखों से उसने देखा...

वह पाँव-पाँव चल रही थी। और दो सचेत आँखें उसका पीछा कर रही थीं। चलते-चलते वह ज़रा लड़खड़ाकर गिरी कि दो मेहरबान हाथों ने उसे उठा लिया और उसके घावों को आँखों से लगाया। उन पर चुंबनों की ऐसी वर्षा की, कि उसके घुटनों की नर्म रेशमी त्वचा जलने लगी।

"उफ़ जलता है...!!" बेख़्याली में वह अपना घुटना सहलाने लगी।

"क्या हुआ मेमसाहब ?"

बिना कुछ सोचे-समझे और बग़ैर उसके बराबर नीचे बिछे क़ालीन पर बैठी शांति ज़ोर-ज़ोर से रमिया का घुटना सहलाने लगी।

"चरके लगते हैं!"

"कहाँ मेमसाहब ?"

"यहाँ... ?"

रमिया ने साड़ी खिसकाकर शांति को अपना घुटना दिखलाया।

"प्यार जलता है, तुझे पता है... ?"

"पता नहीं मेमसाहब। मगर प्यार बड़ा मीठा होता है। एक नशा-सा होता है। इतना कि ख़ुद अपनी ख़बर नहीं होती। और कभी-कभी बालों से फूलों का गजरा फिसलकर इधर-उधर फैल जाता है तो प्यार ख़ुशबू बनकर नस-नस में समा जाता है। तब अहसास होता है कि..." शांति भावना के बहाव में कहे जा रही थी।

मगर रमिया... ?

वक़्त के स्पेसशिप में फँसी किसी रोबोट की तरह तड़प रही थी। ऐसे सपने तो उसने भी देखे थे।

मगर...

सपने और उसके अपने यथार्थ के बीच इतना फ़ासला होगा इसका उसे अंदाज़ा न था। ज़िंदगी के शिष्ट व्यवहार ने उससे सब कुछ छीन लिया था...सपने भी।

''शांति! तूने कभी ऐसा सपना देखा... ?''

''कैसा मेमसाहब ?''

''...कि तू एकदम जवान है, जैसे कुछ साल पहले थी। और कोई तुझसे...नहीं रहने दे। तू। समझेगी नहीं।''

समझूँगी क्यों नहीं मेमसाहब। ऐसे ख़्वाब तो मैं हर रात खुली आँखों से देखती हूँ। मगर किसी ऐसे वैसे के साथ नहीं। सब मेरे अपने होते हैं। मेरे सपनों के राजकुमार। कितना टूटकर चाहते हैं! मैं उसका हिसाब भी नहीं कर सकती। थक जाती हूँ। मगर उस थकान में भी एक ताक़त का अहसास होता है। दिन कैसे गुज़र जाता है...नहीं पता। आपके घर को मिलाकर दस घरों का चौका बासन करती हूँ फिर भी...''

''सपने असल में निरर्थकता के स्वप्नफल होते हैं। यही वजह है कि सब कुछ उल्टा-उल्टा दिखाई देता है शांति! जो चीज़ हम जीवन में नहीं पा पाते वह सपने में पा लेते हैं। सपने बहुत-सी ख़ामोश ज़िंदगियों के जीने का सहारा होते हैं। अगर सपने भी आँखों से रुठ जाएँ तो पता नहीं कितने जीवन अधजली लकड़ियों की तरह आवाज़ देने लगेंगे।

और

''भगवान न करे...सपने अगर छिन जाएँ!!''

तो... !

''औरत तो जीते जी मर जाएगी।''

''मेमसाहब...यह आपकी आवाज़ को क्या हो गया है!''

''यही मेरी असली आवाज़ है, शांति। एक औरत की आवाज़ जो वह अपने साथ लेकर पैदा होती है। मगर ज़माना, हालात और ज़िंदगी के तक़ाज़े उसे विभिन्न आवाज़ें निगलने पर मजबूर करते हैं और वह सरकते समय के साथ असंख्य आवाज़ें एक साथ गटक जाती है। यहाँ तक कि उसकी पहचान बाक़ी नहीं रहती।''

''आपकी भी मेमसाहब... ?''

''हाँ मेरी भी।''

''मगर साहब तो आपके पाँव तले अपनी आँखें बिछा देते हैं। आप तो आप वह किसी भी औरत पर ज़ुल्म होता नहीं देख सकते...''

''बस यह वह स्थिति है जहाँ पहुँचकर मर्द दोहरा हो जाता है। दोहरा मर्द इकहरे मर्द से ज़्यादा ख़तरनाक होता है। वह ऊपर से तो औरतों की भलाई की बात करता है, मगर अंदर-ही-अंदर उसे यह भय ज़्यादा ख़तरनाक बना देता है कि कहीं घर के अंदर की औरत उससे ज़्यादा शक्तिशाली न हो जाए।''

"तू नहीं जानती शांति! ज़ुल्म कैसे शक्लें बदल–बदलकर वार करता है। फिर भी। कभी जो कोई आवाज़ किसी तरह बुलंद हो गई...तो समझो महाभारत छिड़ गई। अपने ही आँगन में कुरुक्षेत्र! जिसमें पांडव भी अपने कौरव भी अपने। किस–किस को रोएँ!!

तू जानती है शांति! महाभारत में सबसे दयनीय चरित्र किसका था... ?

गंधारी का...

जिसने रणभूमि पर गिरे हर ख़ून के क़तरे को अपनी पलकों से सींचा है, क्योंकि धरती पर गिरी ख़ून की हर बूँद उसकी दिल की राह से होकर गुज़री। मगर किसने गंधारी के दर्द को महसूस किया... ? किसी ने नहीं। शांति! तूने..."

एकाएक रमिया को महसूस हुआ कि बीच–बीच में हाँ, हूँ करके इन बातों पर हामी भरने वाली उसके क़रीब क़ालीन पर बैठी शांति मौजूद नहीं है। वह सोफ़ से उठकर खड़ी हो गई। ड्राइंगरूम में शांति को न पाकर वह लिविंगरूम में निकल आई। शांति वहाँ भी न थी। मगर पास कहीं से गहरी–गहरी साँसों की मद्धिम लहर सुनाई दे रही थी। रमिया साँसों की इस सरगम का पीछा करती डाइनिंग हॉल तक चली आई जहाँ से पोर्टिको का एक हिस्सा साफ़ दिखाई देता था। शांति अपने पति के सीने से चिपकी खड़ी थी उसकी आँखें बंद थीं। उसके पति की पीठ डाइनिंग हाल की तरफ़ थी। वह रमिया को देख नहीं सकता था मगर रमिया को पोर्टिको का दृश्य साफ़ दिखाई देता था। शांति का सर उसके पति के कंधों पर था।

उसके चेहरे पर विचित्र–सा संतोष था। जिस्म का सारा रक्त कपोलों पर उभर आया था। होंठ काँप रहे थे और आँखों में जमे अधूरे सपने पलकों से छलकने को व्याकुल थे। शांति ने अपनी दोनों बाँहें अपने पति के गिर्द जकड़ रखी थीं।

एक अनजानी भावना के चलते वह दो क़दम और आगे बढ़ी...फिर ख़ुद ही लौट आई। मगर...और स्वप्नफल सामने था।

एक नज़र और उनकी तरफ़ देखने की चाह ने उसके क़दम जकड़ लिए। वह वहीं रही। एक मूर्ति की तरह जड़ और स्थिर। सामने पार्टिको में आँखों के सामने धुआँ–सा फैल रहा था जहाँ दो जिस्म जल रहे थे। सपने ख़ामोश थे।

अहसास की गहरी धुंध के बीच उड़ता परिंदा

शौकत हयात का जन्म 1950 में हुआ। एम.ए. किया। 1970 से लगातार लेखन में सक्रिय। लगभग सौ से अधिक कहानियाँ लिखीं, जो उर्दू में चर्चित होने के साथ अन्य भाषाओं हिंदी, मराठी, बांग्ला, तमिल, अंग्रेज़ी की साहित्यिक पत्रिकाओं में अनूदित होकर छपीं। आपके कहानी संग्रह *बाँग, गुंबद के कबूतर, रानीबाग, फुसैंडा* और उपन्यासिका *सरपट घोड़ा* के अलावा आलोचना में *1970 के बाद की कहानियाँ* चर्चित रही हैं।

कई तरह के बौद्धिक आंदोलन और साहित्यक परिवर्तनों के लिए अपना स्थान उर्दू कहानी में बनाने वाले शौकत हयात को कई पुरस्कारों से सम्मानित किया गया है।

कथा अवार्ड (1996), बिहार उर्दू अकादमी का 'लाइफ टाइम एचीवमेंट अवार्ड (2008), हिंदी-उर्दू में चर्चित कहानी *गुंबद के कबूतर* आलोचकों और पाठकों द्वारा अत्यधिक सराही गई।

आलोचकों का विचार है कि शौकत हयात की सबसे बड़ी ख़ूबी यह है कि उनकी कहानी अपने पाँव ख़ुद आप चल-चल के ठीक ख़ात्मे पर आ पहुँचती है मानो कहानी ने अपने आपको पूरा कर लिया है!

उनकी अप्रकाशित कहानी *कुलसूम बेगम* इस संग्रह में शामिल की जा रही है। शौकत हयात की कहानियों में ज़मीन से जुड़े हुए यथार्थ को दर्शाया जाता है। जो आम आदमी की ज़िंदगी से जुड़ी हुई उलझनों को हमारे सामने रखता है! *कुलसूम बेगम* उस पतझड़ की कहानी है जिसके बाद नई कोंपल फूटने की कोई आशा नहीं रहती। उस वक़्त जो निराशा का समा बँधता है वह प्यासी धरती पर बिना बरसे घने मेघों का गुज़र जाने जैसा होता है। ज़िंदगी रिवाइंड नहीं की जा सकती। यह मलाल इंसान को ज़िंदगी की ढलती शाम को गहरे कचोटता है। यह उसी 'कचोट' की एक मुख़्तसर और ख़ूबसूरत कहानी है।

कुलसूम बेगम

शौकत ह्यात

नामुराद!

कुलसूम बेगम चौंकी। बेबस निगाहों से चारों-तरफ़ देखा।

ज़ेहन पर ज़ोर देकर एक बार चारों तरफ़ देखा। चेहरे और माथे की झुर्रियाँ पहले से ज़्यादा गहरी हो गईं।

वहाँ कोई नहीं था।

पूरे घर पर सन्नाटा छाया था।

एक अजीब व ग़रीब पल ने उन्हें व्यथित कर दिया।

खिड़की से बाहर झाँकने पर इन्हें शाम के ढलने की ख़बर मिली। उनके रोंगटे खड़े हो गए...किसी के क़दमों की चाप उभरने लगी।

नामुराद! ज़िंदगी अकारत गई।

किसी वादी में ज़िंदगी का आबशार चट्टान पर गिरकर बेकार ही धुआँ-धुआँ पानी में तब्दील होते हुए अपना सर पटक रहा था।

बिना पानी धौंस के मरुस्थल में तेज़ हवाएँ चल रही थीं।

मलगीज़ी अँधेरों ने हथेलियाँ फैलाईं और उनकी कमर को दबोचने के लिए अपना दायरा तंग करना शुरू कर दिया।

आस-पास सरगोशियों का अहसास हुआ।

एक मुद्दत गुज़र गई कि सदियाँ...

कमउम्री में शादी हुई तो कुलसूम बेगम शुरू में अचानक अपने अंदर तेज़ रफ़्तार होती तब्दीली की तरंगों को समझ नहीं पाईं। धीरे-धीरे सुख की अनुभूति की अनजान नदी में डूबते उतरते और साहिल पर पहुँचकर गहरी साँसें लेते हुए ज़िंदगी के नये अर्थों में छुपे भेदों को आख़िर जान लिया। जीवनसाथी से उन्हें कोई शिकायत न थी।

ज़िंदगी की धुंधभरी फ़िज़ा में रौशनी धुँधलके में तब्दील हो गई थी। पाँच बरसों तक कोशिश और लगातार कोशिश में गुज़र गए। जीवन साथी दोस्तों से नए-नए

हुनर सीखकर आता। उन पर आज़माने की कोशिश करता...उकताहत और पसीना-पसीना होने के बावजूद वह पूरा साथ देती। जिस्म व जान के एक होने के बावजूद एक अजीब बेबसी और गहरी उदासी का भाव आत्मा से चिपका रहता था।

जिस्म चूर-चूर हो जाता। उन्हें लगता कि वह फलों के ऐसे ढेर में बदलती जा रही हैं जिनसे सारा रस निचोड़ लिया गया हो।

क्या खो गया है, नामुराद...जो गुनाह किया न हो उसकी सज़ा क्यों!

तलाश की इस शुरुआत में मुझे मिला ही क्या था।

अचानक उनके पाँव तले से ज़मीन खिसक गई। ख़राबी औरत में नहीं मर्द में थी।

लेकिन बंजर होने का इल्ज़ाम औरत ने अपने सर ले लिया।

मर्द धन्यवाद भरी नज़रों से औरत की तरफ़ देखता, निहारता रहता। गहरे समंदर ने गंदे नाले को अपने अंदर समाकर अपने वजूद का हिस्सा बना लिया था!

यह सब जानने के बाद मर्द ने कोशिश की थी कि साफ़-सुथरे चमकते हुए जलप्रपातों को समंदर की गोद के हवाले कर दे...एक रात नशे में मर्द अपने सबसे गहरे और राज़दार दोस्त को अपनी बेबसी का इज़हार करते हुए राज़दारी की शर्त पर सरशार और ज़रखेज़ करने के लिए लाया। कुलसूम बेगम से कहा—"सब चलता है, औलाद चाहिए।"

इस मुसीबत से बचने के लिए कुलसूम को काफ़ी यतन करने पड़े और अंत में अस्वीकार कर दिया।

वक़्त ने एक बार जो फ़ैसला सुना दिया, उससे हट कर जाने में पहाड़ों का लंबा सिलसिला था जिन्हें...

बच्चों की किलकारियों पर जान देने वाली कुलसूम के धैर्य पर लोग हैरत करते। शौहर तो और भी बेचैन और परेशान था कि उसने अच्छी ख़ासी सलाह को ठुकराकर अपने ऊपर बाँझपन का आरोप स्वीकार कर लिया है। तब शौहर ने टेस्ट ट्यूब बेबी की बात रखी। कुलसूम उसके लिए भी तैयार न हुई। ऊपर वाले की मर्ज़ी के विरुद्ध वह किसी भी क़ीमत पर जाने को तैयार न थी।

रिश्तेदारों के बच्चों में दिल लगाया। ज़िंदगी को ढर्रे पर रखने की कोशिश में कई बार उनके वजूद पर गहरे घावों के निशान उभरे, काँटे-ही-काँटे और रेगिस्तान तो था ही चारों तरफ़ फैला!

नामुराद कुलसूम बेगम ने सामने की दीवार पर टँगे फ्रेम की तस्वीर पर नज़र दौड़ाई। पाँच वर्षों तक साथ रहा। एक यात्रा के दौरान जीवनसाथी चल बसा औरत तन्हा रह गई।

तू तो सदा की तन्हा थी...और सदा रहेगी। बीच में मिलने वाले लोग तेरी तन्हाई को कम नहीं कर पाएँगे, क्योंकि सब तन्हा और अलग-अलग राह के मुसाफ़िर हैं। चहल-पहल और रौनक़ें तो परछाइयों के बीच हैं।

ज़िंदगी और लानत एक-दूसरे के सामने और एक-दूसरे से जुदा!

ख़ून बहाने पर तैयार।

कुलसूम बेगम को दरवाज़े पर दस्तक की आहट सुनाई दी। घुटनों की जकड़न से चलना-फिरना दूभर था। धीरे-धीरे घिसटते हुए दरवाज़े तक पहुँची।

"कौन है?"

जवाब नहीं मिला। सन्नाटे ने इन्हें झिंझोड़ना चाहा। बुढ़ापे में कान अपने आप बजने लगते हैं। कौन आएगा यहाँ... ?

बिस्तर की तरफ़ धीरे-धीरे क़दम बढ़ाते हुए वह बुदबुदाती रहीं?

नामुराद! हालात ने तुझे माली तौर पर इस क़ाबिल नहीं बनाया कि तू अनाथालय से किसी नन्हे बच्चे को गोद लेकर उसका लालन-पालन कर सके।

उन्होंने टँगी हुई तस्वीर की तरफ़ फिर एक बार नज़रें उठाईं।

गुनाहगार! तूने मेरे साथ बड़ा अन्याय किया। शादी से पहले तुम जानते थे कि तुम्हारे अंदर कमी है...इसके बावजूद...मर्द हमेशा दग़ा करता है...औरत जीत कर भी हारती है...वह कैसी औरत थी।

क्या उन्हें शौहर की बात मान लेनी चाहिए थी... ?

नहीं...गहरी खाई में गिरने से बेहतर था रेतीले इलाक़े में मुसीबत भरा सफ़र करना।

उन्होंने पैरों के छालों को स्वीकार कर लिया।

आधी सदी गुज़र गई...बल्कि उससे भी ज़्यादा...शायद सदी पूरी होने वाली थी...

उनके सारे बाल चाँदी हो गए। त्वचा झुर्रियों से भर गई। हड्डियों का तरल पदार्थ धीरे-धीरे फ़िज़ा में गुम हो गया।

उन्होंने मोटे शीशे वाला चश्मा लगाया। लँगड़ाते हुए दीवार तक पहुँचीं। थरथराते हुए पाँव पर बोझ सँभालते हुए। आँखों पर ज़ोर दिया। जीवनसाथी की ज़िंदगी तैंतीसवें पड़ाव पर ठहरी हुई थी। नौजवान, ताज़गी, बाँकपन...शिकायत और जानलेवा घुटन के बावजूद उन्हें जीवनसाथी पर प्यार आया।

तू तो नौजवान रहा...मैं बूढ़ी हो गई...कौन मानेगा भला कि तू मेरा शौहर है... लेकिन दूसरे ही पल...

मैंने अपना मेहर माफ़ तो कर दिया था लेकिन इस बात को कभी नहीं...। कुलसूम बेगम ने थकी हुई आवाज़ में कहा और फैले सन्नाटे से निकलने की कोशिश में तड़पीं।

सुरमई शाम गहरी होती जा रही थी।

खालाज़ाद बहन की पोती आ गई। उसने रात के ख़ाने के बारे में सवाल किया। उन्होंने बल्ब की तरफ़ इशारा किया। नज़मा ने स्विच ऑन कर दिया। दरवाज़े पर दस्तक हुई।

कुलसूम ने नज़मा की तरफ़ देखा।

नज़मा दरवाज़े पर कुछ लोगों से बातचीत करके लौटी।

"किसी कमेटी के लोग हैं, आपको सम्मानित करना चाहते हैं। इस इलाक़े की सबसे सीनियर सिटिज़न आप ही हैं...आपके सम्मान में कोई कार्यक्रम करना चाहते हैं।"

उनकी इजाज़त के बाद लोग अंदर आ गए। सबके सब सेहतमंद नज़र आ रहे थे।

"मैडम! हम आपके सिलसिले से एक जलसा करना चाहते हैं। आपकी कामयाब ज़िंदगी की सादगी और लंबी उम्र के प्रति आदर व्यक्त करना चाहते हैं।"

उन्होंने अपनी बहन की पोती की तरफ़ देखते हुए इशारा किया, वह किचन की तरफ़ चाय बनाने चली गई।

कमेटी का एक सदस्य क़लम-काग़ज़ लेकर उनकी उम्र और ज़िंदगी की घटनाओं को नोट करने लगा।

"हम इस अवसर पर एक अभिनंदन ग्रंथ भी छापेंगे। सीनियर सिटिज़न संस्था से हम जुड़े हैं। हमारा एन.जी.ओ. सेहत और दूसरे मामलों में भी सहायता का काम करता है।"

कमेटी के दूसरे सदस्य ने उनसे कार्यक्रम की तिथि के बारे में पूछा।

"आपको कौन-सी तारीख़ सूट करेगी। आपकी सहूलियत का ध्यान रखना हमारा कर्तव्य है।"

इससे पहले वह कुछ कहतीं। उनकी नज़रें सामने दीवार की तरफ़ उठी और वहीं टिककर रह गईं।

कमेटी के सारे सदस्यों ने गर्दन घुमाई। ख़ूबसूरत नौजवान की तस्वीर देखकर उनकी आँखों में चमक पैदा हुई।

तिथि से संबंध रखने वाले सदस्य ने कहा, "हाँ, हम समझ गए। आप अपने इस नाती या पोते से पूछकर तारीख़ तय करना चाहती हैं। शायद इन्हें भी शामिल करने की इच्छा है। वह भी इस कार्यक्रम में शरीक हों तो और अच्छा लगेगा...आपका आइडिया शानदार है।"

कुलसूम बेगम तो जैसे जड़ हो गईं। यह पहलू भी विचित्र था। ज़िंदगी में अचानक वह उथल-पुथल और सैलाब से दो-चार हो गईं।

उनका जीवन साथी देखते-देखते तस्वीर से बाहर निकल आया। देखते-देखते एक दूध पीते बच्चे में बदल गया और उछलते हुए आकर उनके गोद में ठुमकने लगा।

कुलसूम बेगम अपने आप पर झुक आई थीं। उनके हाथ किसी को थपकियाँ दे रहे थे। आँखें झुकी हुई थीं और उनसे टप-टप गिरते आँसू सबकी निगाहों से ओझल थे।

कमेटी के सदस्य उनकी हालत देख चिंतित हो उठे।

कुलसूम बेगम के बिना पानी बिना हरियाली के रेगिस्तान में अचानक जल स्रोत फूट पड़ा था।

उनकी धुँधली आँखों से अजीबोग़रीब चमक फूट रही थी।

दूसरे लम्हे ही उन्हें लगा कि एक लंबे समय से वह इस तस्वीर की गुफा में गुम थीं और धुँधलके में टामक टुइया मार रही थीं।

कुलसूम बेगम ने सोचा क्या उन्होंने शौहर की सलाह ठुकराकर कोई ग़लती की थी। आज वही शौहर बच्चा बनकर उनकी गोद में ठुमक रहा था।

क्या उन्हें उसकी बात मान कर अपने पतझड़ को बहार और चमन में तब्दील कर लेना चाहिए था।

नामुराद कुछ तो बोल?

''मैडम आपके सम्मान में आयोजित कार्यक्रम की कौन-सी तारीख़ उचित रहेगी?''

बहुत आदर से एक सदस्य ने पूछा।

कुलसूम बेगम का पूरा मकान ऊँचे गुंबद में तब्दील हो चुका था। उन्हें चारों-तरफ़ से यह आवाज़ बार-बार सर टकराती हुई गूँजते हुए महसूस हो रही थी—

''नामुराद कुछ तो बोल!!''

''मैडम आपकी तबीयत ठीक नहीं मालूम होती है। हम बाद में आ जाएँगे।''

सबके सब वापस मुड़ गए।

कुलसूम बेगम धुँधली आँखों से सर पर टँगे गुंबद को देखने और समझने की कोशिश कर रही थीं।

कहानी कहने की अदा में सुलगती लपटों की आँच

सय्यदा नफ़ीस बानो शमा 1953 में गाज़ीपुर में पैदा हुईं। बी.ए. तक तालीम हासिल की। शेर और कहानी लिखना शौक़ रहा है। आपने आपबीती जगबीती के अंदाज़ में लिखा है जिसका नाम *जन्नत से निकाली हुई हव्वा* है। कहानी संग्रह का नाम *बर्फ़ का आदमी* शायरी का मजमूआ *कुछ दर्द के सहरा से, ग़ैबी इशारे, नातों का मजमुआ, वह* और *जान कौनएन* है।

'मैं क्यों लिखती हूँ।

ज़ाहिर है दिल का ग़ुबार हलका करने के लिए मैं क़लम उठाती हूँ और जो कुछ काग़ज़ पर उभरता है वह आपबीती और जगबीती का निचोड़ होता है। मेरी कहानियाँ औरतों के शोषण के मौज़ू पर ज़्यादा लिखी गई हैं। गाँव में पैदा हुई वहीं परवरिश पाई और होश सँभालने के बाद हाथ में क़लम उठाया। अफ़साने आप-ही-आप लिखने लगी। शौक़ बढ़ता गया मगर शायरी तब शुरू की जब मेरे दिल में ख़ुशबू भर गई। वह किसी की मुहब्बत की ख़ुशबू थी। मेरे जज़्बात शेरों में ढलने लगे।'

मौजूदा कहानी *गुनाहे आदम* एक ऐसी कहानी है जो मौज़ू के लिहाज़ से नई नहीं है मगर कहने के अंदाज़ ने कहानी को बहुत प्रभावशाली बना दिया है। कहानी की हर लाइन दर्द से टीसती लगती है। जहाँ कहानी ख़त्म होती है वहाँ पर पढ़ने वाले को गहरा सदमा लगता है। जिसका असर गहरा ही नहीं बल्कि देरपा भी है। मज़दूर औरत की यह कहानी उसके परिवेश, स्थिति और बेचारगी की दास्तान, बिना व्याख्या के छोटे-छोटे जुमलों में कह जाती है।

उर्दू की लेखिका की हिंदी में छपने वाली यह पहली कहानी है।

गुनाहे आदम

सय्यदा नफ़ीस बानो शमा

"हाय मैं लुट गई। बर्बाद हो गई। थानेदार जी मेरी बिटिया को बचाय लो।" तमीज़न रो-रोकर बेहाल हो रही थी। वह मज़दूर तबक़े की एक ग़रीब औरत थी। दिल्ली शहर के झुग्गी-झोंपड़ वाले इलाक़े में रहती थी! शौहर शराबी और काहिल था। वह दूसरों के झाड़ू-बर्तन या कभी-कभी बेलदारी भी करती थी। दिन भर सर पर बोझ उठाती और शाम को परचून की दुकान से राशन लेती हुई घर लौटती तो शराबी पति की लातें-घूसे खाती, थोड़ी देर रो-धोकर पास के जंगल से लकड़ियाँ चुनकर लाती और उन्हें उपलों के साथ मिलाकर चूल्हा जलाती। खाना तैयार होता। अगर पति कम नशे में होता तो सब मिलकर बैठकर खाना खाते वरना तो ज़्यादातर यही होता कि शराबी ख़ाविंद के हाथों दिनभर की कमाई हाँडी समेत सामने नाले में फेंक दी जाती।

तमीज़न की तीन बेटियाँ थीं। बेटा कोई न था। बेटियों को तेज़ी से जवानी की तरफ़ बढ़ते देखकर वह बेहद फ़िक्रमंद रहा करती। बेटी किसी भी वर्ग की हो माँ-बाप के लिए पहाड़ होती है। तमीज़न ने थोड़े बहुत पैसे जमा करके बड़ी बेटी रज्जो का विवाह का इरादा कर लिया था। वह कहती अब के चैत का महीना आएगा और गेहूँ की फ़सल कटेगी तो मैं अपने गाँव जाकर अपनी रज्जो के हाथ पीले कर दूँगी। रिश्ता तो ख़ाला के बेटे से बचपन से ही तय हो गया था। मगर क़ुदरत की किताब में तो कोई और ही दास्ताँ लिखी थी।

पिछली रात जब वह सो रही थी तो उसके साथ तीनों बेटियाँ और एक तरफ़ उसका शराबी शौहर था। सब गहरी नींद में थे। रात तीन बजे किसी आहट से तमीज़न की आँख खुल गई। उसने महसूस किया कोई उसकी झुग्गी का दरवाज़ा खोलने की कोशिश कर रहा है। वह साँस रोके, आहट का अंदाज़ा करती रही और दिल-ही-दिल में कहती रही—

"अरे भैया कहीं और जा, हम ग़रीब जो दिनभर में कमाते हैं, शाम को वही खाकर सो जाते हैं। यहाँ तुझे कुछ नहीं मिलेगा।"

दरवाज़ा लगातार हिलता रहा, तमीज़न थोड़ी देर के लिए ख़ौफ़ज़दा हो गई। आख़िर वह औरत थी। टीन का टूटा-फूटा ज़ंग लगा दरवाज़ा कब तक मुक़ाबला करता। एक ज़ोरदार झटके के साथ चार बंदूक़धारी अंदर घुस आए। और तेज़ी से तमीज़न की पंद्रह साल की लड़की रज्जो को कंधों पर उठा ले गए। तमीज़न की दिल दहलाने वाली चीख़ से उसका शौहर और बाक़ी लड़कियाँ भी जाग चुकी थीं। आस-पास के लोग भी इकट्ठा हो गए। मगर ज़ालिम फ़रार हो चुके थे। उसकी आँखों के सामने बेटी चली गई। ग़रीब के पास कुछ और तो नहीं इज़्ज़त ही होती है, वह भी ज़ालिम छीन ले गए। तमीज़न रोती रही, फ़रियाद करती रही, दुहाइयाँ देती रही।

''थानेदार साहब मेरी बिटिया को बचा लो,'' मगर उसकी फ़रियाद समाज के मज़बूत दरवाज़ों से टकराकर वापस आती रही। थानेदार भी भला क्या करते? वह भी मजबूर थे।

पूछताछ के बाद मुजरिमों का सुराग़ तो मिल गया मगर इतने बड़े गिरोह से टक्कर लेने का मतलब था एक और ख़ता। यानी थानेदार की भी एक बेटी थी। ख़ूबसूरत और इकलौती। दो चार बेकसूर लोगों को पकड़कर फिर ज़मानत पर रिहा करके कुछ दिनों के बाद केस की फाइल बंद कर दी गई। मगर तमीज़न की आँखों से आँसू एक लम्हे के लिए भी बंद न हुए। वह अब काम पर भी नहीं जाती। अपनी दोनों बेटियों को हर वक़्त आँचल में छुपाए ख़ौफ़ज़दा और सहमी हुई नज़र आती।

इस हादसे को दो साल गुज़र गए थे। वक़्त हर ज़ख़्म का मरहम बन जाता है। तमीज़न अब भी, कभी-कभार अपनी पड़ोसिन औरतों के साथ बैठकर इधर-उधर की बातें और गपशप भी कर लेती। उन्हीं दिनों उसे एक दर्दनाक खबर मिली। गाँव के चौधरी का लड़का जो तबीयतन अय्याश और रंगीला था और जो अक्सर इसी तरह के मामले में फँसा रहता था; एक रोज़ उसने तमीज़न के पास आकर बड़े राज़दाना अंदाज़ में कहा—

''सुन चाची, यह बात गाँववालों को बिल्कुल पता न चले। मैं शहर गया था, मैंने रज्जो को ख़ुद अपनी आँखों से कोठे पर देखा है, वह अब धंधा करती है।''

''नहीं तू झूठ बोलता है,'' तमीज़न ने चौधरी के बेटे को झिंझोड़ डाला।

''चाची...होश में आ, यह हक़ीक़त है, मैं झूठ नहीं बोल रहा। सौदा अनजाने में हुआ मगर जब रज्जो मेरे सामने आई तो मुझसे लिपटकर बहुत रोई और फिर उसने मुझे क़सम दी कि मैं उसका ज़िक्र किसी से न करूँ और अब तू भी उस पर काली चादर डाल दे। रज्जो मेरे गाँव की इज़्ज़त है।''

तमीज़न के लिए यह सदमा ऐसा था जिस पर वह दहाड़े मार-मारकर रो तो सकती थी मगर इसका सबब लोगों को बता नहीं सकती थी।

वह बिलखती तो जैसे दर-व-दीवार लरज़ उठते।

"मैं तुझे लेकर सब्र कर चुकी थी रज्जो, काश! इस खबर के बजाय किसी नदी नाले में तेरी लाश मिली होती। तमीज़न के लिए यह बड़ी कठिन घड़ी थी। उफ़ करे तो रुसवाई ख़ामोश रहे तो...।"

आख़िर वह क्या करे? फिर आख़िर फ़ैसला यही ठहरा कि वह रज्जो को भूल जाए। रज्जो समाज की पेशानी पर एक बदनुमा दाग थी, जिसे वापस बुलाकर वह दोनों छोटी बेटियों का भविष्य कलंकित नहीं कर सकती थी।

और फिर। वह रज्जो को भूल गई। रज्जो को भुलाना पड़ा। एक जीती-जागती बेटी मजबूर माँ के सीने में हमेशा के लिए दफ़न हो गई। किसी भी मौक़े पर जब तमीज़न रज्जो का नाम और उसके ज़िक्र से बचती थी, उसे ऐसा लगता कि रज्जो का नाम ले लिया तो कहीं कोई यह न कह दे, "तुम्हारी रज्जो रंडी बन गई है।"

कोठे की सियाही से अपने झोंपड़े के दो चिराग़ों को सुरक्षित रखना चाहती थी। लोग कहते कब तक, बेटी का ग़म मनाती बेचारी तमीज़न को सब्र आ ही गया। मगर यह तो वही जानती थी कि रातों को उठ-उठकर सिजदे में गिर रज्जो के गुनाहों की माफ़ी माँगती। खुदा की चौखट पर गिड़गिड़ाती, फ़रियाद करती।

या अल्लाह यह तेरी दुनिया कैसी है?

क्या औरत सिर्फ़ ज़ुल्म सहने के लिए बनाई गई?

मर्द भी तो घर से भागते हैं। उनका भी अपहरण होता है। उन्हें कोठे पर क्यों नहीं बिठा दिया जाता है? औरत अगर जिस्म बेचती है तो मर्द भी तो वही करता है, बस थोड़ी शक्ल बदलकर, बल्कि बड़े-बड़े शहरों में तो इनका बाज़ार भी है। लेकिन आज तक किसी ने यह नहीं सुना कि कोई मर्द हालात का शिकार होकर कोठे पर बैठ गया हो। नहीं यह सम्मान तो सिर्फ़ औरतों के लिए है। तमीज़न जब सोचती तो बहुत दूर निकल जाती थी। भावनाओं की पीड़ा के लिए वह अपने कमज़ोर और बूढ़े जिस्म में जाने किस-किस तरह हर लम्हा मरती-जीती रही।

जब से बेटी का हादसा हुआ था, तब से शौहर ने शराब से तौबा कर ली थी। उसका ख़्याल था कि अगर वह नशे में न होता तो शायद लड़-भिड़कर लुटेरों से लड़की को बचा लेता। वह अक्सर सोते-सोते चीख़कर उठ जाता और तमीज़न को बताता कि ख़्वाब में डाकू आए थे। आज भी वह कोई भयानक सपना देखकर चीख़ा था।

"रज्जो हमें छोड़कर न जा।" वह बिस्तर से उठ बैठा।

"काहे को शोर मचाते हो जी। सो जाओ, रात बहुत हो चुकी है।" शौहर को चुप रहने और सो जाने का मशविरा देने वाली ने अपना मुँह चादर से ढक लिया और जाने कब तक जगाती रही और उसकी ख़ामोशियाँ रज्जो को पुकारती रहीं। यह तो तमीज़न ही जानती थी। कहते हैं मरे हुए लोगों के लिए सब्र आ जाता है मगर ज़िंदों को भूलना मुश्किल है। बुढ़ापा छलाँग लगाकर आ गया था! अब तमीज़न की बीनाई

भी जवाब दे रही थी। कमर से भी झुक गई थी। बेटियों का काम छुड़ाकर उन्हें घर बिठा लिया था। अब उसे फ़िक्र थी अपनी दो जवान बेटियों शम्मी और मुनमुन की, यह उनकी पूँजी थीं। नए-नए शबाब पर बहुत-सी आँखें टिकी थीं। रात आती तो वह लरज़ जाती। बदनसीबी फिर कहीं सियाह लिबास पहनकर ना आ जाए। उस वक़्त वह सोचती काश उसके पास दर-व-दीवार वाला घर होता और वहाँ वह अपनी बेटियों को सुरक्षित महसूस करती। वह सीधी-साधी सोच की थी। उसे क्या मालूम कि ज़ुल्म का हाथ बहुत लंबा होता है। वह क़िले की मज़बूत दीवारों को भी पार कर लेता है। औरत तो कहीं भी सुरक्षित नहीं है। चाहे वह बादशाह के महल में या ग़रीब के झोंपड़े में, वह हमेशा निशाने पर रहती है!

एक साल बाद शम्मी भी पराई हो गई। सब बहनों में ख़ूबसूरत और आकर्षक थी। एक रोज़ किसी अमीरज़ादे की नज़र उस पर पड़ गई। वह तफ़रीह की ग़र्ज़ से उसके इलाक़े में आया था। पर वापसी पर शम्मी सुर्ख़ जोड़े में उसके साथ विदा कर दी गई। अब कानपुर के एक मशहूर इलाक़े में वह अपने शौहर के साथ आलीशान कोठी में रह रही थी। अपना-अपना नसीब है। किसी को कोठी मिलती है किसी को कोठा। रुत बदल रही थी।

पतझड़ का ज़माना था। दरख़्तों पर से पुराने पत्ते टूटकर गिर रहे थे। दूर-दूर तक ज़र्द पत्तों का मौसम फैला था। तमीज़न गुमसुम से अपनी झोंपड़ी में एक टूटी-फूटी झलँगी चारपाई पर लेटी ग़मों का हिसाब लगा रही थी कि एकाएक बाहर शोर बुलंद हुआ। वह तेज़ी से उठी शायद फिर डाकू आ गए, झुग्गी का दरवाज़ा खोला तो देखा बाहर एक हुजूम था लोग चीख़ रहे थे।

"अरे तमीज़न ग़ज़ब हो गया, तेरी मुनमुन को चीता उठा ले गया है।"

"क्या कहा? डाकू उठा ले गए?"

"नहीं, नहीं चीता उठाकर ले गया है जंगल की तरफ़।"

"तुमने देखा वह चीता ही था न, सच कहो, बोलो, बोलो चीता ही था।"

"हाँ...हाँ।" एक साथ कई आवाज़ें गूँजी।

तमीज़न ने आसमान की तरफ़ देखा और कहा।

"शुक्र है ऊपर वाले का, मेरी बेटी को चीता ले गया, आदमी नहीं!!"

समय को बदलने की ललक से भरपूर शहसवार

साजिद रशीद एक साथ लेखक, पत्रकार, चित्रकार, कार्टूनिस्ट और समाज-सुधारक थे। उनके अंदर सामाजिक बदलाव का वलवला 2002 के बाद एकाएक लोगों को शिद्दत से महसूस हुआ। जो उनके भाषणों, लेखों में खुलकर सामने नज़र आता। जिसके बदले में उन पर जानलेवा हमले भी हुए। वह निडर और साहसी पत्रकार, संवेदनशील और यथार्थवादी लेखक, ख़ुशनुमा रंगों के पेंटर, तीखी नज़र वाले कार्टूनिस्ट थे। जिनकी हर अभिव्यक्ति में कटाक्ष, आलोचना एवं विवेक छुपा होता जो उनकी समाज-सुधारक दृष्टि को उजागर करता था।

'नए वरक़' उर्दू पत्रिका के संपादक के अलावा हिंदी-मराठी में अख़बार भी निकालते और ग़लत सोच, ग़लत नीतियों के विरोध में आवाज़ उठाते। 1992 के आस-पास साजिद एक आग थे। उनको पसंद करनेवालों से ज़्यादा उनसे चिढ़ने वाला भी थे। साजिद अपने समय के प्रतिनिधि एवं रहमदिल, ईमानदार इंसान थे जिनकी परीक्षा क़दम-क़दम पर होती थी। साजिद रशीद 11 मार्च, 1955 में उत्तर प्रदेश में पैदा हुए, उनकी शिक्षा बड़ी-बड़ी डिग्रियाँ नहीं बल्कि ज़मीनी तमग़े थे।

वे अपने परिवार से घुले-मिले एक आम हिंदुस्तानी मर्द थे। उनकी उपन्यासिका—*रगों में जमी बर्फ़, रेतघड़ी,* कहानी संग्रह—*नख़लिस्तान में खुलने वाली खिड़की* और *ज़िंदगीनामा, एक मुर्दा सर की हिकायत* नाम से आ चुके हैं। उनकी अन्य रचनाएँ हैं—*दस्तख़त* (नया वरक़ के संपादकीयों का चयन), *दोपहर और दूसरे ड्रामे, सफ़रनामा अमेरिका* और *कश्मीर और साजिद रशीद के अफ़साने* (चयन)।

नख़लिस्तान में खुलने वाली खिड़की

साजिद रशीद

पहले तो उसने अपनी रफ़्तार तेज़ की, जब उसे यक़ीन हो गया कि वह लंबे क़द का काला कुत्ता उसी का पीछा कर रहा है तो उसने बाक़ायदा दौड़ना शुरू कर दिया। पचास गज़ के फ़ासले पर जहाँ सड़क दो शाख़ाओं में बँटी हुई थी वहीं डेढ़ सौ साल पुरानी पारसियों की अगयारी थी। वह दौड़कर उसी अगयारी में पनाह लेना चाहती थी। उसका विश्वास था कि ऐसे पवित्र स्थानों पर कोई भी बुरी आत्मा दाख़िल नहीं हो सकती है। अगयारी तक का छोटा-सा रास्ता इस वक़्त उस पर एक मुसीबत था। वह दौड़ रही थी और हाँफ रही थी। हाँफ रही थी और दौड़ रही थी। वह दौड़ते हुए जब भी पीछे मुड़कर देखती तो उस खूँखार कुत्ते को अपने पीछे दौड़ता पाती।

रोमनशैली की बनी इस वैभवपूर्ण अगयारी की पथरीली सीढ़ियाँ वह लाँघती फलाँगती, बदहवासी से उन्हें पार करती बड़े हाल में दाख़िल हुई और खंभे से सर टिकाकर उसने आँखें बंद कर लीं। साँस सँभाल रही थी मगर ख़ौफ़, थकान और प्यास से उसका मुँह सूख रहा था। कमज़ोरी के बावजूद उसने धीरे-धीरे आँखें खोलीं। एक दिलख़राश चीख़ उसके गले में घुटकर रह गई। खूँखार सियाह कुत्ता उसके ठीक सामने खड़ा मुँह खोले हाँफ रहा था। उसने ख़ौफ़ से फटी-फटी आँखों से चारों तरफ़ देखा। अगयारी में एक भी दस्तूर न था। ऐसे कैसे मुमकिन है कि अगयारी में कोई भी रहनुमा मौजूद न हो जबकि आग को रौशन रखने के लिए हर अगयारी में दो-तीन दस्तूर ज़रूर होते हैं। फिर हाँफने लगी। कुत्ता अपनी लाल आँखों से उसी को एकटक घूर रहा था। अचानक ही कुत्ते ने उस पर छलाँग लगाई। वह चीख़ मारकर ख़ुद को बचाने के लिए उस आतशकदे की तरफ़ दौड़ी जहाँ पवित्र अग्नि पीतल के आगज़न में सदियों से रौशन थी। आतशकदों में दस्तूरों के अलावा किसी को जाने की इजाज़त न थी लेकिन आज वहाँ कोई भी दस्तूर न था। आतशकदा के दरवाज़े पर उसके क़दम ठिठके लेकिन कुत्ते की पकड़ में आ जाने के डर से उससे यह पाप हो ही गया। जो वह कभी न करती। अपनी इस हरकत के चलते और गुनाह के डर से वह काँप रही थीं। लेकिन आतशकदे में उस बदज़ात से ख़ुद को सुरक्षित रखते हुए वह 'ख़ुदाई जी' का शुक्र मना रही थी कि वह काला कुत्ता पवित्र

आतशकदा की दहलीज़ फलाँगकर अंदर चला आया था। एक बार फिर वह उसकी आँखों में आँखें डालकर खड़ा था। उसके खुले हुए मुँह से लपलपाती ज़बान से ग़लीज़ राल पवित्र आतशकदा की ज़मीन को अपवित्र कर रही थी।

'ख़ुदाई जी!' के क्रोध के भय की कल्पना से वह काँपने लगी। उसके पैर ज़मीन पर गड़ गए और उसे अपना जिस्म किसी गीले बोरे की तरह भारी लगा। अचानक कुत्ते ने उस पर छलाँग लगा दी। वह चीख़ी लेकिन उसकी आवाज़ घुट गई थी सिर्फ़ मुँह खुला रह गया था। उत्तेजना की कैफ़ियत में उसने लपककर आगज़न में रौशन आग में से एक मोटी जलती लकड़ी उठाई और काले कुत्ते पर झपट पड़ी। उसके विश्वास के मुताबिक़ पवित्र अग्नि को छूते ही कुत्ते को जलकर ख़ाक हो जाना चाहिए था। लेकिन उसकी हैरत का अंत न रहा जब उसने देखा कुत्ते पर पवित्र अग्नि का कोई असर न हुआ और वह दूसरी छलाँग लगाने के लिए अपने को तौल रहा था। अब उसके अंग ही नहीं दिमाग़ भी शिथिल हो चला था।

एकाएक 'अगयारी' के दर-व-दीवार क़हक़हों से गूँज उठे हैं। उसने देखा कि अगयारी के विभिन्न खंभों के पीछे से क़हक़हा लगाते हुए तीन आदमी निकल रहे हैं। वह तीनों मादरज़ाद नंगे थे। उसने डूबते हवास के बावजूद इन्हें पहचान लिया। वे तीनों 'अगयारी' के दस्तूर थे जो क़हक़हे लगाते हुए उसे गंदे इशारे कर रहे थे। उसने निराशा भरी नज़रों से कुत्ते को तलाश किया, कुत्ता उसे कहीं नज़र नहीं आया 'ओ ख़ुदाई जी, तो क्या कुत्ता पवित्र आतशकद में ही रह गया?' कुत्ते के अपवित्र वजूद के ख़याल से वह पाप के गहरे एहसास में काँप उठी! उसे दस्तूरों के क़हक़हों ने चौंका दिया। वह अब भी उसे बेहूदा इशारे कर रहे थे!

दस्तूरों के चेहरे पर हमेशा रहने वाले गंभीर और शालीन भाव जाने कहाँ ग़ायब हो गए थे। उनके चेहरे सूजे हुए थे और आँखों में दरिंदगी थी। क़हक़हा लगाते हुए उनके मुख द्वार से झाँकते दाँत उसे जंगली सुअर के नुकीले दाँतों जैसे दिखाई दिए। उसने डूबते शख़्स की तरह आख़िरी बार ख़ुद को समेटा और अगयारी से तीर की तरह निकल सड़क पर बेतहाशा दौड़ने लगी।

ऐनी दावर जब पुलिस स्टेशन पहुँची तो वह लू से प्यासी चिड़िया की तरह हाँफ रही थी। उसे ख़ुद भी याद नहीं आ रहा था कि वह यहाँ तक किस तरह पहुँची थी। डिटेनशन रूम में लटकते चालीस वाट के बल्ब की पीली रौशनी सहमी हुई ऐनी को अपने दिल की तरह बड़ी उदास मालूम हो रही थी। अगर आज मुजरिमों की शिनाख़्ती परेड न होती तो वह पुलिस स्टेशन कभी न आती। इंस्पेक्टर मेज़ के दूसरी तरफ़ बैठा लापरवाही से इस तरह सिगरेट फूँक रहा था कि उसे किसी से कोई मतलब नहीं है। लेकिन वह थोड़ी-थोड़ी देर बाद चोर नज़रों से औरत को देख रहा था। मझोला क़द और भारी कूल्हे वाली यह गोरी चिट्टी पारसी विधवा चालीस साल की दूसरी आम पारसी औरतों से अलग न थी। तीस-बत्तीस के बाद आमतौर

पर पारसी औरतों का जिस्म तेज़ी से ढलने लगता है। ऐनी ने अपने बाल कटवा रखे थे और वह उन्हें समय-समय से रंग भी करती थी। अलबत्ता फ्रॉक से झाँकती पिंडलियाँ सुडौल और कसी हुई नज़र आती थीं। इस उम्र की औरतों में दिलचस्पी रखने वाले मर्दों की वासना जगाने के लिए ऐनी के भारी कूल्हे और भरी हुई पिंडलियाँ ही काफ़ी थीं। भिड़ा दरवाज़ा खुला और पाँच आदमियों को अंदर लाया गया। वह सब ख़ुद ही इंस्पेक्टर के सामने और ऐनी के पीछे एक लाइन से खड़े हो गए। ऐनी का रोयाँ-रोयाँ ख़ौफ़ से खड़ा हो गया।

''मिसेज़ दावर, पहचानें इनमें से कोई था।'' इंस्पेक्टर ने सिगरेट को ज़मीन पर फेंक उसे जूते से मसलते हुए पूछा। ऐनी को लगा जैसे कोई दूर से कुछ कह रहा हो जो ठीक से सुनाई नहीं पड़ रहा है। वह गुमसुम बैठी रही।

''मिसेज़ दावर डरिए नहीं, बताइए इनमें से कौन था?'' इंस्पेक्टर ने मेज़ पर झुकते हुए ऐनी की आँखों में झाँकते हुए पूछा।

वह ख़ौफ़ पर क़ाबू पाते हुए धीरे-धीरे ऐसी मुड़ी जैसे अँधेरे वीरान रास्ते पर कोई तन्हा शख़्स अपने पीछा करने वाले को देखने के लिए अहतियात से मुड़ता है। उसने तमाम चेहरों को बारी-बारी देखा। जुर्म, पुलिस और ज़माने की मार से नदी के तट की तरह कटे-फटे, बरबाद चेहरे...उसकी नज़र उस काले आदमी पर ठहर गई जो दरमियान में ऐसे खड़ा था जैसे फायरिंग स्काड के सामने खड़ा हो। ऐनी से नज़र मिलते ही उसने आँखें झुका लीं। ऐनी का दिल गर्म रेत पर पड़ी मछली की तरह तड़फड़ाकर रह गया और उसकी नसों में बिजली-सी दौड़ गई। यह ऐसी कैफ़ियत थी जो ख़ौफ़ से नहीं बल्कि किसी गुज़री हुई न भूल पाने वाली घटना या भावना को याद करके तारी हो जाती है। ऐनी को लगा जैसे उसकी पिंडलियों, कूल्हों और छातियों पर के सुनहरे भूरे रोओं पर से गर्म हवा बह रही है और वह उसके इशारे पर लरज रहे हैं। यह सियाहफ़ाम (अश्वेत) पिछले पंद्रह दिनों से उसके दिल व दिमाग़ से जोंक की तरह चिपका हुआ था।

ज़ीरो बल्ब की रौशनी में कमरा किसी क़ब्र की तरह मालूम हो रहा था। फ्रिज, पोटरेट, कैबिनेट और दूसरी चीज़ें अपनी-अपनी जगहों पर स्थिर थीं और उस पर नीली रौशनी बर्फ़ की तरह गिर रही थी। इन जमीं चीज़ों में एक साया हरकत कर रहा था। ऐनी को लगा वह नींद और बेदारी के बीच ख़्वाब देख रही है। बाथरूम के दरवाज़े को कोई खरोंच रहा था। खरोचों के साथ उसे अपनी पालतू बिल्ली की आवाज़ें आईं और उसे यह समझने में देर न लगी कि उसकी बिल्ली बाथरूम में बंद है। खिड़की से नज़र आते ही सियाह आसमान पर टँगे पूरे चाँद की रौशनी में नीम तारीकी से मानूस आँखें चमक रही थीं। वह पलक झपकाए बग़ैर ऐनी को ही घूर रहा

था। "आवाज़ मत करना," उसने ऐनी के मुँह पर हाथ रखते हुए अपने बदन का बोझ उस पर डालते हुए धमकी-सी दी।

"मैं चोर हूँ। मेरे पास चाक़ू है अगर शोर मचाया तो..." वह उसके कान में फुसफुसाया। वह ऐनी पर उतना झुक आया था कि ऐनी अपनी गर्द पर उसकी साँसों की हरारत महसूस करने लगी थी। ऐनी उन औरतों में से है कि यदि वह बेडरूम में चूहा देख ले तो रात भर सो नहीं सकती है। 'चोर' शब्द सुनते ही ऐनी के सीने में दिल टाइमबम की तरह धड़कने लगा।

"तुम ख़ुद को चुपचाप मेरे हवाले कर दो मैं तुम्हें कुछ नहीं करूँगा?" यह सुनते ही ऐनी ने अपने बदन को पूरा ढीला छोड़ दिया। सियाहफ़ाम ने धीरे-धीरे ऐनी के मुँह पर से हाथ हटाया जैसे वह ऐनी की नीयत का अंदाज़ा करना चाहता हो और एकबारगी वह उस पर छा गया। ऐनी ने कान के लवों के नीचे गर्म नमी-सी महसूस की जो बड़ी मुलायमत से रेंगते हुए उसकी गर्दन से नीचे फिसल रही थी। एकाएक बोसों की शिद्दत बढ़ती चली गई। और ऐनी के गालों, गले और सीने के उभारों को अपने भद्दे गर्म होंठों से किसी सलाख़ की तरह दाग़ता चला गया। ऐनी दहशत से बेजान जिस्म को सँभाले पड़ी थी।

'आहुरा मज़दा' वह दिल में बार-बार दोहरा रही थी, 'ख़ुदा मेरी मदद करो।' सियाहफ़ाम ने कब उसकी नाइटी उतारी उसे ख़ौफ़ के मारे पता ही न चला...

उसके हवास जब बजा हुए तो उसने ख़ुद को अस्पताल के बिस्तर पर पड़ा पाया। उसने गुज़री हुई घटनाओं की कड़ियों को जोड़ने की कोशिश की तो ज़हन में धीरे-धीरे सारे धुँधले नुक़ूश उभरने लगे। उस काले मर्द ने पहले-पहल उसे अपनी ताकत और हथियार से डराकर क़ाबू में किया था। बाद में उसके खुरदुरे हाथों और गर्म होंठों ने उसके जिस्म के नुमायाँ और पोशीदा हिस्सों को अपने नंगे स्पर्श से सुन्न कर दिया था। उसे बस इतना याद था कि बाथरूम में उसकी पालतू बिल्ली बंद दरवाज़े को अपने पंजों से नोचते-खसोटते थककर ख़ामोश हो गई थी और वह ख़ुद किसी गाढ़े गर्म द्रव के हौज़ में गिर पड़ी थी जिसमें डूबने उबरने की कैफ़ियत बेनाम थी।

ऐनी को पुलिस ने बताया था कि खिड़की के रास्ते उसके फ्लैट में एक आदमी घुस आया था और वह उसकी इज़्ज़त से खेलने के बाद बजाय खिड़की से फ़रार होने के, लिफ्ट से नीचे जा रहा था। लिफ्टमैन को उसके संदेहजनक हावभाव को लेकर उस पर शक हुआ। लिफ्ट जैसी ही ग्राउंड फ्लोर पर पहुँची थी लिफ्टमैन ने फुर्ती से लिफ्ट में से निकलकर लिफ्ट बंद कर दी। फिर सिक्योरिटी केबिन से उसने पुलिस को फ़ोन किया था। एक इंस्पेक्टर दो कांस्टेबल के साथ पहुँचा था। पुलिस उसे सिक्योरिटी केबिन में डरा-धमकाकर मौक़ा-ए-वारदात पर पहुँचने में कामयाब हो गई थी। जहाँ पुलिस ने ऐनी को बिस्तर पर नीमबेहोश हालत में पाया था। मेडिकल डॉक्टरों ने भी अपनी रिपोर्ट में बलात्कार होना स्वीकार किया था।

उसने अपनी पालतू बिल्ली को कटोरे में दूध दिया और ख़ुद खिड़की में आकर खड़ी हो गई। शाम शहर पर मूसलाधार बारिश की तरह बरस रही थी। आसमान पर सूरज डूबने की लाली घुल रही थी। गलियों में मोटरों की हॉर्न की आवाज़ घुलने लगी थी।

''वह आपके घर में ड्रेनेज पाइप से चढ़कर ऊपर पहुँचा था।'' इंस्पेक्टर की आवाज़ एक बार फिर उसने सुनी और उसकी नज़रें बेइख़्तियार ड्रेनेज पाइप की तरफ़ उठ गईं। नज़रें पाइप से फिसलते हुए फुटपाथ पर गिरकर ठहर गईं। यहाँ तीसरी मंज़िल पर क्या वह उसी पाइप से आया होगा? उसने सोचा और चालीस-पचास फ़ीट बुलंदी से नीचे गिरकर टुकड़े-टुकड़े हो जाने का ख़ौफ़ ख़ुद पर तारी करके सहम गई!

''अगर वह चोर ही था तो उसने कोई क़ीमती चीज़ क्यों न चुराई?''

''अगर चोरी करने आया था तो मुझ पर हमला क्यों किया।''

वह अपने सवाल से ख़ुद ही परेशान हो गई और पाइप को घूरने लगी...दोनों हाथों से पाइप को मज़बूती से पकड़कर वह धीरे-धीरे ऊपर चढ़ रहा था। चाक़ू उसने दाँतों में दबा रखा था। उसकी सुर्ख़ आँखें ऐनी पर जमी हुई थीं। अचानक उसके हाथों की पकड़ ढीली पड़ी और वह फिसल गया। वह फिसल गया और ऐनी की घुटी-घुटी चीख़ निकल गई। पीछे गली में इक्का-दुक्का मोटरें आ-जा रही थीं। फुटपाथ पर लोग चल रहे थे। सब-कुछ रोज़मर्रा के मुताबिक़ था।

ऐनी का ज़्यादातर वक़्त खिड़की में गुज़रता। वह ईज़ीचेयर पर पड़ी-पड़ी आसमान में बादलों के बनते-बिगड़ते बगोलों को देखती रहती थी। उसे जब कभी उस सियाहफ़ाम का ख़्याल आता तो वह उसके लिए अपने दिल में नफ़रत पैदा करने की कोशिश करती। उसे गालियाँ देती और वह मुस्कुराते हुए खिड़की से कूदकर उसे अपनी बाँहों में भर लेता। उसकी पेशानी, रुख़सार, होंठ, गर्दन और खुले हुए सीने पर गर्म चुंबनों की बौछार कर देता था। वह उसे धकेलती, कोसती लेकिन उसकी यह सारी कोशिश बड़ी कमज़ोर-सी होती।

आज भी ऐसा ही हुआ था। ऐनी नाश्ते के बाद खिड़की के सामने ईज़ीचेयर पर दराज़ थी। बिल्ली उसके पैरों से लगकर लेटी हुई थी। मौसम बड़ा ख़ुशगवार था। हल्की-हल्की हवा बह रही थी। दरवाज़े पर किसी ने दस्तक दी। ईज़ीचेयर से इतनी फुर्ती से उठी जैसे उसे उसी का इंतज़ार था वह आ गया हो। उसने बढ़कर दरवाज़ा खोला, सामने घर का बर्तन-पानी करने वाली बाई खड़ी थी। बाई को देखते ही उसका चेहरा बुझ गया। बाई ने अंदर आकर दरवाज़ा बंद किया और किचन में चली गई। ऐनी बेदिली से ईज़ीचेयर में आकर दराज़ हो गई। बिल्ली अब भी वहीं बैठी धूप सेंक रही थी।

मुझे आख़िर किसका इंतज़ार है? इस शहर में मेरा अपना कोई भी तो नहीं जिसका मुझे इंतज़ार हो, लेकिन मुझे ऐसा क्यों महसूस होता रहता है जैसे कोई आने वाला है...

अचानक ही किसी ने पीछे से उसकी आँखों पर हाथ रखकर सोच का सिलसिला तोड़ दिया। आश्चर्य के जज़्बे से वह काँप गई। इन हाथों के स्पर्श से वह अच्छी तरह आशना था। हाथ धीरे-धीरे हटे। किसी ने झुककर उसकी पेशानी चूम ली। वह बेख़ुद-सी पड़ी रही। अचानक उसे बाई का ख़्याल आ गया और वह उठकर खड़ी हो गई। सामने वही खड़ा मुस्कुरा रहा था!

"तुम...तुम अब दिन में भी आने लगे।" ऐनी की ज़बान लड़खड़ाने लगी। "वह...बाई किचन में है वह देख लेगी तो..."

उसकी बात पूरी होने से पहले किचन का दरवाज़ा खुला और बाई ड्राइंगरूम में आ गई। दरवाज़े खुलने की आवाज़ के साथ ऐनी की साँस धौंकनी की तरह चलने लगी।

"मेमसाहब, दूध का बर्तन कहाँ है?" बाई ने किचन से आकर पूछा।

"और, ख़ुदाई जी अब क्या होगा' रुसवाई के ख़्याल से वह पसीने से नहा गई।

"मेमसाहब, दूध का बर्तन..." बाई की आवाज़ हज़ार प्रतिध्वनियों में बदल गई।

"फ्रिज में..." उसके मुँह से बामुश्किल निकला। बाई दोबारा किचन में चली गई।

ऐनी सियाहफ़ाम को देखने मुड़ी तो दंग रह गई। वह वहाँ नहीं था। खिड़की के किवाड़ हवा से हिल रहे थे। बिल्ली फ़र्श पर पड़ी धूप सेंक रही थी और खिड़की के उस पार लोहे, कंकरीट की बेजान इमारतें क़तार बाँधे खड़ी थीं।

दीवार पर एक ख़ूबसूरत से फ्रेम में जमशेद दावर अपनी सुनहरी ऐनक के पीछे से ऐनी को ग़ौर से देख रहा था। वह फ्रेम के नीचे दीवार से माथा टेककर सिसकने लगी।

जमशेद दावर की मौत के बाद ऐनी ने दुनिया और दुनिया के सारे झंझटों से अपने को दूर कर लिया था। रोज़ सुबह-शाम अगयारी जाना, उसका रोज़ का कार्यक्रम था। ख़ाली वक़्त में वह कोई हल्की-फुल्की नॉवेल लेकर बैठ जाती या फिर बिलावजह निटिंग करने लगती। जमशेद शादी के ढाई साल बाद ही एक वायु दुर्घटना में मृत्यु को गले लगा चुका था, और ऐनी को बाक़ी ज़िंदगी सुरक्षा से जीने के लिए खंडाला में एक होटल और हवाई दुर्घटना का मुआवज़ा दे चुका था। अगर शादी के इन सालों में जमशेद का साथ गिना जाता तो वह केवल डेढ़ साल ही बनता था। वह जब उन मीठे दिनों को याद करती है तो उसके ज़ेहन में ऊटी में बिताए हनीमून के तीस दिन उभरते थे। ऐनी ने जमशेद से उस वक़्त शादी की थी जबकि तीस साल की उम्र में शिराओं के उबाल में ठहराव आ जाता है। ख़्वाहिशें ताज़ा और दुनिया अजनबी नहीं रहती, तब मर्द सिर्फ़ ज़िंदगी का साथी बनकर रह जाता है।

इन दिनों रात में उसे नींद की गोली लिए बिना नींद नहीं आती थी। आज भी उसने गोली खाई, लाइमस्क्वाश को गिलास में डाल उस पर ऊपर तक बर्फ़ भर दी।

जब दिल घबराता वह घूँट भरती, उसे राहत मिलती थी। उसने दिमाग़ को ढीला छोड़ दिया और आँखें बंद की थीं कि उसे अपनी पिंडलियों पर खुरदुरे हाथों का स्पर्श महसूस हुआ। यह स्पर्श उसके लिए अनजबी न था। हाथ धीरे-धीरे उसकी रानों तक पहुँचे थे और अब उसकी रानों को बड़ी नर्मी से सहला रहे थे। वह आँखें बंद किए पड़ी रही। उसने किसी तरह का विरोध प्रकट नहीं किया न उसे डर का अहसास हुआ। उसने महसूस किया कि वह एक विस्तृत तपते रेगिस्तान से दौड़ती हुई आई है और किसी शादाब नख़लिस्तान में जा पहुँची है जहाँ रिमझिम फुहारें पड़ रही हैं।

जब आँधियाँ जिस्म में सो गईं तब ऐनी ने आँख खोलकर अपने ऊपर झुके हुए उस सियाहफ़ाम की तरफ़ देखा। लेकिन उसकी नज़रें जैसे शीशे से गुज़र गईं। वह जिस नख़लिस्तान में भीग रही थी वह ग़ायब हो चुका था। दरवाज़े खिड़कियाँ बंद थीं। फिर वह कहाँ से आया था और कहाँ गया?

तिपाई पर रखा लेमनस्काश का गिलास ज्यों-का-त्यों रखा था, बर्फ़ पिघल चुकी थी। वह बेक़रार-सी खिड़की पर पहुँची। चिटखनी खोल बाहर की तरफ़ देखा, दीवार पर ड्रेनेज पाइप पर भी कोई नहीं था। सड़क वीरान पड़ी थी। उसका दिल मायूसी के शदीद जज़्बों से भर आया।

''मिसिज़ दावर आप इनमें से पहचानें, वह कौन था?''

ऐनी ने बारी-बारी से तमाम चेहरों को देखा। इन पंद्रह दिनों में एक-एक लम्हे को दिल में महफ़ूज़ कोने में छुपाकर उसने कहा, ''मैं इनमें से किसी को नहीं पहचानती।''

यह दिन उसके छुटकारे का दिन था। पुलिस स्टेशन से घर आने के बाद वह दिन भर लक्ष्यहीन-सी खिड़की में खड़ी रही। नीचे आदमियों के बहते रेले में सब-के-सब जमशेद दावर थे, लेकिन उनमें वह सियाहफ़ाम कहीं न था!

रात में उसने नींद की गोली भी न ली। आज वह जागना चाहती थी जैसे किसी का इंतज़ार हो। आज उसने खिड़की बंद नहीं की, वह दोनों पट खुली हुई थी।

कहानी को लोरी समझकर लिखने वाला पत्रकार

ख़ुर्शीद अख़्तर फ़राज़ी 'आज़ाद हिंद' अख़बार कलकत्ता में चीफ रिपोर्टर हैं। आपकी पैदाइश 1959 में गोरखपुर में हुई। ट्रिपिल एम.ए., एल.एल.बी. कलकत्ता यूनिवर्सिटी से किया। उर्दू, फ़ारसी, इस्लामिक हिस्ट्री और कल्चर में एम.ए. फर्स्ट क्लास, टॉप के साथ गोल्ड मेडल प्राप्त किया। पिता 'आबशार' अख़बार के फाउंडर एडिटर थे। इब्राहीम होश साहब का 1988 में इंतक़ाल हुआ तो 'आबशार' देखना पड़ा जिसके कारण डिप्टी कलेक्टरी से रिज़ाइन करना पड़ा। चूँकि साम्यवादी विचार का होने के कारण पेपर बंद हुआ तो इक़रा 1991 में ज्वाइन किया, 2001 में 'कहीं और चल' संग्रह छपा। हरी मोहन घोष कॉलेज में कुछ दिनों हिस्ट्री पढ़ाई।

1975 में कलकत्ता यूनिवर्सिटी फुटबाल कैप्टन रहे। 'इक़रा' में जासूसी सीरियल शुरू किया जो 961 क़िस्तों तक पूरे नौ साल चला। उनका कहना है कि मैं सिर्फ़ लिखता हूँ और उसी में पनाह लेता हूँ। मैं दरअसल रोज़ एक कहानी रात को लिखकर सोता हूँ। अभी 300 कहानियाँ ऐसी हैं जो छपी नहीं हैं। मैं सफ़र में, यात्रा में, यहाँ तक कि किसी के घर मेहमान जाता हूँ तो वहाँ भी अकेले कमरे में लिखता हूँ। लिखना मेरा जुनून है।

स्त्री मनोविज्ञान की गहरी परख रखने वाले ख़ुर्शीद अख़्तर ने अपनी क़ाबिलियत 'दूसरी औरत' को लिखकर साबित कर दी है। यह कहानी जहाँ अपनी तराश में वहीं ख़राश डालने में कामयाब है। पढ़ने वाला इस कहानी में इंसानी मजबूरियों और संवेदनाओं के बीच फ़र्क़ कर ज़िंदगी के अनेक कोण देखने लगता है और यही इस कहानी की ख़ूबी है कि वह कई तरह से अपनी बात कहती है। उनकी हिंदी में पहली बार छपी कहानी आगे है।

दूसरी औरत

ख़ुर्शीद अख़्तर फ़राज़ी

फ़ालिज का असर होने के बाद लाला केदारनाथ बिल्कुल पंगु होकर रह गए थे और बिस्तर से ऐसे लगे कि चंद महीनों के अंदर उनका जिस्मानी हुलिया ही बदलकर रह गया। चेहरे की शाबादी कहीं गुम हो कर रह गई थी। बेहतर-से-बेहतर इलाज कराया गया और पानी की तरह रुपया बहा दिया गया लेकिन सब बेकार!

लाला जी का बायाँ पाँव और बायाँ हाथ बिल्कुल बेकार हो चुका था। रोज़ की ज़रूरत से फ़ारिग़ होने के लिए भी उन्हें सहारे की ज़रूरत पड़ती थी जिसके लिए साफ़-सफ़ाई बेहद ज़रूरी थी। कई नौकर रखे गए। ज़रूरत से ज़्यादा तनख़्वाह देने की बात तय हुई मगर बेसूद।

कोई भी नौकर हफ़्ते-दस दिन से ज़्यादा न टिक सका और फिर सारी ज़िम्मेदारी रुक्मणी पर आ गई। उसका मन तो नहीं मानता था मगर करे तो क्या करे, वह सब-कुछ बर्दाश्त करके, अपना जी मारकर उसे सारा काम अंजाम देना पड़ता था। धर्मपत्नी जो ठहरी!

मगर हर चीज़ की एक हद होती है...कहाँ तक सहती आख़िर बीमार पड़ गई। वैसे तो पैसे की कोई कमी न थी और लाला जी के दोनों लड़कों ने कारोबार सँभाल लिया था। एक कपड़े की दुकान पर बैठने लगा था और दूसरा मिल की देख-रेख में लग गया था। यह सब अपनी जगह पर ठीक-ठाक था। बस रुक्मणी को लाला जी की बीमारी के कारण उनकी देखभाल करनी पड़ती थी। लाला जी के इलाज पर यूँ तो हज़ारों ख़र्च हो रहे थे। आमदनी काफ़ी होने की वजह से कोई भी ख़र्च बोझ नहीं लग रहा था। लाला जी हद दर्जा साबिर व शाकिर इंसान थे। मुँह से बात कर सकते थे लेकिन मुँह से क्या आँखों से भी शिकायत का कोई संकेत न देते। हालाँकि वह रुक्मणी के चेहरे पर अलगाव के भाव को अच्छी तरह महसूस करने लगे थे।

हर दिन रुक्मणी अपने बेटों से तकाज़ा करती कि वह किसी-न-किसी तरह किसी शख़्स का बंदोबस्त करें और जितनी भी रक़म वह माँगे उसे दें और किसी भी ख़िदमतगार को लेकर आएँ। मगर कोई भी ऐसा मुलाज़िम दस्तयाब न हो सका, जो

लाला की सारी ज़िम्मेदारियों को, उनकी गंदगी के साथ सुबह-शाम साफ़ करने का बीड़ा उठाता। धीरे-धीरे रूकमणी की हालत बिगड़ती चली गई।

एक दिन छोटे बेटे ने कहा—

"माँ! मर्द तो कोई मिला नहीं। लेकिन एक औरत है जो सब काम करने को तैयार है। वह कहती है कि लाला जी की ख़िदमत इस तरह करेगी जिस तरह एक नर्स अपने मरीज़ की ख़िदमत करती है।" रुक्मणी किसी सोच में पड़ गई थी...। फिर उसने कुछ देर बाद पूछा।

उम्र क्या होगी उसकी?

"उम्र...! उम्र यही तीस-पैंतीस की होगी। हाँ उसके साथ एक दो साल का बच्चा भी है। रात को वह चली जाएगी। मगर छोड़कर भागेगी नहीं। और न बच्चे को लेकर कोई परेशानी होगी।"

रुक्मणी किसी गहरी सोच में पड़ गई थी, औरत जवान थी और यह सब कैसे करेगी...एक मर्द की हर तरह से ख़िदमत सिर्फ़ एक बीवी ही कर सकती है।

फिर उसने कुछ सोचकर कहा, "अगर वह रात को चली जाती है और लालाजी को उसी वक़्त बाथरूम जाना हुआ तो मुझे उठना पड़ेगा फिर फ़ायदा क्या हुआ?"

"माँ, वह रात को भी रुकने को तैयार है। कह रही थी कि इस तरह से उसे अपने शराबी शौहर से भी नजात मिल जाएगी। तुम उस बात की फ़िक्र मत करो, मैं सब कुछ सँभाल लूँगा, इलाक़े के थाने का अफसर इंचार्ज मेरी जान पहचान का है सिर्फ़ एक एफ.आई.आर. लिखवाने की ज़रूरत है फिर वह यहाँ फटक भी नहीं सकता है।

रुक्मणी ख़ामोश हो गई थी। कहती भी क्या...वैसे उसे अच्छा नहीं लगा था कि कोई ग़ैर औरत उसके शौहर के जिस्म को हाथ लगाए, अपाहिज ही सही लेकिन था तो उसका शौहर ही...बहरहाल उसने राजेंद्र की बात मान ली। फिर उठकर आईने के सामने जाकर बैठ गई। लेकिन उसे अपना अक्स नज़र नहीं आया। वह तो किसी अधेड़ उम्र की औरत का अक्स था। साल भर पहले तो वह ऐसी न थी यह तो शायद कोई दूसरी औरत थी। फिर कुछ सोचकर गर्म पानी से ग़ुस्ल किया और ख़ूब बनाव-सिंगार करके वह साड़ी निकालकर पहन ली जो लाला जी ने उसे शादी की पहली सालगिरह में लाकर दी थी।

घर के तमाम लोगों ने उसे हैरत से देखा था। ड्राइवर और ख़ानसामा ने शायद आँखों-ही-आँखों में कुछ इशारे भी किए थे। यह सब रुक्मणी ने महसूस किया था। और अंदर-ही-अंदर खौलकर रह गई थी। शायद यह सब यही सोच रहे होंगे, बूढ़ी घोड़ी लाल लगाम।

वह सचमुच पैंतीस साल की छरहरी बदन वाली निकली, देखने में अच्छी भली थी। चाहे वह जैसी भी हो लेकिन रुक्मणी ने उसे देखने के बाद अपने स्वरूप का

अवलोकन किया था। और शर्मिन्दा होकर रह गई थी। वह ग़रीबी की चादर में लिपटी एक पूरी औरत नज़र आ रही थी। कम अज़ कम आँखों में चमक ही चमक थी जैसे उसने हालात से समझौता नहीं किया हो बल्कि ज़िंदगी में आगे बढ़ने और तरक़्क़ी करने का जज़्बा हो।

उसका आलोचन-आलोकन लेने के बाद रुक्मणी ने राजेंद्र की तरफ़ देखकर कहा, "तुमने उसे सब कुछ समझा दिया है न...कोई शिकायत का मौक़ा तो नहीं देगी न ?"

राजेंद्र के जवाब देने से पहले वह बोल पड़ी, "बीवीजी, मैं कोई शिकायत का मौक़ा नहीं दूँगी।"

"देखो तुम्हें यहाँ रात को भी रहना पड़ेगा...खाना,कपड़ा, पैसा तुम्हारी उम्मीद से बढ़कर देंगे...बोलो मंज़ूर है ?"

"जी...बीबीजी...आप जो कुछ भी देंगी मैं ख़ुशी से क़ुबूल कर लूँगी। मैंने तो सिर्फ़ अपने इस बच्चे की परवरिश अच्छे ढंग से करने का बीड़ा उठाया है उसके लिए मुझे कितनी ही मेहनत क्यों न करनी पड़े।"

"अगर तुम्हारे शौहर ने परेशान किया तो... ?"

"बीबी जी, उसे सिर्फ़ शराब के लिए पैसा चाहिए...जो पैसे मुझे यहाँ से मिलेंगे मैं उसे दे दूँगी। फिर उसे कोई शिकायत नहीं होगी ?"

"क्यों ?...अपनी कमाई के पैसे उसे क्यों दोगी ?"

"बीबीजी...बेकार आदमी है न...काम-काज कुछ है नहीं...बेकार आदमी और क्या करेगा सिवाय बीवी को मारने पीटने के।"

"इसके बावजूद तुम अपनी कमाई के पैसे उसे दोगी ? यह बात कुछ समझ में नहीं आती है।"

"जो भी हो...आख़िर वह मेरा मर्द है, मेरे बच्चे का बाप है। अगर मैंने उसे पैसे नहीं दिए और उसने किसी और औरत से नाता जोड़ लिया तो क्या होगा ?...मैं यह सहन नहीं कर पाऊँगी।..."

और रुक्मणी सोचती ही रह गई कि यह कैसा रिश्ता है ?

वह औरत-मर्द के बीच उस रिश्ते की गहराई तक पहुँच नहीं सकी...अपने कमरे में आने के बाद भी वह उस औरत के बारे में सोचती रही जिसका नाम राजेंद्र ने लाजो बताया था।

लाजो के आ जाने के बाद रुक्मणी को सही अर्थों में आराम मिला था क्योंकि रफ़्ता-रफ़्ता उसने सारा काम-काज सँभाल लिया और मौक़ा पाकर वह रुक्मणी का पैर भी दबा देती थी और सर में तेल लगाना, दबाना तो उसने रोज़ का मामूल बना लिया था।

और सिर्फ़ दो तीन महीनों के अंदर लालाजी के अंदर भी काफ़ी तब्दीली आई। रोज़ लाजो उन्हें व्हीलचेअर पर बिठाकर आँगन की सैर कराती, गर्म पानी में

तौलिए भिगोकर रोज़ उसके बदन की सफाई करती, वक़्त पर खाना खिलाती, उन्हें कंधों से पकड़कर कसरत कराती; पाँव, पीठ और कमर में बादाम का तेल मलती। लालाजी के चेहरे की रौनक वापस आने लगी थी।

कभी-कभी रुक्मणी गर्म चाय लालाजी के लिए ले जाती तो लाला जी बजाय चाय को देखने के उसके पीछे किसी को तलाश करने की कोशिश करते थे, गोया अब इन्हें रुक्मणी के हाथों की चाय पीना भी गवारा नहीं था।

जब कभी वह उनके लिए ख़ाने-पीने की कोई चीज़ ले जाती तो वह बिल्कुल अजनबी नज़रों से उसे घूरते रहते कि यह क्यों आई, वह क्यों नहीं आई!

फिर रफ़्ता-रफ़्ता रुक्मणी को लाजो से चिढ़ होने लगी। वह अपने बिस्तर पर बैठे-बैठे वह सब कुछ देखा करती थी। लाजो उनकी ख़िदमत इस अंदाज़ में करती जैसे वह अपने शौहर की ख़िदमत कर रही हो।

वह उन्हें ख़ुद से नहलाती, बदन साफ़ करती, बालों और बदन में तेल लगाती, ज़ोर-ज़ोर से मालिश करती रहती, कभी-कभी उन्हें कमीज़ पहनने में मदद देती और ऐसे मौक़े पर लाला जी के दोनों हाथ उसकी कमर के चारों तरफ़ रहते और दोनों के जिस्म एक दूसरे से लिपटे नज़र आते। ऐसे मौकों पर उसने लालाजी को गहरी-गहरी साँसें लेते हुए देखा था। लेकिन लाजो के चेहरे पर कोई ख़ास प्रभाव नज़र नहीं आता, जैसे वह सचमुच में कोई नर्स और लाला जी एक मरीज़।

रुक्मणी घंटों लाजो के चेहरे को ताकती कि कोई ख़ास बात पकड़ में आए लेकिन उसकी आँखों में उसे कोई ख़ास बात नज़र नहीं आती। अलबत्ता लाला जी के चेहरे के उतार चढ़ाव से उसने बहुत कुछ महसूस कर लिया था।

फिर उसने उसे ख़ानसामा से कहकर बुलवाया कि फुर्सत पाकर वह उनके कमरे में आ जाए। जब लाजो उसके कमरे में आई तो उसने उसका भरपूर जायज़ा लिया और ख़ामोशी से उसे देखती रही। उसकी समझ में नहीं आ रहा था कि उसे क्या कहे। अलबत्ता लाजो लगातार उसकी तरफ़ अस्वीकृति भरी नज़रों से देखती रही। मगर मुँह से उसने कुछ नहीं कहा।

कुछ वक़्त यूँ ही ख़ामोशी से गुज़र गया...कमरे का बोझिलपन और बढ़ गया था। आख़िर लाजो ने ही ख़ामोशी तोड़ी और बोली, "क्या मुझे आज ही चले जाना है?"

रुक्मणी ने उसकी तरफ़ हैरत से देखा। समझ नहीं पाई थी कि बिना कहे उसका मंशा कैसे जान लिया। उसके मन के भाव क्या उसकी आँखों से छलक गए थे?

चंद लम्हे यूँ ही ख़ामोशी से गुज़र गए फिर रुक्मणी ने सेफ़ खोलकर दस हज़ार रुपये की गड्डी निकाली। उसे लाजो के हाथ में थमा दिया और कहा—

"तुम्हारे काम आएँगे, तुमने जो हम लोगों पर अहसान किया है, उसका बदला नहीं चुका सकूँगी। लेकिन भगवान के लिए यह मत पूछना कि मैं तुम्हें जाने के लिए क्यों कह रही हूँ।"

लाजो ने नोटों का बंडल कमर के गिर्द एक बटुए में अड़ोस लिया और अपने बच्चे को गोद में उठाकर जाने के लिए मुड़ी। पीछे से रुक्मणी ने कहा, "मुझे ग़लत मत समझना लाजो।...मैं बहुत शर्मिंदा हूँ।"

लाजो ने दरवाज़े से गुज़रते हुए अपनी मालकिन की तरफ़ देखा और हल्के कटाक्ष भरे स्वर से बोली, "मुझे आप पर तरस आ रहा है।"

फिर वह अपने बच्चे को गोद में उठाकर तेज़-तेज़ क़दमों से बाहर निकल गई।

बेगुनाही की सलीब पर लिखी एक इबारत

उत्तरप्रदेश में ज़िला रायबरेली के एक गाँव 'मंडिया जागीर' के एक ख़ुशहाल घराने में डॉ. अफ़शाँ मलिक 10 नवंबर, 1960 में पैदा हुईं। आठवीं पास कर वह गाँव से शहर आईं ताकि तालीम का सिलसिला जारी रख सकें। शादी के बाद यह सिलसिला टूटकर फिर जुड़ गया और 2003 में नदीम अहमद क़ासमी के अदब पर डॉक्टरेट की डिग्री मेरठ कॉलेज से हासिल की। कुछ दिन अध्यापन में गुज़रे मगर शौहर के तबादलों की वजह से कहीं टिककर लंबे अरसे तक रहना मुश्किल था। बचपन किताबों के साथ गुज़रा और वह मुहब्बत वक़्त के साथ कम नहीं हुई।

पहली कहानी बचपन में हिंदी में लिखी थी जो बच्चों की पत्रिका में छपी। चूँकि वह कहानी पड़ोस में हुई लड़ाई का सच्चा बयान था उसको पढ़कर घरवालों ने डाँटा और फिर कोई कहानी नहीं लिखी। अरसे बाद अफ़साने लिखे जो मशहूर साहित्यिक पत्रिकाओं में छपे। दो पुस्तकें *अफ़सानानिगार अहमद नदीम क़ासमी : आसार और अफ़कार* और दूसरी *अहमद नदीम क़ासमी की शायरी* पर है।

आपकी कहानियों के बारे में मुश्ताक़ सदफ़ का कहना है—

"जब कोई कहानी पढ़ते वक़्त महसूस हो कि यह ज़िंदगी है, और जब कहानी का जादू टूट जाए तो महसूस हो कि यह कहानी सचमुच कही कहानी तो नहीं थी, तो समझ लीजिए आपने एक अच्छी कहानी पढ़ी है।"

इनकी कहानी 'आसेबज़दा' (प्रेतबाधा-ग्रस्त) यहाँ दी जा रही है।

आसेबज़दा

अफ़शाँ मलिक

दादी के कमरे से डॉक्टर के साथ अब्बू जी को निकलते देखा तो मैं समझ गई कि आज फिर जमीला फूफी को दौरा पड़ा है। मैं भी तेज़ क़दमों से कमरे में दाख़िल हुई तो देखा कि अम्मी और ताई भी वहीं मौजूद थीं। दादी अम्मी हमेशा की तरह जमीला फूफी के पलंग के पास कुर्सी पर बैठी धीरे-धीरे कुछ पढ़ रही थीं। तस्बीह के दाने एक-एक करके गिरते जा रहे थे। उदास चेहरा आँसुओं से तर था। डॉक्टर ने शायद कोई नींद वाला इंजेक्शन दे दिया था जिससे वह आराम से सो रही थीं।

मैं पिछले कई साल से यह सब देखती आ रही थी। हर पंद्रह-बीस दिन या कभी-कभी महीना भी गुज़र जाता। जमीला फूफी को जब दौरा पड़ता था वह ज़ोर-ज़ोर से चीख़ती-चिल्लातीं, अपना सर दीवारों से टकरातीं, अपने चेहरे पर अपने हाथों से खरोचों के घाव डालतीं और ऐसी बिखर जातीं कि सँभालना मुश्किल होता। उन्होंने एक बार आत्महत्या करने की भी कोशिश की थी। इस तरह की बातें करते हुए मैंने अम्मी और ताई को सुना था, पर मैंने उनसे कभी पूछा नहीं और घर के किसी सदस्य ने कभी कुछ बताया नहीं। हालाँकि मैं जानना चाहती थी कि आख़िर फूफी को ऐसी कौन-सी बीमारी है, जिसकी वजह से उन्हें इस तरह के दौरे पड़ते हैं। फूफी को जब भी दौरा पड़ता तब डॉक्टर आता और कोई नींद वाला इंजेक्शन लगाकर चला जाता। वह दवा के प्रभाव से घंटों सोती रहतीं और जब दवा का असर ख़त्म हो जाता तो ख़ामोश बिस्तर पर पड़ी छत ताका करतीं। दो एक दिन निढाल सी रहतीं फिर धीरे-धीरे सँभल जातीं। घर के लोग भी अपने-अपने कामों में व्यस्त हो जाते लेकिन दादी, अम्मी के चेहरे की उदासी और फूफी की आँखों की वीरानी कभी कम न होती। वह दोनों कभी किसी से कुछ कहती नहीं थीं, लेकिन मैंने कई बार उनको अकेले में आँसू बहाते और दूसरे को सँभालते देखा था। न जाने ऐसा क्या दुख था जो उन दोनों को अंदर-अंदर खाए जाता था।

कई बार सोचा कि कभी जमीला फूफी से ख़ुद ही पूछ लूँ कि आख़िर उन्हें क्या तकलीफ़ है? उन्हें ऐसे दौरे क्यों और कब से पड़ते हैं? मगर मेरी हिम्मत नहीं पड़ती थी। ऊपर से मेरे शौहर का अंदाज़ कुछ ऐसा होता मानो कहा हो कि हर बात जानना

तुम्हारे लिए ज़रूरी नहीं है। मैंने फिर इस सिलसिले से कोई बात नहीं की, लेकिन इसका मतलब यह नहीं था कि मेरी जिज्ञासा ख़त्म हो गई हो। यूँ तो मेरी जमीला फूफी से बहुत बनती थी। वह बड़ी मुहब्बत करने वाली खातून थीं। मेरे पास घंटों-घंटों बैठी रहतीं, ख़ुद बहुत कम बोलती थीं लेकिन उनको बच्चों के शोरग़ुल और धमाचौकड़ी से कभी उलझन नहीं होती थी, बल्कि बच्चों की शरारतें देखकर वह दूर बैठी मुस्कुराती रहतीं। मैंने फूफी को उन चंद पलों के अलावा कभी मुस्कुराते हुए नहीं देखा।

अपने नाम के अनुसार फूफी बहुत सुंदर थीं। उम्र के इस पड़ाव पर भी जब कि वह लगभग पचास पार कर चुकी थीं, उनके चेहरे पर एक अनोखी कशिश थी। साफ़ चमकता गोरा रंग, ख़ूबसूरत झील सी आँखें, जिनमें हर वक़्त उदासी घेरा डाले रहती, लंबे-लंबे बाल जिनमें अब जगह-जगह चाँदी के तार चमकने लगे थे, मँझोला क़द और कटावदार बदन। लेकिन इस सारी सुंदरता को निराशा ने अपनी लपेट में ले रख था। उदास और उतरा चेहरा, ख़ामोश होंठों पर अनकही शिकायतें, एक चलती-फिरती मूर्ति थी जो घर की चहारदीवारी में क़ैद अपनी आज़ादी की प्रतीक्षा में थी। पता नहीं आत्मा शरीर से मुक्ति चाहती थी या शरीर इस क़ैद से निकलना चाहता था। यह कारावास ही तो था। एक दीवानी कैफ़ियत से चीख़ती-चिल्लाती औरत को सिर्फ़ नींद के एक इंजेक्शन से कुछ दिनों के लिए शांत कर दिया जाता। सब कुछ वक़्ती! न रूह का इलाज न जिस्म का।

फूफी कहीं आती-जाती भी नहीं थीं। वह और दादी एक ही कमरे में रहती थीं, एक बड़ी-सी मसहरी पर वह दादी से इस तरह लिपटकर सोतीं जैसे कोई भयभीत बालक माँ की ओट में ख़ुद को छुपाने की कोशिश कर रहा हो। दादी-अम्मी की दुनिया भी सिर्फ़ जाएनमाज़, तस्बीह और जमीला फूफी तक ही सीमित थी। घर के किसी काम धाम से उन्हें कोई मतलब न था। उनका ज़्यादातर समय इबादत में ही गुज़रता था। लंबे सिजदे और ख़ुदा के हुज़ूर में दुआ के लिए उठे हाथ उनके दिल की बेचैनी की गवाही देते थे।

मैं जमीला फूफी से क़रीब होकर उनकी इस स्थिति के पीछे का सच जानना चाहती थी। जब भी उन्हें दौरा पड़ता मेरा दिल दर्द से भर आता, लेकिन मेरे बस में कुछ न था। किसी से पूछने की हिम्मत न थी, ख़ुद से कोई बताने को तैयार न था लेकिन उनका टूटा अस्तित्व और मुरझाया चेहरा वह खुली किताब था, जिसके हर पन्ने पर आँसुओं ने दर्द की कहानी लिख दी थी।

कभी-कभी फूफी मेरे कमरे में आ जातीं। वह बातें बहुत कम करती थीं, लेकिन उन्हें किताब पढ़ने का शौक़ था। मेरे कमरे में अक्सर वह किताबें लेने आती थीं। कुछ देर बैठतीं, दो-चार बातें करतीं और चली जातीं। वह अफ़साने और नॉवेल बड़े शौक़ से पढ़ती थीं। एक दिन कहने लगीं—

"नग़मा मैं जब छोटी थी तो अब्बा जी मेरे लिए भी कहानियों की किताबें लाया करते थे, मुझे कहानियाँ पढ़ने का बड़ा शौक़ था, मगर अम्मा पसंद नहीं करती थीं। वह कहती थीं कि कहानियाँ-वहानियाँ मत पढ़ा करो। कुछ दीनी किताबें भी पढ़ लिया करो। इसी दुनिया में नहीं रहना है। ख़ुदा को भी मुँह दिखाना है। ख़ाली वक़्त में कुछ घर गृहस्थी का काम सीखो। पराए घर जाना है, फूहड़ लड़की की ससुराल में उस पर ताने पड़ते हैं कि लड़की को कुछ सिखाया नहीं। अम्मा ने मुझे खाना पकाने से लेकर सिलाई, कढ़ाई तक हर काम सिखाया फिर शादी हुई और...फिर...फिर

"फिर क्या फूफी... ?" मुझे लगा शायद आज हक़ीक़त से कोई पर्दा सरक जाएगा... मगर वह एकदम से उठकर चली गईं। दस पंद्रह मिनट की गुज़रे होंगे कि दादी की आवाज़ आई।

"जमीला को दौरा पड़ गया है।"

मैं डर गई क्योंकि फूफी अभी मेरे ही कमरे से गई थीं। मैं जब दादी के कमरे में पहुँची तो दादी उन्हें पकड़े बैठी थीं। अम्मी और ताई भी आ गईं। उन्होंने फ़ोन करके डॉक्टर को बुलाया और सदा की भाँति उन्हें इंजेक्शन दिया गया। कुछ देर में वह शांत हो गईं। घर के अन्य सदस्य भी अपने कामों में व्यस्त हो गए।

कुछ ही दिन गुज़रे थे कि एक दिन फूफी मेरे पास आई और कहने लगीं—

"नग़मा तुमसे एक काम है।"

मैं दिल-ही-दिल में ख़ुश हो रही थी कि वह मुझ पर भरोस कर रही थीं। मैं इंतज़ार में थी कि फूफी कुछ कहें और अपने अंदर के तूफ़ान को बाहर आने दें किसी भी तरह।

"अच्छा बताइए क्या कहना है आपको?"

वह किसी गहरी सोच में थीं।

कहने लगीं, "नग़मा यह दर्द अब बर्दाश्त नहीं हो रहा है...दिल की रगें बस टूटा ही चाहती हैं। किसी भी दिन, रूह का पंछी उड़ जाएगा और मिट्टी, मिट्टी में मिल जाएगी और हमारे साथ सब कुछ दफन हो जाएगा। कोई कुछ नहीं जान पाएगा लेकिन हम इस दर्द को बाँटना चाहते हैं। अब वह दूर कहीं देखती हुई बोल रही थीं, लेकिन मैं बहुत ध्यान से उनकी कैफ़ियत पर नज़र रखे हुए थी। मैंने कहा, "ठीक है फूफी! मैं कोशिश करूँगी कि मैं आपकी बात समझ सकूँ। आज रात को हम स्टडी रूम में बैठकर बातें करें तो कैसा रहे?"

"हाँ ठीक है। अब मैं चलती हूँ।" जमीला फूफी के जाने के बाद मैंने रोज़ के काम निबटाए और राशिद से कह दिया कि मुझे आज कुछ पढ़ना है, इसलिए आप बच्चों के पास लेट जाएँ।"

शुरू मार्च की हल्की ठंडी रात में जब आसमान पर सितारे कुछ मद्धिम पड़ गए थे। बादलों से अठखेलियाँ करके चाँद जैसे थक सा गया था। अँधेरे ने फ़िज़ा में एक

जादू भरी ख़ामोशी बिखेर दी थी। स्टडीरूम के दरवाज़े पर आहट हुई...और जमीला फूफी का वजूद मुझे हैरान कर गया...उफ!!! यह सोगवार हुस्न...!!! काली शाल लपेटे जैसे कोई मूर्ति चलकर मेरे कमरे मैं आ गई हो...।

दीवान पर उन्हें बिठाकर मैंने एक हल्का-सा कंबल उनके पैरों पर डाल दिया और गावतकिया उनके कमर से लगाकर मैं भी उनके साथ बैठ गई।

"फूफी आप आराम से तो हैं?" मैंने उनको तनावमुक्त करने के लिए माहौल हल्का-फुल्का करने की कोशिश की।

"हाँ-हाँ तुम बैठो नग़मा? मैं आराम से हूँ।" मैं सोच ही रही थी कि बात कैसे शुरू की जाए कि उन्होंने ख़ुद ही बोलना शुरू कर दिया—

"कहाँ से शुरू करूँ...मैं तो याद भी नहीं करना चाहती। अज़ाब के वह लम्हे जो मुझ पर क़यामत बनकर टूटे थे...कि उससे पहले मेरी ज़िंदगी में ख़ुशियाँ ही ख़ुशियाँ थीं...घर में सबसे छोटी, सबकी आँख का तारा, मेरा बी.ए. का रिज़ल्ट भी नहीं आया था कि बड़े अमीर घराने से मेरे लिए रिश्ता आया, लड़का यूरोप में तालीम हासिल कर रहा था। हमारे मुकाबले में घराना बहुत अमीर था, इलाक़े में उनका बड़ा नाम था। वह लड़का ख़ूबसूरत और आला तालीम, ज़मींदार घराना, ठीक-ठाक लोग थे। मना करने की कोई वजह नज़र नहीं आई और यूँ यह रिश्ता पक्का हो गया। अब्बा और भाईजान ने हर तरह की पूछगूछ की और संतुष्ट हो गए। मैं भी बहुत ख़ुश थी।

घर में सब लोग मेरे होने वाले शौहर के बारे में बात करते तो मेरे ख़्यालों में एक शहज़ादे की तस्वीर उभरती और मैं आने वाले ख़ुशी भरे पलों में खो जाती। मैं तो दिन में भी सपने देखने लगी थी। आईने में ख़ुद को घंटों निहारती रहती। आप ही आप मुस्कुराती। ख़ुद से शरमाती और नए-नए ख़्वाब बुनती। मामियाँ मुझे छेड़तीं, हँसी मज़ाक़ करतीं, मेरी सहेलियाँ मेरी क़िस्मत पर जल उठतीं।

फिर एक दिन मेरी होने वाली ससुराल से मँगनी की रस्म करने के लिए कुछ औरतें और बच्चे वग़ैरह आए। लड़के की माँ मेरी ख़ूबसूरती पर बार-बार फ़िदा होती रहीं। उन्होंने मँगनी की रस्म की तौर पर मेरी उँगली में अँगूठी पहना दी। लड़के को वापस इंग्लैंड जाना था, इसलिए एक महीना बाद की तारीख़ तय कर दी गई।

मैंने लड़के को नहीं देखा था हालाँकि मेरी बड़ी ख़्वाहिश थी कि मैं कम-से-कम इसकी कोई तस्वीर तो देख ही लेती। उस वक़्त ऐसा कोई रिवाज भी नहीं था कि लड़का-लड़की एक-दूसरे को देख लें। हाँ, मुझे इस बात की हैरत थी कि इंग्लैंड जैसे तरक़्क़ीयाफ्ता मुल्क में तालीम हासिल करने के बाद भी वह लड़की को देखे बिना रिश्ता करने पर राज़ी हो गया था। लेकिन हमारे घर में लड़के की इस बात को ख़ानदानी शराफ़त समझी गई।

ससुराल की दहलीज़ पर क़दम रखा तो बड़े अनोखे और मुहब्बत भरे अंदाज़ में स्वागत किया गया। हँसी मज़ाक़ और छेड़छाड़ के बीच कोई जुमला मेरी

ख़ूबसूरती के हवाले से जब कानों से टकराता तो मैं अपने आप में सिमट जाती। छोटी-छोटी बच्चियाँ बार-बार मेरा घूँघट उलट रही थीं, मेरे ज़ेवर छूकर देख रही थीं। मेरे शौहर की बहनें और भाभियाँ शरारती जुमले उछाल रही थीं। हँसी-मज़ाक़ और क़हक़हों से घर गुलज़ार बना हुआ था। मैंने अब तक अपने शौहर को नहीं देखा था और मेरी बेचैनी बढ़ रही थी। कुछ देर बाद मुझे दुल्हन वाले कमरे में पहुँचा दिया गया।

फूलों से सजी ख़्वाबगाह, ख़ूबसूरत रेशमी पर्दे, मोटी क़ालीनें कमरे में फैली हुई। ताज़ा गुलाबों की महक ने वातावरण को महकाकर रूमानी बना दिया था। मुझे अपनी क़िस्मत पर रश्क आ रहा था। आँखों में सजे सपने सच होने के लिए बेताब थे। हर आहट पर दिल धड़क उठता। नींद आँखों से कोसों दूर थीं। जागती आँखें उस अनदेखे शहज़ादे की प्रतीक्षा में थीं जिसके नाम पर मेरी पूरी ज़िंदगी लिख दी गई थी। बाहर मर्दाने में शायद क़व्वाली की महफ़िल का आयोजन किया गया था। लड़कियाँ ढोल पर बन्ना-बन्नी के गीत गा रही थीं। एक हंगामा सा था...

आधी रात से ज़्यादा गुज़र चुकी थी। दरवाज़े पर आहट हुई, कोई आहिस्ता से अंदर आया। फूलों से सजी सेज पर मेरे बहुत क़रीब...इतना क़रीब कि उसकी साँसें मुझे सुनाई दे रही थीं। उसने आहिस्ता से मेरा घूँघट उलट दिया। मेरी आँखें बंद थीं, पर मैं अपने चेहरे पर उसकी निगाहें महसूस कर रही थी। मैंने धीरे से आँखें खोलकर कल्पना को वास्ताविकता में बदलते देखा। वह मेरे हुस्न की तारीफ़ में ज़मीन आसमान के क़ुलाबे मिला रहा था। उसके वजूद की मदहोश करने वाली सुगंध और उसकी नज़दीकी ने मुझ पर एक नशा-सा तारी कर दिया था...वह सरगोशियों में बातें करते हुए मेरे चेहरे पर अपनी वफ़ाओं की अनगिनत मुहरें लगाता रहा...उसने मुझे अपनी ज़िंदगी का हासिल बताया...यह रात उन हसीन पलों की ख़ामोश गवाह बनकर कब गुज़र गई पता ही न चला...अभी सुबह की रौशनी नमूदार भी नहीं हुई थी कि उसने कमरे से बाहर जाने की इजाज़त चाही और मेरे पहलू से उठकर आहिस्ता क़दमों से बाहर चला गया। मैंने उठकर दरवाज़ा बंद किया ही था कि दरवाज़े पर फिर दस्तक हुई। मैंने झिझकते हुए दरवाज़ा खोला तो कोई बड़े अधिकार से अंदर दाख़िल हुआ। मैंने घबराकर अपना चेहरा दूसरी तरफ़ कर लिया। शराब की बदबू मेरे नथनों से टकराई...मैं भयभीत हो पीछे हट गई...मैं समझ पाती कि वह कौन है और इस कमरे में वह इस तरह क्यों घुस आया है, वह बोला उठा।

"सॉरी! दोस्तों ने रात कुछ ज़्यादा ही पिला दी मुझे, होश ही न रहा। आपने सारी रात मेरा इंतज़ार किया होगा।"

जमीला फूफी ने एक लंबी चीख़ मारी और मेरे आसपास जैसे बम फट गया। मेरे वजूद के परख़चे उड़ गए। मेरा दिल धड़कना भूल गया। कानों में साँय-साँय हो

रही थी। मेरी आँखें खुली थीं पर मुझे कुछ दिखाई नहीं दे रहा था। मेरे मुँह से एक भयानक चीख़ निकली फिर मुझे कुछ याद नहीं क्या हुआ, और कौन आया, किसने किसको उठाया।

अगली सुबह जब मुझे होश आया तो काफ़ी देर तक मैं समझ ही न सकी कि मुझे क्या हुआ था। घर में अजीब तरह की ख़ामोशी थी। लूबान की सोगवार महक वातावरण में फैली हुई थी। मैं कुछ समझ पाती कि दादी के कमरे से बहुत ज़ोर से रोने की आवाज़ आई।

"हाय जमीला!...मेरी बच्ची!...मेरे जिगर का टुकड़ा।" मैं चीख़ मारकर दादी के कमरे की तरफ़ भागी और रोते हुए जमीला फूफी के मुर्दा शरीर से लिपट गई।

अम्मी और ताई ने बड़ी मुश्किल से मुझे वहाँ से हटाया। मैं अब बिल्कुल होश में थी। सब कुछ समझ रही थी। सब कुछ देख रही थी। शव के पास बैठी औरतें फुसफुसा रही थीं—

"ठीक ही कहते थे इसके ससुराल वाले। भूत-प्रेत का साया ही था इस पर! सुहागरात की सुबह बेहोश मिली थी यह अपने कमरे में...अब कौन ऐसी आसेबज़दा (प्रेतग्रस्त) लड़की को झेलता ज़िंदगी भर...वह भी क्या करते इसलिए कभी दोबारा कोई बुलाने नहीं आया। आख़िर आज अंत हो ही गया बेचारी का...दुल्हन बनी हसीन भी तो कितनी लग रही थी। कहते हैं ऐसी ही ख़ूबसूरत लड़कियाँ तो आसेब के साए में आ जाती हैं।"

अपनी शायरी की दौलत से बेनियाज़ शायर
रंगों को शब्द देनेवाला

परिशिष्ट

सय्यद हामिद अली 'सरकोब'
नास्सेर ओवेस्सी

अपनी शायरी की दौलत से बेनियाज़ शायर

सय्यद हामिद अली 'सरकोब'

कवि व लेखक सय्यद वाजिद अली के बड़े साहबज़ादे हामिद अली थे। वह शायरी के साथ गद्य में भी महारत रखते थे। उन्होंने अपना तख़ल्लुस 'सरकोब' रखा था। वह 'सरकोब इलाहाबादी' के नाम से मशहूर थे। अपने समय के बेहतरीन कवियों में उनका शुमार होता था।

उनकी चची जो अरबी-फ़ारसी साहित्य की ज्ञानी थीं जिन्हें शाहनामा, गुलिस्ताँ, बोस्ताँ के शेर व हिकायतें मुँहज़बानी याद थीं, जिसे वह बच्चों को सुनातीं और उसे याद करने पर इनाम भी देतीं। इस तरह से अपने चचाज़ाद भाई के साथ उन्हें बचपन से साहित्य के प्रति लगाव हो गया था और अदब की बेहतरीन पुस्तकों के बारे में गहरी मालूमात हो गई थी। उनकी रुचि संगीत से गहरी थी।

गाँव मुस्तफ़ाबाद से जब शहर आए तो अपने ननिहाल में रहे जहाँ शेरो-शायरी के साथ तीन-तीन कलक्टर और डिप्टीकलक्टर थे। उस माहौल में उनकी रुचि अंग्रेज़ी भाषा की तरफ़ बढ़ी। एक लंबे अरसे तक वह इंडियन प्रेस में 'कॉपी टेस्टर' के रूप में रहे। उनकी किताबें *मानी व बयान, उरुजो क़ाफ़िया* और *मजमूए-अल-क़वायद* थीं। 1924 में *मजमूए-अल-क़वायद* कोर्स में शामिल की गई। बच्चों के लिए भी उन्होंने नज़्में लिखीं और *जापान की सैर* जैसी पुस्तकें भी। उनकी रचनाएँ बाल पत्रिकाओं 'चाँद' और 'फूल' में छपती रहीं थीं। उनके बहुत से शेर चोरी चले गए जो बचे हैं उनमें 58 ग़ज़लें, 104 शेर, 47 नज़्में, 14 क़तअः व मुसद्दस, 10 क़सीदे और एक नात है।

यह सारा सरमाया उनके हाथों से लिखे एक लंबे रजिस्टर में सँजोया हुआ है जिसकी सियाही इतने वर्षों बाद भी बहुत रौशन है। अफ़सोस है कि अभी तक पुस्तक के रूप में नहीं छप पाई है। (यह सामग्री उनकी पोती के पास सुरक्षित है। जिनके पति श्री रिज़वान, अलीगढ़ विश्वविद्यालय के अंग्रेज़ी विभाग से अभी रिटायर हुए हैं)

सय्यद हामिद की तीन औलादें थीं जिनमें उनके बड़े साहबज़ादे सय्यद ज़ाहिद

अली अच्छे शायर थे और 'ज़ाहिद' तख़ल्लुस रखते थे। अफ़सोसा उनका हस्तलिखित दीवान और कुछ ज़रूरी मसवदे समय के कालचक्र में गुम हो गए।

हामिद अली 'हामिद' की 'गुड़िया', 'मेरी सायकल', 'मुहब्बत वतन की' जो बच्चों के लिए लिखी छोटी-छोटी नज़्में हैं। इनके चंद शेर बतौर नमूना पेश हैं—

कैसी अच्छी यह गुड़िया है—गोया आफ़त की है पुड़िया
नाक में उसने नथने डाले—हार गले में कान में बाले
मुन्नी का गुड्डा छोटा है—भद्दा भद्दा मोटा मोटा
मैं न करूँगी उससे शादी—कल यह मैंने बात सुना दी।

घोड़ा जो उसके दौड़े तो हार जाए—रफ़्तार में हवा है छोटी सी मेरी सायकल
जाता हूँ दो मिनट में स्कूल अपने घर से—मोटर से भी सवा है छोटी सी मेरी सायकल

दिलो में है जिनके मुहब्बत वतन की—वह समझें राहत मुसीबत वतन की
न बदनाम हो हिंद गर हम समझ लें—कि अपनी ही इज़्ज़त है इज़्ज़त वतन की

उनकी ग़ज़लों के कुछ अशआर—

नमक फ़िशाँ न अगर वह बलाए जाँ होता
तो ज़ख़्मे इश्क़ में इतना मज़ा कहाँ होता

दाम सिया तो क्या जो गरेबाँ सिया तो क्या
अहबाब दिल का चाक जो है वह रफ़ू करें

हामिद नमाज़े इश्क़ अदा हो गई लहद में
मक़तल में आबे तेग़ से पहले वज़ू करें

रंगों को शब्द देनेवाला

नास्सेर ओवेस्सी

ईरान की राजधानी तेहरान में 1934 में पैदा हुए। पोलिटिकल साईंस की पढ़ाई के बाद इटली चले गए। जहाँ से बीआक्स फाइन आर्ट किया।

स्पेन, इटली, ईरान में कल्चरल अटैची के पद पर रहे। इनका शौक़ बचपन से चित्रकारी की ओर रहा। इन्हें 1957 से 2007 तक विभिन्न राष्ट्रीय एवं अंतरराष्ट्रीय पुरस्कारों और सम्मानों से नवाजा गया।

इनके चित्रों की प्रदर्शनी तेहरान, फ्रांस, भारत, ब्राजील, इटली, मिलान, न्यूयॉर्क, ज़्यूरिक इत्यादि देशों में हुई। फिलहाल अब वर्जीनिया में रहते हैं।

उनकी इस पेंटिंग में औरत है जिसके हाथों में खुली पुस्तक है और उसके चारों तरफ़ ईरानी साज-सज्जा है उसी के साथ ईरानी कवि उमर ख़य्याम का एक शेर लिखा है जो उनका दर्शन लिये हुए है कि हम सबको मरना है और इस मिट्टी में मिल जाना है। ऐसा प्रतीत होता है जैसे चित्रकार ने बैक ग्राउंड का रंग मिट्टी के विभिन्न शेडो द्वारा दिखाया।

एई दूस्त बिया ब नाम-ए-ख़ुद बेख़ुरीम
इन यक दम मरा ग़नीमन बेशुमरीम

(मित्र! आओ अपने नाम का जाम पिएँ और इस पल की अहमियत को समझें। इस शेर का अर्थ आगे के शेरों में खुलकर सामने आता है।)

इस चित्र को अपनी पुस्तक श्रृंखला के लिए इसलिए चुना कि यह दर्शन हमारे क़रीब है। लेखक मौत की नींद सो जाते हैं मगर उनकी रचनाएँ नए लेखकों के हाथों पहुँच ज़िंदा हो जाती हैं उसी तरह जैसे मिट्टी में मिला इंसानी वजूद अनेक रूपों में दोबारा ढल जाता है।

❂❂❂